비상 독해路

수능 국어
1등급

예비 고등~고등3

수능 개념을 바탕
으로 실전 감각을
길러요

독서, 고난도 독서

기출 개념을 익히고
학습하는 수능 예상
문제집

독서 기본, 독서

기출로 실전 감각을
키우는 기출문제집

예비 중등~중등3

영역별 독해 전략을
바탕으로 독해력을
강화해요

비문학 1~3권

독해력을 단계
별로 단련하는
중등 독해

어휘편 1~3권

중등 전 과목
교과서 필수 어휘
학습

문학편 1~3권

감상 스킬을
단련하는 필수
작품 독해

초등3~예비 중등

본격적으로
학습 독해 실력을
쌓아요

**비문학 시작편
1~2권**

초등에서 처음 만
나는 수능 독해의
기본

비문학 1~2권

초등 독해의 넥스
트레벨 고급 독해

문학 1~3권

시험에 꼭 나오
는 작품 독해

중등수능독해 「문학편」 기획에 도움을 주신 선생님

김두환 국풍2000 국어학원	김민영 압구정 정보학원	김선희 김선희 국어	황지혜 갈무리 국어학원
김석우 하제입시학원	김여송 라미학원	김영숙 정명학원	김소희 한올국어학원
김은영 혜윰국어논술학원	김재현 갈무리 국어학원	김현 내일의창 국어학원	김윤범 효현스마트국어논술학원
박미진 열정과 의지	박시현 정진학원	백지은 정음국어학원	문선희 쌤이콕학원
서주홍 서주홍 국어 학원	성부경 이룸국어영어전문학원	신승지 뿌리깊은학원	변다영 SNU학원
임대규 세일학원	최재하 해오름 국어학원	최지은 류연우논리수학 LS논리속	이진협 마루학원
한동희 한동희 국어학원	홍경란 홍쌤 에프엠 국어학원	독국어학원	

※ 선생님들의 재직처는 발간 시점을 기준으로 하였습니다. 변동 사항은 선생님의 요청이 있을 경우 재쇄 시 반영하겠습니다.

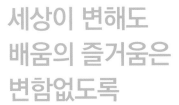

세상이 변해도
배움의 즐거움은
변함없도록

시대는 빠르게 변해도
배움의 즐거움은
변함없어야 하기에

어제의 비상은
남다른 교재부터
결이 다른 콘텐츠
전에 없던 교육 플랫폼까지

변함없는 혁신으로
교육 문화 환경의 새로운 전형을
실현해왔습니다.

비상은 오늘, 다시 한번
새로운 교육 문화 환경을 실현하기 위한
또 하나의 혁신을 시작합니다.

오늘의 내가 어제의 나를 초월하고
오늘의 교육이 어제의 교육을 초월하여
배움의 즐거움을 지속하는 혁신,

바로, 메타인지학습을.

상상을 실현하는 교육 문화 기업 비상

메타인지학습
초월을 뜻하는 meta와 생각을 뜻하는 인지가 결합된 메타인지는
자신이 알고 모르는 것을 스스로 구분하고 학습계획을 세우도록 하는
궁극의 학습 능력입니다. 비상의 메타인지학습은 메타인지를 키워주어
공부를 100% 내 것으로 만들도록 합니다.

중등

수능
독해

3

심화

문학편

중등 수능독해 문학편
단계별 전략

중등 수능독해 문학편은 작품의 수준과 지문의 구성 방식, 문제의 난이도 등을 학생들의 수준에 맞게 단계별로 제시하였습니다.

수능 독해를 처음 접하는 학생은 1권을, 수능 독해 실력을 한 단계 올리고 싶은 학생은 2권을, 수능 독해 실력을 완성하고 싶은 학생은 3권을 선택하여 학습합니다.

작품 수준의 단계별 구성

1권 기본 예비 중1 ~ 중1

① 수록 교과서 수준

| 중등 국어 교과서 | 고등 국어 교과서 | 고등 문학 교과서 |

⬆
중3 학업성취도 평가
기출 작품 35% 반영

② 고전 문학 작품 수

| 현대: 20작품 | 고전: 6작품 23% |

기본 수준에 맞는
교과서 및 기출 작품 반영

지문 구성의 단계별 제시

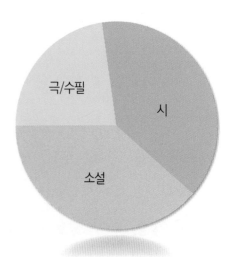

극/수필
시
소설

수능 문학에서 출제되는 4개 갈래를
기본 수준에 맞는 단일 지문 100%로 구성

2권 발전 — 중1 ~ 중2

① 수록 교과서 수준

중등 국어 교과서	고등 국어 교과서	고등 문학 교과서

전국연합 학력평가
기출 작품 85% 반영

② 고전 문학 작품 수

현대: 17작품	고전: 9작품 34%

발전 수준에 맞는
교과서 및 기출 작품 반영

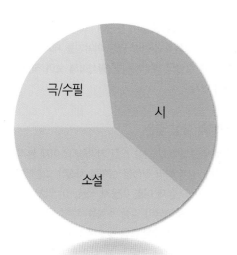

수능 문학에서 출제되는 4개 갈래를
발전 수준에 맞는 단일 지문 100%로 구성

3권 심화 — 중3 ~ 예비 고1

① 수록 교과서 수준

중등 국어 교과서	고등 국어 교과서	고등 문학 교과서

전국연합 학력평가 기출 작품 93%,
수능 및 평가원 모의평가 기출 작품 68% 반영

② 고전 문학 작품 수

현대: 19작품	고전: 12작품 39%

심화 수준에 맞는
교과서 및 기출 작품 반영

✔ 복합 갈래

운문 문학 (시)

산문 문학 (소설, 극, 수필)

수능 문학에서 출제되는 4개 갈래의 단일 지문과
복합 갈래를 심화 수준에 맞게 구성

이 책의 구성과 사용법

1 감상 스킬 이해

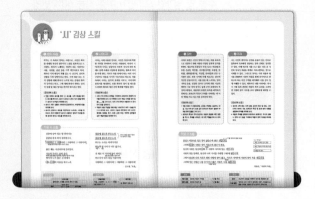

감상 스킬을 아는 것이 수능 독해의 시작!

우리가 낯선 작품을 처음 감상할 때는 어떻게 이해해야 할지 막막할 때가 있어. 특히 모르는 작품이 출제될 가능성이 있는 수능에서는 짧은 시간에 해당 작품을 빠르게 이해해야 하거든. 이럴 때 필요한 것이 바로 갈래별 감상 스킬! 이 스킬에 따라 중요한 포인트들을 중심으로 작품을 살펴본다면 처음 보는 작품이라도 당황하지 않을 수 있어. 작품 감상과 문제 해결에 반드시 필요한 감상 스킬을 미리 익히고, 이를 적용해서 독해 학습을 해 보자.

2 단계별 문제로 키우는 실전력

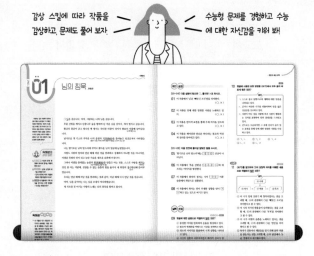

작품 열기

어떤 글을 읽고 이해하는 데 바탕이 되는 경험과 지식을 '배경지식'이라고 하는데, 이 배경지식을 활성화하면 작품을 감상할 때 매우 도움이 된단다. '작품 열기'는 작품을 감상하기 전, 작품과 관련이 있는 이야기를 제시하는 코너야. 이를 통해 자신의 배경지식을 활성화해 보며 작품 감상을 준비해 보자.

독해쌤의 감상 질문

앞에서 익힌 갈래별 감상 스킬 기억하지? 이제 본격적으로 이 감상 스킬에 따라 작품을 살펴볼 차례야. 그런데 감상 스킬을 익혔어도 실제 이를 어떻게 적용해야 할지 막막할 수 있어. 그래서 독해쌤이 감상 스킬을 적용한 질문을 준비해 놓았어. 이 질문에 대한 답을 찾으며 작품을 감상한다면, 자연스럽게 감상 스킬을 적용해 볼 수 있을 거야.

3 똑똑한 감상 마무리

감상 스킬에 따라 작품의 내용을 정리해 보니 작품 전체가 한눈에 보이는구나!

어휘력이 부족하면 글을 제대로 이해할 수 없어. 다양한 어휘 학습을 통해 어휘력을 쌓아 봐!

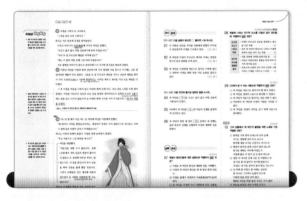

독해쌤의 속닥속닥

작품을 감상하는 중간중간에는 '독해쌤의 속닥속닥'이 제시되어 있어. 작품에서 중요한 내용을 선생님이 직접 설명해 주시는 것처럼 친절하게 알려 주고 있으니까 작품의 깊이 있는 감상에 도움이 될 거야.

수능의 사고력에 맞춰 단계별로 출제한 문제

1단계 확인 문제

OX형, 빈칸 넣기형 문제로 간단히 구성된 확인 문제를 통해 작품에 대한 이해도를 확인해 보자.

2단계 실력 문제

실력 문제에서는 각 문제가 어떤 감상 스킬을 반영하고 있는지 표시해 두었어. 작품 감상은 물론 문제 풀이까지 이어지는 감상 스킬을 확인해 보렴. 또한 실제 학교 시험에서 자주 출제되는 내신형 문제를 풀어 보면서, 실전 감각을 익혀 보자.

3단계 수능형 문제

실력 문제 안에는 실전 수능에 가까운 수능형 문제도 준비해 두었어. 다소 어렵더라도 수능형 문제를 정복하면서 수능에 대한 자신감을 키워 보자.

독해 체크

[작품 전체] 작품 전체의 구성과 내용을 한 번에 확인하고 정리할 수 있어.

[작품 압축] 작품 감상 시작 부분에 제시되어 있는 '독해쌤의 감상 질문'에 대한 답을 한눈에 파악할 수 있도록 정리해 두었어.

어휘 체크

지문에 나온 어휘와 문제 선택지에 제시된 어휘를 활용해 다양한 어휘 학습 장치를 마련해 두었어. 독해에 기본이 되는 어휘력 향상도 놓치지 말자고!

독해쌤과 함께하는 감상 넓히기

지금까지 감상한 작품과 주제나 표현 등에서 관련이 있는 다른 작품들을 제시해 두었어. 해당 작품을 추가로 읽어 보고, 작품들의 공통점이나 차이점 등을 비교하며 감상해 본다면 작품에 대한 이해가 더욱 넓어질 거야.

차례와 학습 계획

◎ 1일 1일차씩, 20일 학습을 계획하여 꾸준히 학습해 봅시다.

◎ 학습을 마친 후, 자기의 이해도에 따라 학습 점검 칸을 😣 😛 🙂 😄 색칠해 봅시다.

일차		작품명	쪽수	날짜	학습 점검
10day	실전 06	이생규장전_김시습	100	/	😣 : 😛 : 🙂 : 😄
11day	실전 07	구운몽_김만중	110	/	😣 : 😛 : 🙂 : 😄
12day	실전 08	임경업전_작자 미상	120	/	😣 : 😛 : 🙂 : 😄
13day	실전 09	성난 기계_차범석	130	/	😣 : 😛 : 🙂 : 😄
14day	실전 10	오발탄_이범선 원작, 나소운·이종기 각색	138	/	😣 : 😛 : 🙂 : 😄
15day	실전 11	규중칠우쟁론기_작자 미상	146	/	😣 : 😛 : 🙂 : 😄
16day	실전 01	오우가_윤선도 꽃 출석부 1_박완서	154	/	😣 : 😛 : 🙂 : 😄
17day	실전 02	누항사_박인로 가난한 날의 행복_김소운	161	/	😣 : 😛 : 🙂 : 😄
18day	실전 03	안민가_충담사 평생에 일이 업서~_낭원군 이론	168	/	😣 : 😛 : 🙂 : 😄
19day	실전 04	어이 못 오던가~_작자 미상 규원가_허난설헌 찰밥_윤오영	174	/	😣 : 😛 : 🙂 : 😄
20day	실전 05	쉽게 씌어진 시_윤동주 산길에서_이성부 관동별곡_정철	182	/	😣 : 😛 : 🙂 : 😄

3
갈래 복합

'시' 감상 스킬

① 화자·대상

화자는 시 속에서 말하는 사람으로, 시인은 화자를 내세워 자신의 생각이나 느낌을 효과적으로 드러낸다. 화자가 노래하는 대상이 되는 사람이나 사물, 자연물, 관념 등을 시적 대상이라고 하며, 화자나 시적 대상이 처해 있는 시·공간적, 심리적 상황을 시적 상황이라고 한다. 시적 대상 또는 시적 상황에 대해 화자가 느끼게 되는 감정을 화자의 정서라고 하고, 그에 대해 화자가 취하는 심리적 자세 및 대응 방식을 화자의 태도라고 한다.

[감상 IN 스킬]
◆ 작품 속에서 화자를 찾아 ○ 표시를, 시적 대상을 찾아 □ 표시를 해 보자. 화자가 겉으로 드러나 있지 않을 때에는 화자가 누구일지 추리해 보자.
◆ 화자가 처한 상황이 어떠한지(긍정적인지, 부정적인지)를 파악해 보자.
◆ 화자의 감정이나 태도를 직접적으로 드러내는 시어를 찾아보자. 찾기 어렵다면 화자가 사용하는 말투인 어조를 통해 화자의 정서나 태도를 파악해 보자.

② 시어(구)

시어는 시에 사용된 언어로, 시인은 일상어에 특별한 의미를 부여하여 시어로 사용한다. 따라서 시어(구)의 의미는 일상어의 사전적·지시적 의미 외에도 문맥 속에서 다양하게 형성되는 함축적 의미를 띠게 된다. 시어가 작품 안에서 하는 여러 가지 구실이나 작용을 시어의 기능이라고 하는데, 작품 속에서 시어는 음악적 효과를 이루고, 이미지와 분위기를 형성한다. 또한 화자의 정서 및 태도를 드러내며 화자와 대상 간의 매개체 역할을 한다.

[감상 IN 스킬]
◆ 시어 간의 관계나 문맥을 고려하여 시어(구)의 함축적 의미를 추리해 보자. 또 반복해서 쓰인 핵심 시어를 찾아 밑줄(___)을 그어 보고, 시어 간의 관계가 대립되는지 유사한지 등을 살펴보자.
◆ 작품의 내용 전달을 위해 해당 시어(구)가 어떤 기능을 하는지 파악해 보자. 시어의 기능과 관련하여 자주 쓰이는 매개체, 장애물, 환기, 투영, 감정 이입, 객관적 상관물과 같은 개념어들을 정리해 두자.

작품 속 스킬

심중에 남아 있는 말 한마디는
끝끝내 마저 하지 못하였구나.
『사랑하던 그 사람이여! / 사랑하던 그 사람이여!』
└『 』: 영탄을 통한 화자의 격정적 어조가 나타남

붉은 해는 서산마루에 걸리었다.

사슴의 무리도 슬피 운다.
└ 화자의 슬픈 감정을 사슴이라는 대상에 이입하여 표현함
떨어져 나가 앉은 산 위에서
나는 그대의 이름을 부르노라.

설움에 겹도록 부르노라. ┐ 화자의 서러운 감정이 직접적
설움에 겹도록 부르노라. ┘ 으로 반복되어 표출됨

부르는 소리는 비껴가지만
하늘과 땅 사이가 너무 넓구나.
└ 저승 -- 이승

선 채로 이 자리에 돌이 되어도
└ 임을 향한 영원한 사랑의 의지
부르다가 내가 죽을 이름이여!
사랑하던 그 사람이여! / 사랑하던 그 사람이여!

— 김소월, 「초혼」

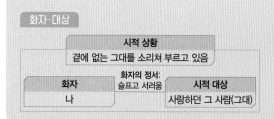

화자·대상

시적 상황	
곁에 없는 그대를 소리쳐 부르고 있음	

화자	화자의 정서: 슬프고 서러움	시적 대상
나		사랑하던 그 사람(그대)

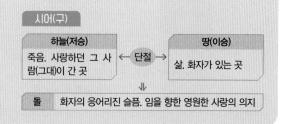

시어(구)

하늘(저승)		땅(이승)
죽음. 사랑하던 그 사람(그대)이 간 곳	← 단절 →	삶. 화자가 있는 곳

⇩

돌	화자의 응어리진 슬픔. 임을 향한 영원한 사랑의 의지

❸ 표현

시에서 표현은 시인이 말하고자 하는 바를 효과적으로 전달하기 위해 사용한 다양한 문학적 장치를 말한다. 대표적인 **표현상의 특징**으로는 비유법(직유법, 은유법, 의인법), 강조법(설의법, 과장법, 반복법), 변화법(대구법, 역설법, 반어법)과 같은 수사법이 있다. 또한 시어에 의해 떠오르는 감각적 영상인 심상(이미지), 시를 읽을 때 느껴지는 말의 가락인 운율, 일정한 질서나 규칙에 의한 시상의 배열인 시상 전개 방식도 넓게 보면 표현상의 특징에 포함된다. 작품에서 표현의 **효과**를 파악하기 위해서는 표현상의 특징이 주제를 나타내는 데 어떤 역할을 하고 있는지를 살펴봐야 한다.

[감상 IN 스킬]
◆ 작품 속에서 수사법(비유법, 강조법, 변화법), 심상이나 운율, 시상 전개 방식 등과 같은 표현상의 특징이 활용된 부분을 찾아 밑줄을 그어 보자.
◆ 표현상의 특징이 전개 양상이나 내용의 흐름에 어떤 영향을 주는지, 주제를 나타내는 데 어떤 역할을 하는지 파악해 보자.

❹ 주제

시는 시인의 생각이나 감정을 운율이 있는 언어로 압축하여 독자에게 전달하는 문학 갈래로 정의할 수 있다. 이에 따르면 시를 쓰고 읽는 것은 곧 시인과 독자가 작품을 매개로 의사소통하는 것으로 이해할 수 있다. 그러므로 독자는 시의 내용과 형식을 종합하여 시인이 작품을 통해 궁극적으로 말하고자 하는 바인 주제를 파악해야 시를 깊이 있게 이해할 수 있다. 제목이나 내용 이외에도 작가나 시대 등과 관련된 작품의 외적 요인을 고려하면 작품의 창작 의도를 보다 명확하게 파악할 수 있다.

[감상 IN 스킬]
◆ 화자와 시적 대상, 시적 상황, 화자의 정서 및 태도, 시어(구)의 의미와 기능, 표현상의 특징 및 효과 등의 내용을 종합하여 주제를 파악해 보자.
◆ 작품의 주제를 명확하게 파악하지 못했다면, 작가의 생애나 창작 시기 등을 고려하여 작품의 창작 의도를 추리해 보자.

작품 속 스킬

즐겁고 아름다운 일은 양이 많을수록 좋은 것입니다. 『-ㅂ니다』를 반복하여 운율을 형성함

그런데 당신의 사랑은 양이 적을수록 좋은가 봐요.

당신의 사랑은 당신과 나와 두 사람의 사이에 있는 것입니다. 역설법

사랑의 양을 알려면, 당신과 나의 거리를 측량할 수밖에 없습니다.

그래서 당신과 나의 거리가 멀면 사랑의 양이 많고, 거리가 가까우면 사랑의 양이 적을 것입니다.

그런데 적은 사랑은 나를 웃기더니 많은 사랑은 나를 울립니다. 대구법
역설법, 대구법

– 한용운, 「사랑의 측량」

＊시상 전개 방식

1행	상식적인 생각 · 통념
▼	
2행	역설적 인식을 통한 반박
▼	
3~5행	이유 제시

표현

적은 사랑	당신과 거리가 가까움	····	'나'를 웃김
많은 사랑	당신과 거리가 멂	····	'나'를 울림

⇩

역설적 표현을 통해 당신에 대한 사랑을 강조함

주제

화자	추상적인 사랑을 구체적인 양으로 측량하려 함
시어 · 표현	'당신과 나의 거리'가 멀어져서 생긴 그리움과 슬픔을 오히려 '사랑의 양'이 많아진 것으로 봄

⇩

주제	당신에 대한 나의 사랑은 절대적인 것임을 노래함

'소설' 감상 스킬

❶ 인물·사건

소설은 인물을 중심으로 사건이 전개된다. 인물은 작품 속에 등장하여 사건을 이끌어 가는 사람을 가리키고, 사건은 작품 속에서 인물 간에 구체적으로 전개되는 이야기를 가리킨다. 인물의 심리는 서술자의 서술에 의해 직접 제시되거나 인물의 행동이나 대화를 통해 간접적으로 제시되며, 인물의 심리가 말이나 행동 등을 통해 드러난 것을 **인물의 태도**라고 볼 수 있다. 갈등은 인물 사이 혹은 인물과 환경 사이의 대립을 말한다. 갈등으로 인해 사건이 일어나고, 갈등을 해소하는 과정에서 작품의 주제가 드러난다.

[감상 IN 스킬]
◆ 작품에서 사건을 이끌어 나가는 중심인물을 찾아 ○ 표시를 하고, 그와 관련된 인물 간의 관계를 파악해 보자. 또한 사건을 통해 드러나는 인물의 처지와 상황을 파악해 보자.
◆ 서술자의 서술이나 인물의 말과 행동을 통해 인물의 심리와 태도를 파악해 보자.
◆ 사건에서 드러난 갈등 양상과 그 해결 과정을 파악해 보자.

❷ 배경·소재

배경과 소재는 작품 속에서 인물의 심리를 드러내거나 사건의 전개를 암시하는 등 다양한 기능을 한다. 먼저 **배경**은 소설 속의 인물이 사건을 겪게 되는 시·공간적, 사회적 환경이나 상황 등을 말하는데, 작품에 사실성을 부여하고 작품의 전반적인 분위기를 형성하며 주제와도 밀접한 관련이 있다. **소재**는 작가가 이야기를 전개하기 위해 사용하는 글의 재료로, 특정 사물이나 환경, 인물의 행동이나 감정 등이 모두 소재가 될 수 있다. 소재를 통해 갈등이 발생하거나 해소되고, 주제를 상징적으로 드러내기도 한다.

[감상 IN 스킬]
◆ 작품에서 시간과 공간, 시대적 상황이 나타난 부분을 찾아 ▽ 표시를 해 보자. 사건의 전개 양상, 인물·사건, 주제와 관련하여 배경이 지닌 의미와 기능을 파악해 보자.
◆ 사건 전개나 주제에 영향을 미치는 소재를 찾아 밑줄(___)을 그어 보자. 소재가 인물 간의 갈등을 유발하거나 해소하는지, 앞으로 일어날 사건을 암시하거나 주제를 상징하는지 등을 파악해 보자.

작품 속 스킬

"그래서? 할아버지가 나름대로의 예술을 완성했니?" / 아버지의 입가에 냉소가 머물렀다.
　　　　　　　　민 노인　　　　　　　　　　　　　　　　　　민대찬

"그건 인식하기 나름입니다. 다만 할아버지에게서 북을 뺏는 건 할아버지의 한(恨)을 배가시키고, 생의
　　　　　　　　　　　　　　　　　　　　　민 노인의 분신과도 같은 존재　　갈등
마지막 의지를 짓밟는 것에 다름 아니라는 생각만은 갖고 있습니다."

방 안의 민 노인이 천천히 홍접실로 나온 건 그때였다. 자기 때문에 성규가 궁지에 몰려 있는 걸 보고만
　　　　　　　　　　　　　　　공간적 배경
있을 수 없어서였는데, 아들은 집안의 분란을 더 키우고 싶지 않았던지, 민 노인 쪽엔 시선을 돌리지도 않
　　　　　　　　　　　　　　　　　　민대찬
은 채 성규에게만 소리를 꽥 질렀다. 〈중략〉

"아무래도 그 녀석이 내 역마살을 닮은 것 같아. 역마살과 데모는 어떻게 다를까."
　　　　　　　　성규　　　　　　　　　　민 노인의 역마살과 성규의 데모 둘 다 일반적인 삶의 방식에서 벗어나 있음

－ 최일남, 「흐르는 북」

인물·사건

| 민 노인(1대) | | 민대찬(2대) |
| 할아버지 세대 | ←갈등→ | 아들 세대 |

이해, 존중 ↘　성규(3대)　↙ 갈등
　　　　　　손자 세대

배경·소재

북 → 민 노인의 분신과도 같은 존재. 민 노인과 아들 민대찬이 갈등하게 만들기도 하고, 민 노인과 손자 성규 사이를 이어 주는 매개체가 되기도 함

❸ 서술

서술상의 특징은 서술자가 작품 안에서 일어나는 일들을 전달해 주는 방식을 말하며, 시점, 어조, 문체 등에 의해 나타난다. 서술자가 사건과 인물을 바라보는 관점을 시점이라고 하며, 상황이나 인물에 대한 태도가 드러나는 서술자의 말투를 어조라고 한다. 또한 작품 내용을 전달하는 데 사용하는 언어 구사 방식을 문체라고 한다. 작가가 다양한 서술상의 특징을 활용하는 이유는 결국 자신의 의도나 주제를 효과적으로 드러내기 위함이다. 따라서 서술의 효과를 파악하기 위해서는 서술상의 특징을 주제의 형상화 측면에서 관련지어 살펴봐야 한다.

[감상 IN 스킬]

- ◆ 사건의 전개 및 주제 구현과 관련지어 서술자와 시점, 어조와 문체, 서술 방식 등과 같은 서술상의 특징을 파악해 보자.
- ◆ 서술상의 특징이 작품에서 지니는 효과가 무엇인지 파악해 보자.

❹ 주제

주제는 작품을 통해 작가가 전달하고자 하는 중심 생각으로, 소설을 구성하는 인물, 사건, 배경 모두 작가의 주제 의식을 구현하는 데 있어 중요한 요소라고 할 수 있다. 더불어 소설에서는 갈등 양상에 담겨 있는 의미를 파악하는 것이 작품을 이해하는 핵심이 되기도 한다. 그 이유는 주제와 관련하여 갈등이 발생하고 갈등이 해소되는 과정에서 주제 의식이 구현되는 경우가 많기 때문이다. 그 외에도 작가나 시대 등과 관련된 작품의 외적 요인을 고려하면 작품의 창작 의도를 보다 명확하게 파악할 수 있다.

[감상 IN 스킬]

- ◆ 인물과 사건, 갈등 양상, 배경 및 소재의 의미와 기능, 서술상의 특징과 효과 등의 내용을 종합하여 주제를 파악해 보자.
- ◆ 작품의 주제를 명확하게 파악하지 못했다면, 작가의 생애나 창작 시기 등을 고려하여 작품의 창작 의도를 추리해 보자.

작품 속 스킬

황만근이 없어졌다. 새벽에 혼자 경운기를 타고 집을 나간 황만근은 늘 들일을 나가면 돌아오는 시각인
_{주인공인 황만근의 실종을 알리는 것으로 작품을 시작함}
저물녘에 돌아오지 않았다. 술을 마시고 취하더라도 열두 시가 될락 말락 한 한밤이면 돌아왔는데 이번에는 아니었다. 평생 단 하루 외박한 뒤 돌아왔던 그 시각, 횃대의 닭이 울음을 그치는 아침이 되어도 돌아오지 않았다. 마을 회관 앞, 황만근이 직접 심어 놓은 등나무 덩굴 아래, 직접 짠 평상에 사람들이 모였다. 먼저 이장이 입을 열었다. / "만그인지 반그인지 그 바보 자석 하나 따문에 소여물도 못 하러 가고 이기 뭐라."
_{황만근을 바보 취급하는 이장}
〈중략〉 황만근, 황 선생은 어리석게 태어났는지는 모르지만 해가 가며 차츰 신지(神智)가 돌아왔다.
_{결말에 이르러 황만근을 황 선생이라고 하며 황만근이 살아온 삶의 내력을 서술함}

– 성석제, 「황만근은 이렇게 말했다」

서술

	황만근의 실종으로 작품을 시작함 "황만근이 없어졌다."
	⇓
효과	독자의 흥미를 유발하고, 작품의 마지막 부분에서 황만근의 죽음과 조응함으로써 구성상의 완결성을 갖추게 함

주제

인물	우직하고 성실한 황만근 ↔ 황만근을 바보 취급하는 마을 사람들
사건·배경	황만근이 농가 부채 해결을 위한 농민 궐기 대회에 참여하려 갔다가 죽어서 돌아옴
	⇓
주제	농촌의 어려운 현실과 이기적인 농촌 사람들에 대한 비판

'극' 감상 스킬

❶ 인물·사건

인물은 사건을 이끌어 나가기 위해 작가가 만든 가상의 존재이다. 극에서도 인물을 중심으로 **사건**이 전개되므로, 인물과 사건에 대한 이해는 극 작품 감상의 기본이 된다. 또한 '발단-전개-절정-하강-대단원'의 구성 단계에 따라 달라지는 갈등 양상 역시 주목해야 한다. 희곡과 시나리오 모두 극적인 사건을 서술자 없이 인물의 행동과 대사로 보여 준다는 점이 공통된다. 하지만 희곡은 무대 상연을 전제로 하므로 등장인물의 수에 제약이 있는 반면에, 시나리오는 희곡에 비해 등장인물의 수에 제약을 덜 받는다는 차이가 있다.

[감상 IN 스킬]
- 작품에서 사건을 이끌어 나가는 중심인물을 찾아 ○ 표시를 하고, 지문에서 발생한 사건을 통해 인물의 처지와 상황을 파악해 보자.
- 인물의 말과 행동을 통해 인물의 심리와 태도를 파악해 보자.
- 사건에서 드러난 갈등 양상과 그 해결 과정을 파악해 보자.

❷ 배경·소재

극에서도 **배경과 소재**는 사건의 전개 방향을 암시하고 작품의 주제를 부각하는 등 다양한 기능을 한다. 다만 소설 갈래는 시간과 공간의 제약이 없어 장면의 전환이 매우 자유로운 반면에, 극 갈래는 시간과 공간의 제약이 있기 때문에 배경과 소재를 표현하는 것이 소설 갈래에 비해 한계가 있다. 또한 희곡과 시나리오 모두 인물이나 시간과 장소와 같은 배경, 소품, 무대 장치 또는 촬영 방식에 대한 설명은 해설과 지시문을 통해 제시된다. 따라서 해설과 지시문에서 배경이나 소재와 관련된 내용을 주의 깊게 살펴봐야 한다.

[감상 IN 스킬]
- 작품에서 시간과 공간, 시대적 상황이 나타난 부분을 찾아 ▽ 표시를 해 보자. 이를 바탕으로 작품의 배경과 그 의미 및 기능을 파악해 보자.
- 사건 전개나 주제에 영향을 미치는 소재를 찾아 밑줄 (___)을 그어 보고, 그 의미와 기능을 파악해 보자.

❸ 형상화 방식

형상화 방식이란 희곡이나 시나리오와 같은 극에서 실제로 공연을 진행하거나 영상을 촬영할 때 구상한 다양한 연출 방식을 말한다. 희곡의 형상화 요소에는 배우들의 연기와 복장, 무대 장치와 조명, 소품, 효과음, 배경 음악 등이 포함된다. 그리고 시나리오 형상화 요소에는 희곡의 형상화 요소들과 더불어 장면의 배경, 촬영 기법, 특수 효과 등이 포함된다. 이처럼 극에 쓰이는 다양한 형상화 방식은 관객에게 작품의 내용과 주제를 보다 효과적으로 전달하기 위한 것이므로, 장면에 사용된 형상화 방식의 적절성을 파악하는 것이 중요하다.

[감상 IN 스킬]
- 제시된 부분을 실제 연극이나 영화로 형상화하기 위한 방법을 파악해 보자.
- 형상화 방식으로 얻을 수 있는 효과를 파악해 보자.

❹ 주제

극도 소설과 같이 작가가 꾸며 낸 허구의 이야기로, 갈등과 대립이 주축이 되는 갈래이다. 다만 극은 서술자가 없기 때문에 인물의 대사와 행동을 통해 사건이 전개되고 인물이 만들어 내는 갈등이 극의 주축이 되는 등 인물에 의지해 **주제**를 구현한다. 시나리오는 각각의 장면을 나누어 촬영한 후 편집을 통해 영화로 구성하기 때문에 편집 과정에서 주제를 더욱 부각할 수 있는 반면에, 희곡은 편집 없이 무대에서 바로 공연을 하기 때문에 주로 인물의 대사를 통해 작가가 말하고자 하는 바를 드러낸다.

[감상 IN 스킬]
- 인물과 사건, 갈등 양상, 배경 및 소재의 의미와 기능, 형상화 방식과 효과 등의 내용을 종합하여 주제를 파악해 보자.
- 작품의 주제를 명확하게 파악하지 못했다면, 작가의 생애나 창작 시기 등을 고려하여 작품의 창작 의도를 추리해 보자.

'수필' 감상 스킬

❶ 글쓴이

수필은 글쓴이가 일생상활, 자연 등에서 경험하거나 생각한 내용을 자유로운 형식으로 표현한 산문 형식의 글이다. 따라서 다른 갈래에 비해 글쓴이의 관점이나 태도가 보다 직접적으로 드러난다는 특징이 있다. 글쓴이의 관점은 글쓴이가 대상이나 상황에 대해 지니고 있는 시각이나 입장을 말한다. 그리고 글쓴이의 태도는 글쓴이가 대상이나 상황에 대해 보이는 반응을 말한다. 수필에 드러난 글쓴이의 관점 및 태도를 통해 글쓴이의 가치관이나 인생관, 세계관 등을 짐작할 수 있다. 글쓴이의 관점 및 태도로 자주 언급되는 용어는 예찬적, 비판적, 성찰적, 관조적, 회고적 등이 있다. 예찬적은 훌륭하거나 좋거나 아름답다고 찬양하는 태도를 말하며, 비판적은 현상의 옳고 그름을 판단하여 밝히거나 부정적 대상을 지적하는 태도를 말한다. 그리고 성찰적은 지나간 일을 되돌아보며 자기 마음을 살피고 반성하는 태도를 말하며, 관조적은 고요한 마음으로 사물이나 현상을 관찰하거나 비추어 보는 태도를 말한다. 또 회고적은 글쓴이 혹은 선인들의 삶을 추억하고 회상하는 태도를 말한다.

[감상 IN 스킬]

◆ 시간적·공간적 배경이 드러나는 부분에 ▽ 표시를 해 보자.
◆ 글쓴이를 찾아 ○ 표시를 하고, 글쓴이가 지문에서 경험한 대상이나 상황을 파악해 보자.
◆ 글쓴이가 대상과 상황에 대해 어떤 관점 및 태도를 보이고 있는지 파악해 보자.

❷ 표현

수필은 글쓴이의 경험을 솔직하고 자유롭게 쓴 글이기 때문에 글쓴이의 고유한 특성인 개성이 잘 드러난다. 특히 문체는 작품의 개성을 드러내는 데 중요한 역할을 한다. 한자어나 고유어 중 어떤 것을 중심으로 쓰느냐, 간결하고 함축적이냐 아니면 장황하고 설명적이냐 등에 따라 글의 느낌이 달라진다. 문체의 종류로는 짧고 간결한 문장으로 내용을 명쾌하게 표현하는 간결체, 많은 어구를 이용하여 문장을 장황하게 표현하는 만연체, 문장이 찬란하고 화려하며 가락을 띠고 있어 선명한 인상을 주는 화려체, 비유나 수사가 없거나 적은 건조체 등이 있다.

[감상 IN 스킬]

◆ 글쓴이의 가치관을 효과적으로 드러내기 위한 전개 방식, 문체, 수사법(비유법, 강조법, 변화법) 등 표현상의 특징을 파악해 보자.
◆ 표현상의 특징이 작품에서 지니는 효과를 파악해 보자.

❸ 주제

수필은 글쓴이가 일상 속에서 직접 겪은 일 중 다른 사람과 나누고 싶은 의미 있는 경험이나 생각을 소재로 하여 쓴 글이다. 그러므로 독자는 글쓴이의 삶과 경험, 생각이 담긴 글을 읽고 감동이나 즐거움을 얻을 수 있다. 또한 글쓴이가 직접 경험한 내용을 바탕으로 얻은 깨달음이나 성찰을 쓴 글이므로, 글쓴이가 얻은 깨달음이나 성찰한 내용이 곧 글쓴이가 독자에게 말하고자 하는 바인 주제가 된다. 따라서 글에 담긴 글쓴이의 가치관을 파악하고 글쓴이가 대상을 바라보는 태도를 통해 글쓴이의 인생관, 세계관을 짐작해 보는 것이 중요하다.

[감상 IN 스킬]

◆ 글쓴이의 가치관이나 인생관, 세계관이 드러난 부분에 밑줄(___)을 그어 보자.
◆ 글쓴이의 경험, 글쓴이의 관점과 태도, 표현상 특징과 효과 등의 내용을 종합하여 글쓴이의 깨달음, 즉 작품의 주제를 파악해 보자.

1

운문 문학

님의 침묵 _한용운

사랑하는 임과 이별하게 된다면 많이 힘들고 슬프겠죠? 이 작품은 임과의 이별이라는 객관적 사실을, 임은 부재한 것이 아니라 잠시 '침묵'하고 있을 뿐이라고 주관적으로 해석하여 이별의 슬픔을 극복하고자 하고 있어요. 화자가 이별할 수 없었던 '님'은 어떤 존재인지, 작품을 통해 감상해 볼까요?

독해쌤의 감상 질문

1. 화자·대상 시상의 전개 과정에서 화자의 정서는 어떻게 변하나요?

2. 시어(구) • '님'의 상징적 의미는 무엇인가요?
   • '님'의 의미에 따라 작품의 해석이 어떻게 달라지나요?

3. 표현 이 작품에서 주제 의식을 강조하는 표현 방법과 그 효과는 무엇인가요?

㉠님은 갔습니다. 아아, 사랑하는 나의 님은 갔습니다.

푸른 산빛을 깨치고 단풍나무 숲을 향하여 난 작은 길을 걸어서, 차마 떨치고 갔습니다.

황금의 꽃같이 굳고 빛나던 옛 맹서는 차디찬 티끌이 되어서 한숨의 미풍에 날아갔습니다.
　　　　　　　　　　　　　　　　　　　　　　　　　　　　　약하게 부는 바람

날카로운 첫 키스의 추억은 나의 운명의 지침(指針)을 돌려놓고 뒷걸음쳐서 사라졌습니다.
　　　　　　　　　　　　　　생활이나 행동 따위의 지도적 방법이나 방향을 인도하여 주는 준칙

나는 향기로운 님의 말소리에 귀먹고 꽃다운 님의 얼굴에 눈멀었습니다.

사랑도 사람의 일이라 만날 때에 떠날 것을 염려하고 경계하지 아니한 것은 아니지만, 이별은 뜻밖의 일이 되고 놀란 가슴은 새로운 슬픔에 터집니다.

그러나 이별을 쓸데없는 눈물의 원천(源泉)을 만들고 마는 것은, 스스로 사랑을 깨치는
　　　　　　　　　　　　　　사물이 비롯되는 근본이나 원인　　　　　　　　　　　　　　　깨뜨리는
것인 줄 아는 까닭에, 걷잡을 수 없는 슬픔의 힘을 옮겨서 새 희망의 정수박이에 들어부
　　　　　　　　　　　　　　　　　　　　　　　　　　　　　　　　　　　　　정수리
었습니다.

우리는 만날 때에 떠날 것을 염려하는 것과 같이, 떠날 때에 다시 만날 것을 믿습니다.

아아, 님은 갔지마는 나는 님을 보내지 아니하였습니다.

제 곡조를 못 이기는 사랑의 노래는 님의 침묵을 휩싸고 돕니다.

독해쌤 속닥속닥

◆ 이 작품의 작가 한용운은 시인이자 승려예요. 이를 고려할 때 8행에는 만남은 헤어짐을, 헤어짐은 만남을 전제한다는 불교의 윤회 사상, 즉 '회자정리 거자필반(會者定離 去者必返)'의 의미가 반영되어 있다고 볼 수 있어요.

확인 문제

[01~04] 다음 설명이 맞으면 ○, 틀리면 ✕표 하시오.

01 이 작품에서 '님'은 '빼앗긴 조국'만을 의미한다.
(○, ✕)

02 이 작품은 임에 대한 영원한 사랑을 노래하고 있다.
(○, ✕)

03 이 작품은 반어적 표현을 통해 주제 의식을 강조하고 있다.
(○, ✕)

04 이 작품은 헤어짐과 만남은 하나라는 불교의 역설적 진리를 담아내고 있다.
(○, ✕)

[05~08] 다음 빈칸에 들어갈 알맞은 말을 쓰시오.

05 '향기로운 님의 말소리'에는 ㄱㄱㄱㅈ 심상이 나타난다.

06 이 작품에서 '푸른 산빛'은 'ㄷㅍㄴㅁ ㅅ'과 대조되는 이미지를 형성한다.

07 이 작품에서 화자의 정서는 시어 'ㄱㄹㄴ' 이후 슬픔에서 희망으로 전환된다.

08 이 작품에서 화자는 임이 부재한 상황을 임이 'ㅊㅁ'하고 있는 것으로 여기고 있다.

실력 문제

`화자·대상` + `표현`

09 윗글에 대한 설명으로 적절하지 **않은** 것은?

① 동일한 어미를 반복하여 운율을 형성하고 있다.
② 불교적 세계관을 바탕으로 시상을 전개하고 있다.
③ 대조적 이미지를 활용하여 시적 상황을 나타내고 있다.
④ 시상의 전환이 이루어지면서 화자의 정서가 반전되고 있다.
⑤ 자연물에 감정을 이입하여 화자의 태도 변화를 우회적으로 드러내고 있다.

`표현`

10 윗글에 사용된 표현 방법을 〈보기〉에서 모두 골라 바르게 묶은 것은?

〈보기〉
ㄱ. 스스로 묻고 답함으로써 재회에 대한 믿음을 나타내고 있다.
ㄴ. 같거나 비슷한 시구를 되풀이하여 임을 잃은 상실감을 강조하고 있다.
ㄷ. 사람이 아닌 것을 사람에 비겨 사람이 행동하는 것처럼 표현하여 임의 절대성을 드러내고 있다.
ㄹ. 겉으로는 모순되지만 그 속에 진리가 숨어 있는 표현을 통해 임에 대한 영원한 사랑을 다짐하고 있다.

① ㄱ, ㄴ   ② ㄱ, ㄷ   ③ ㄱ, ㄹ
④ ㄴ, ㄷ   ⑤ ㄴ, ㄹ

`수능형`

`시어(구)`

11 〈보기〉를 참고하여 ㉠의 상징적 의미를 이해한 내용으로 적절하지 **않은** 것은?

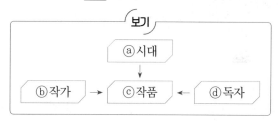

〈보기〉
ⓐ 시대
↓
ⓑ 작가 → ⓒ 작품 ← ⓓ 독자

① 이 시가 일제 강점기 때 창작되었다는 점을 고려할 때, ⓐ의 관점에서 ㉠은 '빼앗긴 조국'을 의미한다고 볼 수 있다.
② 이 시의 작가인 한용운이 승려였다는 점을 고려할 때, ⓑ의 관점에서 ㉠은 '부처'를 의미한다고 볼 수 있다.
③ 이 시가 이별의 슬픔을 노래하고 있다는 점을 고려할 때, ⓒ의 관점에서 ㉠은 '연인'을 의미한다고 볼 수 있다.
④ 독자가 감동이나 깨달음을 얻기 위해 문학 작품을 읽는다는 점을 고려할 때, ⓓ의 관점에서 ㉠은 '절대자'로 해석해야 한다.
⑤ ⓐ~ⓓ의 관점에 따라 ㉠의 의미가 달라지는 것을 고려할 때, ㉠의 상징적 의미에 따라 이 작품의 해석이 달라진다.

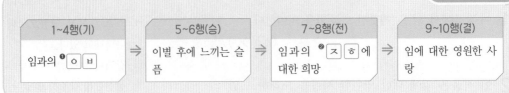

작품 **전체**

1~4행(기)		5~6행(승)		7~8행(전)		9~10행(결)
임과의 **①** ㅇㅂ	⇒	이별 후에 느끼는 슬픔	⇒	임과의 **②** ㅈㅎ 에 대한 희망	⇒	임에 대한 영원한 사랑

작품 **압축**

■ '님'의 상징적 의미에 따른 작품의 해석

이 작품은 '님'의 상징적 의미를 무엇으로 보느냐에 따라 작품의 해석이 달라진다. 어느 경우든 결국 '님'은 화자가 지향하는 모든 가치, 사랑하는 모든 존재를 가리킨다고 볼 수 있다.

상징적 의미	해석의 관점과 근거	작품의 해석
부처 (종교적인 절대자)	이 작품의 작가 한용운이 승려였음을 고려할 때 '님'은 부처나 종교적인 절대자, 불교적 진리 등이라고 볼 수 있음	이 작품은 **③** ㅈㄱ 적인 깨달음의 고통스러운 과정을 노래한 시로 해석할 수 있음
빼앗긴 **④** ㅈㄱ	이 작품의 작가 한용운이 독립운동가였고 이 작품이 창작된 시기가 일제 강점기였음을 고려할 때 '님'은 빼앗긴 조국이라고 볼 수 있음	이 작품은 조국 광복에 대한 의지와 신념을 노래한 시로 해석할 수 있음
사랑하는 연인	이 작품이 사랑하는 임과의 이별을 슬퍼하는 내용임을 고려할 때 '님'은 사랑하는 연인으로 볼 수 있음	이 작품은 사랑하는 사람을 그리워하는 시로 해석할 수 있음

시어(구)

화자·대상 / 표현

■ 시상 전개에 따른 화자의 정서 변화

이 작품에서 화자의 정서는 시상이 전개되면서 변하는데, 1~6행까지는 사랑하는 임과의 이별로 인한 슬픔과 괴로움을 나타내다가 7행의 '그러나'를 기점으로 이별의 슬픔이 재회에 대한 믿음과 희망으로 전환되고 있다.

1~4행(기)	임과의 이별	안타까움
5~6행(승)	이별 후에 느끼는 슬픔	슬픔

⇓ 시상의 **⑤** ㅈㅎ , 정서의 반전

7~8행(전)	임과의 재회에 대한 믿음	**⑥** ㅎㅁ
9~10행(결)	임에 대한 영원한 사랑	다짐

■ 역설적 표현의 효과

이 작품은 전체적으로 만남은 헤어짐을, 헤어짐은 만남을 전제한다는 역설적인 의미 구조를 보이며, 이를 통해 주제를 강조하고 있다.

역설적 표현	• 5행: '나는 향기로운 말소리에 귀먹고 꽃다운 님의 얼굴에 눈멀었습니다.' • 9행: '아아, 님은 갔지마는 나는 님을 보내지 아니하였습니다.'

⇓

효과	• **⑦** ㅁㅅ 되고 과장된 표현을 통해 임에 대한 절대적인 사랑을 표현함 • 임에 대한 사랑과 재회에 대한 **⑧** ㅁㅇ 을 강조함

어휘 체크

어휘력 테스트

● 다음 괄호 안에 들어갈 단어의 뜻을 〈보기〉에서 골라 기호를 써 보자.

| 맹서 | 미풍 | 원천 | 지침 | 티끌 |

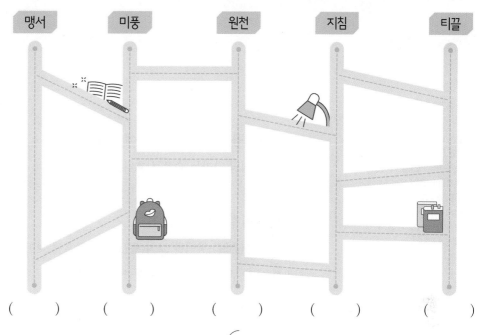

(   )   (   )   (   )   (   )   (   )

┌─────── 보기 ───────┐

㉠ 약하게 부는 바람

㉡ 티와 먼지를 통틀어 이르는 말

㉢ 사물이 비롯되는 근본이나 원인

㉣ 일정한 약속이나 목표를 꼭 실천하겠다고 다짐함

㉤ 생활이나 행동 따위의 지도적 방법이나 방향을 인도하여 주는 준칙

독해쌤과 함께하는 감상 넓히기

사랑하는 임과 이별한 슬픔을 노래한 작품

이번에 감상한 「님의 침묵」과 같이 이별의 슬픔을 노래하는 작품들이 많아요. 「님의 침묵」에서는 이별의 슬픔을 재회에 대한 희망으로 전환하고 있지만, 슬픔을 다른 방식으로 받아들이는 시들도 있답니다. 이러한 작품들을 더 감상해 볼까요?

초혼_ 김소월

'초혼'이라는 장례 의식을 소재로 하여 사랑하는 임을 떠나보낸 슬픔을 절절하게 노래한 시입니다. 감정을 절제하는 대신 이별의 슬픔을 격정적이고 직설적으로 토로하며 임에 대한 그리움을 드러내는 작품입니다.

견우의 노래_ 서정주

'견우와 직녀' 설화의 '견우'를 화자로 내세워 청자인 '직녀'에게 말을 건네는 방식으로 전개되는 시입니다. 성숙한 사랑을 위해서는 이별의 시련이 필요하다는 역설적인 표현이 돋보이는 작품입니다.

와사등 _김광균

여러분은 '와사등'이란 말을 들어 본 적이 있나요? '와사등'이란 석탄 가스로 불을 켜는 가로등을 이르던 말로, 이 작품이 창작된 1930년대의 도시 문물에 해당해요. 당시 도시의 야경과 가로등이 주는 느낌을 바탕으로 화자의 심정을 떠올리며 작품을 감상해 볼까요?

독해쌤의 감상 질문

1. 화자·대상 · 작품에 나타난 화자의 정서는 어떠한가요?
   · 현대 도시 문명에 대한 화자의 태도는 어떠한가요?
2. 시어(구) '등불', '묘석'과 '잡초', '그림자'에 담긴 의미는 무엇인가요?
3. 표현 이 작품에 나타난 표현상의 특징과 효과는 무엇인가요?

차단—한 등불이 하나 비인 하늘에 걸려 있다.
내 호올로 어딜 가라는 슬픈 신호냐.

긴—여름 해 황망히 나래를 접고
　　　　　　날개
늘어선 고층(高層) 창백한 묘석(墓石)같이 황혼에 젖어
찬란한 야경 무성한 잡초인 양 헝클어진 채
사념(思念) 벙어리 되어 입을 다물다.
근심하고 염려하는 따위의 여러 가지 생각

㉠피부의 바깥에 스미는 어둠
낯설은 거리의 아우성 소리
까닭도 없이 눈물겹고나.

공허한 군중의 행렬에 섞이어
내 어디서 그리 무거운 비애를 지니고 왔기에
길—게 늘인 그림자 이다지 어두워

내 어디로 어떻게 가라는 슬픈 신호기
차단—한 등불이 하나 비인 하늘에 걸리어 있다.

독해쌤 속닥속닥

➡ 이 작품의 5연은 1연을 행의 배열만 바꾸어 반복하고 있어요. 이를 통해 도시 문명 속에서 적응하지 못한 화자의 절망감이 나아지지 않고 제자리걸음을 할 것이란 느낌을 주고 있어요.

확인 문제

[01~04] 다음 설명이 맞으면 ○, 틀리면 ×표 하시오.

01 이 작품은 암울한 독백적 어조를 사용하여 어둡고 쓸쓸한 느낌을 준다. (○, ×)

02 이 작품은 표면에 드러나지 않은 화자가 대상을 관찰한 내용을 전달하고 있다. (○, ×)

03 4연에서 '길—게 늘인 그림자'는 군중 속에서 외로움을 느끼는 화자의 모습을 나타낸다. (○, ×)

04 5연에서 화자는 시련을 딛고 삶의 방향을 찾고자 하는 의지적 태도를 보인다. (○, ×)

[05~07] 다음 빈칸에 들어갈 알맞은 말을 쓰시오.

05 이 작품은 주로 ㅅㄱ적 이미지를 통해 시적 대상을 표현하고 있다.

06 이 작품에서 'ㅁㅅ'과 '잡초'는 도시의 물질문명을 빗댄 시어이다.

07 이 작품에서 'ㄷㅂ'은 어디론가 떠나라고 말하는 신호이지만, 어디로 가야 할지 모르는 현대인에게는 고독과 슬픔의 신호를 의미한다.

실력 문제

08 윗글의 표현상 특징으로 적절하지 않은 것은? `표현`

① 첫 연과 끝 연을 대응시켜 화자의 정서를 심화하고 있다.
② 대상을 의인화하여 대상이 지닌 특징들을 점층적으로 나열하고 있다.
③ 시적 허용이 나타나는 표현을 활용하여 화자의 의도를 강조하고 있다.
④ 주로 시각적 이미지를 활용하여 시적 대상을 회화적으로 그려 내고 있다.
⑤ 감정을 노출하는 시어를 사용하여 시적 대상에 대한 화자의 심정을 드러내고 있다.

09 윗글에서 〈보기〉의 설명에 해당하는 연으로 적절한 것은? `시어(구)` + `표현`

〈보기〉
이 연에서는 표현하려는 대상을 그와 유사한 다른 사물에 빗대어 표현함으로써 황량하고 무질서한 도시의 모습을 묘사하고 있다. 이는 현대 도시 문명에 대한 화자의 부정적 인식을 단적으로 드러낸 것으로 볼 수 있다.

① 1연　② 2연　③ 3연　④ 4연　⑤ 5연

10 ㉠에 나타난 감각적 심상과 가장 유사한 것은? `표현`

① 매화 향기 홀로 아득하니
② 푸른 봄의 생기가 뛰놀아라
③ 은은하게 퍼지는 새벽 종소리
④ 꽃처럼 붉은 울음을 밤새 울었다
⑤ 나비 허리에 새파란 초생달이 시리다

수능형
11 〈보기〉를 참고하여 윗글을 감상한 내용으로 적절하지 않은 것은? `화자·대상` + `주제`

〈보기〉
이 작품은 도시의 거리를 배경으로 군중 속의 고독과 상실감을 느끼는 현대인의 모습을 형상화하고 있다.

① 현대인이 느끼는 삶의 비애와 고독감을 전달하고 있어.
② 현란한 도시의 삶에 대한 화자의 경외심을 표출하고 있어.
③ 공허하고 적막한 배경에 놓인 등불에 주목하여 화자의 쓸쓸한 처지를 환기하고 있어.
④ 화자는 도시의 밤거리를 익명의 군중 속에 섞여 걸으며 더욱더 소외감을 느끼고 있어.
⑤ 끝까지 방향 감각을 상실한 채 헤매는 화자의 모습에서 절망적인 상황이 계속될 것임을 알 수 있어.

독해
체크

1연	2연	3연	4연	5연
현대인의 고독과 방향 상실	⇒ 황량하고 무질서한 ❶ㄷㅅ 문명	⇒ 도시의 소란 속에서 느끼는 소외감	⇒ ❷ㄱㅈ 속에서 느끼는 고독과 비애	⇒ 현대인의 고독과 방향 상실

작품 압축

■ 작품에 나타난 화자의 정서

이 작품에서 화자는 현대 도시 문명 속에서 삶의 방향 감각을 상실하고 고독과 비애를 느끼고 있다.

시행	화자의 정서
'차단─한 등불이 ~ 어딜 가라는 슬픈 신호냐.'	방향을 잃고 홀로 방황하며 슬퍼함
'늘어선 고층 ~ 사념 병어리 되어 입을 다물다.'	불안감과 정신적인 위기를 느낌
'피부의 바깥에 ~ 까닭도 없이 눈물겹고나.'	도시의 소란 속에서 소외감을 느낌
'공허한 군중의 ~ 길─게 늘인 그림자 이다지 어두워'	군중 속의 ❸ㄱㄷ과 비애를 느낌

■ 현대 도시 문명에 대한 화자의 태도

이 작품은 황량하고 무질서한 도시의 풍경을 묘사하고 있다. '와사등', '늘어선 고층', '찬란한 야경' 등의 소재는 도시적 정서를 환기하는데, 이러한 도시 문명에 대해 화자는 비판적 태도를 보이고 있다.

- 늘어선 고층 창백한 묘석같이 황혼에 젖어
- 찬란한 야경 무성한 잡초인 양 헝클어진 채

⇓

황혼에서 밤으로 접어드는 도시의 풍경을 묘지에 잡초가 우거진 '무덤'의 모습으로 표현함

⇓

현대 도시 문명에 대한 화자의 ❹ㅂㅍ적 태도

화자·대상

시어 (구) | **표현**

■ '등불', '묘석'과 '잡초', '그림자'의 의미

이 작품에서 '등불'은 떠남의 신호이기도 하지만 갈 곳 모르는 현대인의 고독과 슬픔의 신호이기도 하다. 화자는 도시 문명을 '창백한 묘석', '무성한 잡초'에 빗대어 표현한다. 또한 '길─게 늘인 그림자'는 고독하고 쓸쓸한 현대인을 상징한다.

시어	의미
차단─한 등불	떠남의 신호, 삶의 ❺ㅂㅎ을 잃어버린 현대인의 모습
창백한 묘석, 무성한 잡초	황량하고 무질서한 도시 문명
길─게 늘인 그림자	도시 문명 속에서 살아가는 고독한 ❻ㅎㄷㅇ

■ 표현상의 특징과 효과

이 작품은 회화적인 기교를 추구한 모더니즘을 대표하는 시로, 첫 연과 마지막 연의 반복, 감각적인 표현과 참신한 비유 등을 통해 시적 상황과 화자의 정서를 잘 담아내고 있다.

❼ㅅㅁ ㅅㄱ 구성	1연과 5연을 행 배열만 바꾸어 대응시킴으로써 화자의 정서를 강조하고 주제를 부각함
공감각적 표현	'피부의 바깥에 스미는 어둠'에서 시각을 ❽ㅊㄱ화한 공감각적 심상으로 대상을 감각적으로 형상화함
비유적 표현	2연에서 활유법, 직유법 등의 비유적 표현을 활용하여 황폐한 도시 문명에 대한 화자의 인식을 드러냄

어휘 체크

어휘력 테스트

1 제시된 뜻과 예문을 참고하여 다음 초성에 해당하는 단어를 괄호 안에 써 보자.

(1) ㅂㅇ : 슬퍼하고 서러워함. 또는 그런 것

예 그는 나라를 잃고 (　　　　)에 잠겼다.

(2) ㅁㅅ : 무덤 앞에 세우는, 돌로 만들어 놓은 여러 가지 물건

예 성묘객들은 (　　　　) 앞에 제물을 차려 놓고 절을 올렸다.

(3) ㅎㅁㅎ : 마음이 몹시 급하여 당황하고 허둥지둥하는 면이 있게

예 그녀는 쫓기는 사람처럼 (　　　　) 고향을 떠났다.

2 다음 〈보기〉의 뜻을 참고하여 십자말풀이를 완성해 보자.

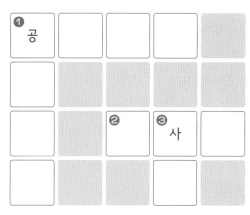

보기

가로

❶ 아무것도 없이 텅 비다.

❷ 석탄 가스를 도관(導管)에 흐르게 하여 불을 켜는 등

세로

❶ 하나의 감각이 동시에 다른 영역의 감각을 불러일으키는 것

❸ 근심하고 염려하는 따위의 여러 가지 생각

독해쌤과 함께하는 감상 넓히기

현대인의 삶의 고독을 드러낸 작품

이번에 감상한 「와사등」은 현대 도시 문명 속에서 살아가는 도시인이 느끼는 외로움과 쓸쓸함을 담은 작품입니다. 이와 같이 현대 도시인의 삶의 고독이 드러나는 작품들을 더 감상해 볼까요?

추일서정_김광균

'추일서정(秋日抒情)'이라는 제목 그대로 가을날에 느끼는 정서를 표현한 시입니다. 쓸쓸하고 황량한 가을날의 풍경을 제시하여 도시 문명 속 현대인의 고독을 그려 낸 작품입니다.

서울, 1964년 겨울_김승옥

1960년대, 대도시 서울을 배경으로 뚜렷한 가치관을 갖지 못한 사람들의 심리적 방황을 담은 소설로, 사회적 연대 의식을 상실한 현대인들의 고독감과 소외감을 그려 낸 작품입니다.

실전

그리움 _이용악

독해쌤의 감상 질문

1. 화자·대상 이 작품에 나타난 화자의 처지와 정서는 어떠한가요?

2. 시어(구) · '북쪽', '작은 마을', '너'의 상징적 의미는 무엇인가요?
   · '눈'의 의미와 기능은 무엇인가요?

3. 표현 이 작품에 나타난 표현상의 특징과 효과는 무엇인가요?

눈이 오는가 북쪽엔

㉠함박눈 쏟아져 내리는가

험한 벼랑을 굽이굽이 돌아간

백무선 철길 위에
<small>함경북도 백암에서 두만강의 삼림 지대를 가로질러 무산을 잇는 철도</small>
㉡느릿느릿 밤새어 달리는

화물차의 검은 지붕에

㉢연달린 산과 산 사이
<small>연달아 있는, 잇달아 있는</small>
너를 남기고 온

㉣작은 마을에도 복된 눈 내리는가

㉤잉크병 얼어드는 이러한 밤에

어쩌자고 잠을 깨어

그리운 곳 차마 그리운 곳

눈이 오는가 북쪽엔

함박눈 쏟아져 내리는가

독해쌤 속닥속닥

◆ 이 작품에서 '눈'은 '함박눈', '복된 눈'으로 표현되어 있어요. 이에 담긴 화자의 정서를 생각해 보고, 이 작품에 쓰인 '눈'의 의미와 기능을 통해 작가가 말하고자 한 바를 살펴봅시다.

확인 문제

[01~04] 다음 설명이 맞으면 ○, 틀리면 ✕표 하시오.

01 이 작품에서 '함박눈'은 시련과 고난을 의미한다.
(○, ✕)

02 이 작품은 '기-승-전-결'의 구성을 보이고 있다.
(○, ✕)

03 이 작품은 역설 표현을 활용하여 화자의 정서를 강조하고 있다.
(○, ✕)

04 이 작품에서 화자는 자신의 감정을 직접 드러내고 있지 않다.
(○, ✕)

[05~07] 다음 빈칸에 들어갈 알맞은 말을 쓰시오.

05 이 작품은 고향과 가족에 대한 ㄱㄹㅁ을 드러내고 있다.

06 이 작품에서 'ㄴ'은 가족이 있는 고향을 떠올리게 하는 매개체 역할을 한다.

07 이 작품에서 'ㅊㅁ'는 말로 표현할 수 없을 정도의 그리움이 응축된 시어이다.

실력 문제

08 윗글에 대한 설명으로 적절하지 <u>않은</u> 것은? [표현]

① 의태어를 사용하여 대상을 감각적으로 표현하고 있다.
② 시적 허용을 통해 화자의 정서를 응축하여 드러내고 있다.
③ 묻고 답하는 형식을 사용하여 화자의 의문을 해결하고 있다.
④ 동일한 시어를 반복하여 화자의 간절한 심정을 드러내고 있다.
⑤ 수미상관의 구조를 통해 형태적 안정감을 주고 화자의 정서를 강조하고 있다.

09 윗글에 대해 이해한 내용으로 가장 적절한 것은? [시어(구)]

① '오는가'를 '쏟아져 내리는가'로 변주하여 화자의 실망감을 표현하고 있다.
② '돌아간'과 '달리는'을 대응시켜 대상 간의 긴장감을 조성하고 있다.
③ '철길'에서 '화물차의 검은 지붕'으로 시선을 돌려 정적인 이미지를 강조하고 있다.
④ '잠을' 깬 자신에게 '어쩌자고'라는 의문을 던져 화자의 애달픈 심정을 드러내고 있다.
⑤ '차마 그리운 곳'에서 고향으로 돌아가게 된 화자의 기쁨을 표현하고 있다.

10 ㉠~㉤ 중, 〈보기〉의 ⓐ와 같은 삶이 드러난 시행으로 적절한 것은? [화자·대상]

> **보기**
> 이 작품을 지은 이용악은 1945년 해방 직후 함경북도 무산의 처가에 가족을 두고 ⓐ혼자 서울에서 생활하였다.

① ㉠ ② ㉡ ③ ㉢ ④ ㉣ ⑤ ㉤

11 〈보기〉를 참고할 때, 윗글을 감상한 내용으로 적절하지 <u>않은</u> 것은? [수능형] [시어(구)+주제]

> **보기**
> 이 작품에서 '눈'은 일반적으로 쓰이는 차가움의 이미지와는 달리 포근하고 아늑한 이미지로, 고향과 가족을 그리워하는 화자의 정서와 연결되어 있다.

① 1연에서 고향을 나타내는 '북쪽'을 '함박눈'의 이미지와 연결해 그리움의 정서를 표현하였군.
② 2연과 3연에서 '화물차의 검은 지붕'과 '눈'의 색채 대비를 통해 문명에 대한 비판을 드러냈군.
③ 3연에서 '작은 마을'의 '복된 눈'에는 소중한 이를 축복하는 마음이 투영되어 있군.
④ 4연에서 '잉크병 얼어드는' 겨울밤에 '잠'을 깬 화자의 모습에서 고향에 대한 절실한 그리움이 느껴지는군.
⑤ 5연에서 1연의 내용을 반복하여 화자의 고향과 가족에 대한 그리움의 정서를 더욱 심화하였군.

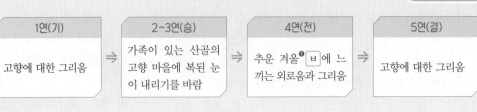

1연(기)	2~3연(승)	4연(전)	5연(결)
고향에 대한 그리움	가족이 있는 산골의 고향 마을에 복된 눈이 내리기를 바람	추운 겨울 [ㅂ]에 느끼는 외로움과 그리움	고향에 대한 그리움

작품 압축

■ 화자의 처지와 정서

이 작품의 화자는 북쪽 고향을 떠나와 혼자 외롭게 생활하면서 고향에 두고 온 가족을 떠올리며 그리워하고 있다. 특히 4연에서 가족에 대한 화자의 그리움이 직접적으로 나타난다.

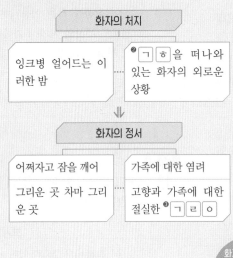

화자의 처지

잉크병 얼어드는 이러한 밤	❷[ㄱ][ㅎ]을 떠나와 있는 화자의 외로운 상황

⇩

화자의 정서

어쩌자고 잠을 깨어 그리운 곳 차마 그리운 곳	가족에 대한 염려 고향과 가족에 대한 절실한 ❸[ㄱ][ㄹ][ㅇ]

■ 표현상의 특징과 효과

이 작품은 1연과 5연에서 같은 내용을 반복한 수미상관의 구조가 나타나며, '오는가', '내리는가' 등에서 의문형 종결 어미를 반복하고 있다. 또한 '굽이굽이', '느릿느릿'과 같은 의태어와 '차마 그리운 곳'이라는 시적 허용을 사용한 표현이 나타난다.

표현상의 특징	효과
수미상관의 구조	고향에 대한 화자의 그리움을 강조함
❹[ㅇ][ㅁ][ㅎ] 종결 어미의 반복	운율을 형성하고 그리움의 정서를 강조함
의태어 활용	화자가 떠올리는 장면을 감각적으로 드러냄
시적 허용 사용	그리움을 응축하여 드러냄

화자·대상 / 표현 / 시어(구)

■ '눈'의 기능과 이미지

이 작품에서 '눈'은 가족이 있는 고향을 떠올리게 하는 매개체이다. 화자는 '눈'을 포근하고 아늑한 느낌을 주는 '함박눈', 나아가 축복의 이미지인 '복된 눈'이라고 표현하여 가족을 향한 축원과 바람을 담고 있다.

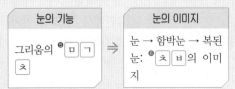

눈의 기능	눈의 이미지
그리움의 ❺[ㅁ][ㄱ][ㅊ]	눈 → 함박눈 → 복된 눈: ❻[ㅊ][ㅂ]의 이미지

■ '북쪽', '작은 마을', '너'에 담긴 상징적 의미

이 작품에서 화자는 '북쪽', '작은 마을'에 눈이 오는지를 자신에게 묻고 있다. '북쪽', '작은 마을'은 그리움의 대상인 '너'가 있는 곳으로, 화자가 가족을 두고 떠나온 고향을 의미한다. 또한 '너'는 화자가 그리워하는 대상인 가족을 의미한다.

시어	의미
북쪽, 작은 마을	그리움의 대상이 있는 곳, 가족이 있는 곳, 고향
너	그리움의 대상, ❼[ㄱ][ㅈ]

어휘 체크

어휘력 테스트

1 다음 괄호 안에 들어갈 단어를 〈보기〉에서 골라 써 보자.

보기

심화   차마   굽이굽이

(1) 우리는 계곡을 따라 (   ) 산을 오르기 시작하였다.

(2) 전쟁의 피해는 (   ) 눈을 뜨고 볼 수 없을 정도로 참혹하였다.

(3) 환경 오염의 (   )로 야생 동물뿐만 아니라 인간까지 생존의 위협을 받고 있다.

2 다음 단어를 활용하기에 적절한 문장을 찾아 바르게 연결해 보자.

(1) 복되다 •

(2) 응축하다 •

(3) 투영되다 •

• ㉠ 가족 모두 건강하고 (   )를 바랍니다.

• ㉡ 문학 작품에는 작가의 삶과 가치관이 (   ) 있다.

• ㉢ 예로부터 전하여 오는 속담은 한국인의 삶과 지혜를 (   ) 있다.

독해쌤과 함께하는 **감상 넓히기**

고향과 가족에 대한 그리움을 드러낸 작품

이번에 감상한 「그리움」은 내리는 '눈'을 보며 고향의 가족을 그리워하는 화자의 애틋한 마음을 노래한 작품입니다. 가족과 고향에 대한 그리움을 드러낸 다른 작품들을 더 감상해 볼까요?

여우난골족_백석
일가친척들이 모두 모인 명절날의 정겨운 풍경을 어린아이의 시선으로 그려 낸 시입니다. 토속적인 소재와 방언을 효과적으로 활용하여 '고향'이라는 원초적인 공간에 대한 그리움과 공동체적 삶에 대한 소망을 그리고 있습니다.

사향_김상옥
향토색 짙은 소재와 사투리, 다양한 감각적 심상을 사용하여 고향의 정경을 묘사한 시입니다. 고향을 관념적으로 표현하지 않고 묘사를 통해 선명하게 그려 냄으로써 고향에 대한 간절한 그리움을 나타내고 있습니다.

추천사 – 춘향의 말 1 _서정주

여러분은 '그네'를 타 봤지요? 그네가 허공을 가를 때 어떤 기분이 드나요? 「추천사」라는 제목은 '그네를 뛰면서 하는 말'이라는 의미를 지니고 있어요. 「춘향전」의 춘향이는 그네를 뛸 때 어떤 심정이었을지 작품을 통해 감상해 볼까요?

독해쌤의 감상 질문

1. 화자·대상 이 작품에 나타난 화자의 정서와 태도는 어떠한가요?
2. 시어(구) • '그네'에 담긴 상징적 의미는 무엇인가요?
   • 이 작품에 쓰인 소재들은 어떤 상징적 의미를 지니고 있나요?
3. 표현 이 작품에 나타난 표현상의 특징과 효과는 무엇인가요?

향단아 ㉠그넷줄을 밀어라
머언 ㉡바다로
배를 내어 밀듯이,
향단아.

이 다소곳이 흔들리는 ㉢수양버들나무와
베갯모에 놓이듯 한 풀꽃더미로부터,
전통적인 베개의 양쪽 마구리에 대는 꾸밈새
자잘한 나비 새끼 꾀꼬리들로부터
아주 내어 밀듯이, 향단아.

㉣산호도 섬도 없는 저 하늘로
나를 밀어 올려 다오
채색한 구름같이 나를 밀어 올려 다오
이 울렁이는 가슴을 밀어 올려 다오!

서(西)으로 가는 달같이는
나는 아무래도 갈 수가 없다.

㉤바람이 파도를 밀어 올리듯이
그렇게 나를 밀어 올려 다오
향단아.

독해쌤 속닥속닥

◆ 이 작품은 고전 소설 「춘향전」을 모티프로 하여 그네를 타는 춘향이의 속마음을 표현하고 있어요. 춘향이가 지향한 '바다', '하늘'은 무엇을 의미하는지 생각해 보고, '갈 수가 없다.'라고 말하며 좌절한 이유는 무엇일지 파악해 봅시다.

확인 문제

[01~04] 다음 설명이 맞으면 ○, 틀리면 ×표 하시오.

01 이 작품에서 화자는 그네를 밀어 주고 있다.

(○, ×)

02 이 작품은 시간의 흐름에 따라 시상을 전개하고 있다.

(○, ×)

03 이 작품은 고전 소설을 모티프로 하여 주제를 형상화하고 있다.

(○, ×)

04 이 작품에서 '채색한 구름'은 화자가 지향하는 자유로운 존재를 의미한다.

(○, ×)

[05~07] 다음 빈칸에 들어갈 알맞은 말을 쓰시오.

05 이 작품은 초월적 세계에 대한 갈망과 운명적 한계로 인한 ㅈㅈ을 그리고 있다.

06 이 작품에서 'ㅂㄷ'는 '하늘'과 비슷한 의미로, 화자가 지향하는 이상 세계를 상징한다.

07 3연에서 '산호', 'ㅅ'은 인간에게 주어진 현실적 제약, 즉 장애물을 의미한다.

실력 문제

표현

08 윗글에 대한 설명으로 적절하지 <u>않은</u> 것은?

① 호소하는 듯한 어조로 화자의 정서를 드러내고 있다.
② 인간과 자연의 대립을 부각하여 주제를 전달하고 있다.
③ 말을 건네는 방식을 활용하여 시적 의미를 드러내고 있다.
④ 첫 연과 마지막 연을 대응시켜 화자의 정서를 심화하고 있다.
⑤ 동일한 시구의 반복을 통해 의미를 강조하고 운율을 형성하고 있다.

화자·대상

09 화자의 정서를 고려할 때, 각 연을 낭송하는 방법으로 적절하지 <u>않은</u> 것은?

① 1연 – 이상 세계를 지향하는 화자의 소망이 잘 드러나도록 낭송한다.
② 2연 – 현실에 대한 애착과 현실에서 벗어나고 싶은 욕망 사이의 갈등이 드러나도록 낭송한다.
③ 3연 – 마지막 행은 느낌표에 유의하여 격정적인 어조로 낭송한다.
④ 4연 – '나는 아무래도 갈 수가 없다.'는 좌절감이 드러나는 어조로 낭송한다.
⑤ 5연 – 현실적 한계를 인식한 것이 잘 드러나도록 체념적 어조로 낭송한다.

시어(구)

10 ㉠~㉤ 중, 〈보기〉의 밑줄 친 '이 집'과 비슷한 기능을 하는 시어로 적절한 것은?

> **보기**
>
> "이 집이 나로 하여금 표연히 세상을 버리고 홀로 신선이 되어 날아가는 뜻을 지니게 하면서도, 끝내는 나로 하여금 부자(父子)와 군신(君臣)의 윤리를 벗어나지 못하게 한다."

① ㉠ ② ㉡ ③ ㉢ ④ ㉣ ⑤ ㉤

수능형

시어(구) + 주제

11 〈보기〉를 참고하여 윗글을 감상한 내용으로 적절하지 <u>않은</u> 것은?

> **보기**
>
> 이 작품은 현실에 대한 미련이나 현실적 제약 때문에 고민하면서도 현실의 삶을 초월하여 이상 세계로 가고자 하는 인간의 갈망을 보여 준다.

① '수양버들나무', '풀꽃더미', '나비 새끼', '꾀꼬리들'은 현실 초월을 위해 화자가 떨쳐 내야 할 대상이다.
② '하늘'은 화자가 동경하는 이상 세계이다.
③ '울렁이는 가슴'은 현실적 제약에서 벗어날 수 없는 한계에서 오는 좌절감을 보여 준다.
④ '서(西)으로 가는 달'은 현실에 묶인 화자와 대조되는 자유로운 존재를 의미한다.
⑤ '그렇게 나를 밀어 올려 다오'는 이상 세계를 향한 화자의 굳은 의지를 보여 준다.

독해
체크

작품 전체

1연	2연	3연	4연	5연
현실에서 벗어나고 싶은 소망	❶ㅎㅅ에 대한 애착과 갈등	❷ㅇㅅ 세계에 대한 갈망	숙명적 한계에 대한 자각	현실에서 벗어나고 싶은 열망

작품 압축

■ 화자의 정서와 태도

이 작품에서 화자는 현실적 제약에서 벗어난 초월적 이상 세계를 지향하지만, 인간의 운명적인 한계를 자각하게 된다. 하지만 화자는 포기하지 않고 이상 세계에 대한 굳은 의지와 열망을 드러낸다.

연	화자의 정서와 태도
1연	현실에서 벗어나고 싶음
2연	현실에 애착을 느끼며 갈등함
3연	이상 세계를 갈망하고 동경함
4연	숙명적 ❸ㅎㄱ를 자각하고 좌절함
5연	이상 세계에 대한 굳은 의지와 간절한 소망을 드러냄

■ 표현상의 특징과 효과

이 작품은 고전 소설 「춘향전」을 모티프로 하여 춘향이 향단에게 말을 건네는 대화체의 형식을 띠고 있다. 또한 '밀어 올려 다오' 등의 시구를 반복하고 있다.

표현상의 특징		효과
• 고전 소설 모티프 • ❹ㄷㅎㅊ(춘향이 향단에게 말을 건넴) 활용	⇒	주제를 강조하고 극적 효과를 거둠
동일한 시구 반복	⇒	화자의 정서를 강조하고 ❺ㅇㅇ을 형성함

화자·대상 | 표현
시어(구)

■ '그네'의 상징적 의미

'그네'는 밀어 올리면 하늘로 향하지만 줄에 묶여 있기에 다시 내려올 수밖에 없다. 이 작품에서 '그네'는 이러한 양면적 속성을 바탕으로 현실에서 벗어나려는 의지와 현실에서 벗어날 수 없는 한계를 동시에 드러낸다.

바다, 하늘	이상 세계

⇑ 지향, 갈망

❻ㄱㄴ (그넷줄)	• 현실에서 벗어나려는 의지 • 현실에서 벗어날 수 없는 한계

⇓ 좌절

땅	현실

■ 시어의 상징적 의미

이 작품은 상징적 의미를 지닌 다양한 시어를 구사하고 있다.

시어	상징적 의미
바다, ❼ㅎㄴ	이상 세계, 초월적 세계
수양버들나무, 풀꽃더미, 나비 새끼, 꾀꼬리들	• 지상의 아름다운 존재들 • 현실에 애착을 갖게 하는 소재들
산호, 섬	현실의 제약, 장애물
서(西)	초월적 공간, 서방 정토(西方淨土)
❽ㄷ	자유로운 존재 ↔ '나'

030　1. 운문 문학

어휘 체크 — 어휘력 테스트

1 제시된 뜻과 예문을 참고하여 다음 초성에 해당하는 단어를 괄호 안에 써 보자.

(1) ㅂ ㄱ ㅁ : 베개의 양쪽 마구리에 대는 꾸밈새

예 그녀는 (   )에 나비를 수놓고 있었다.

(2) ㅈ ㅇ ㅁ : 가로막아서 거치적거리게 하는 사물

예 우리 앞에는 아직 넘어야 할 (   )이 많이 있다.

(3) ㅁ ㅌ ㅍ : 음악, 회화, 조각, 문학 따위의 예술 작품을 표현하는 동기가 되는 중심 사상

예 이 영화는 실제 사건을 (   )로 하여 제작하였다.

2 다음 단어를 활용하기에 적절한 문장을 찾아 바르게 연결해 보자.

(1) 인식하다 •

(2) 지향하다 •

(3) 초월하다 •

• ㉠ 인간은 시간과 공간을 (   ) 수 없다.

• ㉡ 우리가 역사를 올바르게 (   ) 있는지 살펴보아야 한다.

• ㉢ 발전을 위해서는 대립이나 갈등보다는 화합과 단결을 (   ) 나가야 한다.

독해쌤과 함께하는 감상 넓히기

이상향에 대한 동경이 나타난 작품

이번에 감상한 「추천사」와 같이 이상 세계에 대한 동경을 표현한 작품들이 많아요. 이상향을 지향하면서 현실적 제약에 따른 좌절을 노래한 시도 있고, 순수 이상 세계에 대한 소망을 담은 시도 있답니다. 이러한 작품들을 더 감상해 볼까요?

깃발_유치환

이 작품에서 '깃발'은 푸른 해원을 향하여 몸을 흔들지만 깃대에 매여 있기에 해원에 도달할 수 없습니다. 이상향에 대한 동경과 인간의 숙명적 한계를 형상화했다는 점에서 「추천사」와 공통점을 지닌 시입니다.

그 먼 나라를 알으십니까_신석정

'먼 나라'로 상징되는 이상적 세계에 대한 동경과 소망을 부드러운 어조로 노래한 시입니다. 화자는 어머니에게 평화롭고 순수한 상상의 세계인 '먼 나라'를 아느냐고 묻고, 그곳에 함께 가고 싶은 소망을 드러내고 있습니다.

눈 _김수영

독해쌤의 감상 질문

1. **화자·대상** • 이 작품에 나타난 화자의 태도는 어떠한가요?
   • 이 작품에 드러난 화자의 현실 인식은 어떠한가요?
2. **시어(구)** '눈', '가래', '기침'에 담긴 의미는 무엇인가요?
3. **표현** 이 작품에 쓰인 반복법과 점층법은 어떤 효과를 나타내고 있나요?

독해쌤 속닥속닥

◆ 이 작품에서 화자는 순수한 존재인 '눈'을 바라보며 '기침'을 통해 불순한 것인 '가래'를 뱉어 내자고 말합니다. 이러한 행동에 담긴 의미를 바탕으로 작가가 지향하는 삶의 모습을 발견해 봅시다.

눈은 살아 있다
떨어진 눈은 살아 있다
마당 위에 떨어진 눈은 살아 있다

기침을 하자
㉠젊은 시인이여 기침을 하자
눈 위에 ㉡대고 기침을 하자
눈더러 보라고 마음 놓고 마음 놓고
기침을 하자

눈은 살아 있다
죽음을 잊어버린 영혼과 육체를 위하여
눈은 새벽이 지나도록 살아 있다

기침을 하자
젊은 시인이여 기침을 하자
눈을 바라보며
밤새도록 고인 가슴의 가래라도
마음껏 뱉자

확인 문제

[01~04] 다음 설명이 맞으면 ○, 틀리면 ✕표 하시오.

01 이 작품에서 '눈'은 차갑고 혹독한 현실을 상징한다. (○, ✕)

02 이 작품은 문장의 반복과 변형을 통해 시상을 전개하고 있다. (○, ✕)

03 이 작품에서 화자는 단호하고 의지적인 어조를 통해 소망을 드러낸다. (○, ✕)

04 이 작품에서 '기침을 하는' 행위는 순수한 내면을 더럽히는 행위로 그려진다. (○, ✕)

[05~07] 다음 빈칸에 들어갈 알맞은 말을 쓰시오.

05 이 작품에서 'ㅂ'은 어두운 시대 현실을 상징하는 시어이다.

06 이 작품에서 '눈'과 'ㄱㄹ'는 서로 대조적인 의미를 지닌 시어이다.

07 이 작품에서 'ㅈㅇ ㅅㅇ'은 순수한 삶을 살아가고자 하는 화자이자 작가 자신이라고 볼 수 있다.

실력 문제

화자·대상 + 표현

08 윗글에 대한 설명으로 적절하지 <u>않은</u> 것은?

① 소박한 일상어에 상징적 의미를 부여하고 있다.
② 청유형 어미를 활용하여 함께 행동할 것을 권하고 있다.
③ 핵심 어구의 반복을 통해 화자의 강한 의지를 표출하고 있다.
④ 대상들의 속성을 대비하여 화자가 지향하는 삶을 강조하고 있다.
⑤ 영탄적 어조를 활용하여 화자의 고조된 감정을 효과적으로 드러내고 있다.

화자·대상 + 시어(구)

09 ㉠에 해당한다고 볼 수 있는 사람을 〈보기〉에서 모두 고른 것은?

〈보기〉

ㄱ. 일상의 편안함에 안주하는 직장인
ㄴ. 자신의 이익에만 관심을 가지는 자본가
ㄷ. 정의롭고 순수한 세상을 추구하는 정치인
ㄹ. 불합리한 것을 보고 모르는 체하는 공무원
ㅁ. 부정적인 현실에 대한 극복 의지를 가진 노동자

① ㄱ, ㄴ
② ㄱ, ㄷ
③ ㄴ, ㄷ
④ ㄷ, ㄹ
⑤ ㄷ, ㅁ

어휘

10 다음 중 ㉡과 가장 가까운 뜻으로 쓰인 것은?

① 그는 하늘에 대고 하소연을 하였다.
② 나는 선생님께 핑계를 대고 싶지 않았다.
③ 동생은 방문에 귀를 대고 주의를 기울였다.
④ 그녀는 역 앞에 차를 대고 손님을 기다렸다.
⑤ 우리는 서로의 등을 대고 앉아 잠시 숨을 돌렸다.

수능형

표현

11 〈보기〉를 참고할 때, 윗글을 해석한 내용으로 적절하지 <u>않은</u> 것은?

〈보기〉

　이 작품에는 차이를 동반하는 반복, 즉 변주가 나타난다. 각 연에는 반복되는 시구들이 있고 거기에 새로운 시구가 점층적으로 덧붙여지고 있는데, 이러한 변주가 연과 연 사이에서도 나타난다. 이 변주를 통해 상황이 구체화되고, 의미의 점층적 강화가 이루어진다.

① 1연에서 '떨어진', '마당 위에 떨어진'이 덧붙여지면서 '눈은 살아 있다'의 상황이 구체화된다.
② 전반부인 1~2연에서의 내용이 후반부인 3~4연에서 변주된다.
③ 1연과 3연은 '눈은 살아 있다'를 중심으로, 2연과 4연은 '기침을 하자'를 중심으로 변주된다.
④ 2연의 '마음 놓고'는 4연의 '눈을 바라보며'로 변주되면서 의미를 점층적으로 강화한다.
⑤ 4연의 '가래라도 / 마음껏 뱉자'는 '기침을 하자'가 변주되면서 '마음껏'이 덧붙여져 있다.

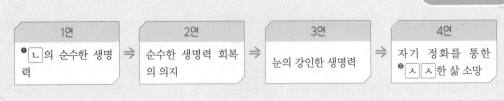

1연		2연		3연		4연
❶ㄴ의 순수한 생명력	⇒	순수한 생명력 회복의 의지	⇒	눈의 강인한 생명력	⇒	자기 정화를 통한 **❷**ㅅㅅ한 삶 소망

작품 압축

■ 이 작품에 나타난 화자의 태도

순수함을 추구하는 존재인 '젊은 시인'은 이 작품의 화자인 동시에 작가 자신이라고 볼 수 있다. 화자는 살아 있는 '눈'을 보며 순수하고 가치 있는 삶을 살아가고자 한다.

젊은 시인	• 순수함을 추구하는 존재 • **❸**ㅈㅇ을 잊어버린 영혼과 육체 • 화자이자 작가 자신

⇓

화자의 태도	• 순수한 생명력을 지닌 '눈'을 보며 자신의 삶을 반성함 • 순수하고 가치 있는 삶을 다짐하는 **❹**ㅇㅈㅈ인 태도를 보임

■ 이 작품에 나타난 화자의 현실 인식

화자는 '밤새도록' 가래를 뱉자고 하는데, 이는 어두운 현실에서 화자를 괴롭히는 모든 부정적인 것을 토해 내는 행위로 볼 수 있다. 이러한 행위를 통해 화자는 현실의 억압과 불의를 물리치고 순수하고 정의로운 삶을 회복하려는 의지를 드러내고 있다.

밤	어두운 시대 상황
가래라도 / 마음껏 뱉자	억압과 불의에 대한 저항

⇓

화자의 현실 인식	부정적 현실에 대한 날카로운 **❺**ㅂㅍ 의식과 저항 의지를 드러냄

화자·대상

시어 (구) | **표현**

■ '눈', '가래', '기침'의 상징적 의미

이 작품에서 '눈'은 순수함, 진정한 가치를 의미하는 시어로, 불순한 것을 의미하는 '가래'와 의미가 대립된다. 화자는 불순한 것을 뱉어 내는 '기침'을 통해 스스로를 정화함으로써 순수한 삶을 추구한다.

눈		가래
• 깨끗함, 순수함, 진정한 가치 • 순수하고 강인한 **❻**ㅅㅁㄹ을 지닌 존재	대립 ⇔	• 더러움, 불순하고 부정적인 것 • 부정적인 현실에서 생긴 속물근성, 소시민성 등

⇓

❼ㄱㅊ	• 불순한 것을 뱉어 내는 행위 • 자기 정화 행위

■ 반복법과 점층법의 효과

이 작품은 1연과 3연에서는 '눈은 살아 있다', 2연과 4연에서는 '기침을 하자'를 반복·변형함으로써 시적 의미를 점층적으로 강조하고 있다.

1연, 3연	2연, 4연
눈은 살아 있다 / 떨어진 눈은 살아 있다 / 마당 위에 떨어진 눈은 살아 있다 …	기침을 하자 / 젊은 시인이여 기침을 하자 / 눈 위에 대고 기침을 하자 …

핵심 어구의 점층적 **❽**ㅂㅂ

⇓

효과	• 리듬감을 살림 • 시적 의미를 강조하여 주제를 부각함

어휘 체크

어휘력 테스트

● 다음 괄호 안에 들어갈 단어의 뜻을 〈보기〉에서 골라 기호를 써 보자.

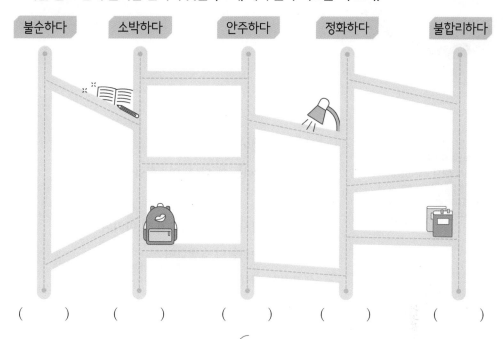

| 불순하다 | 소박하다 | 안주하다 | 정화하다 | 불합리하다 |

(　　　　) 　(　　　　) 　(　　　　) 　(　　　　) 　(　　　　)

┌─────────── 보기 ───────────┐

㉠ 물질 따위가 순수하지 아니하다.
㉡ 꾸밈이나 거짓이 없고 수수하다.
㉢ 현재의 상황이나 처지에 만족하다.
㉣ 이론이나 이치에 합당하지 아니하다.
㉤ 불순하거나 더러운 것을 깨끗하게 하다.

└──────────────────────────┘

독해쌤과 함께하는 감상 넓히기

부조리한 현실을 대하는 지식인의 고뇌를 담은 작품

이번에 감상한 「눈」은 부정적인 현실을 살아가는 화자가 순수하고 정의로운 삶의 가치를 추구하는 태도를 드러낸 작품입니다. 이처럼 부조리한 현실을 대하는 지식인의 정신적 면모가 드러난 다른 작품들을 더 감상해 볼까요?

서시 _윤동주

식민지 지식인의 도덕적 순결성에 대한 고뇌와 극복 의지가 드러나는 시입니다. 화자가 순수한 삶의 자세를 지향한다는 점은 「눈」과 공통적이나 적극적 참여 의지를 보이는 「눈」의 화자와 달리 이 작품의 화자는 자기 성찰에 의한 정화를 추구합니다.

폭포 _김수영

쉴 새 없이 떨어지는 '폭포'의 속성을 통해 부정적인 현실에 대응하는 화자의 태도를 보여 주는 시입니다. 이 작품의 화자는 억압과 불의를 거부하고 고매한 정신을 지키며 살아가려는 굳은 의지를 드러냅니다.

실전

추억에서 _박재삼

독해쌤의 감상 질문

1. 화자·대상 화자의 추억 속에는 어떤 삶의 모습과 정서가 나타나나요?

2. 시어(구) '진주 장터', '별밭', '골방'에 담긴 상징적 의미는 무엇일까요?

3. 표현 • 이 작품에서 '한(恨)'을 형상화한 시각적 표현에는 무엇이 있나요?
   • 이 작품에 나타난 표현상의 특징과 효과는 무엇인가요?

독해쌤 속닥속닥

◆ 이 작품의 공간적 배경인 '진주 장터'나 '골방'에서 어린 화자와 가족들의 삶의 모습은 어떠한지 생각해 봐요. 또한 '빛 발하는 눈깔', '은전', '옹기들'과 같이 시각적 이미지를 불러일으키는 시어나 시구에 담긴 화자와 어머니의 정서를 발견해 보아요.

진주 장터 생어물전에는
　　　　생선이나 해산물을 파는 가게
바닷밑이 깔리는 해 다 진 어스름을,

울 엄매의 장사 끝에 남은 고기 몇 마리의

빛 발하는 눈깔들이 속절없이
　　　　　　　　단념할 수밖에 달리 어찌할 도리가 없이
은전(銀錢)만큼 손 안 닿는 한(恨)이던가

울 엄매야 울 엄매,

별밭은 또 그리 멀리

우리 오누이의 머리 맞댄 골방 안 되어
　　　　　　　　　　큰방의 뒤쪽에 딸린 작은방
손 시리게 떨던가 손 시리게 떨던가,

진주 남강 맑다 해도

오명 가명

신새벽이나 밤빛에 보는 것을,
　날이 새기 시작하는 첫새벽
울 엄매의 마음은 어떠했을꼬,

달빛 받은 옹기전의 옹기들같이
　　　　　　옹기를 파는 가게
말없이 글썽이고 반짝이던 것인가.

확인 문제

[01~04] 다음 설명이 맞으면 ○, 틀리면 ✕표 하시오.

01 이 작품은 의지적 어조를 통해 화자의 신념을 드러내고 있다. (○ , ✕)

02 이 작품의 시간적 배경은 어두워진 저녁으로 쓸쓸한 느낌을 준다. (○ , ✕)

03 이 작품은 첫 연을 끝 연에 다시 반복하여 주제 의식을 강조하고 있다. (○ , ✕)

04 이 작품은 시적 대상에 대한 연상과 비유를 통한 시각적 이미지가 두드러지게 나타난다. (○ , ✕)

[05~07] 다음 빈칸에 들어갈 알맞은 말을 쓰시오.

05 이 작품에서 '[ㅇㅈ]'은 화자가 '남은 고기 몇 마리의 / 빛 발하는 눈깔'에서 떠올린 소재이다.

06 이 작품에서 '[ㄱㅂ]'은 어둡고 외로운 현실적 공간으로, '별밭'과는 대조적인 의미를 지닌다.

07 이 작품의 주된 정서는 어머니의 가난하고 고달픈 삶에서 비롯된 [ㅎ]이다.

실력 문제

표현

08 윗글에 대한 설명으로 적절하지 <u>않은</u> 것은?

① 과거와 미래를 대비하여 시적 상황을 드러내고 있다.
② 시각적 이미지를 통해 애상적 정서를 부각하고 있다.
③ 의문형 어미를 사용하여 화자의 감정을 절제하고 있다.
④ 구체적 지명과 방언을 사용하여 향토적 느낌을 주고 있다.
⑤ 동일한 시구를 반복하여 운율을 형성하고 의미를 강조하고 있다.

09 〈보기〉의 설명에 공통적으로 해당하는 시어로 적절한 것은?

> ┌─ 보기 ─┐
> • 대상에 대한 애틋한 심정이 나타난다.
> • 토속적이고 향토적인 정감을 불러일으킨다.
> • 화자가 어린 시절을 회상하고 있음을 보여 준다.

① 은전 ② 별밭 ③ 골방
④ 울 엄매 ⑤ 옹기

시어(구) + 표현

10 윗글에 대한 감상으로 적절하지 <u>않은</u> 것은?

① '해 다 진 어스름'은 어두운 분위기를 조성한다.
② '빛 발하는 눈깔들'은 '손 안 닿는' '은전'과 연결되어 어머니의 '한'을 느끼게 한다.
③ '울 엄매야 울 엄매'는 반복을 통해 어머니에 대한 안타까운 마음을 효과적으로 드러낸다.
④ '손 시리게 떨던가'는 촉각적 이미지를 통해 가난했던 어린 시절의 모습을 담아내고 있다.
⑤ '말없이 글썽이고 반짝이던' '옹기들'은 아이들의 반짝이는 눈을 빗대어 표현한 것이다.

수능형

화자·대상

11 〈보기〉를 바탕으로 한 발표 내용으로 적절하지 <u>않은</u> 것은?

> ┌─ 보기 ─┐
> 선생님: 아래에 제시된 장면들을 중심으로 이 작품을 감상하고 각자 파악한 내용을 발표해 볼까요?

장면 1	장면 2	장면 3
진주 장터	골방	진주 장터 오가는 길

① '장면 1'은 생계를 위해 생어물전에서 장사를 하던 어머니의 모습을 보여 줍니다.
② '장면 1'은 팔리지 않고 남은 고기를 통해 고단한 어머니의 삶을 보여 줍니다.
③ '장면 2'는 일하러 간 어머니를 추위에 떨며 기다리던 오누이의 모습을 보여 줍니다.
④ '장면 3'은 어머니가 새벽부터 밤늦게까지 일하러 다니던 모습을 보여 줍니다.
⑤ '장면 3'은 진주 남강의 풍경이 어머니의 고달픈 삶을 달래 주었음을 보여 줍니다.

작품 전체

1연		2연		3연		4연
저녁 무렵의 진주 장터	⇒	가난으로 한이 맺힌 어머니의 삶	⇒	추운 ^①ㄱㅂ에서 어머니를 기다리는 오누이	⇒	어머니의 ^②ㄴㅁ과 한

작품 압축

■ 화자의 추억 속에 담긴 삶과 정서

이 작품에서 화자는 가난했던 어린 시절을 떠올리며 고달픈 삶을 산 어머니가 느꼈을 한을 그리고 있다.

화자의 추억 속에 담긴 삶
• 어머니는 진주 장터에서 새벽부터 밤늦게까지 생선을 파심 • 오누이는 골방에서 떨며 어머니를 기다림

⇩

화자의 정서
• 가난했던 어린 시절에 대한 안타까움 • ^③ㅇㅁㄴ의 고달프고 한스러운 삶에 대한 연민과 안타까움

■ '진주 장터', '별밭', '골방'의 상징적 의미

이 작품에서 '진주 장터'는 어머니가 생계를 위해 생선 장사를 하던 일터로, 고달픈 삶의 현장이다. '골방'은 어머니가 장터에 있는 동안 오누이가 어머니를 기다리던 공간이며, '별밭'은 이와 대비되는 소망의 세계이다.

^④ㅂㅂ		골방
• 어린 시절 멀리 있었던 이상적인 공간 • 소망의 세계(밝음의 이미지)	⇔	• 어린 시절 오누이가 추위로 떨고 있는 가난한 삶의 현실 • 좁고 열악한 공간 (어둠의 이미지)

화자·대상 / 시어(구) / 표현

■ '한(恨)'을 형상화한 시각적 표현

이 작품은 어머니의 고달픈 삶과 한(恨)을 시각적 이미지로 표현하고 있다.

시각적 표현	환기하는 정서
해 다 진 어스름	저녁 무렵의 시간적 배경으로, 어두운 분위기를 조성해 애상적 정서를 환기함
빛 발하는 눈깔들, 은전	남은 생선의 눈깔에서 가질 수 없는 ^⑤ㅇㅈ을 연상하여 가난한 어머니의 한스러운 삶을 환기함
달빛 받은 옹기전의 옹기들같이 / 말없이 글썽이고 반짝이던 것	옹기들의 반짝임을 통해 어머니의 눈물을 시각적으로 형상화해 어머니가 느꼈을 ^⑥ㅎ의 정서를 환기함

■ 표현상의 특징과 효과

이 작품은 의문형, 추측형의 종결 어미를 사용하여 화자의 감정을 효과적으로 드러내는 한편, 동일한 시구를 반복하여 시적 정서를 극대화하고 있다.

표현상의 특징		효과
^⑦ㅇㅁ형, 추측형의 종결 어미 사용: '한이던가', '떨던가', '어떠했을꼬', '것인가'	⇒	어른이 된 화자가 어린 시절에 느꼈던 슬픈 감정을 절제하여 드러냄
동일한 시구의 반복: '울 엄매야 울 엄매', '손 시리게 떨던가 손 시리게 떨던가'	⇒	• ^⑧ㅇㅇ을 형성함 • 어머니에 대한 애틋함, 춥고 가난했던 시절에 대한 슬픔의 정서를 강조함

어휘 체크

어휘력 테스트

● 다음 괄호 안에 들어갈 단어의 뜻을 〈보기〉에서 골라 기호를 써 보자.

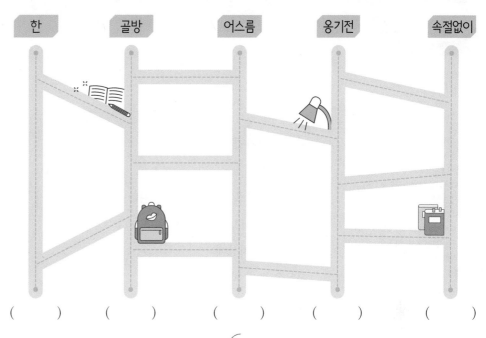

| 한 | 골방 | 어스름 | 옹기전 | 속절없이 |

(   )   (   )   (   )   (   )   (   )

┌─ 보기 ─┐

ㄱ 옹기를 파는 가게

ㄴ 큰방의 뒤쪽에 딸린 작은방

ㄷ 조금 어둑한 상태. 또는 그런 때

ㄹ 단념할 수밖에 달리 어찌할 도리가 없이

ㅁ 몹시 원망스럽고 억울하거나 안타깝고 슬퍼 응어리진 마음

독해쌤과 함께하는 감상 넓히기

어린 시절 어머니와의 추억을 회상하는 작품

이번에 감상한 「추억에서」와 같이 어른이 된 화자가 자신의 유년 시절을 회상한 작품들이 많아요. 이러한 작품의 화자는 고단한 삶을 사셨던 어머니의 모습을 떠올리며 안타까움을 느끼기도 하고, 어머니에 대한 그리움을 드러내기도 합니다. 이러한 작품들을 더 감상해 볼까요?

어머니의 물감 상자_강우식

시장에서 물감 장사를 하셨던 어머니에 대한 회상을 산문시 형식에 담은 시입니다. 화자는 어머니의 물감 장사가 단지 물감을 파는 것이 아니라 아름다운 마음을 전해 주는 일이었다고 표현하며 돌아가신 어머니에 대한 그리움을 드러내고 있습니다.

담양장_최두석

과거 '담양장'에 대바구니를 팔러 갔던 어머니와 관련된 추억을 그린 시입니다. 새벽에 장에 가신 어머니를 마중 갔던 어린 시절 화자의 모습을 이야기 형식으로 형상화하고, 지금까지 허리가 굽은 모습으로 대바구니를 파시는 어머니의 모습을 연민의 시선으로 드러내고 있습니다.

실전 07 겨울-나무로부터 봄-나무에로 _황지우

독해쌤의 감상 질문

1. 화자·대상 화자가 바라보는 대상은 어떤 모습이고, 화자는 그 모습에 대해 어떤 태도를 보이고 있나요?

2. 시어(구) · '무방비의 나목'과 반대되는 상태를 의미하는 시구는 무엇일까요?
   · 시상의 전환이 이루어지는 부분은 어디일까요?

3. 표현 '나무'의 상황과 태도를 나타내기 위해 어떤 표현 방법을 사용했나요?

독해쌤 속 닥 속 닥

◆ 이 작품의 대상인 '나무'는 전반부와 후반부에서 다른 모습을 보이고 있어요. 9행의 '그러나'를 중심으로 그 이전에 나무의 상황을 나타낸 표현과 그 이후에 나무의 모습을 나타낸 표현을 비교해 보고, 서로 대비되는 시어를 찾아보면 나무의 의지적 태도를 발견할 수 있어요.

나무는 자기 몸으로

나무이다

자기 온몸으로 나무는 나무가 된다

자기 온몸으로 헐벗고 영하 13도

영하 20도 지상에

온몸을 뿌리 박고 대가리 쳐들고

무방비의 나목(裸木)으로 서서
_{잎이 지고 가지만 앙상히 남은 나무}

두 손 올리고 벌받는 자세로 서서

아 벌받은 몸으로, 벌받는 목숨으로 기립하여, 그러나
_{일어나서 서서}

ⓐ이게 아닌데 이게 아닌데

온 혼(魂)으로 애타면서 속으로 몸속으로 불타면서

ⓑ버티면서 거부하면서 영하에서

영상으로 영상 5도 영상 13도 지상으로

밀고 간다, ⓒ막 밀고 올라간다

온몸이 으스러지도록

ⓓ으스러지도록 부르터지면서

터지면서 자기의 뜨거운 혀로 싹을 내밀고

㉠천천히, 서서히, 문득, 푸른 잎이 되고

푸르른 사월 하늘 들이받으면서

나무는 ⓔ자기의 온몸으로 나무가 된다

아아, 마침내, 끝끝내

꽃 피는 나무는 자기 몸으로

꽃 피는 나무이다

확인 문제

[01~04] 다음 설명이 맞으면 ○, 틀리면 ╳표 하시오.

01 이 작품의 화자는 작품의 표면에 드러나 있다.
(○ , ╳)

02 이 작품의 시상 전개는 시간의 흐름과 관련이 있다.
(○ , ╳)

03 이 작품에는 이상과 현실 사이의 거리감이 드러나고 있다.
(○ , ╳)

04 이 작품은 나무를 의인화하여 의지적인 삶의 태도를 드러내고 있다.
(○ , ╳)

[05~07] 다음 빈칸에 들어갈 알맞은 말을 쓰시오.

05 이 작품에서는 ㉠ㅇ과 봄이라는 계절의 대립을 통해 의미를 강조하고 있다.

06 이 작품은 앞뒤의 내용이 상반될 때 사용하는 '㉠ㄹㄴ'를 경계로 시상이 전환되고 있다.

07 '봄-나무'의 모습은 '싹 → 푸른 잎 → ㉢'의 흐름을 통해 구체화되고 있다.

실력 문제

08 윗글의 표현상 특징에 대한 설명으로 적절한 것은? [표현]

① 감탄사를 사용하여 대상에게 느낀 아쉬움을 표현하고 있다.
② 유사한 문장을 반복하여 대상의 역동적 측면을 드러내고 있다.
③ 대상이 이동하는 공간을 순서로 제시하며 내용을 전개하고 있다.
④ 의성어와 의태어를 통해 대상의 상태를 생동감 있게 제시하고 있다.
⑤ 대상에게 말을 건네는 방식을 사용하여 친밀한 느낌을 자아내고 있다.

09 윗글의 시구에 대한 이해로 적절하지 <u>않은</u> 것은? [시어(구)]

① '대가리 쳐들고'는 겨울-나무의 꼿꼿한 모습을 비유한다.
② '벌받는 자세'는 겨울-나무에게 고난이 가해지는 상황을 의미한다.
③ '뜨거운 혀로 싹을 내밀고'는 의지를 지닌 봄-나무의 모습을 빗댄 표현이다.
④ '하늘 들이받으면서'는 봄-나무의 모습을 상승적 이미지로 나타낸다.
⑤ '마침내, 끝끝내'는 겨울-나무가 경험하는 절망감을 드러낸다.

10 ㉠에 대한 설명으로 가장 적절한 것은? [화자·대상 + 시어(구)]

① 화자의 갑작스러운 감정 변화를 나타낸다.
② 대상에게 느리지만 지속적인 변화가 일어남을 드러낸다.
③ 화자가 자신의 내면을 고요히 들여다보는 상황을 나타낸다.
④ 대상에 대한 화자의 기대가 헛된 것이었음을 알 수 있게 한다.
⑤ 대상에 대한 화자의 태도가 부정적으로 바뀌었음을 암시한다.

11 〈보기〉를 참고하여 ⓐ~ⓔ에 대해 이해한 내용으로 적절하지 <u>않은</u> 것은? [수능형] [화자·대상 + 시어(구) + 주제]

> **보기**
>
> 이 작품은 겨울에서 봄으로 계절이 변화하면서 나무에게 생기는 변화가 부정적 현실에 저항하려는 나무의 치열한 문제의식과 적극적인 노력을 통해 일어나는 것이라는 생각을 드러냄으로써 나무의 주체성과 자발성을 강조하고 있다.

① ⓐ는 나무가 자신의 상황에 대해 갖게 된 치열한 문제의식에 해당하겠군.
② ⓑ는 나무가 자신에게 일어나는 변화에 저항하려는 시도를 가리키겠군.
③ ⓒ는 스스로 적극적인 노력을 하는 나무의 모습을 떠올리게 하는군.
④ ⓓ는 변화의 과정에서 나무가 겪는 고통을 의미하겠군.
⑤ ⓔ는 나무의 주체성과 자발성에 주목한 표현이겠군.

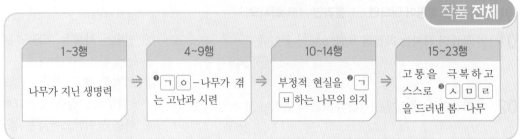

1~3행	4~9행	10~14행	15~23행
나무가 지닌 생명력	❶ㄱㅇ - 나무가 겪는 고난과 시련	부정적 현실을 ❷ㄱㅂ하는 나무의 의지	고통을 극복하고 스스로 ❸ㅅㅁㄹ을 드러낸 봄-나무

작품 압축

■ '나무'의 변화와 화자의 태도

화자는 '겨울-나무'로부터 '봄-나무'로의 변화 과정에 대해 표현하며, 겨울의 추위를 극복하고 온몸이 으스러지도록 부르터지면서 봄에 꽃을 피워 낸 나무의 모습에 감탄을 드러내고 있다.

겨울-나무	봄-나무
고난과 시련을 겪음	고난과 시련을 ❹ㄱㅂ하고 생명력을 지님

화자의 태도	아아, 마침내, 끝끝내: 나무의 경이로운 의지에 대한 ❺ㄱㅌ, 감동

■ 표현상의 특징과 효과

이 작품은 나무를 사람처럼 의인화하여 표현하고, 동일하거나 유사한 시구를 반복하고 있으며, 상승적·역동적 이미지를 사용하고 있다.

표현상의 특징	효과
나무를 ❻ㅇㅇㅎ한 표현	나무의 모습을 구체화하여 나타냄
동일하거나 유사한 시구 반복	의미를 강조하고 운율을 형성함
상승적·역동적 이미지 사용	시련을 극복하려는 주체적 ❼ㅇㅈ와 강인한 생명력을 드러냄

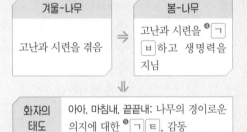

화자·대상 / 표현 / 시어(구)

■ 대립적 시구의 의미

겨울의 헐벗은 나무와 봄의 꽃피는 나무라는 대립적 의미를 지닌 시구를 사용하여 상황의 변화를 효과적으로 드러내고 있다.

무방비의 나목	❽ㄲ 피는 나무
• 겨울-나무 • 헐벗은 모습으로 부정적 현실에 시달림	• 봄-나무 • 강인한 의지로 고통을 극복하고 생명력이 충만해짐

영하 13도, 영하 20도	푸르른 사월
가혹한 시련의 상황, 겨울	생명력이 충만한 때, 봄

■ 시상의 전환

시에 나타난 어떤 사상이나 감정이 이전과는 다르게 바뀌는 것을 '시상의 전환'이라고 한다. 이 작품에서는 9행의 '그러나'를 기점으로 나무가 보이는 태도가 달라지면서 시상의 전환이 일어난다.

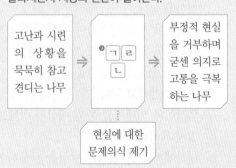

고난과 시련의 상황을 묵묵히 참고 견디는 나무	❾ㄱㄹㄴ	부정적 현실을 거부하며 굳센 의지로 고통을 극복하는 나무

현실에 대한 문제의식 제기

어휘 체크 · 어휘력 테스트

1 제시된 뜻과 예문을 참고하여 다음 초성에 해당하는 단어를 괄호 안에 써 보자.

(1) ㄱ ㄹ : 일어나서 섬

예 공연이 끝나자 관객들은 모두 (   ) 박수를 보냈다.

(2) ㄴ ㅁ : 잎이 지고 가지만 앙상히 남은 나무

예 겨울 산에 (   )이 맨몸으로 바람을 맞으며 서 있었다.

(3) ㄱ ㅂ : 요구나 제의 따위를 받아들이지 않고 물리침

예 상대의 엉뚱한 제안에 대해 우리는 (   ) 의사를 분명히 밝혔다.

2 다음 〈보기〉의 뜻을 참고하여 십자말풀이를 완성해 보자.

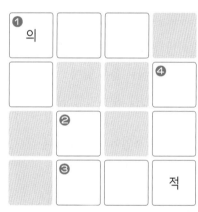

〈보기〉

가로
❶ 사람이 아닌 것을 사람에 비기어 표현함
❸ 추상적인 개념이나 사물을 구체적인 사물로 나타내는 것

세로
❶ 어떠한 일을 이루고자 하는 마음
❷ 섭씨온도계에서, 눈금이 0℃ 이상의 온도
❹ 힘차고 활발하게 움직이는 것

독해쌤과 함께하는 감상 넓히기

굴하지 않는 의지를 노래한 작품

이번에 감상한 「겨울-나무로부터 봄-나무에로」와 같이 어려운 현실을 이겨 내는 강인한 의지를 노래한 작품들이 많아요. 이런 작품 중에는 자연물을 사람에 빗대어 의지를 지닌 존재로 표현한 경우가 많답니다. 이러한 작품들을 더 감상해 볼까요?

바위_유치환
'바위'를 소재로 초월의 경지에 도달하고자 하는 다짐을 드러낸 시입니다. 화자가 지향하는 '바위'는 어떠한 외적 시련에도 굴하지 않고, 유혹에도 흔들리지 않는 꿋꿋한 의지를 지닌 존재로 형상화되고 있습니다.

풀_김수영
'풀'을 소재로 민중의 강인한 생명력을 상징적으로 표현한 시입니다. '풀'과 '바람'의 대립 구조와 반복을 통해 바람 앞에 무력하던 풀이 주체적, 의지적 태도와 생명력을 보이는 모습을 형상화하고 있습니다.

도산십이곡 _이황

아름다운 자연 속에서 지내면서
진리를 깨우치기 위해 부지런히 책
을 읽는 인생을 산다면 하루하루가
어떤 느낌일까요? 오늘날 우리가
보기엔 그런 생활이 다소 지루할지
몰라도 조선 시대의 선비들에게는
가장 바람직하고 멋진 삶의 모습
중 하나였답니다. 화자가 무엇에서
즐거움을 느끼는지 생각하면서 작
품을 감상해 볼까요?

**독해쌤의
감상 질문**

1. [화자·대상] · 화자는 자연 속
에서 어떤 태도를 보이고 있
나요?
· 화자가 본받으려는 대상은
무엇일까요?

2. [표현] 이 작품에서 두드러
지게 사용된 표현 방법은 무
엇인가요?

3. [주제] 〈제1수〉~〈제6수〉와
〈제9수〉, 〈제11수〉에서 각각
말하고자 하는 바는 무엇인
가요?

독해쌤 속 닥 속 닥

➡ 이 작품은 조선 시대의 대표
적 유학자인 퇴계 이황이 안
동에 도산 서원을 세우고 자
연 속에 지내며 학문 수양에
힘쓸 때 지은 연시조예요. 따
라서 이러한 생활이 작품 속
에 구현되어 있는데, 전반부
인 〈제1수〉~〈제6수〉에서는
자연에 대한 태도를, 후반부
인 〈제9수〉, 〈제11수〉에서는
학문 수양의 태도를 살펴볼
수 있어요.

이런들 어떠하며 저런들 어떠하리

초야우생(草野愚生)이 이렇다 어떠하리

하물며 ㉠천석고황(泉石膏肓)을 고쳐 무엇하리   〈제1수〉
　　　　　자연의 아름다운 경치를 몹시 사랑하고 즐기는 병

연하(煙霞)로 집을 삼고 풍월(風月)로 벗을 삼아
　안개와 노을　　　　　　　바람과 달
태평성대(太平聖代)에 병(病)으로 늙어 가되
어진 임금이 잘 다스리어 태평한 시대
ⓐ이 중에 바라는 일은 허물이나 없고자   〈제2수〉
　　　　　　　　　잘못 저지른 실수

ⓑ순풍(淳風)이 죽었다 하니 진실로 거짓말이
　순박한 풍속
㉡인성(人性)이 어질다 하니 진실로 옳은 말이

천하(天下)에 허다영재(許多英才)를 속여 말씀하는가   〈제3수〉

㉢유란(幽蘭)이 재곡(在谷)하니 자연이 듣기 좋구나

백운(白雲)이 재산(在山)하니 자연이 보기 좋구나
　색깔이 흰 구름
ⓒ이 중에 피미일인(彼美一人)을 더욱 잊지 못하리   〈제4수〉

산전(山前)에 유대(有臺)하고 대하(臺下)에 유수(有水)로다

떼 많은 갈매기는 오명가명 하거든

어쩌다 ㉣교교백구(皎皎白駒)는 멀리 마음 두는고   〈제5수〉
　　　　　　성현이 타는 말

춘풍(春風)에 ㉤화만산(花滿山)하고 추야(秋夜)에 월만대(月滿臺)라

사시가흥(四時佳興)이 사람과 한가지라
　사계절의 아름다운 흥취
하물며 어약연비(魚躍鳶飛) 운영천광(雲影天光)이야 어찌 끝이 있으리   〈제6수〉
　　　　물고기가 펄펄 뛰고 솔개가 하늘 높이 낢　　구름의 그림자와 하늘의 빛

┌ 고인(古人)도 날 못 보고 나도 고인 못 봬
│　　옛 성현
│　고인을 못 봬도 가던 길 앞에 있네
│
│　ⓓ가던 길 앞에 있거든 아니 가고 어찌할꼬   〈제9수〉
│
[A]
│　청산(靑山)은 어찌하여 만고(萬古)에 푸르르며
│　　　　　　　　　　　아주 오랜 세월 동안
│　유수(流水)는 어찌하여 주야(晝夜)에 그치지 아니한고
│
└ ⓔ우리도 그치지 말아 만고상청(萬古常靑)하리라   〈제11수〉
　　　　　　　　아주 오랜 세월 동안 변함없이 언제나 푸름

확인 문제

[01~04] 다음 설명이 맞으면 ○, 틀리면 ×표 하시오.

01 이 작품은 전체적으로 시간의 흐름에 따라 시상이
전개되고 있다. (○, ×)

02 〈제1수〉의 '초야우생'은 화자 자신을 가리키는 겸손
한 표현이다. (○, ×)

03 〈제3수〉에서 '순풍'과 '인성'은 의미가 상반되는 시
어이다. (○, ×)

04 〈제4수〉에서 화자는 아름다운 자연 속에서 임금을
그리워하고 있다. (○, ×)

[05~07] 다음 빈칸에 들어갈 알맞은 말을 쓰시오.

05 〈제6수〉의 초장과 중장에는 아름다운 ㅈㅇ의 모
습과 그에 대한 감흥이 드러나 있다.

06 〈제9수〉에서 화자는 옛 성현들이 추구했던 삶을
'ㄱㄷㄱ'이라고 표현하고 있다.

07 〈제11수〉에서 화자는 'ㅊㅅ'과 '유수'의 한결같음
을 본받으려 하고 있다.

실력 문제

08 윗글에 대한 설명으로 적절한 것은?　[표현]
① 〈제1수〉에서는 반복법을 활용하여 화자의 심리
　적 갈등을 강조하고 있다.
② 〈제2수〉에서는 대구법을 활용하여 화자가 대상
　에게 바라는 바를 나타내고 있다.
③ 〈제3수〉에서는 대조법을 활용하여 부정적인 세
　태에 대한 화자의 비판적 관점을 드러내고 있다.
④ 〈제4수〉에서는 연쇄법을 활용하여 화자가 대상
　을 통해 깨닫게 된 교훈을 제시하고 있다.
⑤ 〈제6수〉에서는 설의법을 활용하여 대상에 대한
　화자의 감탄을 부각하고 있다.

09 ㉠~㉤에 대한 이해로 적절하지 않은 것은?　[화자·대상 + 시어(구)]
① ㉠: 자연에 대한 화자의 태도를 빗댄 표현이다.
② ㉡: 화자가 긍정적으로 인식하는 대상이다.
③ ㉢: 화자가 감상하는 아름다운 자연의 일부이다.
④ ㉣: 화자의 욕심 없는 마음 상태를 나타내는 대
　상이다.
⑤ ㉤: 화자에게 만족감을 느끼게 하는 경치이다.

10 [A]에서 화자가 말하고자 하는 바로 가장 적절한 것은?　[주제]
① 변함없는 자연이 지닌 아름다움
② 학문을 수양하는 삶에 대한 지향
③ 성현의 책에서 얻을 수 있는 기쁨
④ 인간의 유한성과 대비되는 자연의 영원함
⑤ 시간의 흐름에 대한 안타까움과 극복 의지

수능형

11 〈보기〉를 읽고 윗글에 대해 이해한 내용으로 적절하지 않은 것은?　[화자·대상 + 주제]

> **보기**
>
> 「도산십이곡」은 이황이 벼슬에 뜻을 두지 않고
> 안동에 은거하면서 학문에 몰두하는 생활을 하던
> 때에 지은 전체 열두 수의 연시조이다. 전반부의
> 여섯 수는 자연에 동화되어 소박한 생활을 하며 느
> 낀 감흥을, 후반부의 여섯 수는 학문 수양에 임하
> 는 심경을 노래하고 있다.

① ⓐ로 보아 작가는 안동에서 세속적 욕망과 거
　리가 먼 소박한 삶을 추구했겠군.
② ⓑ로 인해 작가는 안동에서 지내며 그 지역의
　풍속을 바로잡으려 했겠군.
③ ⓒ를 보니 작가는 자연 속에서 은거하면서도
　임금에 대한 충심을 잊지 않았군.
④ ⓓ로 보아 작가는 학문의 도리가 옛 성현들의
　가르침을 따르는 데 있다고 여겼겠군.
⑤ ⓔ로 보아 작가는 은거하는 자연의 모습에서
　학문 추구의 자세에 대한 영감을 얻었겠군.

작품 전체

〈제1수~제6수〉 언지(言志)	〈제7수~제12수〉 언학(言學)
제1수: 자연을 몹시 사랑하는 마음✿	제7수: 학문 수양의 즐거움
제2수: **❶ ㅈ ㅇ** 속에서 추구하는 허물이 없는 삶✿	제8수: 진리를 터득하기 위한 노력
제3수: 인간의 어질고 착한 성품✿	제9수: **❷ ㅎ ㅁ** 수양에 대한 다짐✿
제4수: 임금에 대한 그리움✿	제10수: 벼슬살이에 대한 후회
제5수: 자연을 멀리하는 사람들에 대한 비판✿	제11수: 끊임없는 학문 수양의 의지✿
제6수: 자연의 아름다운 조화✿	제12수: 쉽고도 어려운 학문 수양의 길

✿: 교재 수록 부분

작품 압축

■ 자연에 대한 화자의 태도

이 작품의 화자는 자연을 깊이 사랑하며 자연과 동화되어 아름다운 자연을 예찬하고 있다.

❸ ㅊ ㅅ ㄱ ㅎ을 고쳐 무엇하리	자연을 몹시 사랑하는 마음
연하로 집을 삼고 풍월로 벗을 삼아	자연과 동화된 삶의 모습
어약연비 운영천광이야 어찌 끝이 있으리	자연의 이치와 조화가 끝이 없음에 대한 감탄

■ 화자가 본받으려는 대상

화자는 〈제9수〉, 〈제11수〉에서 '고인'과 '청산, 유수'를 본받아 학문을 수양하려는 자세를 보이고 있다.

화자	⇒	고인	직접 보지는 못해도 그들이 가던 길을 따라 학문 수양을 하려 함
		청산, **❹ ㅇ ㅅ**	변함없는 모습을 본받아 자신도 쉼 없이 학문 수양을 하고자 함

화자·대상

표현 주제

■ 작품에 주로 쓰인 표현 방법

이 작품은 전체적으로 대구법이 나타나며, 설의법으로 화자의 의도를 부각하는 한편, 앞 장의 끝 구가 다음 장의 첫 구로 이어지는 연쇄법도 나타난다.

❺ ㄷ ㄱ법	• 이런들 어떠하며 / 저런들 어떠하리 • 연하로 집을 삼고 / 풍월로 벗을 삼아 • 춘풍에 화만산하고 / 추야에 월만대라
설의법	• 하물며 천석고황을 고쳐 무엇하리 • 하물며 ~ 어찌 끝이 있으리
연쇄법	나도 고인 못 봬 / **❻ ㄱ ㅇ**을 못 봬도 가던 길 앞에 있네 / 가던 길 앞에 있거든

■ 이 작품의 주제 의식

이 작품은 전반부에서는 자연에 대한 태도를, 후반부에서는 학문에 대한 태도를 드러내고 있다.

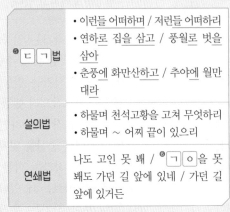

〈제1수〉~〈제6수〉	〈제9수〉, 〈제11수〉
자연을 사랑하는 마음과 자연과 동화된 삶, 아름다운 자연에 대한 감흥을 드러냄	'고인', '청산, 유수'를 본받아 학문을 수양할 것을 말함
⇓	⇓
자연 속 삶의 태도와 **❼ ㄱ ㅎ**	학문 **❽ ㅅ ㅇ**에 임하는 자세

어휘 체크   어휘력 테스트

1 제시된 뜻과 예문을 참고하여 다음 초성에 해당하는 단어를 괄호 안에 써 보자.

(1) ㅇ ㅅ : 흐르는 물

예 세월은 그야말로 (   )와 같구나.

(2) ㅇ ㅎ : 안개와 노을을 아울러 이르는 말

예 바다의 경치가 (   ) 속에 그림처럼 펼쳐져 있었다.

(3) ㅌ ㅍ ㅅ ㄷ : 어진 임금이 잘 다스리어 태평한 세상이나 시대

예 언제나 백성들은 (   )가 오기를 바란다.

2 다음 〈보기〉의 뜻을 참고하여 십자말풀이를 완성해 보자.

❶	❷ 운			
			❹	
	❸		고	

┌─────── 보기 ───────┐

가로

❶ 색깔이 흰 구름

❸ 자연의 아름다운 경치를 몹시 사랑하고 즐기는 병

세로

❷ 구름의 그림자와 하늘의 빛이라는 뜻으로, 자연의 오묘한 이치를 이름

❹ 아주 오랜 세월 동안 변함없이 언제나 푸름

└────────────────────┘

독해쌤과 함께하는 **감상 넓히기**

자연 친화적인 사대부의 삶을 노래한 작품

조선 시대의 시조나 가사 중에는 「도산십이곡」처럼 자연 속에 은거하며 한가롭고 욕심 없는 삶에 만족하는 태도를 드러낸 작품이 많아요. 자연의 아름다움과 학문 추구의 자세를 함께 노래한 다른 작품들을 더 감상해 볼까요?

강호사시가_맹사성

강호, 즉 자연 속에서 한가롭게 지내는 삶을 임금의 은혜와 연관 지어 노래한 전체 4수의 연시조입니다. 사계절의 흐름에 따라 시상을 전개하면서 자연 속에서 흥취를 느끼고 안분지족하는 모습을 그리고 있습니다.

고산구곡가_이이

퇴계 이황과 쌍벽을 이루는 대학자 율곡 이이가 자연의 아름다움에 대한 예찬과 학문의 즐거움을 담아 지은 전체 10수의 연시조입니다. 각 수마다 고산의 아름다운 경치를 묘사하고, 이를 학문의 즐거움에 빗대어 삶의 지향을 드러냈습니다.

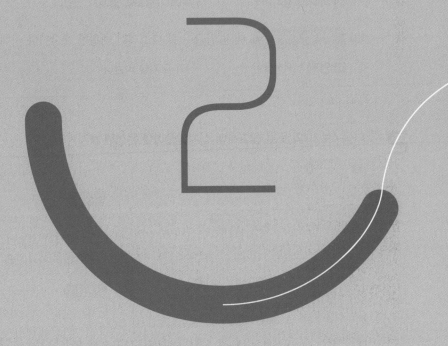

2

산문 문학

삼대 ①_염상섭

독해쌤의 감상 질문

1. [인물·사건] 조 의관, 상훈, 덕기의 갈등 양상은 어떠한가요?

2. [배경·소재] '족보'와 '돈' 등에 반영된 사회·문화적 상황은 어떠한가요?

3. [서술] 이 작품의 서술상의 특징은 무엇일까요?

4. [주제] 이 작품의 제목인 '삼대'가 가리키는 인물들을 통해 작가가 드러내고자 한 바는 무엇일까요?

독해쌤 속 닥 속 닥

◆ 상훈의 사촌형인 창훈은 돈을 주고 산 족보의 조상 중 ○○당 할아버지의 산소를 다듬자고 주장하는 조가의 떨거지 중 한 명이에요. 사실 창훈은 조 의관을 부추겨 자신의 이익을 챙기려는 속셈인데, 이를 모를 리 없는 상훈은 창훈과 대립하며 족보와 치산 문제에 반감을 드러내고 있는 거지요.

앞부분 줄거리 1930년대 서울, 대지주이며 재산가인 조 의관과 조상훈, 조덕기는 할아버지, 아버지, 아들로 이어지는 삼대이다. 돈으로 의관이라는 벼슬을 산 조 의관은 족보인 대동보를 엮는 데 큰돈을 쓰며 ○○당 할아버지 산소를 꾸미자는 문중의 요구를 받고, 조상훈은 이 문제로 육촌인 조창훈과 다툰다.

전개 1

가 영감도 결단코 어수룩한 사람은 아니다. 어수룩이라니, 거의 후반생을 산가지와 주판으로 늙은 사람이다.
　　사람의 한평생을 반씩 둘로 / 예전에, 수효를 셈하는
　　나눈 것의 뒤쪽 반생 / 데에 쓰던 막대기

　　속에서는 쪼르륵 소리가 나면서 천 냥 만 냥 판으로 돌아다니거나, 있는 집 사랑 구석에서 바둑으로 세월을 보내는 조가의 떨거지들이 다른 수단으로는 이 영감의 주머니 끈을 풀게 할 도리가 없으니까 족보를 앞장세우고 삶고 굽고 하는 바람에 조츰조츰 쓰기 시작한 것이 삼천여 원, 근 사천 원을 쓰게 되고 보니 속으로는 꽁꽁 앓는 판에 또 ○○당 할아버지가 앞장을 서서 오천 원 논란이 나온 것이다. 그러나 오천 원을 부른 사람도 그만큼 불러야 삼천 원은 우려내려니 하는 것이요, 조 의관도 오천 원의 반절은 아무래도 또 털리는 것이라고 생각하고 있는 것이다. 그것도 죽을 날이 얄팍하여 가니까 ○○조씨 문중에서 자기가 둘째 중시조나 되는 셈치고 이 세상에 남겨 놓고 가는 기념사업이라는
　　성과 본이 가까운 집안 / 쇠퇴한 가문을 다시 일으킨 조상
생각도 없지 않아서 해 보려는 노릇이다.

나 그래서 요새로 부쩍 달고 치는 바람에 그러면 우선 천 원 하나를 내놓을 터이니 오백 원은 산역에 쓰고 오백 원은 묘막을 짓되 부족되는 것은 묘하에 있는 조씨들이 금력으
　　시체를 묻고 외를 만들거나 이장하는 일 / 무덤 가까이에 지은, 묘지기가 사는 작은 집 / 조상의 산소가 있는 땅 / 돈의 힘. 또는 금전의 위력
로 보태든지 돈 없는 사람은 부역으로 흙 한 줌, 물 한 덩이, 떼 한 장씩이라도 떠다가 힘
　　흙이 붙어 있는 상태로 뿌리째 떠낸 잔디
으로 보태라고 한 것이다.

　　그리고 나서 제위답으로는 다소간 나중에 마련해 놓으마고 하였다. 조 의관 생각에는
　　추수한 것을 조상의 제사 비용으로 쓰기 위하여 마련한 논
그렇게 하면 천 원 내놓고 이천 원 들인 생색은 나려니 하는 속다짐이다.

다 "그래야 결국 아저씨께서는 돈 천 원, 하나밖에 안 내놓으신다니까 나중 뒷감당은 우리가 발로다 돌아다니며 긁어모아야 할 셈이라네. 말 내놓고 안 할 수 있나! 이래저래 뼛골만 빠지고 잘못되면 시비는 우리만 만나고……."

　　창훈이는 한참 앉았다가 혼잣말처럼 이런 소리를 한다. / "장한 사업 하슈. ○○당 할아버지가 묘막 지어 달라고, 제절 앞에 석물이 없어서 호젓하다고 하십디까?"
　　자손들이 늘어서서 절할 수 있도록 산소 앞에 마련된 평평하고 널찍한 부분
　　상훈이는 '합디까?'라고 입에서 나오는 것을 겨우 '하십디까'라고 존대를 하였다. ○○당 할아버지라고 부르는 것도 좀 어설프다. 예수교인이라 하여 자기 조상을 존경할 줄 모르

는 것이 아니라 부친이 새로 모셔 온 십몇 대조 할아버지라 하니 좀 낯 서투른 때문이다.
전에 만난 적이 없어 어색한

"그런 소린 아예 말게. 자네는 천주학을 하니까 이런 일에는 반대인지 모르지만 조상 없이 우리 손이 어떻게 퍼졌으며 조상 모르는 사람이 이 세상에 어디 있단 말인가? 어떻게 우리 조씨도 그렇게 해서 남에 빠지지 않고 자자손손이 번창해 나가야 하지 않겠나."

창훈이는 못마땅한 것을 참느라고 더욱 이죽이죽 대거리를 한다.
상대편에게 맞서서 대듦. 또는 그런 말이나 행동

"조가의 집이 번창하려고? 조상의 음덕을 입으려고? 하지만 꾸어 온 조상은 자기네 자손부터 돕는답디다……"
조상의 덕

전개1 족보와 치산을 둘러싸고 갈등하는 상훈과 창훈

확인 문제

[01~02] 다음 설명이 맞으면 ○, 틀리면 ×표 하시오.

01 조 의관은 세상 물정에 어둡고 아둔해서 친척들에게 이용만 당한다. (○ , ×)

02 상훈은 새로 모셔 온 조상을 자신의 진짜 조상으로 인정하지 않는다. (○ , ×)

[03~04] 다음 빈칸에 들어갈 알맞은 말을 쓰시오.

03 조 의관은 돈으로 의관 벼슬과 ㅈㅂ까지 사들이는 인물이다.

04 창훈은 산소를 꾸미는 일로 생색을 내고 있지만, 실제로는 조 의관의 ㄷ을 뜯어내려는 것이다.

실력 문제

05 윗글에 나타난 '조 의관'에 대한 설명으로 적절하지 않은 것은? 인물·사건

① 가문을 중시하는 봉건적 인물이다.
② 명분과 형식에 얽매인 구시대적 인물이다.
③ 치산에 드는 비용을 따져 계산하며 실리에 밝은 인물이다.
④ 문중의 신뢰를 얻기 위해 돈을 최대한 투자하는 인물이다.
⑤ 묘막 짓기에 문중 사람들이 힘이라도 보태야 한다고 여기는 인물이다.

06 윗글의 서술상 특징으로 적절한 것은? 서술

① 전지적 작가 시점으로 인물의 복잡한 심리를 드러낸다.
② 현재와 과거를 교차해 서술함으로써 긴장감을 조성한다.
③ 인물의 말과 행동을 우스꽝스럽게 표현해 웃음을 유발한다.
④ 주인공이 자신의 이야기를 일관된 태도로 독자에게 들려준다.
⑤ 서술자가 인물의 행동을 관찰해 객관적인 사실만 독자에게 전달한다.

07 〈보기〉를 참고할 때, '치산'과 관련한 인물들의 태도로 적절하지 않은 것은? 인물·사건

보기
치산(治山): 산소를 매만져서 다듬음

① 조 의관은 이 일로 자신이 문중에 기념할 일을 한다고 생각한다.
② 조가의 떨거지들은 조 의관의 재산을 뜯어내려고 이 일을 제안했다.
③ 상훈은 이 일에 관한 창훈의 말에 반감을 갖고 부정적인 태도를 보인다.
④ 창훈은 이 일이 집안을 위해 필요한 일처럼 말하지만 속셈은 따로 있다.
⑤ 상훈은 이 일이 장한 사업인 것은 인정하지만 돈이 들기 때문에 반대한다.

삼대 ②

독해쌤 속닥속닥

◆ (라)에서는 조 의관과 조상훈 부자의 가치관 차이와 이로 인한 갈등이 드러나요. 족보와 제사를 중시하는 조 의관은 이런 전통적인 가치를 무시하는 조상훈의 말에 화를 내고 있어요.

전개 2

라 "너 어째 왔니? 오늘은 예배당에 안 가는 날이냐?"

영감은 얼굴이 발끈 취해 올라오며 윗목에 숙이고 섰는 아들을 쏘아본다.

"어서 가거라! 여기는 너 올 데가 아니야! 이 자식아! 나이 오십 줄에 든 놈이 철딱서니가 없이 무어 어쩌고 어째? 조상을 꾸어 왔어? 꾸어 온 조상은 자기네 자손만 도와? …… 배우지 못한 자식!……" 〈중략〉

사천 원 돈이나 드는 줄 모르게 들인 것을 ㉠속으로 앓고 또 앞으로 돈 쓸 걱정을 하는 판에 애를 써 해 놓은 일에 대하여 자식부터라도 그따위 소리를 하는 것이 귀에 들어오니 ㉡이래저래 화는 더 나는 것이다. 게다가 원래 못마땅한 자식이요, 또 오늘은 친기라 제사 반대꾼을 보니 가만 있어도 무슨 야단이든지 날 줄은 누구나 짐작했지만 마침 거리가 좋아서 야단이 호되게 된 것이다.
<small>부모의 제사</small>

◆ 이 작품은 서술자가 인물의 심리까지 분석하여 전달하는 전지적 작가 시점을 취하고 있어요. 또 해당 인물의 시점에서 사건을 서술하면서 그에 대한 인물의 심리를 서술하기도 한답니다. (마)에서는 영감(조 의관)의 시점으로 사건을 서술하여 족보를 꾸미는 과정에서 돈이 많이 든 이유, 상훈에 대한 조 의관의 분노 등이 잘 드러나요.

마 "대동보소만 하더라도 족보 한 질에 오십 원씩으로 매었다 하니 그 오십 원씩을 꼭꼭 수봉하면 무엇하자고 삼사천 원이 가외로 들겠습니까?"
<small>남에게 빌려준 돈이나 외상값 따위를 거두어들이면   일정한 기준이나 정도의 밖</small>

"삼사천 원은 누가 삼사천 원 썼다던?"

영감은 아들의 말이 옳다고는 생각하였으나 실상 그 삼사천 원이란 돈이 족보 박는 데에 직접으로 들어간 것이 아니라 ○○조씨로 무후(無後)한 집의 계통을 이어서 일문일족에 끼려 한즉 군식구가 늘면 양반의 진국이 묽어질까 보아 반대를 하는 축들이 많으니까
<small>대(代)를 이어 갈 자손이 없는   한집안에 속하는 모든 거레붙이와 하인</small>
그 입을 씻기 위하여 쓴 것이다. 그러기 때문에 마치 난봉자식이 난봉 핀 돈 액수를 줄이듯이 이 영감도 실상은 한 천 원 썼다고 하는 것이다. 중간의 협잡배는 이런 약점을 노리고 우려 쓰는 것이지만 이 영감으로서는 ㉢성한 돈 가지고 이런 병신구실해 보기는 처음
<small>원래 식구 외에 덧붙어서 얻어먹고 있는 식구   허랑방탕한 짓을 피우는 자식   옳지 않은 방법으로 남을 속이는 짓을 일삼는 무리</small>
이다.

[A] ["그야 얼마를 쓰셨든지요. 그런 돈은 좀 유리하게 쓰셨으면 좋겠다는 말씀입니다."]

'재하자 유구무언'의 시대는 지났다 하더라도 ㉣노친 앞이라 말은 공손했으나 속은 달랐다.
<small>아랫사람은 웃어른에 대해 할 말도 제대로 못하고 지냄을 이르는 말</small>

"어떻게 유리하게 쓰란 말이냐? 너같이 오륙천 원씩 학교에 디밀고 제 손으로 가르친 남의 딸자식 유인하는 것이 유리하게 쓰는 방법이냐?"

아까부터 상훈의 말이 ㉤화롯가에 앉아서 폭발탄을 만지작거리는 것 같아서 위태위태하더라니 겨우 간정되려던 영감의 감정에 또 불을 붙여 놓고 말았다.
<small>소란스럽던 일이나 앓던 병 따위가 가라앉아 진정되려던</small>

◆ (바)의 상훈이 교육과 문화 사업에 돈을 써야 한다고 말하는 데서 조 의관과 대립되는, 근대적인 가치관을 지니고 있음을 알 수 있어요. 이러한 갈등 끝에 조 의관은 상훈에게 재산을 물려주지 않고 손자인 덕기에게 물려주겠다고 선언해요.

바 "아버지께서는 너무 심한 말씀을 하십니다마는 어쨌든 세상에 좀 할 일이 많습니까. 교육 사업, 도서관 사업, 그 외 지금 조선어 자전 편찬하는 데……."

상훈이는 조심도 하려니와 기를 눅이어서 차근차근히 이왕지사 말이 나왔으니 할 말을 다 하겠다는 듯이 말을 이어 나가려니까 또 벼락이 내린다.
<small>분위기나 기세 따위를 부드럽게 하여서</small>

"듣기 싫다! 누가 네게 그따위 설교를 듣자던? 어서 가거라."

"하여간에 말씀입니다. 지난 일은 어쨌든 지금 이 판에 별안간 치산이란 당한 일입니까. 치산만 한대도 모르겠습니다마는 서원을 짓고 유생들을 몰아다 놓으시렵니까? 돈도 돈이거니와 지금 시대에 당한 일입니까?" 〈중략〉

"내 재산이라야 얼마 있는 게 아니다마는 반은 덕기에게 물려줄 것이요, 그 나머지로
는 내가 쓰고 싶은 데 쓰다 남으면 공평히 나누어 주고 갈 테다. 공증인을 세우든 변
[B]　　호사를 불러 대든 하여 뒤를 깡그러뜨려 놓을 것이니까 너는 인제는 남 된 셈만 쳐라.
내가 죽으면 네가 머리를 풀 테냐, 거상을 입을 테냐?"

당사자나 관계자의 부탁을 받아 민사에 관한 공정 증서를 작성하며, 사서 증서에 인증(認證)을 주는 권한을 가진 사람

전개 2　족보 문제로 분노하여 상훈에게는 재산을 물려주지 않겠다고 선언한 조 의관

확인 문제

[01~02] 다음 설명이 맞으면 ○, 틀리면 ×표 하시오.

01 조 의관은 족보를 꾸미는 데 큰돈을 들인 것을 남
들 앞에서도 떳떳하게 드러낸다. 　　(○, ×)

02 상훈이 '조선어 자전 편찬'에 돈을 써야 한다고 말
한 데서 시대적 배경을 알 수 있다. 　(○, ×)

[03~05] 다음 빈칸에 들어갈 알맞은 말을 쓰시오.

03 (라)~(바)에서 조 의관과 상훈은 돈의 쓰임새에 대
한 ㄱㅊㄱ의 차이 때문에 갈등하고 있다.

04 (라)에서 'ㅇㅂㄷ'은 상훈이 기독교 신자임을 암
시하는 말이자, 그로 인한 조의관의 불만이 드러나
는 말이다.

05 (바)에서 조 의관은 아들이 아니라 손자에게 자신
의 ㅈㅅ의 반을 물려주려고 한다.

실력 문제

인물·사건

06 [A]와 [B]에 대한 설명으로 적절하지 **않은** 것은?

① [A]에서 상훈은 조 의관의 지출을 못마땅하게
여기고 있다.

② [A]에서 상훈은 아버지에게 불만은 있지만 예의
를 지켜 말하고 있다.

③ [B]에서 조 의관은 상훈에 대한 깊은 불신을 드
러내고 있다.

④ [B]에서 조 의관은 [A]에서 상훈이 비판한 내용
을 수용하고 있지 않다.

⑤ [A]와 [B] 모두 상대방에 대한 연민의 마음이
바탕에 깔려 있다.

인물·사건 + 어휘

07 ㉠~㉤에 대한 이해로 적절하지 **않은** 것은?

① ㉠: 조 의관은 돈을 쓰고도 말도 못하고 벙어리
냉가슴 앓는 듯 했겠군.

② ㉡: 상훈의 말이 불난 집에 부채질한 격이군.

③ ㉢: 조 의관이 울며 겨자 먹기로 돈을 썼겠군.

④ ㉣: 상훈이 공손하게 말하는 것을 보니 말 한마
디에 천 냥 빚도 갚겠군.

⑤ ㉤: 상훈의 말이 바람 앞의 등불처럼 위태로운
상황을 불러왔군.

수능형　　　　　　　　　　　인물·사건 + 배경·소재

08 〈보기〉를 바탕으로 윗글을 감상한 내용으로 적절하
지 **않은** 것은?

보기

이 작품은 할아버지 조 의관, 아버지 조상훈, 손
자 조덕기를 통해 1920~30년대 근대적으로 변화되
는 시대상을 드러내고 있다. 작품 속의 인물들은 돈
을 중심으로 대립하고 있는데, 특히 봉건적 가치관
을 지닌 조 의관과 개화기 지식인이지만 위선적인
조상훈의 대립을 통해 세대 간의 갈등을 보여 준다.

① 족보나 제사를 중시하는 조 의관의 모습에서 그
의 봉건적 가치관이 드러나는군.

② 족보의 제작 비용을 줄이기 위해 애쓰는 상훈의
모습에서 그의 근대적 가치관이 드러나는군.

③ 상훈의 이중생활을 들추어내 비난하는 조 의관
의 말에서 상훈의 위선적인 면모가 드러나는군.

④ 교육 사업이나 도서관 사업을 강조하는 상훈의
말에서 개화기 지식인으로서의 면모가 드러나
는군.

⑤ 조 의관이 상훈을 재산 상속에서 제외한다는 말
에서 돈을 중심으로 한 세대 간의 갈등이 드러
나는군.

삼대 ③

사 ⊙"이번 봄이 졸업 아니냐? 그래 어디를 들어갈 테냐?"

부친이 아들의 공부에 대하여 묻는 것은 처음이다. 절대 방임주의, 절대 자유주의
　　　　　　　　　　　　　　　　　　　　　　　　돌보거나 간섭하지 않고 내버려 두는 태도
라 할지 덕기가 꽁꽁 혼자 생각하고 결정을 하여 조부에게 말하면 이 양반은 신지식

[A] 에 어두워 그런지 학비만 내어 줄 뿐이요, 부친에게 허락을 구하면 그저 고개만 끄떡

일 뿐이었다. 그것으로 보면 덕기가 이만치나 되어 가는 것은 제가 못생기지 않고 재

주도 있거니와 철도 일찍 들어 그렇다고 할 것이다.

ⓛ"경도 제대로 들어갈까 하는데요." / ⓒ"그럴 게 무어 있니? 경성 제대로 오면 입학
　　일본 교토에 있는 국립 대학　　　　　　　　　　　　　　　　　1924년 일본이 서울에 세운 관립 종합 대학
에 경쟁이 심한 것도 아니요 또 집안 형편으로도 좋지 않으냐."

"글쎄올시다. 그래도 좋겠지요." / 덕기는 아무쪼록 서울을 떨어져 있고 싶었으나 경성

으로 오게 되면 와도 그리 싫을 것도 없었다.

"그렇게 해라. 그렇게 하는 게 무엇보다도 집안 형편에 좋고."

부친은 말끝을 아물리지 않았다. 실상은 '내게도 좋겠다'는 말을 하려다 만 것이었다.
　　　　　　벌어진 일을 잘되도록 어우르거나 잘 맞추지

아 상훈이의 생각으로 하면 부친이 이대로 나가다가는 어떠한 법률상 수단으로든지 자

기는 쑥 빼놓고 한 대 걸러서 이 아들에게로 상속을 시킬지 모르겠고 또 게다가 수원집의

농락이 있으니까 아무래도 뒷일이 안심이 안 된다. 그렇다고 요사이의 누구누구의 집 모
남을 교묘한 꾀로 휘어잡아서 제 마음대로 놀리거나 이용함
양으로 부자가 법정에서 날뛰는 그 따위 추태는 자기의 체면상으로도 못 할 일요, 더구
　　　　　　　　　　　　　　　　　　　더럽고 지저분한 태도나 짓
나 종교가라는 처지로서 재산 문제로 마구 나설 형편은 못 되는 것이다. 그러니까 어쨌든

덕기를 꼭 붙들어 앉혀서 수원집이나 기타 일문일족의 간섭이나 농간을 막게 하고 한편
　　　　　　　　　　　　　　　　　　　　　　　남을 속이거나 남의 일을 그르치게 하려는 간사한 꾀
으로는 덕기를 자기 손에 쥐고 조종해 나가는 것이 제일 상책이라고 생각한 것이요, 또
　　　　　　　　　　　　　　　　　　　　　　　가장 좋은 대책이나 방책
그러자면 아무리 부자간이라 하여도 지금까지와는 태도를 고치어서 비위를 맞추어 주고

살살 달래서 버스러져 나가지 않게 해야 하겠다고 생각하는 것이었다.
　　　　　어떤 범위 안에 들지 못하고 빗나가
이렇게 되고 보니 부자간도 서로 이용하고 서로 이해타산으로 살아 나가는 것쯤 된다.
　　　　　　　　　　　　　　　　　이해관계를 이모저모 모두 따져 봄. 또는 그런 일
돈 ── 그 돈도 아직 생긴 돈은 아니나 ── 하여간 돈 앞에는 아들에게도 머리를 숙이게 되

는 것이다.

자 덕기는 법과 중에도 형법에 주력을 써서 장래에는 ⓐ변호사가 되겠다는 생각을 가
　　　　　　　　　　　　　　　　어떤 일에 온 힘을 기울임
지고 있다. 형사 전문의 변호사는 아니 되더라도 어쨌든 조선 형편으로는 그것이 자기 사
　　　　　　　형법의 적용을 받는 사건
업으로 알맞을 것 같았다. / 병화에게 언제인가 그런 말을 하니까,

"흥, 자네는 전선(戰線)의 후부에 있어서 적십자기(旗) 뒤에 숨어 있겠다는 말일세그려?"
　　　　　　전쟁에서 직접 전투가 벌어지는 지역이나 그런 지역을 가상적으로 연결한 선
하고 비웃은 일이 있었다.

"ⓑ군의총감(軍醫總監)이 되겠다는 말인가?" / 병화는 이런 소리도 하였다.
　　　군대에서 의사의 임무를 맡고 있는 장교들을 감독하고 관리하는 직위
"군의총감이 아니라 일 ⓒ간호졸(看護卒)이 되겠다는 말일세."
　　　　　　　　　　　　환자를 보살피고 돌보는 사람
덕기가 이렇게 대거리를 하니까,

"간디도 변호사 출신이었다!" / 하고 짓궂이 놀리었다.

어쨌든 덕기는 무산 운동에 대하여 무관심으로 냉담히 방관할 수 없고 그렇다고 ⓓ제일
무산자의 경제적·정치적·사회적 지위를 향상할 목적으로 하는 사회 운동 및 정치 운동
선에 나서서 싸울 성격도 아니요 처지도 아니니까 차라리 일 간호졸 격으로 변호사나 되

어서 뒷일이나 보면 좋겠다는 생각이었다. 덮어 놓고 크게 되겠다는 공상도 가지고 있지 않으나 ⓔ책상물림의 뒷방 서방님으로 일생을 마치기도 싫었다. 제 분수대로는 무어나 하고 싶었다.

"법과보다는 경제과나 상과를 하면 어떻겠니?"

부친은 아들을 실업 방면으로 내보내고 싶어 하는 말눈치였다. 그렇게 되면 자기는 그
_{농업, 상업, 공업, 수산업과 같은 생산 경제에 관한 사업}
것을 이용하여 자기대로의 무슨 사업을 해 보겠다는 셈속이다.

전개3 덕기를 곁에 두고 조 의관의 재산을 취하려는 상훈

확인 문제

[01~02] 다음 설명이 맞으면 ◯, 틀리면 ✕표 하시오.

01 상훈은 덕기의 미래를 걱정해서 진심으로 조언을 한다. (◯ , ✕)

02 동일 인물을 (사)에서 '부친', (아)에서는 '상훈'으로 달리 표현하여 인물의 생각을 상세하게 드러낸다. (◯ , ✕)

[03~04] 다음 빈칸에 들어갈 알맞은 말을 쓰시오.

03 상훈은 덕기가 재산을 상속받을 것을 고려하여 앞일을 계획하는 [ㅇ][ㅎ][ㅌ][ㅅ]적인 모습을 보인다.

04 병화는 조선 형편과 자기 분수에 맞게 [ㅂ][ㅎ][ㅅ]가 되겠다고 말하는 덕기를 비웃고 있다.

실력 문제

인물·사건

05 윗글을 통해 알 수 있는 내용으로 적절한 것은?

① 덕기는 서울에 염증이 나서 경성 제대만은 오지 않겠다고 다짐한다.
② 상훈은 재산 문제에 직접 나설 형편이 안 되자 덕기를 이용하려고 한다.
③ 덕기는 상훈의 셈속을 이미 알고 있기 때문에 법과에 진학하려고 한다.
④ 상훈은 부친의 비위를 맞추고 달래서 어떻게든 재산을 상속받으려고 한다.
⑤ 병화는 자신과 같이 무산 운동에 참여해야 한다고 친구인 덕기를 설득한다.

인물·사건

06 [A]와 관련하여 ㉠~㉢을 이해한 내용으로 적절하지 않은 것은?

① '부친이 아들의 공부에 대하여 묻는 것은 처음'이라고 했으니 ㉠은 덕기에게 뜻밖의 물음으로 느껴졌을 거야.
② ㉡은 덕기가 '꽁꽁 혼자 생각하고 결정'한 결과로 나온 대답일 거야.
③ ㉡은 '덕기가 이만치나 되어 가는' 능력이 있기 때문에 할 수 있는 말이야.
④ ㉢은 덕기가 '재주도 있거니와 철도 일찍' 든 게 맞는지 덕기의 능력을 확인해 보려고 던진 물음인 거야.
⑤ '부친에게 허락을 구하면 그저 고개만 끄덕일 뿐'이었는데 ㉢은 그전과 달라진 부친의 태도를 보여 주고 있어.

수능형 **배경·소재**

07 〈보기〉는 '덕기'가 '병화'에게 보낸 편지의 일부이다. ⓐ~ⓔ 중, 밑줄 친 부분에 해당하는 것을 모두 고른 것은?

> ┌─ 보기 ─┐
>
> 나 같은 사람도 자네 옆에 있어서 해될 것은 없네. …… 이왕이면 한 걸음 더 나서서 자네와 한 길을 밟지 못하느냐고 웃을지 모르지만 나는 내 견해가 따로 있고 나와 같은 처지에 놓인 사람들에게는 피하지 못할 딴 길이 있으니까 결코 비겁하다고 웃지는 못할 것일세.

① ⓐ, ⓒ
② ⓐ, ⓔ
③ ⓑ, ⓓ
④ ⓐ, ⓒ, ⓓ
⑤ ⓑ, ⓓ, ⓔ

삼대 ❹

독해쌤 속 닥 속 닥

◆ (차)에는 체면을 중시하는 개화기 지식인 상훈(부친)의 위선적인 모습이 잘 드러나요. 돈 앞에서는 체면도 벗어던지고 행패를 부리는 상훈의 모습에서 자본주의 사회의 씁쓸한 단면을 엿볼 수 있어요.

중략 부분 줄거리 조 의관이 죽고, 덕기가 재산 상속자가 된다. 조 의관의 유산 목록에 정미소가 없었다는 것을 안 상훈은 정미소를 차지하려고 한다. 한편 상훈은 세간 값을 적은 종이들을 아들 덕기에게 보내 값을 치르라고 한다.

절정

차 "어제 그건 봤니?"

부친이 비로소 말을 붙이나 아들은 다음 말을 기다리고 가만히 앉았다.

"치를 수 없거든 거기 두고 가거라."

역정스러운 목소리나 여자 손들이 많은데 구차스럽게 세간 값으로 부자 충돌을 하는 꼴
　　　옳시 언짢거나 못마땅하여서 내는 성이 난 듯한　　　　　　집안 살림에 쓰는 온갖 물건
을 보이기 싫기 때문에 아들의 입을 미리 막으려는 것이다.

"안 치러 드린다는 것은 아닙니다마는……."

덕기는 너무 오래 잠자코 있을 수 없어서 말부리만 따고 또 가만히 고개를 떨어뜨리고 앉았다. 그러나 복통이 터져서 속은 끓었다. 속에 있는 말이나 시원스럽게 하고 싶으나
　　　　옳시 원통하고 답답하게 여김. 또는 그런 마음
부친 앞에서, 더구나 조인광좌(稠人廣座) 중에서 그럴 수도 없다.
　　　　　　여러 사람이 빽빽하게 많이 모인 자리
"이 판에 용이 이렇게 과하시면 어떡합니까? 여간한 세간 나부랭이야 저 집에 안 쓰고 굴리는 것만 갖다 놓으셔도 넉넉할 게 아닙니까?"

안방 치장 하나에 천여 원 돈을 묶어서 들인다는 것은 생돈 잡아먹는 것 같고, 누가 치르든지 간에 어려운 일이다.

"이 판이 무슨 판이란 말이냐? 그 따위 아니꼬운 소리 할 테거든 그거 내놓고 어서 가거라. 안 쓰고 굴리는 세간은 너나 쓰렴!"

영감은 자식에게라도 좀 점직해서 그런지 화만 버럭버럭 내고 호령이다.
　　　　　　　　　　　부끄럽고 미안해서
"할아버지께서 산소에 돈 쓰신다고 반대하셨지요. 그걸 생각하시기로……."

"무어 어째? 널더러 먹여 살리라니? 걱정 마라. 아니꼽게 네가 무슨 총찰이냐? 그러나
　　　　　　　　　　　　　　　　　　　　　　모든 일을 맡아 총찰하여 살핌. 또는 그런 직무
정미소 장부는 이따라도 내게로 보내라."
쌀 찧는 일을 전문적으로 하는 곳
부친은 이 말을 하려고 트집을 잡는 것이었다.

◆ 덕기는 상훈(부친)에게 과거 할아버지가 산소를 꾸미는 데 돈 쓰는 걸 반대했으면서, 왜 세간 값을 과하게 쓰고 이 값을 치르라고 하는 것인지 따져 묻고 있어요. 사실 세간 값은 상훈(부친)이 덕기에게 정미소 장부를 내놓으라는 말을 꺼내기 위한 핑계일 뿐이에요.

"정미소 아니라 모두 내놓으라셔도 못 드릴 것은 아닙니다마는, 늘 이렇게만 하시면야 어디 드릴 수 있겠습니까." / "드릴 수 있고 없고 간에, 내 것은 내가 찾는 게 아니냐?"

"왜 그렇게 말씀을 하셔요. 제게 두시면 어디 갑니까?"

"이놈 불한당 같은 소리만 하는구나. 돈 천도 못 되는 것을 치러 줄 수 없다는 놈이 무
　　　떼를 지어 돌아다니며 재물을 마구 빼앗는 사람들의 무리
어 어째?"

부친은 신경질이 일어났는지 별안간 달려들더니 주먹으로 뺨을 갈기려는 것을 덕기가 벌떡 일어서니까 주먹이 어깨에 맞았다.

◆ (카)에서는 이전과 달리 행동하는 상훈(부친)의 모습을 바라보는 덕기의 심정이 어떠할지 떠올리며 읽어 봐요.

카 덕기는 부친을 점점 더 흥분하게 해서는 아니 되겠다 하고 마루로 피해 나와 버렸다. 그러나 금시로 정이 떨어지는 것 같고, 그 속에 앉은 부친은 딴 세상 사람같이 생각이 들었다. 남의 눈을 꺼리고 소문을 무서워할 때는 위선자이기는 하여도 그래도 상식적 보
　　　　　　　　　　　　　　　　　　　　겉으로만 착한 체하는 사람
통 사회의 한 사람이었다. 그러나 종교고 가면이고 다 집어던지고 난 오늘날에는 어느 편으로나 철저한 것만은 오히려 취할 점이요, 자기 자신도 무거운 갑옷투구나 벗어 놓은 듯

이 가뿟할지 모르겠으나, 이렇게도 타락하여 갈 수야 있나 하고 놀라지 않을 수 없다.

조금 가벼운 듯할지

'아버지도 인제는 저러시다가 세상을 떠나시는 것이다!' / 혼자 탄식을 하였다.

절정 | 정미소를 탐내고 행패를 부리는 상훈의 모습에 탄식하는 덕기

확인 문제

[01~03] 다음 설명이 맞으면 ○, 틀리면 ×표 하시오.

01 이 작품은 사투리를 구사하여 향토적 분위기를 조성하고 현실성을 부여하고 있다. (○, ×)

02 상훈이 아들의 입을 미리 막으려는 것은 아들이 자신을 탓하는 말을 못 하게 하려는 것이다. (○, ×)

03 상훈은 덕기의 간섭을 못마땅해하고, 덕기는 자신과 생각이 다른 부친의 행동을 문제 삼는다.
(○, ×)

[04~05] 다음 빈칸에 들어갈 알맞은 말을 쓰시오.

04 상훈은 조 의관이 남긴 ㅈㅁㅅ를 차지하기 위해 트집을 잡고 행패를 부린다.

05 부친인 상훈은 평소 다른 사람의 시선을 신경 쓰며 지식인 행세를 하는 ㅇㅅㅈ이나, 돈 앞에서는 체면도 벗어던지는 인물이다.

실력 문제

인물·사건

06 윗글에 나타난 인물의 생각으로 적절하지 <u>않은</u> 것은?

덕기 (아들)	① '세간 값으로 치러야 하는 돈은 낭비야.' ② '집안의 재산이 샐 테니 정미소 장부를 아버지께 드리기 곤란해.' ③ '이전과 달리 대놓고 행패를 부리는 아버지의 모습이 다소 당혹스러워.'
상훈 (부친)	④ '정미소를 어떻게든 내 몫으로 챙겨야 해.' ⑤ '산소에 돈을 쓴 아버지의 마음이 이제야 이해가 돼.'

주제

07 〈보기〉를 참고할 때, 윗글에 담긴 작가의 의도로 가장 적절한 것은?

보기

이 작품은 전근대적 가부장인 조 의관, 개화기의 과도기적 인물인 아들 상훈, 그리고 이러한 조부와 부친을 중재하는 식민지 지식인 손자 덕기 등 삼대의 모습을 사실적으로 그려 내고 있다.

① 전통적인 가족 제도의 문제점을 비판하고 근대적 사회를 지향한다.
② 각 세대의 전형성을 보이는 삼대의 갈등을 통해 당시의 사회상을 보여 준다.
③ 재산을 둘러싼 세대 간 갈등을 통해 물질 만능주의 사회의 문제점을 고발한다.
④ 식민지 현실에 적응하지 못하는 가족의 몰락을 통해 현실 참여 의식을 강조한다.
⑤ 세대 간의 갈등을 해결하고 화합하는 모습을 통해 민족의 화합이 중요함을 드러낸다.

수능형

서술

08 〈보기〉를 바탕으로 (카)를 이해한 내용으로 적절하지 <u>않은</u> 것은?

보기

이 작품의 서술자는 대체로 특정 인물의 시각에 의존하여 다른 인물을 서술 대상으로 포착한다. 특정 인물은 장면에 따라 선택되며, 서술자는 특정 인물의 시각을 통해 서술 대상이 되는 인물의 심리를 보여 준다. 서술자는 이러한 방식으로 인물의 성격과 그에 대한 평가를 복합적으로 드러낸다.

① 서술자는 덕기의 시각에 의존하고 있어.
② 서술 대상에 대한 덕기의 평가가 드러나 있어.
③ 덕기가 포착한 서술 대상의 심리가 드러나 있어.
④ 장면이 바뀌면서 서술자가 선택한 특정 인물이 부친으로 달라지고 있어.
⑤ 서술자가 선택한 특정 인물인 덕기와 서술 대상인 부친의 성격이 복합적으로 드러나 있어.

작품 전체

발단	전개✿	위기	절정✿	결말
유학생 덕기가 방학을 맞아 집에 다니러 왔다가 친구 병화를 만남	덕기는 조부와 부친의 ❶ㄱㄷ 및 집안의 복잡한 인간관계를 알게 됨	조 의관이 병으로 위독해지고, 이를 틈타서 수원집이 계략을 꾸밈	조 의관이 죽고 ❷ㅈㅅ 분쟁이 심해지며, 사회주의 사건 관련자들이 체포됨	무혐의로 풀려난 덕기는 앞으로 어떻게 살아가야 할지를 고민함

✿: 교재 수록 부분

작품 압축

■ 인물 간의 갈등 양상

이 작품은 3대에 걸친 인물들이 가치관의 차이로 갈등하는 양상을 보여 준다. 조 의관은 전통적 가치관을 지닌 인물로 족보에 집착하고, 그의 아들 상훈은 근대적 가치관을 지닌 인물이나 도덕적으로 타락했으며, 손자인 덕기는 중도적 가치관을 지닌 인물이다.

조 의관(1대)
• ❸ㅈㅌㅈ 봉건 세대
• 유교적, 보수적

↔ 갈등 ↔

조상훈(2대)
• 신식 교육을 받은 개화기 세대
• 근대적, 위선적

신뢰, 애정 ↘ / ↙ 갈등

조덕기(3대)
• 식민지 지식인 세대
• 중도적, 소극적

■ 소재에 반영된 당대의 사회·문화적 상황

❹ㅈㅂ, 치산	⇔	교육 사업, 도서관 사업, 조선어 자전 편찬
조 의관이 중시하는 봉건적, 전통적 가치		조상훈이 중시하는 ❺ㄱㄷㅈ 가치

⇊ ⇊

❻ㄷ
조 의관과 조상훈이 공통적으로 중시하는 물질적 가치. 자본, 경제력

⇩

당대의 사회·문화적 상황
전통적인 봉건 사회에서 돈을 중시하는 근대 자본주의 사회로 이행해 가는 시기임

인물·사건 / 배경·소재 / 서술 / 주제

■ 서술 및 표현상의 특징

서술상 특징	• 전지적 작가 시점으로 작품 밖 서술자가 인물의 내면을 분석하여 전달함 • 장면에 따라 특정 인물의 시각을 통해 서술 대상이 되는 다른 인물의 심리를 보여 줌
표현상 특징	• 당시의 풍속과 인물의 갈등을 ❼ㅅㅅㅈ으로 묘사하여 식민지 사회상과 세태를 드러냄 • 중산층의 서울말을 구사하여 현실성을 부여함

■ 제목의 의미와 주제

이 작품은 3대가 겪는 세대 간 갈등을 통해 급변하고 있는 식민지 조선의 사회상을 사실적으로 담아내고 있다.

제목 '삼대'	한집안의 '할아버지─아버지─손자'로 이어지는 삼대를 의미하며, 조 의관은 구한말 세대, 조상훈은 개화기 세대, 조덕기는 식민지 세대를 대변함

⇩

주제	일제 강점기 삼대에 걸친 중산층 가정의 ❽ㅅㄷ 간 갈등

어휘 체크

어휘력 테스트

1 다음 괄호 안에 들어갈 단어를 〈보기〉에서 골라 써 보자.

─────────〈 보기 〉─────────
| 농간 | 대거리 | 위선자 | 이해타산 |

(1) 우리는 사기꾼의 (　　　　)에 넘어가지 않도록 조심해야 한다.

(2) 당신같이 겉 다르고 속 다른 (　　　　)는 두 번 다시 보고 싶지 않다.

(3) 그녀는 영악하고 (　　　　)이 빠른 사람이어서 늘 손해를 보지 않는다.

(4) 상대편 선수가 계속 시비를 붙이는 바람에 나도 (　　　　)를 할 수밖에 없었다.

2 다음 〈보기〉의 뜻을 참고하여 십자말풀이를 완성해 보자.

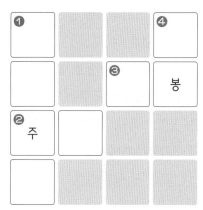

─────────〈 보기 〉─────────

가로
❷ 어떤 일에 온 힘을 기울임
❸ 허랑방탕한 짓

세로
❶ 돌보거나 간섭하지 않고 내버려 두는 태도
❹ 남에게 빌려준 돈이나 외상값 따위를 거두어 들임

독해쌤과 함께하는 **감상 넓히기**

가족사를 통해 시대의 변천을 담아낸 작품

이번에 감상한 「삼대」와 같이 한 가족의 흥망 성쇠 내력을 다룬 소설을 가족사 소설이라고 합니다. 「삼대」는 일제 강점기 봉건 사회에서 근대 사회로 이행하는 과정을 보여 주는데요. 이처럼 가족의 역사를 통해 시대의 변천을 보여 주는 작품들을 더 감상해 볼까요?

수라도_김정한
일제 강점기부터 해방 직후에 이르기까지 한 집안의 가족사를 가야 부인이라는 한 여인의 일생을 중심으로 그린 중편 소설입니다. 한 집안이 겪은 고난의 역사를 통해 우리 민족의 굴절 많은 근대사를 조명하고 있는 작품입니다.

제향날_채만식
구한말에서 1930년대까지의 민족의 수난사를 김성배 일가의 가족사를 통해 그린 희곡입니다. 부정한 권력에 저항하는 김성배 가족의 삶을 통해 지식인으로서의 의무와 책임이 무엇인지 보여 주는 작품입니다.

소설가 구보 씨의 일일 1 _박태원

계획 없이 아무 데나 어슬렁거리는 사람의 눈에 비친 풍경과 그것을 보며 머릿속에 떠오른 잡다한 생각을 주저리주저리 적어 놓은 것도 한 편의 소설이 될 수 있을까요? 네, 이제 우리가 만나 볼 작품이 바로 그렇습니다. 지금부터 구보 박태원을 따라 1930년대의 서울 한복판을 여행하며 작품을 감상해 볼까요?

독해쌤의 감상 질문

1. 인물·사건 이 작품의 주인공의 특징은 무엇인가요?

2. 배경·소재 이 작품에 그려진 당시 서울의 모습은 어떠한가요?

3. 서술 · 이 작품의 서술상 특징은 무엇인가요?
· 이 작품에 사용된 표현 기법과 '산책'이라는 형식은 어떤 관계가 있을까요?

독해쌤 속담속담

◆ (가)~(다)는 아들의 현재 상태를 어머니의 시점에서 소개하고 있는 발단 부분이에요. 어머니는 동경에 유학까지 다녀올 만큼 능력 있는 아들(구보)이 변변한 직장도 잡지 못하고 글만 쓰고 있는 현실을 납득하지 못하고 있어요. 하지만 어쩌다가 아들이 번 돈으로 선물을 해 주면 뿌듯하고 기뻐서 남들에게 자랑할 기회를 엿보나 봐요.

발단

가 아들은

그러나, 돌아와, 채 어머니가 뭐라고 말할 수 있기 전에, 입때 안 주무셨어요, 어서 주무세요, 그리고 자리옷으로 갈아입고는 책상 앞에 앉아, 원고지를 펴 놓는다.
┗ 지금까지, 또는 아직까지
┗ 잠잘 때 입는 옷

그런 때 옆에서 무슨 말이든 하면, 아들은 언제든 불쾌한 표정을 지었다. 그것은 어머니의 마음을 아프게 한다. 그래, 어머니는 가까스로, 늦었으니 어서 자거라, 그걸랑 낼 쓰구…… 한마디를 하고서 아들의 방을 나온다.

"얘기는 낼 아침에래두 허지." / 그러나 열한 점이나 오정에야 일어나는 아들은, 그대로 소리 없이 밥을 떠먹고는 나가 버렸다.
┗ 정오(正午), 낮 열두 시

나 때로, 글을 팔아 몇 푼의 돈을 구할 수 있을 때, 그 어느 한 경우에, 아들은 어머니를 보고, 뭐 잡수시구 싶으신 거 없에요, 그렇게 묻는 일이 있었다.

어머니는 직업을 가지지 못한 아들이, 그래도 어떻게 몇 푼의 돈을 만들어, 자기에게 그런 말을 할 수 있는 것을 신기하게 기뻐하였다.

㉠"어서 내 생각 말구, 네 양말이나 사 신어라."

그러면, 아들은 으레, 제 고집을 세웠다. 아들의 고집 센 것을, 물론 어머니는 좋게 생각 안 했다. 그러나 이러한 경우라면, 아들이 고집을 세우면 세울수록 어머니는 만족하였다. 어머니의 사랑은 보수를 원하지 않지만, 그래도 자식이 자기에게 대한 사랑을 보여 줄 때, 그것은 어머니를 기쁘게 해 준다. / 대체 무얼 사 줄 테냐. 무어든 어머니 마음대루. 먹는 게 아니래두 좋으냐. 네. 그래 어머니는 에누리 없이 욕망을 말해 본다.
┗ 실제보다 더 보태거나 깎아서 말하는 일

"너, 나, 치마 하나 해 주려무나." / 아들이 흔연히 응낙하는 걸 보고,
┗ 기쁘거나 반가워 기분이 좋게 ┗ 상대편의 요청에 응하여 승낙하는

"네 아주멈은 뭐 안 해 주니?" / 아들은 치마 두 감의 가격을 묻고, ㉡그리고 갑자기 엄숙한 얼굴을 한다. 혹은 밤을 새우기까지 하여 아들이 번 돈은, 결코 대단한 액수의 것이 아니었다. 그래, 어머니는 말한다. / ㉢"그럼 네 아주멈이나 해 주렴."

아들은, 아니에요, 넉넉해요, 갖다 끊으세요. 그리고 돈을 내놓았다.

㉣어머니는, 얼마를 주저한다. 그러나, 마침내, 그는 가장 자랑스러이 돈을 집어 들고, 애애 옷감 바꾸러 나가자, 아재비가 치마 허라구 돈을 주었다. 〈중략〉

일갓집 대청에 가 주인 아낙네와 마주 앉아, 갓난애같이 어머니는 치마 자랑할 기회를
┗ 한옥에서 몸채의 방과 방 사이에 있는 큰 마루
엿본다. 주인 마누라가, 섣불리, 참 치마 좋은 거 해 입으셨구면, 이라고나 한다면, 어머니는 서슴지 않고, / "이거 내 둘째 아이가 해 준 거죠. 제 아주멈 해하구, 이거하구……."

이렇게 묻지도 않는 말을 하였다. 어머니는 그것이 아들의 훌륭한 자랑거리라 생각하였다. / 자식을 사랑할 때, 어머니는 얼마든지 뻔뻔스러울 수 있다.

다 ⓜ그러나 그런 일은 늘 있을 수 없다. 어머니는 역시 글을 쓰는 것보다는 월급쟁이가 몇 곱절 낫다고 생각하고, 그리고 그렇게 재주 있는 내 아들은 무엇을 하든 잘하리라고 혼자 작정해 버린다. 아들은 지금 세상에서 <u>월급자리</u> 얻기가 얼마나 힘든 것인가를 말
_{월급을 받는 자리}
한다. 하지만, <u>보통학교</u>만 졸업하고도, 고등학교만 나오고도, 회사에서 관청에서 일들만
_{일제 강점기에, 우리나라 사람들에게 초등 교육을 하던 학교. 처음에는 4년제였으나 6년제로 바뀌었다.}
잘하고 있는 것을 알고 있는 어머니는, 고등학교를 졸업하고도, 또 동경엘 건너가 공불하고 온 내 아들이, 구하여도 일자리가 없다는 것이 도무지 믿어지지가 않았다.

> 발단 │ 어머니는 동경에서 공부하고 온 아들이 직장을 구하지 못하는 현실을 이해하지 못함

확인 문제

[01~02] 다음 설명이 맞으면 ○, 틀리면 ×표 하시오.

01 아들은 글을 쓰는 일을 하고 있다. (○, ×)

02 어머니는 아들이 취직을 못 한다는 것을 믿겨하지 않는다. (○, ×)

[03~04] 다음 빈칸에 들어갈 알맞은 말을 쓰시오.

03 '[ㅊ][ㅁ]'는 어머니에 대한 아들의 사랑을 표현한다.

04 아들은 고등학교를 졸업하고 [ㄷ][ㄱ]으로 유학을 다녀왔다.

실력 문제

05 윗글의 서술상 특징으로 적절하지 <u>않은</u> 것은? 〔서술〕

① 서술자의 주관적인 견해를 드러내고 있다.
② 쉼표를 빈번하게 사용하여 문장을 끊어 읽도록 유도하고 있다.
③ 등장하는 모든 인물의 내면 심리를 서술자가 직접 설명하고 있다.
④ 큰따옴표 없이 인물 간의 대화를 그대로 인용한 부분을 포함하고 있다.
⑤ 첫 문장의 맨 앞부분을 소제목처럼 제시하여 독자의 주의를 집중시키고 있다.

06 윗글을 읽고 알 수 있는 내용이 <u>아닌</u> 것은? 〔인물·사건〕

① 어머니는 글 쓰는 일을 아들의 직업으로 여기지 않고 있다.
② 아들은 어머니와 형수가 치마를 해 입을 돈을 어머니에게 드렸다.
③ 아들은 월급이 나오는 직장을 구하는 일의 어려움을 어머니에게 말하였다.
④ 어머니는 아들의 취직이 어려운 이유가 학력 부족 때문이라고 생각하고 있다.
⑤ 아들은 책상 앞에 앉아 글을 쓸 때 누군가 말을 거는 것을 달가워하지 않는다.

07 ⓐ~ⓜ을 이해한 내용으로 적절하지 <u>않은</u> 것은? 〔인물·사건〕

① ⓐ: 어머니는 아들의 마음이 고마우면서도 아들을 생각해서 선물을 사양하고 있군.
② ⓛ: 아들은 치마 두 벌의 옷감 가격이 예상보다 비싼 것에 부담을 느끼고 있군.
③ ⓔ: 어머니는 아들의 벌이가 신통치 않은 것에 서운함을 느끼고 있군.
④ ⓡ: 어머니는 아들이 어렵게 번 돈을 선뜻 받기를 망설이고 있군.
⑤ ⓜ: 아들은 돈을 정기적으로 충분히 벌지는 못하고 있군.

소설가 구보 씨의 일일 ②

전개

라 구보는

갑자기 걸음을 걷기로 한다. 그렇게 우두커니 다리 곁에 가 서 있는 것의 무의미함을 새삼스러이 깨달은 까닭이다. 그는 종로 네거리를 바라보고 걷는다. 구보는 종로 네거리에 아무런 사무도 갖지 않는다. 처음에 그가 아무렇게나 내어놓았던 바른발이 공교롭게

자신이 맡은 직책에 관련된 여러 가지 일을 처리하는 일   *오른발*

도 왼편으로 쏠렸기 때문에 지나지 않는다.

갑자기 한 사람이 나타나 그의 앞을 가로질러 지난다. 구보는 그 사나이와 마주칠 것 같은 착각을 느끼고, 위태롭게 걸음을 멈춘다.

그리고 다음 순간, 구보는, 이렇게 대낮에도 조금의 자신을 가질 수 없는 자기의 ⓐ시력을 저주한다. 그의 코 위에 걸려 있는 24도의 안경은 그의 근시를 도와주었으나, 그의

가까운 데 있는 것은 잘 보아도 먼 데 있는 것은 선명하게 보지 못하는 시력

망막에 나타나 있는 무수한 맹점(盲點)을 제거하는 재주는 없었다. ⓑ총독부 병원 시대의

망막에서 시각 세포가 없어 물체의 상이 맺히지 않는 부분

구보의 시력 검사표는 그저 그 우울한 '안과 재래(眼科再來)'의 책상 서랍 속에 들어 있을지도 모른다.

R, 4 L, 3

구보는, 2주일간 열병을 앓은 끝에, 갑자기 쇠약해진 시력을 호소하러 처음으로 안과의

안과 의사

와 대하였을 때의, 그 조그만 테이블 위에 놓여 있던 '시야 측정기'를 지금 기억하고 있다. 제 자신 강도의 안경을 쓰고 있던 의사는, 백묵을 가져, 그 위에 용서 없이 무수한 맹점을

분필

찾아내었었다.

마 그래도, 구보는, 약간 자신이 있는 듯싶은 걸음걸이로 전차 선로를 두 번 횡단하여

도로나 강 따위를 가로질러

화신상회 앞으로 간다. 그리고 저도 모를 사이에 그의 발은 ⓒ백화점 안으로 들어서기조차 하였다.

㉠젊은 내외가, 너덧 살 되어 보이는 아이를 데리고 그곳에 가 승강기를 기다리고 있었다. 이제 그들은 식당으로 가서 그들의 오찬을 즐길 것이다. 흘낏 구보를 본 그들 내외의

손님을 초대하여 함께 먹는 점심 식사

눈에는 자기네들의 행복을 자랑하고 싶어 하는 마음이 엿보였는지도 모른다. 구보는, 그들을 업신여겨 볼까 하다가, 문득 생각을 고쳐, 그들을 축복하여 주려 하였다. 사실, 4, 5년 이상을 같이 살아왔으면서도, 오히려 새로운 기쁨을 가져 이렇게 거리로 나온 젊은 부부는 구보에게 좀 다른 의미로서의 부러움을 느끼게 하였는지도 모른다. 그들은 분명히 가정을 가졌고, 그리고 그들은 그곳에서 당연히 그들의 행복을 찾을 게다.

ⓓ승강기가 내려와 서고, 문이 열리고, 닫히고, 그리고 젊은 내외는 수남이나 복동이와 더불어 구보의 시야를 벗어났다.

바 구보는 다시 밖으로 나오며, 자기는 어디 가 행복을 찾을까 생각한다. 발 가는 대로, 그는 어느 틈엔가 ⓔ안전지대에 가 서서, 자기의 두 손을 내려다보았다. 한 손의 단장과

짧은 지팡이

또 한 손의 공책과 — 물론 구보는 거기에서 행복을 찾을 수는 없다.

안전지대 위에, ㉡사람들은 서서 전차를 기다린다. 그들에게, 행복은 알 수 없다. 그러나 그들은 분명히, 갈 곳만은 가지고 있었다.

전차가 왔다. 사람들은 내리고 또 탔다. 구보는 잠깐 멍하니 그곳에 서 있었다. 그러

독해쌤 속닥속닥

◆ (라)~(마)에서는 우두커니 다리 곁에 서 있는 것이 무의미하다고 느낀 구보가 무작정 걷기 시작했네요. 애초에 갈 곳이 없으니 그저 발길 닿는 대로 걷다가 누군가와 부딪힐 뻔한 후에 자신의 나쁜 시력을 저주해 보기도 하고, 백화점에 별 용무도 없이 들어가서는 어떤 가족을 보면서 부러움을 느끼기도 해요.

◆ (바)에서 전차 정류장에 멍하니 서 있던 구보는 혼자 정류장에 남아 있게 되는 외로움을 피하려고 전차에 타는군요. 구보의 정처 없는 여행은 또 어디를 향하게 될지 이어지는 내용을 감상해 보아요.

나 자기와 더불어 그곳에 있던 온갖 사람들이 모두 저 차에 오르는 것을 보았을 때, 그는 저 혼자 그곳에 남아 있는 것에, 외로움과 애달픔을 맛본다. 구보는, 움직이는 전차에 뛰어올랐다.

확인 문제

[01~03] 다음 설명이 맞으면 ○, 틀리면 ✕표 하시오.

01 구보는 시력에 이상을 느끼고 안과에 갔던 일을 떠올리고 있다. (○, ✕)

02 구보는 전차를 타고 화신상회에 도착하였다. (○, ✕)

03 이 작품의 서술자는 구보의 행동뿐만 아니라 심리까지 설명하고 있다. (○, ✕)

[04~05] 다음 빈칸에 들어갈 알맞은 말을 쓰시오.

04 (라)에서 구보는 다리 곁에 서 있는 것이 □|ㅇ|□ 하다고 느꼈기 때문에 갑자기 걷기로 한 것이다.

05 (바)에서 구보는 혼자 안전지대에 남아 있는 것에 대해 □|ㅇ|□과 애달픔을 맛보았기에 움직이는 전차에 급히 올라탔다.

실력 문제

> 인물·사건

06 윗글에서 알 수 있는 행복에 대한 '구보'의 생각이나 느낌과 거리가 먼 것은?

① 자신의 현재 처지로는 행복을 누릴 수 없다고 느낀다.
② 백화점에서 관찰한 가족이 행복을 느끼고 있다고 생각한다.
③ 갑자기 나타나 자기 앞을 가로지른 사나이의 얼굴에서 행복을 엿본다.
④ 백화점에서 나온 자신의 여정이 행복을 찾을 수 있는 곳을 향하기를 바란다.
⑤ 전차를 기다리는 사람들이 행복한지에 대해서는 정확히 판단할 수 없다고 여긴다.

> 배경·소재

07 ㉠과 ㉡의 공통점으로 가장 적절한 것은?

① 구보가 자신과의 인연을 재확인하게 되는 대상이다.
② 구보가 기쁨을 느낄 수 있는 이유를 만들어 주는 대상이다.
③ 구보가 자신의 처지와 대비되는 존재로 인식하는 대상이다.
④ 구보가 미래에 대한 희망을 가질 수 있도록 해 주는 대상이다.
⑤ 구보가 어린 시절을 회상할 수 있는 계기를 마련해 주는 대상이다.

> 수능형 | 인물·사건 + 배경·소재

08 〈보기〉를 바탕으로 ⓐ~ⓔ를 이해한 내용으로 적절하지 않은 것은?

> **보기**
>
> 이 작품의 주인공 구보는 작가 박태원의 분신으로, 새롭게 마주하게 된 근대 문물로 가득한 일제 강점기의 도시 한복판에서 문학에 몰두하느라 안정되지 못한 채 살아가는 자신의 암울한 삶을 떠올리고, 건강과 자신감을 잃은 무기력한 자의식을 드러낸다.

① 구보가 자기의 ⓐ에 대해 갖는 감정은 건강과 자신감을 잃은 심리 상태와 관련이 있겠군.
② ⓑ는 구보가 일제 강점기를 살아가는 인물임을 드러내는군.
③ ⓒ는 근대 문물로 가득한 도시 풍경을 집약적으로 보여 주는 공간이라고 할 수 있겠군.
④ 일가족이 ⓓ를 타고 구보의 시야에서 사라지는 모습은 당시에 새롭게 마주하게 된 문물의 풍경에 해당하겠군.
⑤ 전차를 타려던 구보가 갑자기 ⓔ로 피신하는 것은 일제 강점기의 암울한 사회상으로부터 상처를 받지 않으려는 본능에 의한 것이겠군.

소설가 구보 씨의 일일 ❸

독해쌤 속닥속닥

◆ (사)에서는 경성(서울) 여기저기를 돌아다녀 보아도 고독에서 벗어날 수 없다고 느낀 구보가 경성역으로 들어가네요. 바쁘게 오가는 사람들이 북적이는 경성역 대합실에는 고독 따위가 존재할 여지가 없다고 생각했겠죠. 그러나 거기야말로 '군중 속의 고독'이 있었습니다. 서로를 믿지 못하고 남에게 관심조차 없는 개인만 많을 뿐이었죠. 1930년대 서울 한복판의 비정한 풍경 한 장면을 골똘히 관찰하고 있는 구보의 묵묵한 시선을 느껴 봅시다.

사 조그만

한 개의 기쁨을 찾아, 구보는 **남대문**을 안에서 밖으로 나가 보기로 한다. 그러나 그곳에는 불어 드는 바람도 없이, 양옆에 응숭그리고 앉아 있는, **서너 명의 지게꾼들**의 그 모양이 맥없다.
_{춥거나 두려워 몸을 궁상맞게 몹시 웅그리고}
_{기운이 없다.}

구보는 고독을 느끼고, 사람들 있는 곳으로, 약동하는 무리들이 있는 곳으로, 가고 싶다
_{생기 있고 활발하게 움직이는}
생각한다. 그는 눈앞의 **경성역**을 본다. 그곳에는 마땅히 인생이 있을 게다. 이 낡은 서울의 호흡과 또 감정이 있을 게다. 도회의 소설가는 모름지기 이 도회의 항구와 친하여야 한다. 그러나 물론 그러한 직업의식은 어떻든 좋았다. 다만 구보는 고독을 삼등 대합실 군중 속에 피할 수 있으면 그만이다. / 그러나 오히려 고독은 그곳에 있었다. 구보가 한옆에 끼어 앉을 수도 없게시리 사람들은 그곳에 **빽빽하게 모여** 있어도, 그들의 누구에게서도 인간 본래의 온정을 찾을 수는 없었다. 그들은 거의 옆의 사람에게 한마디 말을 건네는 일도 없이, **오직 자기네들 사무**에 바빴고, 그리고 간혹 말을 건네도, 그것은 자기네가 타고 갈 열차의 시각이나 그러한 것에 지나지 않았다. 그네들의 동료가 아닌 사람에게 그네들은 변소에 다녀올 동안의 그네들 짐을 부탁하는 일조차 없었다. 남을 결코 믿지 않는 그네들의 눈은 보기에 딱하고 또 가엾었다.

아 구보는 한구석에 가 서서, 그의 앞에 앉아 있는 **노파**를 본다. 그는 뉘 집에 드난
_{임시로 남의 집 행랑에 붙어 지내며 그 집의 일을 도와줌}
을 살다가 이제 늙고 또 쇠잔한 몸을 이끌어, 결코 넉넉하지 못한 어느 시골, 딸네 집이라도 찾아가는지 모른다. 이미 굳어 버린 그의 안면 근육은 어떠한 다행한 일에도 펴질 턱 없고, 그리고 그의 몽롱한 두 눈은 비록 그의 딸의 그지없는 효양
_{어버이를 효성으로 봉양함}
(孝養)을 가지고도 감동시킬 수 없을지 모른다. 노파 옆에 앉은 **중년의 시골 신사**
[A] 는 그의 시골서 조그만 백화점을 경영하고 있을 게다. 그의 점포에는 마땅히 주단
_{명주, 비단, 베, 무명 따위의 온갖 직물류를 통틀어 이르는 말}
포목도 있고, 일용 잡화도 있고, 또 흔히 쓰이는 약품도 갖추어 있을 게다. 그는 이제 그의 옆에 놓인 물품을 들고 자랑스러이 차에 오를 게다. 구보는 그 시골 신사가 노파와 사이에 되도록 간격을 가지려고 노력하는 것을 발견하고, 그리고 그를 업신여겼다. 만약 그에게 옅은 지혜와 또 약간의 용기를 주면 그는 삼등 승차권을 주머니 속에 간수하고 일, 이등 대합실에 오만하게 자리 잡고 앉을 게다.

문득 구보는 그의 얼굴에 부종(浮腫)을 발견하고 그의 앞을 떠났다. 신장염. 그뿐 아니
_{몸이 붓는 증상. 심장병이나 콩팥병 또는 몸의 어느 한 부분의 혈액 순환 장애로 생긴다.}
라 구보는 자기 자신의 만성 위확장을 새삼스러이 생각해 내지 않으면 안 되었다. 그러나
_{병이 급하거나 심하지도 아니하면서 쉽게 낫지도 않는 성질} _{위벽(胃壁)이 긴장을 잃어 위가 병적으로 늘어진 상태}
구보가 매점 옆에까지 갔었을 때, 그는 그곳에서도 역시 병자를 보지 않으면 안 되었다.

40여 세의 노동자. 전경부(前頸部)의 광범한 팽륭(澎隆). 돌출한 안구. 또 손의 경미한 진
_{목의 앞쪽 부분} _{크게 부어오름} _{쑥 내밀거나 불거져 있는} _{가볍고 아주 적어서 대수롭지 아니한}
동. 분명한 바세도우씨병. 그것은 누구에게든 결코 깨끗한 느낌을 주지는 못한다. 그의
_{갑상선 항진증의 대표적 질환}
좌우에 좌석이 비어 있어도 사람들은 그곳에 앉으려 들지 않는다. 뿐만 아니라, 그에게서 두 간통 떨어진 곳에 있던 아이 업은 젊은 아낙네가 그의 바스켓 속에서 꺼내다 잘못하여 시멘트 바닥에 떨어뜨린 한 개의 복숭아가 굴러 병자의 발 앞에까지 왔을 때, 여인은 그 것을 쫓아와 집기를 단념하기조차 하였다.

◆ 구보는 대합실에 모여 있는 사람들의 모습에서 병자의 특징을 발견하고 자신의 병을 생각하네요. 병자들의 모습을 멀리하는 사람들의 태도를 통해 비인간적인 도시인들의 정신적 질환을 드러낸다고 볼 수 있어요.

구보는 이 **조그만 사건**에 문득, 흥미를 느끼고, 그리고 그의 '**대학 노트**'를 펴들었다. 그러나 그가, 문 옆에 기대어 섰는, 캡 쓰고 린네르 쓰메에리 양복 입은 사나이의, 그 온갖
_{리넨. 아마(亞麻)의 실로 짠 얇은 직물을 통틀어 이르는 말}┘ └목을 둘러 바싹 여미게 지은 양복을 이르는 일본말
사람에게 의혹을 갖는 두 눈을 발견하였을 때, 구보는 또다시 우울 속에 그곳을 떠나지 않으면 안 된다.

확인 문제

[01~03] 다음 설명이 맞으면 ○, 틀리면 ×표 하시오.

01 구보는 남대문 근처에서 활력이 넘치는 지게꾼들을 보았다. (○ , ×)

02 남을 믿지 않는 사람들의 모습을 보며 구보는 연민을 느낀다. (○ , ×)

03 경성역에 모여 있는 사람들에게서 타인에게 무관심하고 개인주의적인 도시 사회의 면모를 볼 수 있다. (○ , ×)

[04~05] 다음 빈칸에 들어갈 알맞은 말을 쓰시오.

04 (사)에서 구보는 경성역의 군중 속에서 예상하지 못한 ㄱㄷ을 발견하였다.

05 (아)에서 아이 업은 젊은 아낙네가 ㅂㅈ의 발 앞에까지 굴러간 복숭아 집기를 포기하는 모습은 차가운 현대인의 모습을 보여 준다.

실력 문제

06 윗글의 내용과 일치하지 <u>않는</u> 것은?

① 앉을 자리가 별로 없는 대합실에서도 구보의 옆자리는 비어 있었다.
② 구보는 중년의 시골 신사의 얼굴이 부은 것을 보고 자리를 이동하였다.
③ 구보는 경성역에서 자신이 위장병을 앓고 있다는 것을 새삼스럽게 떠올렸다.
④ 구보는 바쁜 사람들로 붐비는 경성역이 자신의 고독을 없애 줄 것이라고 기대하였다.
⑤ 양복을 입고 문 옆에 기대어 선 사내는 온갖 사람들에게 의혹의 시선을 보내고 있었다.

07 [A]의 서술상 특징에 대한 설명으로 적절한 것은?

① 과거 회상을 통해 사건의 의미를 밝히고 있다.
② 다른 인물에게 전해 들은 바를 인용하고 있다.
③ 다른 인물에 대해 특정 인물이 짐작하는 바를 제시하고 있다.
④ 인물들 사이에 존재하는 갈등의 원인을 다각도로 분석하고 있다.
⑤ 인물의 외모를 묘사하여 그에 대한 비판적 태도를 드러내고 있다.

수능형 인물·사건 + 서술

08 〈보기〉를 바탕으로 윗글을 이해한 내용으로 적절하지 <u>않은</u> 것은?

보기

이 작품은 도시인들의 일상을 관찰하는 '산책자'를 주인공으로 내세움으로써 도시를 배회하는 그의 여로를 따라 진행된다. 의식의 흐름에 따라 주인공의 눈에 비친 관찰 대상을 제시하는 이 소설에는 고현학의 기법, 즉 현대의 풍속과 세태를 조사하고 기록하는 학문 방법이 활용되었다.

① '남대문'을 나와 '경성역'에 갔다가 다시 그곳을 떠나는 구보의 여로를 따라 소설이 진행되고 있군.
② '빽빽하게 모여' 있으면서도 '오직 자기네들 사무'에 바쁜 사람들은 도시를 배회하는 산책자라고 할 수 있군.
③ '노파'와 되도록 떨어져 앉으려 노력하는 '중년의 시골 신사'의 모습에서 현대의 세태가 지닌 한 단면을 엿볼 수 있군.
④ '서너 명의 지게꾼들'과 '40여 세의 노동자' 등은 구보의 눈에 비친 관찰 대상으로서의 도시인이라고 할 수 있군.
⑤ '조그만 사건'에 흥미를 느껴 '대학 노트'를 펴드는 구보의 모습은 이 작품에 활용된 고현학의 기법과 관련이 있다고 볼 수 있군.

소설가 구보 씨의 일일 ④

독해쌤 **속닥속닥**

◆ (자)에는 구보의 눈에 비친 세상이 얼마나 비뚤어져 있고 절망적으로 느껴지는지 짐작할 수 있는 대목이 제시되어 있어요. 세상이 온통 황금을 찾는 데에 혈안이 되었고, 심지어 문학을 하는 작가나 평론가들마저 브로커로 금광에 뛰어들었네요.

자 **개찰구 앞에**

두 명의 사나이가 서 있었다. 낡은 파나마에 모시 두루마기, 노랑 구두를 신고, 그리고
_{파나마초풀의 잎을 잘게 쪼개어서 만든 여름 모자}
손에 조그만 보따리 하나도 들지 않은 그들을, ⓐ구보는, 확신을 가져 무직자라고 단정한
다. 그리고 이 시대의 무직자들은, 거의 다 금광 브로커에 틀림없었다. ⓑ구보는 새삼스
_{일정한 직업이 없는 사람}
_{중간 상인. 또는 사기성이 있는 거간꾼}
러이 대합실 안팎을 둘러본다. 그러한 인물들은, 이곳에도 저곳에도 눈에 띄었다.

황금광 시대.

저도 모를 사이에 구보의 입술엔 무거운 한숨이 새어 나왔다. 황금을 찾아, 황금을 찾
아, 그것도 역시 숨김없는 인생의, 분명한 일면이다. ⓒ그것은 적어도, 한 손에 단장과 또
한 손에 공책을 들고, 목적 없이 거리로 나온 자기보다는 좀더 진실한 인생이었을지도 모
_{인지(수수료나 세금 따위를 낸 것을 증명하기 위하여 서류에 붙이는 종이 표)의 비용}
른다. 시내에 산재한 무수한 광무소(鑛務所). 인지대 100원, 열람비 5원, 수수료 10원, 지
_{여기저기 흩어져 있는}
_{광업에 관한 모든 제출 서류를 광업령에 의거하여 대신 써 주던 영업소}
도대 18전…… 출원 등록된 광구, 조선 전토(全土)의 7할. 시시각각으로 사람들은 졸부가
_{관청에서 어떤 광물의 채굴이나 시굴을 허가한 구역}
_{갑자기 된 부자}
되고 또 몰락하여 갔다. 황금광 시대. 그들 중에는 평론가와 시인, 이러한 문인들조차 끼
어 있었다. ㉠구보는 일찍이 창작을 위하여 그의 벗의 광산에 가 보고 싶다 생각하였다.
사람들의 사행심, 황금의 매력, 그러한 것들을 구보는 보고, 느끼고, 하고 싶었다. 그러나
_{요행을 바라는 마음}
고도의 금광열은 오히려 총독부 청사, 동측 최고층, 광무과 열람실에서 볼 수 있었다…….

차 문득 한 사나이가 둥글넓적한, 그리고 또 비속한 얼굴에 웃음을 띠고, 구보 앞에 그
_{격이 낮고 속된}
의 모양 없는 손을 내민다. ㉡그도 벗이라면 벗이었다. 중학 시대의 열등생. 구보는 그래
도 약간 웃음에 가까운 표정을 지어 보이고, 그리고 ㉢단장 든 손을 그대로 내밀어 그의
손을 가장 엉성하게 잡았다. 이거 얼마 만이야. 어디 가나. 응, 자네는.

◆ 이렇게 다들 돈만 중시하는 물질 만능주의의 세상이다 보니, 구보의 눈에는 속물적이기 그지없는 동창생까지도 버젓이 연애를 하고 있네요. 구보는 열등생이었던 그 친구가 '금시계'를 차고 있는 '전당포 집의 둘째 아들'이라는 점을 여지없이 제시하고 있어요.

구보는 친하지 않은 사람에게 '자네' 소리를 들으면 언제든 불쾌하였다. ㉣'해라'는, 해
라는 오히려 나았다. 그 사나이는 주머니에서 금시계를 꺼내 보고, 다음에 구보의 얼굴을
쳐다보며, 저기 가서 차라도 안 먹으려나. 전당포 집의 둘째 아들. 구보는 그러한 사나이
와 자리를 같이하여 차를 마실 생각은 없었다. ㉤그러나 그러한 경우에 한 개의 구실을
지어, 그 호의를 사절할 수 있도록 구보는 용감하지 못하다. 그 사나이는 앞장을 섰다.
_{요구나 제의를 받아들이지 않고 사양하여 물리칠}
ⓓ자, 그럼 저리로 가지. 그러나 그것은 구보에게만 한 말이 아니었다.

구보는 자기 뒤를 따라오는 한 여성을 보았다. ⓔ그가 한번 흘낏 보기에도, 한 사나이
의 애인된 티가 있었다. 어느 틈엔가 이런 자도 연애를 하는 시대가 왔다. Ⓐ새삼스러이
그 천한 얼굴이 쳐다보였으나, 그러나 서정 시인조차 황금광으로 나서는 때다.

의자에 가 가장 자신 있게 앉아, 그는 주문 들으러 온 소녀에게, 나는 가루삐스, 그리고
_{우유를 가열·살균하여 냉각·발효한 뒤 당액 칼슘을 넣어 만든 음료의 하나}
구보를 향하여, 자네두 그걸루 하지. 그러나 구보는 거의 황급하게 고개를 흔들고, 나는
홍차나 커피로 하지.

음료 칼피스를, 구보는, 좋아하지 않는다. 그것은 외설한 색채를 갖는다. 또 그 맛은 결
코 그의 미각에 맞지 않았다. 구보는 차를 마시며 문득 끽다점(喫茶店)에서 사람들이 취
_{예전에, '찻집'을 이르던 말}
하는 음료를 가져, 그들의 성격, 교양, 취미를 어느 정도까지는 알 수 있을 것이 아닌가,
하고 생각하여 본다. 그리고 그것은 동시에, 그네들의 그때, 그때의 기분조차 표현하고

있을 게다.

구보는 맞은편에 앉은 사나이의, 그 교양 없는 이야기에 건성 맞장구를 치며, 언제든 그러한 것을 연구하여 보리라 생각한다.

전개　구보는 뚜렷한 목적이나 이유 없이 경성 시내를 돌아다니면서 풍경과 사람들의 모습을 관찰함

[01~03] 다음 설명이 맞으면 ○, 틀리면 ✕표 하시오.

01 구보는 금광 브로커가 되고 싶다는 생각을 숨겼다.
（○, ✕）

02 당시에 금광에서 큰돈을 버는 사람도 종종 있었다.
（○, ✕）

03 구보가 개찰구 앞의 사나이들을 보다가 무거운 한숨을 쉬는 이유는 너도나도 황금에 미쳐 있는 세상이 씁쓸하고 안타깝게 느껴졌기 때문이다.（○, ✕）

[04~05] 다음 빈칸에 들어갈 알맞은 말을 쓰시오.

04 (자)에서 구보는 많은 사람들이 황금을 좇는 당시를 'ㅎㄱㄱ 시대'라고 생각했다.

05 (차)에서 구보는 우연히 중학 시대의 열등생이었던 ㅂ을 만나 차를 마시러 갔다.

실력 문제

서술

06 윗글에 대한 설명으로 적절하지 않은 것은?
① 작품 속 서술자가 외부 세계를 관찰하고 있다.
② 부정적 현실에 대한 비판 의식을 드러내고 있다.
③ 현재형 어미와 과거형 어미를 섞어서 사용하고 있다.
④ 인물과 세태의 묘사를 통해 당시의 시대 상황을 드러내고 있다.
⑤ 특별한 인과 관계 없이 의식의 흐름에 따라 이야기가 전개되고 있다.

인물·사건

07 ㉠~㉤에서 알 수 있는 인물의 심리로 적절한 것은?
① ㉠: 자신도 남들처럼 창작을 통해 부를 축적하고 싶은 욕망을 느끼고 있다.
② ㉡: 옛 친구의 소중함을 깨닫게 된 순간의 감회를 드러내고 있다.
③ ㉢: 오랜만에 만난 친구의 변화된 모습에서 두려움을 느끼고 있다.
④ ㉣: 반말투와의 비교를 통해 '자네'라는 말이 주는 불쾌감의 정도를 드러내고 있다.
⑤ ㉤: 상대방의 호의를 단호하게 거절하기 위해 용기를 내려고 마음먹고 있다.

서술

08 〈보기〉를 참고할 때, ⓐ~ⓔ 중 성격이 다른 하나는?

보기

소설의 서술자는 자신의 시각에서 관찰한 사실이나 견해를 서술하기도 하고, 경우에 따라서는 인물의 시각에서 인물의 경험과 인식을 반영하여 서술하기도 한다.

① ⓐ　② ⓑ　③ ⓒ　④ ⓓ　⑤ ⓔ

인물·사건

09 Ⓐ에 담긴 '구보'의 생각으로 가장 적절한 것은?
① 저 친구는 시인조차 황금광으로 나선다는 사실을 모를 만큼 세상 물정에 어두운 것 같군.
② 시를 쓰는 것처럼 순수한 열정을 바쳐야만 인생의 처지가 바뀔 수 있다는 것을 알려 주고 싶군.
③ 자신의 얼굴이 천해 보인다는 것을 안다면 황금광으로 나서지 않을 텐데, 그걸 모르니 안타깝군.
④ 저런 친구도 연애를 하다니 근사해진 것을 보면, 사랑은 천한 사람의 인격도 귀하게 만들어 주는 게 분명해.
⑤ 순수해야 할 시인들까지 황금을 좇는 세상이니, 돈만 많다면 천한 인물이 연애를 하는 게 이상할 것도 없겠지.

발단★	전개★	결말
직장 없이 지내는 소설가 구보가 외출을 하자 어머니는 아들을 걱정스러운 마음으로 배웅함	구보는 뚜렷한 목적이나 이유 없이 경성 시내를 돌아다니면서 풍경과 사람들의 모습을 ❶ㄱㅊ함	밤늦게 집으로 돌아온 구보는 어머니를 위하여 결혼도 하고 소설 창작에도 전념할 것을 결심함

★: 교재 수록 부분

작품 압축

■ '구보'의 특징

이 작품의 주인공인 구보는 작가 박태원의 분신이라고 할 수 있다. 구보는 박태원의 호이자 필명이다.

구보	• 26살의 소설가 • 동경 유학까지 다녀왔으나 글 쓰는 것 외에는 ❷ㅈㅇ이 없음 • 무기력하지만 지적 우월감을 가지고 다른 사람을 속물로 치부함

⇩

허무주의와 냉소주의에 빠져 살아가는 1930년대 ❸ㅈㅅㅇ의 모습을 드러냄

■ 이 작품에 나타난 당시 세태

이 작품은 구보의 시선을 통해 1930년대 서울의 풍경과 사람들의 모습을 관찰하고 있으며, 그들을 병에 걸린 사람들처럼 부정적으로 묘사하고 있다.

구보의 시선		당시 세태
'조그만' 부분: 냉소적으로 주변 인물들을 관찰함	비판적, 냉소적	근대화·도시화로 인해 ❹ㅂ 들어 가는 사람들
'개찰구 앞에' 부분: 돈을 중시하는 사람들을 속물적이라고 여김		황금광 시대, ❺ㅁㅈ 만능주의에 빠져 있는 사람들

인물·사건 / 배경·소재

서술

■ 이 작품의 서술상 특징

이 작품은 단락별로 첫 문장의 앞부분을 소제목처럼 제시하고, 만연체 문장에 쉼표를 빈번하게 사용하며, 현재형 어미와 과거형 어미를 섞어서 사용한다.

서술상 특징		효과
❻ㅅㅈㅁ 설정	⇒	독자의 주목을 유도함
현재형 어미		이야기를 생동감 있게 전달함
만연체 문장		인물이 떠올린 생각들을 그대로 드러냄
❼ㅅㅍ의 빈번한 사용		긴 문장을 끊어 리듬감을 주고, 인물의 심리를 섬세하게 드러냄

■ 이 작품의 형식과 표현 기법

이 작품에서 구보의 산책(배회)이라는 형식은 고현학적 기법과 의식의 흐름 기법을 효과적으로 드러낸다.

❽ㅅㅊ (배회)	특정한 목적이나 이유 없이 이리저리 돌아다님

⇩

고현학	일상생활의 풍속을 자세히 관찰하고 조사하는 고현학적 기법을 활용하여 당대 서울의 풍경과 세태를 묘사함
❾ㅇㅅㅇ ㅎㄹ	당대 서울의 풍경과 세태를 관찰하며 구보가 떠올리는 의식의 흐름에 따라 내용을 서술함

어휘력 테스트

1 제시된 뜻과 예문을 참고하여 다음 초성에 해당하는 단어를 괄호 안에 써 보자.

(1) **ㅈ ㅂ** : 갑자기 된 부자

예 그 사람은 (   )라서 돈을 어떻게 써야 할지도 모르는 것 같아.

(2) **ㅇ ㄴ ㄹ** : 물건값을 받을 값보다 더 많이 부르는 일. 또는 그 물건값

예 이 세상에 (   ) 없는 장사는 없다.

(3) **ㄷ ㄴ** : 임시로 남의 집 행랑에 붙어 지내며 그 집의 일을 도와줌. 또는 그런 사람

예 제가 그 댁에 가서 (   )을 살더라도 반드시 뜻을 이루겠습니다.

2 다음 단어를 활용하기에 적절한 문장을 찾아 바르게 연결해 보자.

(1) 경미하다 •

(2) 비속하다 •

(3) 약동하다 •

• ㉠ 그녀는 시합 중에 (   ) 부상을 당했다.

• ㉡ 대학가에서는 언제나 (   ) 젊음을 느낄 수 있다.

• ㉢ (   ) 말은 고운 말로 고쳐 쓰는 버릇을 들이는 것이 좋다.

독해쌤과 함께하는 **감상 넓히기**

일제 강점기 무기력한 지식인의 내면이 드러난 작품

이번에 감상한 「소설가 구보 씨의 일일」과 같이 일제 강점기의 암울한 현실 속에서 비판 의식을 가지고 있지만 적극적으로 행동하지 못하는 지식인의 고뇌를 다룬 작품이 많아요. 일제 강점기를 살아가는 무기력한 지식인의 내면이 드러나는 작품들을 더 감상해 볼까요?

날개_이상
삶의 의욕을 상실한 채 아내에게 기생하는 '나'가 몇 차례의 외출을 거치는 동안 '날개'가 다시 돋기를 염원함으로써 자신도 여전히 생의 의미 찾기를 포기하지 않았다는 것을 느끼게 되는 소설입니다. 주인공의 심리와 의식의 흐름에 따라 기술하고 있어 우리나라 심리 소설의 첫 작품으로 꼽힙니다.

패강랭_이태준
일제의 조선어 강습 폐지로 더 이상 조선어를 가르칠 수 없게 된 현이 평양으로 내려가 겪은 이야기를 담고 있는 소설입니다. 자본주의의 천박함과 식민지 지배자의 권력에 대한 혐오, 지식인의 허무감이 잘 묘사되어 있습니다.

실전

03

사평역 ① _임철우

여러분은 기차나 지하철, 혹은 버스에 함께 탄 사람들을 주의 깊게 관찰해 본 적이 있나요? 이 작품은 시골 간이역 대합실에 모인 인물들의 고단한 삶과 교감을 서정적으로 그려 내고 있어요. 작품 속 인물들은 어떤 삶을 살고 있는지, 또 어떤 정서를 지니고 있는지 작품을 감상해 볼까요?

독해쌤의 감상 질문

1. **인물·사건** 사평역 대합실에서 막차를 기다리는 인물들의 처지는 어떠한가요?

2. **배경·소재** • 이 작품의 공간적 배경인 '사평역'의 의미는 무엇인가요?
 • '완행열차'와 '특급 열차'가 갖는 의미는 무엇인가요?

3. **서술** 이 작품의 구조적 특징은 무엇인가요?

독해쌤 속 닥 속 닥

◆ 이 작품은 곽재구의 시 「사평역에서」를 모티프로, 서사적인 상상력을 더하여 재구성한 소설이에요. 작가는 도시화·산업화가 한창 진행되던 1970∼80년대를 배경으로, 시골 간이역인 사평역의 대합실에 모인 인물들이 각자의 삶을 회상하고 성찰하는 과정을 통해 세상으로부터 소외된 인물들의 삶의 이력과 쓸쓸한 내면을 서정적으로 보여 주고 있어요.

앞부분 줄거리 사평역, 저녁 8시 15분. 막차는 좀처럼 오지 않았다. 역장은 시계를 보며 기차가 올 시간이 벌써 30분이나 지났음을 걱정하면서, 유리창 너머로 내리는 눈을 바라보았다. 대합실 안에는 모두 다섯 명이 있다. 30대 중반의 농부와 그의 병든 아버지, 교도소에서 출감한 지 얼마 안 되는 중년 사내, 시국 사건으로 대학에서 제적당한 청년, 대합실 의자 위에 벌렁 누워 있는 미친 여자. 그들은 간이역 대합실 안 난로 주위에 모여 각자 상념에 빠져 있다. 이때 덜커덩 문이 열리며 몸집이 큰 중년 여자와 바바리코트를 입은 처녀 춘심, 보따리를 인 행상 아낙네 둘이 들어온다.

발단

가 난로를 에워싸고 있는 사람은 어느덧 일곱으로 불어났다. 늦게 나타난 것이 무슨 특권인 양, 여자들은 비좁은 틈을 비집고 들어와 각기 섭섭지 않게 공간을 확보했다. 그 통에 중년 사내는 <u>연통</u> 뒤편으로 밀려나고 말았다.
양철이나 슬레이트 따위로 둥글게 만든 굴뚝

청년은 아직도 저만치 창가에 서 있고 미친 여자는 죽은 듯 움직이지 않는다.

한동안 여자들은 추위 속을 걸어온 끝에 마침내 불기를 쬘 수 있게 되었다는 사실에 감격해서 한마디씩 호들갑을 떨기 시작한다. 덕분에 푹 가라앉아 있던 <u>대합실</u>이 부쩍 활기를 띠는 것 같다. 〈중략〉 아낙네들은 목청도 크다. 그녀들의 목소리가 대합실 사방 벽을 쟁쟁 울리며 튕겨다닌다. 그녀들은 눈에 길이 막혀 버스가 오지 못한다는 걸 늦게야 전해 듣고는, <u>으레</u> 지각하기 일쑤인 완행열차를 혹시나 탈 수 있을까 하고 역까지 허겁지겁 달려 나온 참이었다.
틀림없이 언제나

발단 사람들이 작은 시골 간이역 대합실에서 폭설로 연착된 열차를 기다림

전개

나 기차가 스쳐 간 어둠 저편에서 손전등을 든 늙은 역장이 나타나 그것이 ㉠특급 열차라고 알려 주었을 때에야 사람들은 풀 죽은 모습으로 대합실로 어기적어기적 되돌아왔다.
기세나 기운이 없어진

"나 원 참, 좋다가 말았구마이."

누군가 투덜댔다. 난로를 차지하고 둘러서서 한동안은 모두들 입을 봉하고 있다. 저마다 실망한 기색이다. 대학생은 아까처럼 창을 내다보고 있고 미친 여자는 의자에 멀뚱하게 앉아 있다. / 조금 있으려니, 문이 열리며 역장이 바께스를 들고 나타난다. 바께쓰 속엔 톱밥이 가득 들어 있다. / "추위에 고생하십니다요."
일본에서 들어온 말로, 한 손으로 들 수 있도록 손잡이를 단 통을 말한다. '들통', '양동이'로 순화

농부가 얼른 인사를 차린다. 그에겐 제복을 입은 사람은 무조건 존경의 대상이 된다.

"뭘요. 그나저나 이거 죄송합니다. 기차가 자꾸 늦어지는군요."

다 역장이 나타나는 바람에 자리가 더욱 좁아졌으므로, 중년 사내는 난로 가까이 놓아 둔 자신의 작은 보퉁이를 한편으로 치워 놓는다. 그 보퉁이엔 한 두름의 굴비, 그리고 낡
울건을 보에 싸서 꾸려 놓은 것

고 때 묻은 내복 따위 같은 사내의 옷가지가 들어 있을 뿐이다. 그것은 사내가 벽돌담 저쪽의 세상에서 가지고 나온 유일한 재산이다.

"선생은 향촌리에 사시우?" / 늙은 역장이 곁의 중년 사내에게 묻는다.

"아, 아닙니다." / "그래요. 근데 무슨 일로……." / "누굴 찾아왔다가 그만 못 만나고 가는 길입지요." / "누굴 찾으시는데요? 어디 말씀해 보구려. 이 근처 삼십 리 안팎에 있는 동네라면 내가 얼추 다 아니까요. 허허."

어지간한 정도로 대충

"아, 아닙니다. 제가 주소를 잘못 알았나 봅니다." / "오, 그래요."

역장은 사내가 뭔가 말하기를 꺼려한다는 느낌을 받았으므로 더 캐묻지 않는다.

◆ 이 작품에는 중심인물(주인공)이 없어요. 전개 부분은 대합실에 모인 9명의 인물들이 비슷한 비중으로 각자의 삶을 회상하는 내용이 중심을 이루는데, 이때 인물에서 다른 인물로 자연스럽게 넘어가도록 이끌어 주는 역할을 하는 사람이 바로 역장이에요.

확인 문제

[01~02] 다음 설명이 맞으면 ○, 틀리면 ×표 하시오.

01 이 작품은 특정한 작품을 모티프로 하여 창작되었다. (○, ×)

02 이 작품의 중심인물은 '중년 사내'와 '청년'이다. (○, ×)

[03~04] 다음 빈칸에 들어갈 알맞은 말을 쓰시오.

03 대합실에 모인 사람들이 기다리는 기차는 'ㅇㅎ 열차'이다.

04 중년 사내가 옷가지 등을 가지고 나온 'ㅂㄷㄷ 저쪽 세상'은 교도소를 의미한다.

실력 문제

05 윗글에서 알 수 있는 내용이 아닌 것은? [인물·사건]

① 여자들이 들어오면서 대합실은 부쩍 활기를 띠었다.
② 열차를 기다리는 사람들이 대합실 난로 주위에 모여 있다.
③ 농부는 난로에 넣을 톱밥을 들고 온 역장에게 인사를 건넸다.
④ 역장은 중년 사내에게 말을 걸었지만, 사내가 말하기를 꺼려한다는 느낌에 대화를 멈춘다.
⑤ 사람들은 특급 열차를 탈 수 있으리라 생각했지만, 눈발이 심해져서 열차는 그냥 지나쳤다.

06 윗글의 등장인물 중, 그 성격이 나머지와 다른 것은? [인물·사건]

① 농부 ② 역장 ③ 청년 ④ 미친 여자 ⑤ 중년 사내

07 ㉠의 특성으로 적절하지 않은 것은? [배경·소재]

① 산업화의 산물이다.
② 역에 정차하지 않고 지나친다.
③ 시간을 정확히 지키며 빠르게 달린다.
④ 사람들을 일상으로 돌아가게 해 준다.
⑤ 완행 열차와 대조되며 소외된 인물들의 삶을 부각한다.

08 〈보기〉는 윗글의 모티프가 된 시이다. 〈보기〉와 비교할 때, 윗글만의 특징이 아닌 것은? [수능형] [서술]

> ─ 보기 ─
> 막차는 좀처럼 오지 않았다 / 대합실 밖에는 밤새 송이눈이 쌓이고 / 흰 보라 수수꽃 눈 시린 유리창마다 / 톱밥 난로가 지펴지고 있었다 / 그믐처럼 몇은 졸고 / 몇은 감기에 쿨럭이고 / 그리웠던 순간들을 생각하며 나는 / 한 줌의 톱밥을 불빛 속에 던져 주었다
> ─ 곽재구, 「사평역에서」 중에서

① 서술자가 작품 밖에 위치한다.
② 인물들의 말과 행동, 심리까지 제시한다.
③ 사투리를 사용하여 현장감과 사실성을 높인다.
④ 막차를 기다리는 사람들에 대한 비판적 시선이 드러난다.
⑤ 대합실에 모인 인물들이 개별적인 성격과 삶의 이력을 지닌 존재로 구체화된다.

사평역 ②

독해쌤 속닥속닥

◆ (라)에서 중년 사내가 허 씨의 노모를 찾아갔지만, 이미 죽은 지 오 년이 넘었고 가족들도 소식이 끊긴 상태였어요. 중년 사내 역시 집도 부모님도 없이 살아온 사람으로, 허 씨와 중년 사내 모두 돌아갈 고향도, 만날 가족도 없는 처지인 것이죠. 따라서 중년 사내는 허 씨에게 연민을 느꼈을 것이며, 서로의 처지가 곧 동병상련(同病相憐)이라는 생각을 했을 거예요.

◆ (라)와 (바)에 제시된 두 인물의 과거 회상 사이에 (마)의 현재 시점이 제시됨으로써 각 인물의 개별적인 사연을 다리처럼 자연스럽게 연결해 주고 있어요. 다른 인물들의 사연 또한 이와 같이 역장의 시선을 통해 과거와 현재가 교차하는 방식으로 전개되고 있어요.

◆ (바)의 청년은 시국 사건에 참여했다는 이유로 대학에서 제적되었지만, 고향 부모님께는 차마 퇴학당했다는 말을 하지 못하고 다시 서울로 돌아가는 길이에요. 집을 나섰을 때 청년은 부모님의 기대를 저버렸다는 죄책감이 들었을 것이고, 자신의 앞날도 막막했을 거예요.

라 사내는 기차를 타기 전, 서울역 앞에서 그 굴비 한 두름을 샀었다. 언젠가 감방에서 허 씨가 흰 쌀밥에 잘 구운 굴비를 먹고 싶다고 말한 적이 있었기 때문인지도 모른다. 비록 허 씨 자신은 먹을 수 없겠지만, 홀로 산다는 허 씨의 칠순 노모에게 빈손으로 찾아갈 수는 없을 것이라는 생각에 역 광장의 행상꾼에게서 한 두름을 샀다. 그리고 밤 내내 완
이리저리 돌아다니며 물건을 파는 사람
행열차를 타고 이날 새벽 사평역에서 내려 허 씨가 일러 준 대로 그 조그마한 산골 마을을 찾아들었던 것이다.

하지만 허 씨의 노모는 이미 만날 수가 없었다. 죽어 묻힌 지가 오 년도 넘었다고 했다. 노모가 죽은 이듬해, 허 씨의 형도 식솔들을 데리고 훌훌 마을을 떴고, 그 후 그들의 소식
한집안에 딸린 구성원
은 영영 끊겨졌다는 거였다.

그 말을 전해 듣는 순간 사내는 사지의 힘이 일시에 빠져나가는 듯한 허탈감을 맛보았다. 어느덧 초로(初老)에 접어든 허 씨의 쓸쓸한 모습이 눈앞에 선히 떠올랐다. 노모의 죽
노년에 접어드는 나이. 또는 그런 사람
음조차 모르고 비좁은 벽돌담 안에 갇힌 채 다만 다른 사람들의 것일 따름인 그 숱한 계절들을 맞고 보내다가, 어느 날인가는 푸른 옷에 싸여 죽음을 맞아야 할 한 늙고 병든 무
기수(無期囚)의 얼굴이 사내의 발길을 차마 돌릴 수 없도록 만드는 거였다. 〈중략〉
무기형을 선고받고 징역살이를 하는 죄수
하염없이 눈송이만 펑펑 쏟아지는 산길을 걸어 나오며 사내는 자꾸만 발을 헛디뎠다. 문득 되돌아보면 멀리 산골 초가의 굴뚝에선 저녁 짓는 연기가 은은히 피어오르고 있었다. 눈 내리는 산자락에 고요히 묻혀 가는 저녁 무렵의 산골 풍경은 눈물겹도록 평화스러워 보였다. / ⊙이보쇼, 허 씨. 당신이나 나는 이젠 매양 마찬가지구료. 피차 어디 찾아갈 곳 하나 없어졌으니 말이오.

마 역장은 시계를 본다. 아홉 시 반. 이거 너무 늦는걸. 그러다가 역장은 저만치 창가에서 서성이고 있는 청년을 새삼 발견한다.

청년은 벽에 붙은 지명 수배자 포스터를 들여다보고 있는 참이다. 포스터엔 스무 명 남짓, 지극히 평범하게 생긴 한국 사람들의 얼굴이 적혀 있고 그 밑에 성명, 나이, 범행 내용, 인상착의 따위가 기록되어 있다. 그중 몇은 '검거'라고 쓰인 붉은 도장이 쿵쿵 박혀 있
사람의 생김새와 옷차림
다. 수배자들의 사진 가운데엔 대학생이 아는 얼굴도 하나 끼어 있다. 그는 청년의 선배이다. 시위를 주동한 혐의로 선배는 몇 달 전부터 수배되어 있는 중이다.

바 불현듯 청년의 뇌리엔 아버지의 얼굴이 떠오른다. 소나무 등걸처럼 투부룩한 아버
사람의 의식이나 기억, 생각 따위가 들어 있는 영역
지의 손. 그 손으로 아버지는 평생을 논밭만 일구며 살아왔다. 아버지의 꿈은 판사 아들을 두는 거였다. 그렇게만 된다면 내일 죽어도 한이 없노라고, 젊은 시절을 남의 집 머슴으로 전전했던 가난한 아버지는 대학생이 된 아들 앞에서 주먹을 불끈 쥐어 보이곤 하던
이리저리 굴러다니거나 옮겨 다녔던
거였다. / 청년에겐 동생이 다섯이나 있었다. 모두가 국민학교만 겨우 마쳤거나 아직 다니고 있는 중이었다. 청년은 그의 집의 유일한 희망이었고, 어김없이 찾아올 밝아 오는 새벽이었다. 그런 부모와 형제들 앞에서 끝내 퇴학당했다는 말을 꺼낼 수가 없었다. 언젠가 여름에 자기도 그냥 집에 내려와 농사나 짓는 게 어떻겠느냐고 한마디 건넸다가 그만 노발대발한 아버지에게 용서를 비느라 혼쭐이 난 적도 있었다. 결국 아무런 얘기도 꺼내
몹시 노하여 펄펄 뛰며 성을 낸

보지 못하고 이젠 누구 하나 찾아갈 사람도 없는 그 거대한 도시를 향해 집을 나섰을 때 ⓒ청년은 하마터면 울음을 터뜨릴 뻔하였다.

　자. 이거 받으라이. 느그 아부지가 준 돈은 책값하고 하숙비 빼면 니 쓸 것도 부족하 꺼이다. 괜찮다이. 내, 그동안 몰래 너 오면 줄라고 모아둔 돈이니께. 달걀도 모았다가 팔고 동네 밭일 해 주고 품삯 받은 거이다. 아무쪼록 애껴 쓰면서, 공부도 좋재만 항상 몸을 살펴야 쓴다이. / 동구 밖까지 따라 나온 어머니는 꾸깃꾸깃 때에 전 돈을 억지로 손에 쥐여 주었다. 어머니와 동생들은 마른버짐이 허옇게 핀 얼굴로 그가 고개를 꼬박 넘어설 때까지 손을 흔들고 있었다.

얼굴 같은 데에 까슬까슬하게 흰 버짐이 번지는 피부병. 대개 영양 결핍으로 생김

확인 문제

[01~02] 다음 설명이 맞으면 ○, 틀리면 ×표 하시오.

01 (라)~(바)는 과거와 현재를 교차하면서 서술하고 있다. 　　　　　　　　　　(○, ×)

02 (라)는 중년 사내의 과거 회상이 나타난 부분으로, 사내가 굴비 한 두름을 사 들고 허 씨의 노모를 만난 사연이 드러난다. 　　　　　(○, ×)

[03~04] 다음 빈칸에 들어갈 알맞은 말을 쓰시오.

03 (마)에서 역장이 [ㅅㄱ]를 보는 부분에서, 내용상 과거 회상에서 현재의 시점으로 돌아온다.

04 청년은 자신만을 믿고 희생하며 살아온 가족들을 실망시킬 수 없어서 [ㅌㅎ]당했다는 말을 하지 못하였다.

실력 문제

배경·소재 + 서술

05 윗글에 대한 설명으로 적절하지 않은 것은?

① 서술자가 전지적인 위치에서 사건을 전달한다.
② 과거 회상과 현재 시점을 교차하면서 서술한다.
③ 인물 간의 갈등과 그 해결 과정을 중심으로 내용을 전개한다.
④ 도시화·산업화가 한창이던 1970~80년대의 시골 간이역 대합실이 배경이다.
⑤ 무명(無名)의 호칭을 사용함으로써 등장인물들이 소외되고 상처받은 이들임을 보여 준다.

인물·사건

06 (라)에서 '중년 사내'가 '허 씨'에게 느끼는 정서로 가장 적절한 것은?

① 연민　　　② 원망　　　③ 그리움
④ 미안함　　⑤ 부끄러움

어휘

07 〈보기〉는 (라)에서 중략된 부분이다. 〈보기〉를 참고할 때, ㉠과 의미가 통하는 한자 성어로 적절한 것은?

> 보기
>
> 　등 뒤에 두고 돌아서려니, 사내는 그 마을이 바로 자기의 고향인 듯한 느낌이 들었다. 그의 고향은 본디 이북이었지만 피란 통에 가족들과 헤어져 집도 부모도 없이 떠돌아다니며 커 왔던 것이었다.

① 금의환향(錦衣還鄕)　　② 관포지교(管鮑之交)
③ 망운지정(望雲之情)　　④ 사고무친(四顧無親)
⑤ 수구초심(首丘初心)

인물·사건

08 ⓒ의 이유로 적절한 것은?

① 어머니에게 퇴학당한 사실을 들켰기 때문에
② 가난하게 사는 부모님에 대한 부끄러움 때문에
③ 부모님과 가족들의 기대를 저버렸다는 죄책감 때문에
④ 어머니와 동생들을 두고 떠나는 것이 속상했기 때문에
⑤ 노발대발한 아버지에게 용서를 빈 것이 창피했기 때문에

사평역 ③

독해쌤 속닥속닥

중략 부분 줄거리 몸집이 큰 중년의 서울 여자는 자신의 음식점에서 일을 하다 돈을 가지고 도망친 사평댁을 잡기 위해 내려왔다. 어설픈 기억을 더듬어 사평댁의 고향 집을 찾아갔지만, 사평댁은 오랜 병석의 기색이 완연한 모습이었다.

◆ (사)는 서울 여자의 회상 부분이에요. 서울 여자는 금고의 돈을 가지고 도망친 사평댁을 찾아왔지만, 사평댁의 처지를 알게 된 후 지니고 있던 돈까지 모두 쥐어 주고 집을 나서게 돼요. 처음 사평댁을 찾아갈 때는 미움과 분노, 배신감 등의 마음을 지니고 있었지만, 막상 사평댁을 만나자 그녀에게 안타까움과 연민을 느끼게 되죠. 결국 서울 여자는 인정 많고 따뜻한 심성을 지닌 사람이었어요.

사 머리채를 박박 쥐어뜯어 놓겠다고 벼르던 일은 까맣게 잊고 뚱뚱이 여자는 사평댁의 허깨비 같은 몸뚱이를 부둥켜안고 안타까워 어쩔 줄을 몰랐다. 속사정이야 제쳐 두고 우선 두 여자는 한참 동안 울음보를 풀었다. 서울 여자는 일찍이 젊어 과부가 된 제 팔자가 새삼 서러웠을 테고, 송장같이 말라빠진 사평댁 또한 기구한 제 설움에 겨워 눈물을 쫄쫄 쏟아 내었다.
_{겉으로 드러나지 아니한 일의 형편}
_{세상살이가 순탄하지 못하고 가탈이 많은}

　한바탕 소란이 끝나고 차츰 그간의 경위를 들어 보니 사평댁의 소행이 이해가 갈 만도 했다. 본디 사평댁은 결혼 후 그 마을에서 죽 살아왔노라고 했다. 주정뱅이에다가 노름꾼인 건달 남편과의 사이에 아이 둘을 낳았으나, 갈수록 심해지는 남편의 손찌검에 못 견뎌 집을 나온 거였다. 물론 그런 사실을 사평댁은 까맣게 숨기고 있었다. 그런 어느 날 식당에 우연히 들어온 고향 사람을 만났고, 그에게서 지난겨울 술 취한 남편이 밤길 눈밭에서 얼어 죽었다는 소식을 들었다. 부모 없이 거지 신세가 되어 이집 저집에 맡겨져 있다는 아이들을 생각하니 한시도 머물러 있을 수가 없었노라고 사평댁은 울먹이며 자초지종을 털어놓았다. 〈중략〉 다시 한바탕 설움에 겨운 넋두리를 퍼붓다가 뚱뚱이 여자는 몸에 지닌 몇 푼의 돈까지 쓸어 모아 한사코 마다하는 사평댁의 손에 쥐어 준 채 황황히 그 집을 나오고 말았다.
_{일이 진행되어 온 과정}
_{이미 해 놓은 일이나 짓}
_{처음부터 끝까지의 과정}
_{갈팡질팡 어쩔 줄 모를 정도로 급하게}

> **전개** 간이역에 모인 사람들이 각자 자신의 삶을 회상함

절정

아 사람들은 약속이나 한 듯 말을 잊었다. 어쩌면 그들은 열차를 기다리고 있다는 사실조차 망각하고 있는 것인지도 모른다. 〈중략〉
_{어떤 사실을 잊어버리고}

◆ 절정 부분에서는 누군가가 내뱉은 말을 계기로, 인물들이 각자 자신들의 삶을 성찰해 보는 내용이 이어져요.

　⊙"흐유, 산다는 게 대체 뭇이간디……." / 불현듯 누군가 나직이 내뱉았다.

　그러자 사람들은 그 말꼬리를 붙잡고 저마다 곰곰히 생각해 보기 시작한다. 정말이지 산다는 게 도대체 무엇일까…….

자 중년 사내에겐 산다는 일이 그저 벽돌담 같은 것이라고 여겨진다. 햇볕도 바람도 흘러들지 않는 폐쇄된 공간. 그곳엔 시간마저도 아무런 흔적을 남기지 않는다. 마치 이 작은 산골 간이역을 빠른 속도로 무심히 지나쳐 가 버리는 특급 열차처럼……. 사내는 그 열차를 세울 수도 탈 수도 없다는 것을 잘 알고 있다. 그러면서도 여전히 기다릴 도리밖에 없다는 것, 그것이 바로 앞으로 남겨진 자기 몫의 삶이라고 사내는 생각한다.

◆ (자)~(카)에는 중년 사내, 농부, 서울 여자, 춘심, 대학생, 행상꾼 아낙네들 순으로 인물들의 삶이 제시돼요. (자)와 (차) 사이에 농부의 성찰이 생략되어 있어요. 농부는 삶이란 흙과 일뿐이라고 생각해요. 이를 통해 먹고살기 위해 등뼈가 휘도록 일해야 하는 가난한 농민들의 가혹한 삶이 드러나요. (차)와 (카) 사이에는 춘심이 등장해요. 춘심은 고통을 술을 통해 잊고자 하는 삶을 살고 있어요.

차 서울 여자에겐 돈이다. 그녀가 경영하고 있는 음식점 출입문을 들어서는 사람들은 모조리 그녀에겐 돈으로 뵌다. 어서 오세요. 입에 붙은 인사도 알고 보면 손님에게가 아니라 돈에게 하는 말일 게다. 그래서 뚱뚱이 여자는 식사를 마치고 나가는 손님들에게 결코 안녕히 가세요, 라는 말은 쓰지 않는다. 또 오세요다. 그녀는 가난을 안다. 미친 듯 돈을 벌어서, 가랑이를 찢어 내던 어린 시절의 배고픈 기억을 보란 듯이 보상받고 싶은 게 그녀의 욕심이다.

카 대학생에겐 삶은 이 세상과 구별할 수 없는 그 무엇이다. 스물 셋의 나이인 그에게는 세상 돌아가는 내력을 모르고, 아니 모른 척하고 산다는 것은 절대로 용서할 수 없다. 그런 삶은 잠이다. 마취 상태에 빠져 흘려보내는 시간일 뿐이라고 청년은 믿고 있다. 하지만 그는 얼마 전부터 그런 확신이 조금씩 흔들리기 시작하는 걸 느끼고 있다. 유치장에

일정한 과정을 거치면서 이루어진 까닭

피의자나 경범죄를 지은 사람 등을 한때 가두어 두는 곳. 각 경찰서에 있음

서 보낸 한 달 남짓한 기억과 퇴학. 끓어오르는 그들의 신념과는 아랑곳없이 이루어지고 있는 강의실 밖의 질서……. 그런 것들이 자꾸만 청년의 시야를 어지럽히고 혼란을 일으키고 있는 중이다.

절정 열차는 오지 않고, 사람들은 난로 옆에서 삶의 의미를 생각함

확인 문제

[01~02] 다음 설명이 맞으면 ○, 틀리면 ✕표 하시오.

01 서울 여자는 자신의 음식점에서 일하다가 돈을 훔쳐 도망친 사평댁을 찾기 위해 사평에 내려왔다.
(○ , ✕)

02 서울 여자는 사평댁을 만난 후 분노와 배신감을 느꼈다.
(○ , ✕)

[03~04] 다음 빈칸에 들어갈 알맞은 말을 쓰시오.

03 중년 사내에게 있어서 삶이란 그저 '벽돌담'같이 ㅍ ㅅ 된 공간으로 느껴지는 것이다.

04 대학생에게는 세상 돌아가는 ㄴ ㄹ 을 모른 척하고 산다는 것은 절대로 용서할 수 없는 일이다.

실력 문제

서술

05 ㉠이 내용 전개에 미치는 역할로 적절한 것은?
① 사람들 간의 논쟁을 불러일으킨다.
② 사람들이 삶의 어려움을 토로하게 한다.
③ 사람들이 서로 말꼬리를 잡고 다투게 만든다.
④ 사람들이 각자 자신의 삶을 성찰해 보는 계기가 된다.
⑤ 사람들이 대합실 안의 다른 사람들을 살필 수 있게 하는 동기가 된다.

인물·사건

06 윗글의 등장인물에 대한 설명으로 적절하지 않은 것은?
① 중년 사내, 서울 여자, 대학생은 모두 다른 가치관을 지닌 채 살아가고 있다.
② 중년 사내의 삶에는 그의 젊음을 보내던 '교도소'에서의 체험이 크게 자리 잡고 있다.
③ 서울 여자는 '돈'이라는 세속적인 가치를 추구하는 데 자신의 모든 것을 바치고 있다.
④ 서울 여자가 손님들에게 '또 오세요.'라고 인사하는 것은 돈이 들어오기를 바라는 마음 때문이다.
⑤ 대학생은 현실의 안위와 쾌락을 추구하고 싶은 자신의 내면에 대한 죄책감으로 인해 혼란스러워한다.

인물·사건 + 배경·소재

07 (자)를 읽은 후 보인 반응으로 적절하지 않은 것은?
① 나래: 중년 사내의 삶을 고려할 때, '벽돌담'은 교도소를 빗댄 표현이라고 볼 수 있군.
② 은지: '벽돌담' 안은 '햇볕도 바람도 흘러들지 않는 폐쇄된 공간'이라고 볼 수 있군.
③ 미주: '벽돌담' 안은 '시간마저도 아무런 흔적을 남기지 않는' 답답하고 막막한 공간이라고 볼 수 있군.
④ 상엽: '특급 열차'는 '벽돌담' 같은 세상으로부터 중년 사내를 벗어나게 해 줄 희망이라고 볼 수 있군.
⑤ 소민: 중년 사내는 묵묵히 기다리는 것이 '남겨진 자기 몫의 삶'이라고 생각하고 있다고 볼 수 있군.

사평역 ④

독해쌤 속닥속닥

◆ 이 작품의 등장인물들은 간이역 대합실의 난로 주위에 모여 있어요. 난로는 눈이 내리는 추운 밖과 대비되어 사람들에게 따뜻한 위안을 주는 대상이에요. 사람들은 이런 난로의 따뜻한 불빛을 바라보며 과거를 회상하고 삶을 성찰해요. (타)와 (파)에서 청년과 중년 사내는 난로에 톱밥을 뿌려 주면서 교감을 나누기도 해요. 이처럼 '난로'는 인물들의 회상과 성찰, 교감 등의 매개체 역할을 해요.

결말

타 전신주 끝을 물고 윙윙대는 바람 소리, 싸륵싸륵 눈발이 흩날리는 소리, 난로에서 톡톡 튀어 오르는 톱밥. 그런 크고 작은 소리들이 간헐적으로 토해 내는 늙은 이의 기침 소리와 함께 대합실 안을 채우고 있을 뿐, 사람들은 각기 골똘한 얼굴로 생각에 빠져 있다.
<small>얼마 동안의 시간 간격을 두고 되풀이하여 일어나는. 또는 그런 것</small>

대학생은 문득 고개를 들어 말없이 모여 있는 그들의 얼굴을 하나하나 눈여겨본다. 모두의 뺨이 불빛에 발갛게 상기되어 있다. 청년은 처음으로 그 낯선 사람들의 얼굴에서 어떤 아늑함이랄까 평화스러움을 찾아내고는 새삼 놀라고 있다. 정말이지 산다는 것이란 때로는 저렇듯 한 두름의 굴비, 한 광주리의 사과를 만지작거리며 귀향하는 기분으로 침묵해야 하는 것인지도 모른다.

청년은 무릎을 굽혀 바께쓰 안에서 톱밥 한 줌을 집어 든다. 그리고 그것을 난로의 불빛 속에 가만히 뿌려 넣어 본다. 호르르르. 뻬비꽃이 피어나듯 주황색 불꽃이 타오르다가 이내 사그라져 들고 만다. 청년은 그 짧은 순간의 불빛 속에서 누군가의 얼굴을 본 것 같다. 어머니다. 어머니가 주름진 얼굴로 활짝 웃고 있었다.

다시 한 줌 집어넣는다. 이번엔 아버지와 동생들의 모습이 보였다. 또 한 줌을 조금 천천히 흩뿌려 넣는다. 친구들과 노교수의 얼굴, 그리고 강의실의 빈 의자들과 잔디밭과 교정의 풍경이 차례로 떠오르기 시작한다.

파 음울한 표정의 중년 사내는 대학생이 아까부터 톱밥을 뿌려 대고 있는 모습을 곁에서 줄곧 지켜보고 있는 참이다. 대학생의 얼굴은 줄곧 상기되어 있다.
<small>기분이나 분위기 따위가 음침하고 우울한</small>

이 젊은 친구가 어쩌면 꿈을 꾸고 있는지도 모르겠군. 그러면서도 사내 역시 톱밥을 한 줌 집어낸다. 그러고는 대학생이 하듯 달아오른 난로에 톱밥을 뿌려 준다. 호르르르. 역시 뻬비꽃 같은 불꽃이 환히 피어오른다. 사내는 불빛 속에서 누군가의 얼굴을 얼핏 본 듯하다. 허 씨 같기도 하고 전혀 낯모르는 다른 사람인 것도 같은, 확실치 않은 얼굴이었다. 사내의 음울한 눈동자가 간절한 그리움으로 반짝 빛나기 시작한다. 사내는 다시 한 줌의 톱밥을 집어 불빛 속에 던져 넣고 있다.

하 사평역을 경유하는 ㉠야간 완행열차는 두 시간을 연착한 후에야 도착했다.
<small>어떤 곳을 거쳐 지나는   정해진 시간보다 늦게 도착한</small>

막상 열차가 도착했을 때, 대합실에서 그때까지 기다리고 있던 승객들은 반가움보다는 차라리 피곤함과 허탈감에 젖은 모습으로 열차에 올라탔다. 늙은 역장은 하얗게 눈을 맞으며 깃발을 흔들어 출발 신호를 보냈고, 이어 열차는 천천히 미끄러져 가기 시작했다. 얼핏, 누군가가 아직 들어가지 않고 열차 난간에 기대어 서 있는 게 보였다. 역장은 그 사람이 재 너머 오 씨 큰아들임을 알았다. 고개를 반쯤 숙인 채 난간 손잡이에 위태로운 자세로 기대어 있는 청년의 모습이 역장은 왠지 마음에 걸렸다. 이내 열차는 어둠 속으로 길게 기적을 남기며 사라져 버렸다.

한동안 열차가 달려가 버린 어둠 저편을 망연히 응시하고 서 있던 늙은 역장은 옷에 금방 수북이 쌓인 눈을 털어내며 대합실로 들어섰다. 난로를 꺼야 하기 때문이었다. 거기서 역장은 뜻밖에도 아직 기차를 타지 않고 남아 있는 한 사람을 발견했다. 미친 여자였다. 지금껏 난로 곁에 가지 않았던 유일한 사람이었던 그녀는 이제 난로를 독차지한 채, 아까

◆ 두 시간을 연착한 후에야 도착한 '야간 완행열차'는 대합실에서 열차를 기다리던 사람들을 일상으로 돌아가게 해 주는 대상이에요. 각자의 삶을 살아온 인물들이, 각자의 삶을 살아가기 위해 사평역을 경유하는 완행열차를 타고 일상으로 복귀하게 돼요. 가난하고 고달픈 삶을 살아가는 소외된 인물들에게는 자신의 일상으로 돌아가는 일도 쉽지 않네요.

역장은 대합실에 남은 미친 여자를 위해 난로를 끄지 않고, 톱밥을 더 가져다가 난로에 부어 주어야겠다고 생각해요. 이를 통해 소외된 이웃에 대한 따뜻한 배려와 사랑의 마음을 느낄 수 있어요.

병든 늙은이가 앉았던 의자에 비스듬히 앉아 잠들어 있었다.

그녀의 집이 어디며, 또 어디서 왔는지 역장은 전혀 모른다. 〈중략〉

역장은 문득 그녀가 걱정스러웠다. 올 겨울 같은 혹독한 추위에 아직 얼어 죽지 않고 여기까지 흘러들어왔다는 사실이 신기했다. 꿈이라도 꾸는 중인지 땟국물에 젖은 여자의 입술 한 귀퉁이엔 보일락 말락 웃음이 한 조각 희미하게 남아 있었다.

이거 참 난처한걸. 난로를 그대로 두고 갈 수도 없고…….

하지만 결국 역장은 김 씨를 깨우러 가기 전에 톱밥을 더 가져다가 난로에 부어 줘야겠다고 생각하며 천천히 사무실로 돌아가고 있었다. 눈은 밤새 내내 내릴 모양이었다.

결말 연착한 열차가 도착하고, 미친 여자와 역장만 대합실에 남음

확인 문제

[01~02] 다음 설명이 맞으면 ○, 틀리면 ×표 하시오.

01 열차가 도착하자 대합실에 있던 사람들은 허탈감에 젖은 표정으로 모두 다 열차에 올라탔다.　(○, ×)

02 중년 사내는 톱밥을 난로에 뿌리며 불빛 속에서 어머니의 주름진 얼굴을 보았다.　(○, ×)

[03~04] 다음 빈칸에 들어갈 알맞은 말을 쓰시오.

03 대합실에 모인 사람들이 기다리던 '야간 ㅇㅎㅇㅊ'는 두 시간을 연착한 후에야 사평역에 도착했다.

04 역장이 ㅌㅂ을 더 가져다가 난로에 뿌려 주려는 모습에서 소외된 이웃에 대한 사랑을 엿볼 수 있다.

실력 문제

05 윗글의 공간적 배경인 '사평역'의 의미로 적절하지 않은 것은?

① 사회의 중심에서 벗어나 있는 외진 공간
② 현실의 고단한 삶을 잊을 수 있는 완전한 세계
③ 고단한 삶을 살아가는 이들이 잠시 쉬어 가는 곳
④ 도시화·산업화의 과정에서 밀려난 서민들의 삶의 애환을 담고 있는 공간
⑤ 등장인물들이 각자의 삶을 되돌아보고 성찰하는 계기를 마련해 주는 장소

06 ㉠이 지닌 의미 및 역할과 거리가 먼 것은?

① 고달픈 삶을 살아가는 인물들의 처지를 드러낸다.
② 인물들이 간절히 염원하는 이상적인 삶을 상징한다.
③ 열차의 출발은 서술의 초점이 역에 남아 있는 인물들에게 옮겨 가는 계기가 된다.
④ 인물들이 열차에 오르는 것은 이들이 인생의 여정을 이어 갈 것임을 상징적으로 보여 준다.
⑤ 열차가 두 시간 연착하게 설정함으로써 인물들의 이야기가 전개될 수 있는 시간을 확보한다.

수능형

07 〈보기〉를 참고하여 윗글을 감상한 내용으로 적절하지 않은 것은?

① 추운 겨울날의 난로는 연관성 없는 인물인 ⓐ와 ⓑ가 한 자리에 있게 하는 장치군.
② ⓐ가 난로에 톱밥을 넣으며 그리운 대상을 떠올리는 행동은 ⓑ에게서 반복되고 있군.
③ ⓐ와 ⓑ가 난로를 통해 서로의 아픔을 이해하며 소통하고 있다면, ⓒ는 소통의 상황에서 소외되어 있군.
④ ⓓ가 사람들이 떠난 뒤에야 난로 곁에 다가오는 데서 ⓓ의 처지를 짐작해 볼 수 있군.
⑤ ⓒ가 난로에 톱밥을 넣어 주려는 것은 ⓓ에 대한 동정과 연민의 행동으로 이해할 수 있군.

독해 체크

작품 전체

발단✡	전개✡	절정✡	결말✡
사람들이 작은 시골 간이역 대합실에서 폭설로 ❶ㅇㅊ된 열차를 기다림	간이역에 모인 사람들이 각자 자신의 삶을 회상함	열차는 오지 않고, 사람들은 ❷ㄴㄹ 옆에서 삶의 의미를 생각함	연착한 열차가 도착하고, 미친 여자와 ❸ㅇㅈ만 대합실에 남음

(발단 ⇒ 전개 ⇒ 절정 ⇒ 결말)

✡: 교재 수록 부분

작품 압축

배경·소재 / 인물·사건 / 서술

■ 공간적 배경인 '사평역'의 의미

사평역

완행열차만 가끔 서는, 가상의 시골 ❹ㄱㅇㅇ 대합실이 배경임

⇓

- 사회 중심으로부터 벗어난 외진 공간
- 고단한 삶을 살아가는 이들이 잠시 쉬어 가는 공간
- 인물들이 각자의 삶을 되돌아보고 성찰하는 계기를 마련해 주는 공간
- 도시화·산업화의 과정에서 소외된 서민들의 삶의 애환을 담고 있는 공간

■ '완행열차'와 '특급 열차'의 의미

완행열차	⇔ 대조	특급 열차
• 연착을 자주 함 • ❺ㅅㅍㅇ에 정차함		• 정확하고 빠름 • 사평역에 정차하지 않고, 빠르게 지나침
⇓		⇓
인물들이 기다리는 대상으로, 일상으로 돌아갈 수 있게 해 주는 수단임		산업화의 산물로, 산업화 과정에서 소외된 인물들의 삶의 모습을 부각함

■ 막차를 기다리는 인물들의 처지

중년 사내	삶의 뿌리를 잃은, 돌아갈 곳이 없는 전과자
청년	독재 정권 시절 민주화를 위해 싸웠던 젊은 세대
서울 여자	겉으로는 돈을 추구하며 탐욕스럽지만, 내면에는 따뜻한 심성을 지닌 사람
미친 여자	소외되고 비정상적인 삶을 살아가는 인물

⇓

산업화·도시화의 과정에서 ❻ㅅㅇ된 인물들

※교재 수록 부분에 나타난 인물을 중심으로 함

■ 회상과 성찰의 구조

대합실 안의 설정

연착한 ❼ㅇㅎㅇㅊ가 도착할 때까지 사람들이 난로를 중심으로 모여서 막차를 기다림

⇓

'난로'의 역할

- 대합실 밖의 추위와 대비되어 대합실 안의 사람들에게 따뜻한 위안을 주는 대상임
- 막차를 기다리는 인물들에게 ❽ㅎㅅ과 성찰의 계기를 제공함

⇓

인물들의 삶을 회상과 성찰의 구조로 보여 주며 현재와 과거가 교차됨

어휘 체크 어휘력 테스트

1 제시된 뜻과 예문을 참고하여 다음 초성에 해당하는 단어를 괄호 안에 써 보자.

(1) ㅇㅊ : 어지간한 정도로 대충

예 동생의 얼굴을 그려 놓고 보니, 그 환한 표정이나 눈, 코, 입이 (　　　　) 비슷했다.

(2) ㅇㄹ : ① 두말할 것 없이 당연히 ② 틀림없이 언제나

예 영미는 주말에 친구들과 만날 때면 (　　　　) 지각하기 일쑤였다.

(3) ㄴㄹ : 사람의 의식이나 기억, 생각 따위가 들어 있는 영역

예 오늘은 나가지 말라던 아내의 부탁이 그의 (　　　　)에 남아 종일 괴롭혔다.

2 다음 단어를 활용하기에 적절한 문장을 찾아 바르게 연결해 보자.

(1) 경유하다 ・

(2) 기구하다 ・

(3) 마다하다 ・

・ ㉠ 할머니는 하루만 더 있다 가시라는 어머니의 부탁을 (　　　　) 다음 날 가셨다.

・ ㉡ 우리는 다른 지역을 (　　　　) 않고 서울에서 부산으로 곧장 가는 직행 버스를 탔다.

・ ㉢ 그는 난리 통에 온 세상을 이리저리 떠돌면서, 안 해 본 일이 없을 정도로 (　　　　) 살아왔다.

독해쌤과 함께하는 감상 넓히기

산업화 과정에서 소외된 사람들의 삶을 다룬 작품

이번에 감상한 「사평역」과 같이 1970~80년대의 도시화·산업화 과정에서 소외된 사람들의 고달픈 삶을 다룬 작품들이 많습니다. 도시화·산업화로 인한 문제 상황을 파악해 보고, 그에 따른 인물 및 화자의 처지와 대응 태도를 살펴보면서 작품들을 더 감상해 볼까요?

삼포 가는 길 _황석영

도시화·산업화 과정에서 소외된 밑바닥 인생들의 고달픈 삶을 따뜻한 시선으로 그려 낸 소설입니다. 여행 중에 우연히 만난 세 인물을 주인공으로 하여 도시 하층민의 애환과 연대감을 그려 내고 있습니다.

저문 강에 삽을 씻고 _정희성

1970년대 도시화·산업화로 인해 소외된 도시 노동자의 삶을 차분한 어조로 노래한 시입니다. 중년의 노동자인 화자가 하루의 노동을 끝내고 강물에 삽을 씻으면서 인생의 의미를 성찰하는 모습을 통해 노동자의 삶의 비애를 형상화하고 있습니다.

흐르는 북 ① _최일남

앞부분 줄거리 평생 북을 치며 방랑하던 민 노인은 고학으로 자수성가한 아들 민대찬의 집에 얹혀살며 아들과 갈등한다. 민 노인은 예전에는 손님이 올 때마다 자리를 비워 주었으면 하는 아들 내외에게 증오를 보내기도 했지만 그날 밤의 사건 이후로는 손님이 오는 날 외출하는 습관이 생겼다. 그 사건은 아들의 고향 친구들이 놀러 왔다가 민 노인에게 북소리를 청했을 때 민 노인이 거절 끝에 북을 친 일이다. 친구들이 돌아간 후 아들은 민 노인 때문에 자신의 체면이 깎였다며 민 노인이 북채를 잡는 것을 반대한다. 오늘도 집에 손님이 오기에 민 노인은 외출하여 손자 성규와 만난다.

전개

가 민 노인은 언제나 그랬지만, 손자와의 이런 자잘고롬한 티격태격이 괜찮아, 일부러 성규의 화를 ㉠돋우는 식으로 몰고 가는 수도 있었다. 꽤 능글맞은 녀석은, 그래도 이리
감정이나 기색 따위를 생겨나게 하는
저리 빠져나가되, 할아버지의 아픈 구석을 한 번도 건드리지 않았다. 아버지와 할아버지의 갈등을 속속들이 알고 있으면서도, 한가운데로 덤벼들지는 않고, 끝내 국외자로 맴돌
일이 벌어진 테두리에서 벗어나 그 일에 관계가 없는 사람
면서도 민 노인의 숨은 후견인 노릇을 제법 잘 해내는, 나이에 걸맞지 않은 지혜도 갖고
역량이나 능력이 부족한 사람의 뒤를 돌보아 주는 사람
있었다.

"그건 그렇구요, 할아버지."

두 번째 손님 셋이, 한꺼번에 포장을 젖히고 들어오는 걸 곁눈질로 맞으며 성규는 말소리를 낮췄다.

"부탁이 있어요." / "뭔데." / 민 노인은 덤덤하게 받았다.

"다음 주 토요일 오후, 우리 서클 아이들이 ㉡봉산 탈춤 발표회를 갖기로 했거든요. 학교 축제의 하나예요." / "그런데?"

민 노인의 물음에는, 그것과 나와 무슨 상관이냐는 뜻이 포함되어 있었다.

"할아버지께서 북장단을 맡아 주셨으면 하구요."

"뭐라구? 그건 나와 번지수가 달라. 해 본 적도 없구."
번지수가 다르다: 어떤 일에 들어맞지 않거나 엉뚱한 데를 잘못 짚다.
"한두 번만 맞춰 보시면 될 건데요."

"연습까지 하고? 아서라. 더구나 늬 애비가 알면 큰일 난다."

"염려 마세요. 저하고 비밀만 지키면 되잖아요. 애들한테도 다 말해 놨구, 지도 교수의 허락도 받았다구요."

나 "나는 무대나 안방에만 앉아 봤지, 넓은 마당에서는 북을 쳐 본 경험도 없어."

"그게 그거 아닙니까. 말을 안 꺼냈다면 몰라도, 이제 와서 제 체면도 좀 봐주셔야죠."
남을 대하기에 떳떳한 도리나 얼굴
"이 녀석들 보게. 애비는 애비대로 내 북 때문에 제 체면이 깎인다는 판에, 자식은 또 북으로 체면을 세워 달라니 무슨 조화 속인지 어지럽다."
어떻게 이루어진 것인지 알 수 없을 정도로 신통하게 된 일

◆ 성규가 민 노인에게 북을 쳐
달라고 부탁한 의도가 드러
나 있어요. 성규가 할아버지
의 북에 대해 아버지와 다른
태도를 보이는 것은 갈등과
화해의 실마리가 됩니다.

"아버지와 저와는 생각이 다르니까요." / "그 말도 못 알아듣겠다."

"설명하자면 길구요. 이번 일은 꼭 좀 해 주셔야겠습니다. 이런 말씀 드리기는 뭣하지만, 제 딴에는 모처럼 할아버지께서 신바람 내실 기회를 드리자는 의미도 있습니다."
신이 나서 우쭐우쭐하여지는 기운

"얼씨구. 이 녀석 봐라."

일단 손자에게 타박을 덮어씌우기는 했을망정, 성규가 말하는 신바람이라는 말이 민 노
허물이나 결함을 나무라거나 핀잔함
인의 가슴 복판을 쿡 찌르고 달아났다.

[전개] 민 노인은 손자 성규의 부탁으로 학교 축제의 탈춤 공연에서 북장단을 맡기로 함

 확인 문제

[01~02] 다음 설명이 맞으면 ○, 틀리면 ×표 하시오.

01 이 작품에서는 인물의 성격과 심리를 직접 제시하고 있다. (○ , ×)

02 성규는 할아버지와 아버지 사이의 갈등을 눈치채지 못하고 있다. (○ , ×)

[03~04] 다음 빈칸에 들어갈 알맞은 말을 쓰시오.

03 민 노인의 아들은 민 노인의 북 때문에 자신의 ㅊ ㅁ 이 깎인다고 따졌다.

04 성규는 민 노인에게 학교 축제의 탈춤 공연에서 ㅂㅈㄷ 을 맡아 달라고 부탁하였다.

실력 문제

인물·사건

05 윗글에 나타난 '민 노인'에 대한 설명으로 적절하지 않은 것은?

① 민 노인은 손자 성규와 친밀한 관계이다.
② 민 노인은 북을 치는 일에 신바람을 느낀다.
③ 민 노인은 북을 치는 문제로 아들과 갈등하고 있다.
④ 민 노인은 손자 성규의 무리한 부탁에 화를 내고 있다.
⑤ 민 노인은 집에 손님이 오는 날이면 일부러 자리를 피해 준다.

06 밑줄 친 말의 문맥상 의미가 ㉠과 가장 유사한 것은?
어휘

① 산뜻한 봄나물이 입맛을 돋우었다.
② 아이는 발끝을 돋우어 창밖을 내다보았다.
③ 관중의 박수갈채가 공연자들의 신바람을 돋우었다.
④ 사람들의 나지막한 숨소리가 방 안의 적막을 더욱 돋우었다.
⑤ 그는 방석을 여러 장 겹쳐 자리를 돋운 다음 그 위에 앉았다.

수능형 인물·사건 + 배경·소재

07 〈보기〉를 참고할 때, ㉡을 이해한 내용으로 적절하지 않은 것은?

보기
이 작품은 평생을 북을 치며 떠돌다가 아들 내외의 집에 얹혀사는 민 노인과 그에게 상처받고 혼자 힘으로 어렵게 성공한 아들 민대찬 사이의 갈등을 다루고 있다. 이러한 갈등 구조에 대학생인 손자 성규가 등장해 할아버지의 삶을 이해하며 세대 간 소통과 화합의 시도를 보인다.

① 민 노인이 다시 북을 칠 수 있는 기회라고 볼 수 있군.
② 성규의 아버지와 성규 사이의 갈등을 가져올 수 있겠군.
③ 할아버지 세대와 손자 세대가 화합할 수 있는 계기가 될 수 있겠군.
④ 민 노인과 성규의 아버지를 소통시키려는 성규의 계획이 실현된 것으로 볼 수 있군.
⑤ 민 노인의 삶에서 북이 지닌 의미를 이해하는 성규의 태도가 드러난다고 볼 수 있군.

흐르는 북 ❷

독해쌤 속닥속닥

◆ 이 작품은 전지적 작가 시점 이지만, 민 노인을 초점화하여 그의 심리를 세세하게 서술하고 있어요. (다)에서 이러한 서술상 특징을 살펴볼 수 있어요.

◆ (다)에서는 민 노인이 성규네 탈춤반 아이들과 연습하고 막걸릿집에서 어울리는 모습에서 세대 간에 소통하고 화합하는 모습이 드러나 있어요. 이를 통해 세대 간 갈등의 극복 가능성을 엿볼 수 있어요.

◆ (라)에는 공연 전후 민 노인의 심리 변화가 드러나 있어요. 민 노인은 공연이 시작되기 전에는 어색함과 적막감을 느꼈지만, 공연이 시작되자 북을 치는 일에 몰입하여 예전의 신명을 되찾고 있어요.

위기

다 낯선 장면과 마주쳐 다소 어리벙벙하지 않은 건 아니었으나 빽빽 소리를 질러대며 팔과 다리를 흥겹게 올리고 내려놓는 아이들과 따지고 보면 북가락의 이웃동네인 꽹과리나 피리 소리에 섞여 팔에 힘을 모아 ⊙북을 두드리는 동안, 그런 무색함은 서서히 사라져 갔다. 그래서였을 것이다. 민 노인은 하루 연습만으로는 실력이 부쳐 안 되겠다며 며칠 더 나올 것을 자청했고, 그러자 아이들은 환영의 박수를 쳤다. 연습이 끝나고 막걸릿집으로 옮겨 갔을 때도, 아이들은 민 노인을 에워싸고 역시 성규 할아버지의 북소리는 우리 같은 졸개들이 도저히 흉내 낼 수 없는 명인의 경지라고 추켜올렸다. 그것이 입에 발린 칭찬일지라도, 민 노인으로서는 듣기 싫지가 않았다. 잊어버렸던 세월을 되일으켜 주는 말이기도 했다.

"애들아. 꺼져 가는 떠돌이 북장이 어지럽다. 너무 비행기 태우지 말아라."

민 노인의 겸사에도 아이들은 수그러들지 않았다.

"아닙니다. 벌써 폼이 다른 걸요."

"맞아요. 우리가 칠 때에는 죽어 있던 북소리가, 꽹과리보다 더 크게 들리더라니까요."

"성규, 이번에 참 욕보았다."

난데없이 성규의 노력을 평가하는 녀석도 있었다. 민 노인은 뜻밖의 장소에서 의외의 술친구들과 어울린 자신의 마음이 외견과는 달리 퍽 편안하다는 느낌도 곱씹었다. 옛날에는 없었던 노인과 젊은이들의 이런 식의 담합이 어디에 연유하고 있는가를 딱히 짚어 볼 수는 없었으되.

라 일찍 점심을 먹고, 여느 날의 걸음걸이로 집을 나선 민 노인은 나이에 어울리지 않는 설렘으로 흔들렸다. 아직은 눈치를 채지 못한 아들 내외에 대한 심리적 부담보다는 자기가 맡은 일 때문이었다. 수십 명의 아이들이 어우러져 돌아가는 춤판에 영감쟁이 하나가 낀다는 사실이 새삼스럽게 어색하기도 하고 모처럼의 북가락이 그런 모양으로밖에는 선보일 수 없다는 데 대한 엷은 적막감도 씻어 내기 힘들었다. 그러나 젊은 훈김들이 뿜어내는 학교 마당에 서자, 그런 머뭇거림은 가당찮은 것으로 치부되었다. 시간이 되어 옷을 갈아입고 아이들 속에 섞여 원진(圓陣)을 이루고 있는 구경꾼들을 대하자, 그런 생각들은 어디론지 녹아 내렸다. 그 구경꾼들의 눈이 자기에게 쏠리는 것도 자신이 거쳐 온 어느 날의 한 대목으로 치면 그만이었다. 노장(老長)이 나오고 취발이가 등장하는가 하면, 목중들이 춤을 추며 걸쭉한 음담패설 등을 쏟아 놓을 때마다 관중들은 까르르까르르 웃었다. 민 노인의 북은 요긴한 대목에서 둥둥 울렸다. 째지는 소리를 내는 꽹과리며 장구에 파묻혀 제값을 하지는 못해도, 민 노인에게는 전혀 괘념할 일이 아니었다. 그전에도 그랬던 것처럼, 공연 전에 마신 술기운도 가세하여, 탈바가지들의 손끝과 발목에 한 치의 오차도 없이 그의 북소리는 턱턱 꽂혔다. 그새 입에서는 얼씨구! 소리도 적시에 흘러나왔다. ⓵아무 생각도 없었다. 가락과 소리와 그것을 전체적으로 휩싸는 달착지근한 장단에 자신을 내맡기고만 있었다.

위기 민 노인은 탈춤 공연에서 북을 치며 신명을 느낌

확인 문제

[01~04] 다음 설명이 맞으면 ○, 틀리면 ×표 하시오.

01 이 작품은 일인칭 주인공 시점으로 이야기를 서술하고 있다. (○, ×)

02 (다)~(라)에서는 민 노인의 내적 갈등이 점점 고조되고 있다. (○, ×)

03 성규네 탈춤반 아이들은 민 노인의 북소리를 높게 평가해 주었다. (○, ×)

04 민 노인은 공연 연습 후 성규네 탈춤반 아이들과 어울리는 시간이 어색하게 느껴졌다. (○, ×)

[05~07] 다음 빈칸에 들어갈 알맞은 말을 쓰시오.

05 ㅁㄱㄹㅈ 은 민 노인이 신세대와 인간적인 소통을 하는 공간이다.

06 민 노인은 ㅇㄷ 내외 몰래 성규네 학교 탈춤 공연에 참여하였다.

07 ㅊㅍ 은 아이들이 함께 어우러지며 유대감을 확인하는 공간이자, 민 노인이 북소리와 하나가 되며 자신감을 회복하는 공간이다.

실력 문제

08 윗글의 서술상 특징으로 가장 적절한 것은? [서술]

① 특정 인물의 입장에서 서술하여 공감을 유도하고 있다.

② 역순행적으로 사건을 서술하여 사건의 원인을 제시하고 있다.

③ 인물의 부정적인 모습을 희화화하여 부조리함을 풍자하고 있다.

④ 서술자가 사건을 직접적으로 평가함으로써 주제를 강조하고 있다.

⑤ 시대적 배경을 자세하게 묘사하여 사건의 역사적 의미를 부각하고 있다.

09 (다)~(라)를 통해 알 수 있는 내용으로 적절하지 않은 것은? [인물·사건]

① 민 노인과 탈춤반 아이들은 서로의 실력을 인정하였다.

② 민 노인은 탈춤 공연에서 자신이 맡은 일에 몰입하였다.

③ 민 노인은 처음에는 탈춤반 아이들과 연습하는 것을 겸연쩍어하였다.

④ 민 노인은 탈춤 공연이 시작되자 구경꾼들의 시선을 대수롭지 않게 여겼다.

⑤ 탈춤반 아이들은 민 노인이 탈춤 공연에 참여하는 것을 긍정적으로 받아들였다.

10 (라)에 나타난 '민 노인'의 심리 변화로 적절한 것은? [인물·사건]

① 설렘 → 후회, 반성 → 체념

② 설렘 → 어색함, 적막감 → 신명

③ 신명 → 어색함, 적막감 → 체념

④ 두려움 → 후회, 반성 → 후련함

⑤ 두려움 → 어색함, 적막감 → 기대

11 ㉠에 대한 적절한 설명을 〈보기〉에서 모두 고른 것은? [배경·소재]

〈보기〉
ㄱ. 성규의 가족애를 상징한다.
ㄴ. 민 노인의 예술혼을 상징한다.
ㄷ. 전통 세대와 신세대의 소통을 이끈 매개체이다.
ㄹ. 아버지와 아들 간의 갈등을 해소하는 매개체이다.

① ㄱ, ㄴ   ② ㄱ, ㄷ   ③ ㄴ, ㄷ
④ ㄴ, ㄹ   ⑤ ㄷ, ㄹ

12 ㉡과 관계 깊은 한자 성어로 적절한 것은? [어휘]

① 고립무원(孤立無援)   ② 무아지경(無我之境)

③ 백척간두(百尺竿頭)   ④ 불협화음(不協和音)

⑤ 음풍농월(吟風弄月)

흐르는 북 ❸

독해쌤 속닥속닥

◆ (마)에서 공연을 마친 민 노인은 오랜만에 자기 몫을 제대로 해냈다는 생각에 흐뭇해하고 있어요. 그런데 그런 흐뭇함은 민 노인이 북을 친 일을 며느리가 따져 물으면서 깨지고 맙니다. 며느리와 민 노인의 갈등 양상을 살펴볼 수 있어요.

◆ (바)에서는 민 노인이 성규네 학교에서 북을 친 일로 아버지가 성규를 몰아붙이면서 둘 사이의 갈등이 최고조에 이르고 있어요.

◆ 성규는 할아버지에 대한 아버지의 입장을 이해하면서 자신의 입장도 존중받고자 합니다. 이전 세대의 갈등에서 벗어나 세대 간의 이해와 화합을 지향하는 성규의 태도를 확인할 수 있는데요. 바로 이 부분에서 작품의 주제 의식이 드러나고 있어요.

절정

마 그날 밤, 민 노인은 근래에 흔치 않은 노곤함으로 깊은 잠을 잤다. 춤판이 끝나고 아이들과 어울려 조금 과음한 까닭도 있을 것이었다. 더 많이는 오랜만에 돌아온 자기 몫을 제대로 해냈다는 느긋함이 꿈도 없는 잠을 거쳐 상큼한 아침을 맞게 했을 것으로 믿었는데 ⊙그런 흐뭇함은 오래 가지 않았다. 다 저녁때가 되어 외출에서 돌아온 며느리는 집 안에 들어서자마자 성규를 찾았고, 그가 안 보이자 민 노인의 방문을 밀쳤다.

"아버님, 어저께 성규 학교에 가셨어요?"

예사로운 말씨와는 달리, 굳어 있는 표정 위로는 낭패의 그늘이 쫙 깔려 있었다. 금방 대답을 못 하고 엉거주춤한 형세로 며느리를 올려다보는 민 노인의 ⓐ면전에서 송 여사의 한숨 섞인 물음이 또 떨어졌다.

"북을 치셨다면서요." / "그랬다. 잘못했니?"

우선은 죄인 다루듯 하는 며느리의 ⓑ힐문에 부아가 꾸역꾸역 치솟고, 소문이 빠르기
노엽거나 분한 마음
도 하다는 놀라움이 그 뒤에 일었다.

"아이들 노는 데 구경 가시는 것까지는 몰라도, 걔들과 같이 어울려서 북 치고 장구 치는 게 나이 자신 어른이 할 일인가요?"
'먹은'의 높임말
"하면 어때서. 성규가 ⓒ지성으로 청하기에 응한 것뿐이고, 나는 원래 그런 사람 아니니. 이번에도 내가 늬들 체면 깎았냐."

"아시니 다행이네요."

바 "너는 할아버지와 나와의 관계에 대해, 특히 내가 취하고 있는 입장에 대단히 불만이지?"

"그럴 것도 없습니다. 아버지의 할아버지에 대한 처지를 이해하면서도 그 논리를 그대로 저와 연결시키고 싶지도 않고, 그럴 필요도 없다고 생각하는 편이에요."

"ⓛ기특하구나. 그러니까 너만이라도 할아버지에게 화해의 ⓓ제스처를 보이겠다는 거냐 뭐냐. 지금까지의 네 행동을 보면 그런 추측을 가능케 하더라만."

"그것도 맞지 않는 말이에요. 도대체 할아버지와 저와는 갈등이 있었어야 말이죠. 처음부터 갈등이 없었는데 화해의 제스처를 보이고 말고가 어디 있습니까. 할아버지와의 갈등이 있었다면, 그건 아버지의 몫이지 저와는 상관이 없는 겁니다. 오히려 전 세대끼리의 갈등이 다음 세대에서 쾌적한 만남으로 이어진다면, 그건 환영할 만한 일이고, 그게 또 역사의 의미 아니겠습니까?"

"뭐야. 이놈의 자식. 네가 나를 ⓔ훈계하는 거얏!"

말이 떨어지기 무섭게, 아버지의 손바닥이 성규의 볼때기를 후려쳤다. 옆에 있던 어머니의 쇳소리가 그의 뺨에 달라붙었다.

"또박또박 말대답하는 것 좀 봐."

"아버지의 마음을 모르는 게 아니에요. 그렇다고 ⓒ아버지의 생각 속으로만 저를 챙겨 넣으려고 하지 마세요."

성규는 얻어맞은 자리를 어루만지지도 않고, 되레 풀죽은 목소리가 되었다.
'도리어'의 준말

확인 문제

[01~04] 다음 설명이 맞으면 ○, 틀리면 ×표 하시오.

01 민 노인과 며느리는 민 노인이 성규의 탈춤 공연에 구경 간 일로 갈등하고 있다. (○ , ×)

02 며느리는 민 노인이 성규네 학교에서 북을 친 것이 자신의 체면을 깎는 일이라고 생각한다. (○ , ×)

03 성규는 할아버지에 대한 아버지의 입장을 이해하고 있다. (○ , ×)

04 (바)에서 민 노인은 성규의 아버지 그리고 성규와 대립하고 있다. (○ , ×)

[05~07] 다음 빈칸에 들어갈 알맞은 말을 쓰시오.

05 민 노인은 탈춤 공연에서 북을 치고 오랜만에 자기 □을 제대로 해냈다는 느긋함을 느꼈다.

06 성규의 아버지는 성규의 행동을 민 노인에게 보이는 '□□의 제스처'라고 생각하며 못마땅해한다.

07 성규는 전 세대끼리의 □□이 다음 세대에서 이어지지 않는 것은 환영할 만한 일이라고 생각한다.

실력 문제

08 **(마)~(바)에 대한 설명으로 적절한 것은?** [서술]

① 인물들의 대화를 통해 갈등 상황을 제시하고 있다.

② 외양을 묘사하여 인물의 됨됨이를 나타내고 있다.

③ 장면을 빈번하게 바꾸어 사건을 빠르게 전개하고 있다.

④ 배경의 변화를 통해 갈등의 고조와 해소 과정을 표현하고 있다.

⑤ 인물의 심리를 구체적으로 서술하여 내적 갈등의 양상을 드러내고 있다.

09 **㉠의 이유로 가장 적절한 것은?** [인물·사건]

① 아침부터 성규가 보이지 않았기 때문

② 며느리가 자신을 두고 외출하였기 때문

③ 전날 북을 친 피로감이 가시지 않았기 때문

④ 아이들 노는 데 끼어든 것이 부끄러웠기 때문

⑤ 북을 친 일로 며느리가 자신을 책망하였기 때문

10 **㉡에 나타난 표현 방법이 사용된 것은?** [서술]

① 아아, 님은 갔지마는 나는 님을 보내지 아니하였습니다.

② 나 보기가 역겨워 / 가실 때에는 / 죽어도 아니 눈물 흘리우리다.

③ 넓은 벌 동쪽 끝으로 / 옛이야기 지줄대는 실개천이 휘돌아 나가고

④ 모란이 지고 말면 그뿐, 내 한 해는 다 가고 말아 / 삼백예순 날 하냥 섭섭해 우웁내다.

⑤ 별 하나에 추억과 / 별 하나에 사랑과 / 별 하나에 쓸쓸함과 / 별 하나에 동경과 / 별 하나에 시와 / 별 하나에 어머니, 어머니

11 **㉢이 의미하는 바를 가장 바르게 이해한 것은?** [인물·사건]

① "저를 챙기는 건 이제 그만하세요."

② "저보다 할아버지를 먼저 챙겨 드리세요."

③ "그게 저를 챙기는 일이라고 생각하지 마세요."

④ "저까지 아버지의 생각을 따르라고 강요하지 마세요."

⑤ "생각만 하지 말고 제가 바르게 성장할 수 있도록 챙겨 주세요."

12 **ⓐ~ⓔ의 사전적 의미로 적절하지 않은 것은?** [어휘]

① ⓐ: 보고 있는 앞

② ⓑ: 트집을 잡아 따져 물음

③ ⓒ: 지각된 것을 정리하고 통일하여, 이것을 바탕으로 새로운 인식을 낳게 하는 정신 작용

④ ⓓ: 말의 효과를 더하기 위하여 하는 몸짓이나 손짓

⑤ ⓔ: 타일러서 잘못이 없도록 주의를 줌

흐르는 북 ④

독해쌤 속 닥 속 닥

◆ 민 노인의 삶에 대해 냉소적
인 아버지의 태도와, 민 노인
에게 '북'이 지닌 의미를 이해
하고 있는 성규의 모습이 나
타나 있어요.

차 ㉠"그래서? 할아버지가 나름대로의 예술을 완성했니?"

아버지의 입가에 냉소가 머물렀다.
  쌀쌀한 태도로 비웃음. 또는 그런 웃음
"그건 인식하기 나름입니다. 다만 할아버지에게서 북을 뺏는 건 할아버지의 한(恨)을

배가시키고, 생의 마지막 의지를 짓밟는 것에 다름 아니라는 생각만은 갖고 있습니다."
  갑절 또는 몇 배로 늘어나게 하고
㉡방 안의 민 노인이 천천히 응접실로 나온 건 그때였다. 자기 때문에 성규가 궁지에

몰려 있는 걸 보고만 있을 수 없어서였는데, 아들은 집안의 분란을 더 키우고 싶지 않았

던지, ㉢민 노인 쪽엔 시선을 돌리지도 않은 채 성규에게만 소리를 꽥 질렀다.

"건방 그만 떨고 어서 가서 잠이나 자. 다시 그런 짓을 했다간 이 정도로 끝나지 않을

줄 알아."

제 방으로 돌아가던 성규는 민 노인과 눈이 마주치자 재빠른 웃음을 보냈다. 음모꾼끼

리의 신호 같았다.

> 절정 │ 민 노인은 북을 친 일로 며느리에게 책망받고, 성규는 아버지와 갈등함

결말

아 정작 일이 크게 터진 건 그런 일이 있은 지 일주일쯤 후였다. 저녁 준비를 하다 말

고, 성규의 친구로 짐작되는 학생의 전화를 받은 송 여사는 ㉣대뜸 신음으로도 착각할 만

한 의미 불명의 소리를 지르더니 이내 펄쩍펄쩍 뛰었다.
  분명하지 않음
"뭐라고? 우리 성규가 데모하다 잡혀갔다고. 언제 어디서. 지금 어딨어. 이 일을 어쩌
  많은 사람이 공공연하게 의사를 표시하여 집회나 행진을 하며 위력을 나타내다
지. 이 일을 어떡한다지."

송 여사는 곧바로 남편에게 전화를 걸었고, 만날 장소를 약속하고는 허둥지둥 밖으로

뛰쳐나갔다. 황급히 서두르다 지갑을 안 가지고 갔기 때문에 다시 되돌아왔을 때, 민 노

인과 수경이가 자세히 말 좀 해 보라고 매달리는데도, ㉤누구 신경질만 돋우느냐는 투의

외마디 말을 남기고 사납게 문을 닫았다. / "난들 아니. 가 봐야지."

며느리의 자기를 쳐다보던 눈이 사뭇 비뚤어져 있었다고 느낀 민 노인의 가슴에도 갑자

기 구멍이 뚫리는 걸 의식했다.

◆ (아)는 결말 단계인데 새로운
사건, 즉 성규가 데모를 하다
잡혀간 일이 발생했네요. 데
모는 이 작품의 시대상을 보
여 주는 소재로, 기성세대와
는 다른 성규 세대의 삶의 태
도를 보여 줍니다.

◆ 민 노인은 자신의 삶과 성규
의 삶이 닮았다고 생각하고
있어요. 민 노인의 삶의 모습
을 보여 주는 '역마살'과 성규
가 선택한 삶의 방식인 '데모'
는 둘 다 일반적인 삶의 방식
에서 벗어나 있다는 공통점
이 있습니다.

자 "수경아, 늬 오래비가 붙들려 간 게, 나나 이 북과도 관계가 있겠지."

둥 둥 둥 딱 뚝.

"무슨 상관이 있겠어요. 아니에요. 그보다도 궁금한 게 있어요. 오빠가 저와는 네 살 터

울이거든요. 그런데 오빠는 할아버지의 북소리에 푹 빠져 있고, 솔직히 저는 잡음으로

만 들려요. 그 차이는 무엇일까요."

"아무래도 그 녀석이 내 ⓐ역마살을 닮은 것 같아. 역마살과 ⓑ데모는 어떻게 다를까."
  한곳에 머무르지 못하고 여기저기 떠돌아다니며 사는 운명
딱 둥둥 뚝.

"할아버지. 지금 무슨 말씀을 하고 계세요. 제 말은 들은 둥 만 둥 하구요."

손녀의 새살거림을 한옆으로 제쳐 놓으며, 민 노인은 눈을 지그시 감고 더 크게 북을
  샐샐 웃으면서 재미있게 자꾸 지껄임
두드렸다.

> 결말 │ 성규가 데모하다 잡혀가고, 민 노인은 자신의 역마살과 손자의 데모가 닮았다고 생각함

확인 문제

[01~04] 다음 설명이 맞으면 ○, 틀리면 ✕표 하시오.

01 (사)에 나타난 성규와 아버지의 갈등은 (아)에서 해소되고 있다. (○, ✕)

02 민 노인은 아들과의 직접적인 갈등을 피하고자 방에서 나오지 않았다. (○, ✕)

03 성규의 아버지는 민 노인이 나름대로의 예술을 완성하였다고 인정한다. (○, ✕)

04 수경은 오빠 성규와 달리 민 노인이 치는 북소리의 의미를 이해하지 못한다. (○, ✕)

[05~07] 다음 빈칸에 들어갈 알맞은 말을 쓰시오.

05 성규는 민 노인에게서 ㅂ을 뺏는 것은 생의 의지를 짓밟는 것이라고 생각한다.

06 성규가 ㄷㅁ를 하다가 잡혀갔다는 소식을 듣고 가족들은 심란해한다.

07 민 노인은 자신의 ㅇㅁㅅ과 성규의 데모가 어딘지 모르게 닮아 있다고 생각한다.

실력 문제

인물·사건

08 (사)~(자)에서 '민 노인'이 했을 법한 생각으로 적절한 것은?

① (사): '아들과 성규가 나의 예술혼을 이해해 주니 뿌듯하구나.'

② (사): '아들과 성규가 화해해서 다행이구나.'

③ (아): '며느리는 성규가 데모하다가 잡혀간 것이 내 탓이라고 생각하는구나.'

④ (아): '성규가 현실적 가치의 중요성을 이해해야 할 텐데 걱정이구나.'

⑤ (자): '성규가 없으니 수경이에게 북소리의 의미를 알려 주어야겠구나.'

인물·사건 + 서술

09 ㉠~㉤을 이해한 내용으로 적절하지 않은 것은?

① ㉠: 민 노인의 삶에 대해 냉소적인 태도를 보인다.

② ㉡: 성규를 궁지에서 빠져나오게 하고자 하는 의도가 담겨 있다.

③ ㉢: 민 노인과의 갈등을 해소하고자 하는 의도가 담겨 있다.

④ ㉣: 무언가 심각한 일이 발생하였음을 암시한다.

⑤ ㉤: 성규가 데모하다 잡혀간 일로 신경이 예민해져 있음을 보여 준다.

배경·소재

10 ⓐ와 ⓑ에 대한 설명으로 적절하지 않은 것은?

① ⓐ는 민 노인의 삶을 상징적으로 보여 준다.

② ⓑ는 성규의 삶을 상징적으로 보여 준다.

③ ⓑ는 자신이 추구하는 가치와 이상을 향한 행위로 볼 수 있다.

④ ⓐ는 수동적인 삶을 의미하고, ⓑ는 주체적인 삶을 의미한다.

⑤ ⓐ와 ⓑ 모두 성규의 아버지와 갈등하게 만드는 요소로 볼 수 있다.

수능형

주제

11 〈보기〉를 참고하여 윗글을 이해한 내용으로 적절하지 않은 것은?

> **보기**
>
> 이 작품은 '민 노인(전통 세대)—민대찬(기성세대)—성규(신세대)'로 이어지는 3대를 설정하여 세대 간에 벌어지는 갈등을 보여 주고 있다. 예술혼을 추구하는 전통 세대는 현실적인 삶을 추구하는 기성세대와 갈등하고, 신세대는 기성세대와 달리 전통 세대를 이해하고 연대하려 노력한다.

① 민대찬과 성규의 갈등은 기성세대와 신세대의 대립을 의미한다고 볼 수 있다.

② 민 노인과 성규의 갈등은 세대를 넘어 갈등이 이어짐을 보여 준다고 볼 수 있다.

③ 민 노인과 성규의 연대를 통해 세대 간 갈등의 극복 가능성을 암시한다고 볼 수 있다.

④ 민 노인과 성규의 관계는 전통 세대와 신세대의 소통과 화합을 의미한다고 볼 수 있다.

⑤ 민 노인과 민대찬의 갈등은 정신적 가치와 현실적 가치의 대립을 의미한다고 볼 수 있다.

작품 **전체**

발단	전개✷	위기✷	절정✷	결말✷
아들 민대찬의 집에 얹혀사는 민 노인은 아들의 반대로 집에서 북을 마음대로 치지 못함	민 노인은 손자 성규의 부탁으로 학교 축제의 탈춤 공연에서 북장단을 맡기로 함	민 노인은 탈춤 공연에서 **❶ㅂ**을 치며 신명을 느낌	민 노인은 북을 친 일로 며느리에게 책망받고, 성규는 아버지와 갈등함	성규가 **❷ㄷㅁ**하다 잡혀가고, 민 노인은 자신의 역마살과 손자의 데모가 닮았다고 생각함

✷: 교재 수록 부분

작품 **압축**

■ 인물 간의 갈등 구조

이 작품은 '민 노인(전통 세대)–민대찬(기성세대)–성규(신세대)'로 이어지는 3대를 중심으로 세대 간의 갈등을 그리고 있다. 현실적 가치를 중시하는 민대찬은 예술적 가치를 중시하는 민 노인과 갈등한다. 손자 성규는 할아버지의 삶과 가치관을 이해하고 존중하지만, 민대찬은 그런 아들을 못마땅하게 여긴다.

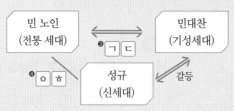

■ '북'의 의미와 역할

북의 의미	• 민 노인: 자신의 분신과도 같은 존재로, **❺ㅇㅅㅎ**을 추구하게 해 주는 물건 • 민대찬: 과거에 아버지가 가족을 돌보지 못하게 한 물건이자, 현재 자신의 체면을 깎는 물건 • 성규: 민 노인의 삶의 일부이자 자신과 민 노인을 이어 주는 매개체

⇩

북의 역할	• 전통 세대와 기성세대 간 갈등의 원인이 됨 • 전통 세대와 신세대를 이어 줌

인물· 사건 / 배경· 소재 / 서술 / 주제

■ 서술상의 특징과 효과

이 작품은 전지적 작가 시점이지만, 민 노인을 초점화하여 그의 심리와 감정을 세세하게 전달하는 한편, 상대적으로 다른 인물의 생각이나 감정은 대화나 행동을 통해 간접적으로 드러내고 있다.

서술상 특징	작품 밖 서술자가 **❻ㅁㄴㅇ**의 입장에서 이야기를 전개함

⇩

효과	독자가 민 노인의 삶과 심리에 공감하도록 유도함

■ 제목의 의미와 주제

흔히 강이나 역사를 '흐른다'고 표현하듯이 이 작품에서는 세대 간의 갈등 속에서도 이전 세대인 민 노인의 '북'소리가 다음 세대인 성규에게로 이어지고 있음을 드러냄으로써 세대 간의 갈등이 극복될 수 있음을 암시한다.

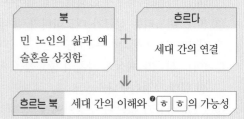

북		흐르다
민 노인의 삶과 예술혼을 상징함	+	세대 간의 연결

⇩

흐르는 북	세대 간의 이해와 **❼ㅎㅎ**의 가능성

어휘 체크 — 어휘력 테스트

1 다음 단어를 활용하기에 적절한 문장을 찾아 바르게 연결해 보자.

(1) 돋우다 •

(2) 부치다 •

(3) 훈계하다 •

• ㉠ 강연자는 청중의 호기심을 (   ) 위해 질문을 하였다.

• ㉡ 교통경찰관은 무단 횡단을 하지 말라고 학생들을 (   ).

• ㉢ 우리 학교 야구부는 전국 대회 우승을 노리기에는 실력이 (   ).

2 다음 〈보기〉의 뜻을 참고하여 십자말풀이를 완성해 보자.

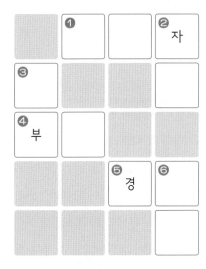

〈보기〉

가로
❶ 일이 벌어진 테두리에서 벗어나 그 일에 관계가 없는 사람
❹ 노엽거나 분한 마음
❺ 몸이나 마음, 기술 따위가 어떤 단계에 도달해 있는 상태

세로
❷ 어떤 일에 나서기를 스스로 청함
❸ 마음속으로 그러하다고 보거나 여김
❻ 지극한 정성

독해쌤과 함께하는 감상 넓히기

세대 간의 갈등을 다룬 작품

이번에 감상한 「흐르는 북」과 같이 세대 간의 갈등을 다룬 작품들이 많아요. 개인의 가치관, 변화한 시대상, 지켜야 할 가치 등을 둘러싸고 부모 세대와 자녀 세대 혹은 삼대에 걸친 갈등을 보여 주는 작품들을 찾아볼 수 있습니다. 이러한 작품들을 더 감상해 볼까요?

돌다리_이태준
1930년대 농촌을 배경으로 한 소설로, 농토를 파는 문제를 두고 벌어지는 아버지와 아들의 세대 간 갈등을 통해 물질적인 가치만을 중시하는 세태를 비판하는 작품입니다.

불모지_차범석
1950년대 서울을 배경으로 부모 세대와 자식 세대가 가치관의 충돌을 겪으며 가족이 해체되는 비극적인 과정을 그린 희곡입니다. 제목 '불모지'는 부모와 자식 세대 모두 급격한 사회 변화에 적응하기 어려운 상황을 상징합니다.

황만근은 이렇게 말했다 ① _성석제

가 황만근이 없어졌다. 새벽에 혼자 경운기를 타고 집을 나간 황만근은 늘 들일을 나가면 돌아오는 시각인 저물녘에 돌아오지 않았다. 술을 마시고 취하더라도 열두 시가 될락 말락 한 한밤이면 돌아왔는데 이번에는 아니었다. 평생 단 하루 외박한 뒤 돌아왔던 그 시각, 횃대의 닭이 울음을 그치는 아침이 되어도 돌아오지 않았다. 마을 회관 앞, 황만근이 직접 심어 놓은 등나무 덩굴 아래, 직접 짠 평상에 사람들이 모였다. 먼저 이장이 입을 열었다. / ㉠"만그인지 반그인지 그 바보 자석 하나 따문에 소여물도 못 하러 가고 이기 뭐라. 스무 바리나 되는 소가 한꺼분에 밥 굶는 기 중요한가, 바보 자석 하나가 어데 가서 술 처먹고 집에 안 오는 기 중요한가, 써그랄."
'마리'의 방언

나 "그제 밤에 내일 궐기 대회 한다고 사람들 모였을 때 이장님이 황만근 씨에게 뭐라
어떤 문제의 해결책을 촉구하기 위하여 뜻있는 사람들이 함께 일어나 행동하는 모임
고 하셨죠, 모임 끝난 뒤에." / 이장은 민 씨를 흘기듯 노려보았다.

"왜, 농민보고 농민 궐기 대회 꼭 나오라 캤는데, 뭐가 잘못됐나."

민 씨는 자기도 모르게 따지는 어조가 되었다. / "군 전체가 모두 모여도 몇 명 안 되었다면서요. 그런 자리에 황만근 씨가 꼭 가야 합니까. 아니, 황만근 씨만 가야 할 이유라도 있습니까. 따로 황만근 씨한테 부탁을 할 정도로."

"이 사람이 뭐라 카는 기라. 이장이 동민한테 농가 부채 탕감 촉구 전국 농민 총궐기 대
남에게 빚을 짐. 또는 그 빚 ┗빚이나 요금, 세금 따위의 물어야 할 것을 지워 없애 줌
회가 있다, 꼭 참석해서 우리의 입장을 밝히자 카는데 뭐가 잘못됐다 말이라."

다 "그럼 이장님은 왜 경운기를 안 타고 가고 트럭을 타고 가셨나요. 이장님부터 솔선
남보다 앞장서서 행동해서 옳소 다른 사람의 본보기가 됨
수범을 해야지 다른 동민들이 따라 할 텐데, 지금 거꾸로 되었잖습니까."

"㉡내사 민사무소에서 인원 점검하고 다른 이장들하고 의논도 해야 되고 울매나 바쁜 사람인데 깅운기를 타고 언제 가고 말고 자빠졌나. 다른 동네 이장들도 민소 앞에서 모이 가이고 트럭 타고 갔는 거를. ㉢진짜로 깅운기를 끌고 갔으마 군 대회에는 늦어도 한참 늦었지. 군청에 갔는데 비가 와 가이고 온 사람도 및 없더마. 소리마 및 분 지르고 왔지. 군청까지 깅운기를 타고 갈 수나 있던가. 국도에 차들이 미치괘이맨구로 쌩쌩 달리는데 받치만 우얘라고. ㉣다른 동네서는 자가용으로 간 사람도 쎴어."

"그러니까 국도를 갈 때는 여러 사람이 한꺼번에 경운기를 여러 대 끌고 가자는 거였잖습니까. 시위도 하고 의지도 보여 준다면서요. 허허, 나 참."

"아침부터 바쁜 사람 불러내 놓더이, 사람 말을 알아듣도 못하고 엉뚱한 소리만 해 싸. 누구맨구로 반동가리가 났나."/ 기어이 민 씨는 버럭 소리를 지르고야 말았다.

"반편은 누가 반편입니까. ⓜ이장이니 지도자니 하는 사람들이 모여서 방침을 정했으면
_{지능이 보통 사람보다 모자라는 사람을 낮잡아 이르는 말} 그대로 해야지, 양복 입고 자가용 타고 간 사람은 오고, 방침대로 경운기 타고 간 사람은 오지도 않고, 이게 무슨 경우냐구요." / "이 자슥이 뉘 앞에서 눈까리를 똑바로 뜨고 소리를 뻑뻑 질러 쌓노. 도시에서 쫄딱 망해 가이고 귀농을 했시모 얌전하게 납작 엎드려 있어도 동네 사람 시키 줄까 말까 한데, 뭐라꼬? 내가 만그이 이미냐, 애비냐."

> **발단** 황만근의 실종과 이를 둘러싼 이장과 민 씨의 갈등

확인 문제

[01~03] 다음 설명이 맞으면 ○, 틀리면 ✕표 하시오.

01 이 작품은 농촌을 배경으로 한 향토적이고 해학적인 성격의 소설이다. (○, ✕)

02 이 작품에서 민 씨는 사건을 주도적으로 이끌어 나가는 주인공이자 주동 인물이다. (○, ✕)

03 이장은 평소 황만근을 신뢰하고 있었기 때문에 그의 안위를 크게 염려하지 않는다. (○, ✕)

[04~05] 다음 빈칸에 들어갈 알맞은 말을 쓰시오.

04 황만근만 정해진 방침에 따라 ㄱㅇㄱ를 타고 시위에 동참하였다.

05 이장이 황만근을 'ㅂㅂ 자석'이라고 하는 데서 평소 황만근을 어떻게 생각했는지 알 수 있다.

실력 문제

06 서술 **윗글의 서술상 특징으로 가장 적절한 것은?**
① 시점의 변화를 통해 사건을 다각적으로 제시한다.
② 대화보다는 서술을 통해 사건의 정황이 드러난다.
③ 주변 인물이 서술자로서 주인공의 심리를 전달한다.
④ 외부 이야기에서 내부 이야기로 전환되며 사건의 진상이 드러난다.
⑤ 역순행적 시간 구성을 통해 인물의 과거 행적에 대한 궁금증을 유발한다.

07 인물·사건 **윗글의 '민 씨'에 대한 설명으로 적절하지 않은 것은?**
① 황만근을 편견 없이 바라보는 인물이다.
② 도시 생활을 하다가 귀농한 외지 사람이다.
③ 황만근의 실종 원인에 대해 궁금해하고 있다.
④ 이장의 무책임한 태도와 모욕에 분노하고 있다.
⑤ 궐기 대회에 동참하지 않은 것에 대해 죄책감을 느끼고 있다.

08 배경·소재 **다음 설명에 모두 해당하는 소재로 적절한 것은?**

> • 황만근의 우직한 성품을 드러낸다.
> • 황만근 실종 사건을 불러일으킨 계기이다.
> • 당시 농촌이 경제적으로 어려운 상황이었음을 보여 준다.

① 군청　　　② 트럭　　　③ 경운기
④ 궐기 대회　　⑤ 마을 회관

09 인물·사건 + 서술 **㉠~㉣에 대한 설명으로 적절하지 않은 것은?**
① ㉠: 이장의 자기중심적이고 이기적인 면모를 알 수 있다.
② ㉡: 이장은 자신의 지위를 핑계 삼아 방침대로 하지 않은 것을 합리화하고 있다.
③ ㉢: 경운기를 타고 가는 것은 실천하기 어려운 방침이었음이 드러나고 있다.
④ ㉣: 이장은 상식적인 이치를 들어 자신의 잘못을 인정하고 있다.
⑤ ㉤: 민 씨는 원칙을 지키지 않은 이장의 모순된 행동을 추궁하고 있다.

황만근은 이렇게 말했다 ❷

독해쌤 속닥속닥

◆ (라)에는 황만근의 부재를 느 끼는 마을 사람들의 모습이 나열되어 있어요. 사람들이 황만근의 부재를 느끼는 계 기를 통해 황만근이 마을에 서 해 온 일들과 그의 겸손 함, 성실함, 공평무사함, 배려 심 등을 알 수 있어요.

라 마을에서 젊은 축에 드는 마흔다섯 살의 황영석은 황만근이 벽돌을 찍고 구덩이를 파서 지은 마을 회관 변소에서 분뇨를 퍼내면서 황만근의 부재를 알게 되었다.
분(糞)과 요(尿)를 아울러 이르는 말. '똥오줌'으로 순화

"만그이 자석이 있었으마 내가 돈을 백만 원 준다 캐도 이런 일을 안 할 낀데. 아이구, 이 망할 놈의 똥 냄새, 여리가 싸 놔 그런지 독하기도 하네. 이기 곡석한테 독이 될지
'여럿이'의 방언
약이 될지도 모르겠구마."

황만근이 있었으면 군말 없이 했을 일이었다. 늘 그렇듯이 벙글벙글 웃으면서.

"만그이가 있었으모 저 거름이 우리 밭으로 올 낀데, 만그이가 도대체 어데 갔노."

마을 회관 곁 조그만 밭에 채소를 심어 먹는 여씨 노인도 황만근의 부재를 알게 되었 다. 황만근은 마을 공통의 분뇨를, 역시 자신이 판 마을 공통의 분뇨장으로 가져가서 충 분히 익힌 뒤에, 공평하게 나누어 주었다. 황영석처럼 제가 펐다고 바로 제 밭에 가져다 가 뿌리지는 않았다. 특히 여씨 노인처럼 일찍 남편을 잃고 혼잣몸이 된 노인들에게는, 알고 그러는지 모르고 그러는지 더 자주 거름을 가져다주었다. / "만그이한테 물어보자."

아이들은 소꿉장난을 하다가 황만근의 부재를 알게 되었다. 공평무사한 것이 황만근의
공평하여 사사로움이 없는
평생의 처사였다. 그에게는 판단 능력이 없는 듯했지만 시비를 물으러 가면, 가노라면 언
일을 처리함. 또는 그런 처리
제나 공평무사한 자연의 이법에 대해 깨우치게 되고 분쟁은 종식되었다.
한때 매우 성하던 현상이나 일이 끝나거나 없어졌다.
또는 물어보나 마나 명약관화한 일을 두고도 황만근을 들먹였다. / "만그이도 알 끼다."
불을 보듯 분명하고 뻔한
또한 동네에 오래도록 내려오는 노래, 구태여 제목을 붙이자면 '황만근가'를 자신도 모
르게 중얼거리게 되면서 사람들은 황만근이 없다는 사실을 알게 되었다.

◆ 생략된 '황만근가'는 황만근 의 부정확한 발음과 엉뚱한 행동을 흉내 내어 그를 놀리 는 노래예요. 한편으로는 노 래의 어구마다 황만근에 얽 힌 사연을 담고 있는데, 이 노래에 따르면 황만근이라는 이름은 만근산에서 유래했 고, 황만근은 어렸을 때 잘 넘어졌으며, 혀가 짧아 발음 이 어눌하다고 해요.

마 황만근의 어머니와 아들, 조손은 입맛이 까다로워 비린 반찬이 없으면 먹지를 않는
조부모와 손주를 아울러 이르는 말
가 하면 비린 반찬이 있으면 밥상머리에서 돌아앉았다. 한 끼에 두 번 상을 차리는 일이 예사였다. 어머니 한 상, 아들 한 상이었고 본인은 상이 없이 먹었다. 황만근은 하루 일이 끝나면 반드시 경운기에 고기를 매달고 집으로 돌아왔다. 〈중략〉 어쩌다 그가 만든 음식 에 숟가락을 대 본 사람은 이구동성으로 감탄을 하게 마련이었다. 그러고 나서는 남녀노
여러 사람의 말이 한결같음을 이르는 말
소를 막론하고 "희한할세, 바보가." 하는 말을 덧붙이는 것을 잊지 않았다.

바 황만근은 또한 책에 나오는 예(禮)는 몰라도 염습과 산역(山役)같이 남이 꺼리는 일
시신을 씻긴 뒤 수의를 갈아입히고 베로 묶는 일   시체를 묻고 외를 만들거나 이장하는 일
에는 누구보다 앞장을 섰고 동네 사람들도 서슴없이 그에게 그런 일을 맡겼다. 똥구덩이 를 파고 우리를 짓고 벽돌을 찍는 일 또한 황만근이 동네 사람 누구보다 많이 했다. 마을 길 풀 깎기, 도랑 청소, 공동 우물 청소 …… 용왕제에 쓸 돼지를 산 채로 묶어서 내다가 싫다고 요동질하는 돼지에게 때때옷을 입히는, 세계적으로 유례가 드문 일에는 그가 최
같거나 비슷한 예
고의 전문가였다. 동네의 일, 남의 일, 궂은일에는 언제나 그가 있었다. 그런 일에 대한 대가는 없거나(동네 일인 경우), 반값이거나(다른 사람의 농사일을 하는 경우), 제값이면 (경운기와 함께 하는 경우) 공치사가 따랐다.
남을 위해 수고한 것을 생색내며 스스로 자랑함
"반근아, 너는 우리 동네 아이고 어데 인정 없는 대처 읍내 같은 데 갔으마 진작에 굶어
사람이 많이 살고 상공업이 발달한 번잡한 지역
죽어도 죽었다. 암만 바보라도 고마와할 줄 알아야 사람이다. 아나 어른이나 너한테는 다 고마운 사람인께 상 찡그리지 말고 인사 잘하고 다니라. 아이?"

◆ (바)에는 황만근이 마을의 온 갖 궂은일을 도맡아 해 왔음 이 드러나 있어요. 하지만 마 을 사람들은 그의 도움을 받 으면서 제대로 대가를 치르 거나 고마워하지 않았고, 도 리어 황만근을 바보 취급하 며 그에게 고마워하라고도 했어요. 이를 통해 황만근의 이타적인 모습과 마을 사람 들의 이기적인 모습이 대비 되어 있어요.

황만근은 황재석 씨의 이런 긴 사설을 들을 때조차 벙글거렸다. 일이 끝나면 굽신굽신
인사를 했다. 춤을 추듯이, 흥겹게.

_{늘어놓는 말이나 이야기}

전개 | 황만근의 이타적이고 성실한 삶

확인 문제

[01~03] 다음 설명이 맞으면 ○, 틀리면 ×표 하시오.

01 (라)와 (바)에서는 황만근과 마을 사람들을 대비하여 황만근의 성품을 부각하고 있다. (○, ×)

02 (마)와 (바)에서는 황만근의 우스꽝스러운 행동을 묘사하여 해학성을 극대화하고 있다. (○, ×)

03 마흔다섯 살의 황영석이 마을에서 젊은 축에 든다는 것을 통해 고령화된 농촌의 현실을 짐작할 수 있다. (○, ×)

[04~06] 다음 빈칸에 들어갈 알맞은 말을 쓰시오.

04 황영석은 분뇨를 퍼내다가, 아이들은 소꿉장난 중에 시비를 가리려다 황만근의 ㅂㅈ를 알게 되었다.

05 황만근은 평생 ㄱㅍㅁㅅ하게 일을 처리했다.

06 황만근이 경운기와 함께 제값을 받고 일을 했을 때는 마을 사람들의 ㄱㅊㅅ가 따랐다.

실력 문제

서술

07 윗글에 대한 설명으로 적절하지 않은 것은?

① 구어체 사투리를 사용하여 현장감을 부여하고 있다.
② 한 인물의 행적에 초점을 맞추어 이야기를 전개하고 있다.
③ 여러 가지 일화를 제시하여 인물의 성품을 드러내고 있다.
④ 사건 전개에 따른 중심인물의 심리 변화를 드러내고 있다.
⑤ 서로 다른 유형의 인물을 형상화하여 주제 의식을 부각하고 있다.

인물·사건

08 윗글의 내용과 일치하는 것은?

① 마을 사람들은 황만근을 그리워하며 '황만근가'를 불렀다.
② 황영석은 공평하게 분뇨를 나누는 황만근에게 불만을 표했다.
③ 황만근은 관심과 보살핌이 필요한 노인들에게 더 자주 거름을 가져다주었다.
④ 황만근은 어머니와 아들의 밥상을 차례대로 차린 후에 자기 상을 차리곤 했다.
⑤ 황만근이 만든 음식을 맛본 마을 사람들은 이구동성으로 바보가 만들어서 맛이 없다고 말했다.

수능형

인물·사건 + 주제

09 〈보기〉를 참고하여 윗글을 감상한 내용으로 적절하지 않은 것은?

보기

이 작품의 주인공 '황만근'은 모든 면에서 평균치에 못 미치는 인간이며 마을 사람들에게 하대와 조롱의 대상이다. 그런 '황만근'은 부재를 통해 정작 마을에서 가장 필요한 인물이 되어 상황을 역전시킨다. 이로써 이기적이고 이해타산적인 마을 사람들과 대비되는, '황만근'의 이타심과 희생정신이 더욱 부각되는 것이다.

① 황만근이 염습과 산역 같은 일을 도맡아 해 왔던 것에서, 그의 희생정신을 엿볼 수 있어.
② 황만근이 분뇨를 퍼내는 일도 군말 없이 벙글벙글 웃으면서 했던 것에서, 그가 평균치에 못 미치는 인간임을 알 수 있어.
③ 황영석이 황만근과 달리 자신의 이익을 우선으로 여기며 행동하는 것에서, 이기적이고 이해타산적인 현대인의 모습을 엿볼 수 있어.
④ 황재석이 황만근의 수고를 고마워하지 않고 그를 바보 취급하는 것에서, 황만근을 하대와 조롱의 대상으로 여기고 있음을 알 수 있어.
⑤ 여씨 노인과 아이들이 황만근의 부재를 느끼게 되는 것에서, 모자란 듯한 황만근이 정작 마을에서 가장 필요한 인물이었음을 알 수 있어.

황만근은 이렇게 말했다 ③

위기

자 그러던 어느 날, '농가 부채 해결을 위한 전국 농민 총궐기 대회'가 열린다고 이장이 방송을 해서 저녁에 마을 회관에 사람들이 모였다. 황만근은 누구보다 먼저 나타났고 이장이 시키는 대로 마을 구판장에서 막걸리를 받아 왔다. 〈중략〉 "농사를 지도 부채, 농사를 몰라도 부채. 아이고, 그라마 우리를 다 합치 가이고 부채 말고 선풍기를 해도 되겠네."

> 조합 따위에서, 생활용품 등을 공동으로 사들여 조합원에게 싸게 파는 곳

그날 분위기는 그렇게 무겁지 않았다. 그렇다고 시시덕거리며 끝낼 정도로 가벼운 것도 아니었다. 그 자리에 있는 사람 가운데서도 농협에서 융자금 상환을 하지 않는다고 소송을 해서 법원에 불려 다니는 사람이 두셋 되었다. 스스로 진 빚도 문제였지만 서로 연대 보증

> 금융 기관에서 융통하는 돈   갚거나 돌려줌

을 서는 바람에 한 가구가 파산하면 보증을 선 사람 역시 연쇄적으로 파산하는 일이 드물지

> 보증인이 채무자와 연대하여 채무를 이행할 것을 약속하는 보증

않았다. 그래서 어떤 동네 전체가 야반도주를 하는 일까지 벌어졌다는 소문도 돌고 있었다.

> 남의 눈을 피하여 한밤중에 도망함

아 마을 회관 밖, 어둠 속에서 오줌을 누던 민 씨는 우연히 이장이 황만근을 붙들고 무슨 이야기를 하는 걸 보게 되었다. / "내 이러키까지 말을 해도 소양이 없어. 보나 마나 내

> '소용'의 방언

일, 융자 받아서 다방이나 댕기민서 학수겉이 겉농사 짓는 놈들이나 및 올까. 만그이 자네겉이 똑 부러지기 농사짓는 사람은 하나도 안 올 끼라. 자네가 앞장을 서야 되네. 자네 경운기 겉은 헌 깅운기에다 농사짓는 놈 다 직이라고 써 붙이 달고 가야 된께……."

위기 농가 부채 탕감 촉구 궐기 대회에 참가할 것을 권유받는 황만근

절정

자 전날 밤, 분명 꿈은 아니었다. 민 씨는 황만근의 말을 이렇게 들었다.

"농사꾼은 빚을 지마 안 된다 카이."

(한번 빚을 지면 그 빚을 갚으려고 무리하게 일을 벌인다. ㉠동네 곳곳에 텅 빈 우사(牛舍), 마른 똥만 뒹구는 축사, 잡초만 무성한 비닐하우스를 보라. 농어민 복지, 소득 향상, 생활 개선? 다 좋다. 그걸 제 돈으로 해야 한다. 제 돈으로 하지 않으면 그건 노름이나 다를 바 없다. 빚은 만근산의 눈덩이, 처마의 고드름처럼 자꾸 커진다.)

"기계화 영농 카더이마 집집마다 바퀴 달린 기계가 및이나 되나. ㉡깅운기, 트랙터, 콤바인, 이앙기, 거다 탈곡기, 건조기에 …… 다 빚으로 산 기라. 농사지 봐야 그 빚 갚느라고 정신없다."

(한 집에서 일 년에 한 번 쓰는 이앙기를 들여놓으면 그게 일 년 내내 돌아가던가. 놀 때는 다른 집에 빌려주면 된다. 옛날에는 소를 그렇게 썼다. 그런데 지금은 그렇게 하지 않는다. ㉢서로 도와 가면서 농사짓던 건 옛날 말이다. 한 집에서 기계를 놀리면서도 안 빌려주면 옆집에서는 화가 나서라도 산다. 어차피 빚으로 사는데 사기가 어려울까. 〈중략〉

"그런 기 다 쌀값에 언차진다. 언차져야 하는데 사실로는 수매하마 먹고살기 간당간당

> 거두어 사들임. 또는 그런 일

한 돈을 준다. 그 대신에 빚을 준다. 자금을 대 준다 카는데 둘 다 안 했으마 좋겠다. 둘 다 농사꾼을 바보 멍텅구리로 만든다." / (따라서 제대로 된 농사꾼이 점점 없어진다.)

"지 입에 들어갈 양석(양식), 곡석을 짓는 사람이 그 고마운 곡석, 양석한테 장난치겠나. 저도 남도 해로운 농약 뿌리고 비싸고 나쁜 비료 쳐서 보기만 좋은 열매를 뺏으마 그마이가?" / (모두 빚을 갚기 위해 그러는 것이다. 그러므로 빚을 제 주머니에서 아들

◆ (자)는 제목인 '황만근은 이렇게 말했다'에서 황만근이 말한 내용이라고 할 수 있어요. 즉 황만근이 사라지기 전날 밤 민 씨에게 밝힌 농사에 대한 소신인데요, (자)에서는 이를 민 씨가 들은 황만근의 말을 직접 인용하는 형식으로 제시한 뒤, 그에 대한 민 씨의 해석을 괄호 안의 말들로 덧붙여 제시하고 있어요.

◆ 농가에서 농업 시설을 만들고 농기계를 들이기 위해 빚을 지는 현실과 그 문제점을 알 수 있어요. 이를 통해 (아)에서 언급한 동네 전체가 야반도주를 하는 일까지 생기게 된 원인을 짐작할 수 있어요. 농가마다 영농 비용을 융자로 해결했는데, 연대 보증을 서다 부채를 갚지 못하게 되자 연이어 파산에 이르게 된 거지요.

용돈 주듯이 내주는 사람, 기관은 다 농사꾼을 나쁘게 만든다. ㉣정책 자금, 선심 자금, 농어촌 구조 개선 자금, 주택 개량 자금, 무슨 무슨 자금 해서 빌려줄 때는 인심 좋게 빌려주는 척하더니 이제 와서 그 자금이 상환 능력도 없는 사람들을 파산 지경으로 몰아넣고 있다. 이제 와서 그 빚을 못 갚겠다고 하는데 거기에는 충분한 이유가 있다.)

"내가 왜 안 졌냐고. 아무도 나한테 빚 준다고 안 캐. 바보라고 아무도 보증 서라는 이야기도 안 했다. ㉤나는 내 짓고 싶은 대로 농사지으면서 안 망하고 백 년을 살 끼라."

 확인 문제

[01~03] 다음 설명이 맞으면 ○, 틀리면 ✕표 하시오.

01 이 작품은 농촌을 공간적 배경으로 하여 농촌 공동체의 인정을 보여 주고 있다. (○ , ✕)

02 '농가 부채 해결을 위한 전국 농민 총궐기 대회'는 당시 농가의 사정이 어려움을 보여 준다. (○ , ✕)

03 황만근은 자신의 권리와 이익을 되찾기 위해 농민 궐기 대회에 적극적으로 앞장선다. (○ , ✕)

[04~05] 다음 빈칸에 들어갈 알맞은 말을 쓰시오.

04 황만근은 농사일을 하며 ㅂ을 져 기계를 들여놓는 것에 비판적인 입장이다.

05 오늘날에는 다른 집에 ㅅ를 빌려주고 서로 도와 가며 농사짓던 예전의 모습이 사라졌다.

 실력 문제

인물·사건
06 윗글에서 알 수 있는 내용으로 적절하지 않은 것은?

① 황만근은 해로운 농약을 사용하여 농사를 짓는 현실에 대해 비판했다.
② 이장은 경운기를 끌고 가야 하는 위험하고 힘든 일에 황만근을 앞세우려 했다.
③ 황만근은 겉으로는 바보처럼 보일지 몰라도 농사에는 확고한 신념을 가지고 있다.
④ 궐기 대회가 열리기 전날 마을 사람들은 융자금 상환 소송 문제 때문에 서로 대립했다.
⑤ 민 씨는 이장이 황만근을 따로 불러 궐기 대회 참가를 부탁하는 것을 우연히 목격했다.

서술
07 (자)에 대한 설명으로 가장 적절한 것은?

① 작중 인물의 말을 인용하여 주인공의 내적 갈등을 드러내고 있다.
② 주인공의 시선을 통해 작중 인물의 삶을 긍정적으로 제시하고 있다.
③ 주인공의 말에 작중 인물의 의견을 덧붙여 가치관의 차이를 드러내고 있다.
④ 주인공이 말하는 내용에 동조하는 입장에서 작중 인물의 해석을 제시하고 있다.
⑤ 서로 다른 장소에서 동시에 일어난 사건을 제시하여 인물들의 대비되는 상황을 부각하고 있다.

수능형
인물·사건 + 배경·소재
08 〈보기〉를 참고하여 ㉠~㉤을 이해한 내용으로 적절하지 않은 것은?

보기
이 작품은 1990년대 부채로 얼룩진 암울한 농촌의 현실을 반영하고 있다. 당시 불필요한 설비 투자, 무리한 농기계 구매 등으로 상환 불가능한 부채가 쌓여 파산에 이른 농민들이 많았다. 더불어 개인주의의 팽배로 농촌 공동체 의식은 급속도로 무너졌다. 작가는 황만근처럼 부채 없이 성실한 노동을 지향하는 농민의 모습을 보여 줌으로써 이러한 농촌 현실에 경종을 울리고 있다.

① ㉠: 융자금으로 불필요한 설비에 투자하고 다시 빚을 지게 되는 악순환의 현실을 보여 주는군.
② ㉡: 무리하게 농기계만 구매할 것이 아니라 기계화 영농을 제대로 시행해야 함을 강조하는군.
③ ㉢: 과거와 달리 개인주의로 공동체 의식을 상실한 농촌의 현실을 보여 주는군.
④ ㉣: 각종 농촌 지원 자금이 농민의 삶을 더 어렵게 하여 파산에 이르게 함을 보여 주는군.
⑤ ㉤: 황만근의 입을 통해 부채 없이 성실한 노동으로 자립하는 삶이 가치 있음을 전하고 있군.

황만근은 이렇게 말했다 ❹

차 일주일 뒤에 황만근은 돌아왔다. ㉠그의 아들이 그를 안고 돌아왔다. 한 항아리밖에 안 되는 그의 뼈를 담고 돌아왔다. 경운기도 돌아왔다. 수레는 떼어 내고 머리 부분만 트럭에 실려 돌아왔다. 황만근 아니면 그 누구도 작동시킬 수 없는 그 머리가, 바보처럼 주인을 태우지 않고 돌아왔다.

> **절정** 농가 부채 탕감 촉구 궐기 대회에 홀로 참석하러 갔다가 결국 유골로 돌아온 황만근

결말

카 황만근, 황 선생은 어리석게 태어났는지는 모르지만 해가 가며 차츰 신지(神智)가 _{신령스럽고 기묘한 지혜} 돌아왔다. 하늘이 착한 사람을 따뜻이 덮어 주고 땅이 은혜롭게 부리를 대어 알 껍질을 까 주었다. 그리하여 후년에는 그 누구보다 지혜로웠다. 그는 누구에게도 해를 끼치지 않았듯 그 지혜로 어떤 수고로운 가르침도 함부로 남기지 않았다. 스스로 땅의 자손을 자처 _{자기를 어떤 사람으로 여겨 그렇게 처신하여} 하여 늘 부지런하고 근면하였다. 사람들이 ㉡빚만 남는 농사에 공연히 뼈를 상한다고 하였으나 개의치 아니하였다. 사람 사이에 어려움이 있으면 언제나 함께하였고 공에는 자신보다 남을 내세워 뒷사람을 놀라게 했다.

타 전일에, 선생은 경운기를 끌고 면 소재지로 갔지만 경운기를 타고 온 사람이 없어 같이 갈 사람을 만나지 못했다. 선생은 다시 경운기를 끌고 백 리 길을 달려 약속 장소인 군청까지 갔다. 가는 동안 선생은 여러 번 차에 부딪힐 뻔했다. 마른 봄바람에 섞인 먼지가 눈을 괴롭혔다. 날은 흐렸고 추웠다. 이윽고 비가 내리기 시작했다. 경운기에는 비를 피할 만한 덮개가 없어서 선생은 뼛속까지 젖어 드는 추위에 몸을 떨었다. 선생이 군청 앞까지 갔을 때 이미 대회는 끝나고 아무도 없었다. 〈중략〉 경운기에는 빠르게 달리는 차량의 주의를 끌 만한 표지가 없어서 선생은 몇 번이나 사고를 당할 뻔했다. 그때마다 멈추었다가 다시 출발하는 바람에 시간은 점점 늦어졌다. 어두워지면서 경운기는 길옆의 논으로 떨어졌고 수레는 부서졌다. 결국 선생은 그 밤 안으로 집에 돌아갈 수 없다는 걸 알았다. 선생은 경운기에 실려 있는 땅의 젖에 취하여 경운기 옆에 앉아 경운기를 지켰다. 그러나 경운기는 선생을 지켜 주지 않았다. 추위와 졸음으로부터 선생을 지켜 주지 못했다. 아아, 선생이 좀 더 살았더라면 난세의 혹염에 ㉢그늘의 덕을 널리 베푸는 큰 나 _{전쟁이나 무질서한 정치 따위로 어지러워 살기 힘든 세상   몹시 심한 더위} 무가 되었을 것이다.

파 어느 누구도 알아주지 아니하고 감탄하지 않는 삶이었지만 선생은 깊고 그윽한 경지를 이루었다. 보라. 남의 비웃음을 받으며 살면서도 비루하지 아니하고 홀로 할 바를 _{행동이나 성질이 너절하고 더럽지} 이루어 초지를 일관하니 ㉣이 어찌 하늘이 낸 사람이라 아니할 수 있겠는가. 이 어찌 하 _{처음에 세운 뜻을 끝까지 밀고 나가니} 늘이 내고 땅이 일으켜 세운 사람이 아니랴.

하 단기 사천삼백삼십 년 오월 스무날

본디 묘지에나 쓰일 것[묘비명(墓碑銘)]이지만 천지를 대영혼의 집으로 삼은 선생인지 _{묘비에 새긴 글. 죽은 사람에 대한 경력이나 그 일생을 상징하는 말 따위를 새긴다.} 라 아무 쓸모도 없는 이 글을, ㉤새터 말로 귀농하였다가 이룬 것 없이 다시 도시로 흘러가며, 남해인(南海人) 민순정(閔順晶)이 엎디어 쓰다.

> **결말** 황만근의 삶과 그에 대한 민 씨의 평가

확인 문제

[01~03] 다음 설명이 맞으면 ○, 틀리면 ×표 하시오.

01 이 작품은 인물의 행적과 그에 대한 평가로 구성된 '전(傳)'과 유사한 방식으로 내용을 전개하고 있다.
(○ , ×)

02 이 작품은 결말에서 인물 간의 화해 장면을 제시해 갈등 해결의 실마리를 보여 주고 있다. (○ , ×)

03 (타)에서는 황만근의 실종 이유와 죽음에 이르게 된 과정이 황만근의 말을 통해 제시되고 있다.
(○ , ×)

[04~06] 다음 빈칸에 들어갈 알맞은 말을 쓰시오.

04 황만근은 실종된 지 일주일 만에 항아리에 담긴 ⟨ㅇㄱ⟩이 되어 돌아왔다.

05 황만근만이 궐기 대회의 방침대로 ⟨ㄱㅇㄱ⟩를 끌고 면 소재지에 갔다.

06 민 씨는 황만근을 '황 ⟨ㅅㅅ⟩'이라고 높여 이르며 황만근이 존경받을 만한 삶을 살았다고 평가하고 있다.

실력 문제

인물·사건

07 윗글에 나타난 '황만근'에 대한 이해로 적절하지 않은 것은?

① 어리석게 태어났으나 후년에는 누구보다도 지혜로웠던 사람이었구나.

② 부지런하고 근면하였으며, 사람들의 어려움을 함께 나눌 줄 아는 사람이었구나.

③ 그 누구에게도 해를 끼치지 않았고, 함부로 가르치려 들지 않았던 사람이었구나.

④ 스스로 땅의 자손을 자처하였으며, 자신의 공을 적절히 내세울 줄 아는 사람이었구나.

⑤ 누구도 알아주지 않고 감탄하지 않는 삶을 살았지만 스스로 높은 경지를 이루었구나.

인물·사건

08 (타)를 읽고 알 수 있는 사실이 아닌 것은?

① 황만근은 악천후에도 원칙을 지켰다.

② 황만근은 홀로 경운기를 끌고 군청까지 갔다.

③ 황만근이 대회 장소에 도착했을 때 이미 대회는 끝나 있었다.

④ 황만근은 추위 속에서 술을 마시고 잠들었다가 죽음에 이르렀다.

⑤ 황만근이 모는 경운기가 빠르게 달리는 차량에 부딪히는 바람에 사고가 났다.

인물·사건 + 배경·소재 + 서술

09 ㉠~㉤에 대한 설명으로 적절하지 않은 것은?

① ㉠: 황만근이 결국 죽음을 맞이했음을 의미한다.

② ㉡: 힘들게 농사를 지어도 부채에 허덕이는 농촌의 현실을 드러낸다.

③ ㉢: 욕심을 부리지 않고 덕을 베풀었던 황만근을 빗댄 표현이다.

④ ㉣: 황만근의 뛰어난 인품을 반복을 통해 강조한 표현이다.

⑤ ㉤: 민 씨가 황만근에 대한 이야기를 널리 알리고자 도시로 향했음을 의미한다.

인물·사건 + 서술

10 〈보기〉의 선생님의 질문에 대한 학생의 대답으로 적절하지 않은 것은?

> **보기**
>
> 선생님: 묘비명은 묘비에 죽은 사람의 이름과 경력 등을 새긴 글을 말해요. 이 작품의 결말 부분에서 민 씨가 쓴 묘비명 형식으로 이야기를 마무리한 이유는 무엇일까요?
> 학생: 그 이유는 ( )

① 황만근이라는 인물의 죽음을 기리는 효과가 있기 때문입니다.

② 황만근이 살아온 삶을 통해 얻을 수 있는 교훈을 강조할 수 있기 때문입니다.

③ 황만근의 행적과 면모를 작중 인물에 의해 객관적으로 드러낼 수 있기 때문입니다.

④ 황만근의 실종과 죽음의 과정에 대한 독자의 궁금증을 해소해 줄 수 있기 때문입니다.

⑤ 작가가 부각하고자 한 황만근의 이타적인 삶을 보다 효과적으로 전달할 수 있기 때문입니다.

독해 체크

작품 전체

발단✲	전개✲	위기	절정✲	결말✲
황만근의 실종과 이를 둘러싼 ❶ㅇㅈ과 민 씨의 갈등	황만근의 이타적이고 성실한 삶	농가 ❷ㅂㅊ 탕감 촉구 궐기 대회에 참가할 것을 권유받는 황만근	농가 부채 탕감 촉구 궐기 대회에 홀로 참석하러 갔다가 결국 ❸ㅇㄱ로 돌아온 황만근	황만근의 삶과 그에 대한 민 씨의 평가

✲: 교재 수록 부분

작품 압축

■ '마을 사람들'과 '황만근', '민 씨'의 특징

마을 사람들		황만근		민 씨
• 황만근에게 온갖 일을 시키면서 그 대가는 주지 않거나 반값만 주고, 제값을 줄 때는 공치사를 함 • 황만근을 무시하며 ❹'ㅂㄱ이'라고 부름	무시 ⇒	• 어수룩하지만 순박하고 성실함 • 마을의 궂은일을 도맡아서 함 • ❺ㅇㅁㄴ와 아들을 정성스럽게 돌봄	존중 ⇐	• 도시 생활을 하다 귀농함 • 유일하게 황만근의 진면목을 알아봐, 황만근을 바보 취급하는 마을 사람들의 이기적인 모습을 드러나게 함
이해타산적이고 이기적인 인물		자기희생적이고 이타적인 인물		주인공의 삶을 ❻ㄱㅊ하고 긍정적으로 평가하는 인물

인물·사건 / 서술 / 주제

■ '황만근'의 실종으로 작품을 시작하는 효과

전지적 작가 시점으로 서술된 이 작품은 황만근의 실종으로 작품을 시작함으로써 독자가 황만근이라는 인물에 대해 호기심을 갖게 하여 작품에 대한 독자의 관심과 흥미를 유발한다.

"황만근이 없어졌다."

⇓

• 독자가 이야기에 관심을 갖도록 하고 ❼ㅎㅁ를 유발함
• 황만근의 생애를 추적하는 ❽ㅇㅅㅎㅈ 구성 방식의 발단으로서 기능함
• 작품의 마지막 부분에서 황만근의 죽음과 조응하여 구성상의 완결성을 갖추게 함

■ 작품의 비판 대상과 주제

마을 사람들	• 황만근을 바보 취급하며 이용함 • 궐기 대회에 아무도 경운기를 끌고 오지 않아 결과적으로 황만근을 죽음에 이르게 함
농촌의 현실	농가 부채 해결을 위한 전국 농민 총궐기 대회가 열릴 정도로 농가의 사정이 어려움

⇓

주제

• 이기적인 현대인에 대한 비판
• 부채로 얼룩진 ❾ㄴㅊ의 어려운 현실에 대한 고발

어휘 체크 어휘력 테스트

1 다음 괄호 안에 들어갈 단어를 〈보기〉에서 골라 써 보자.

┌─────────── 보기 ───────────┐
상환   종식   탕감
└──────────────────────────┘

(1) 김 후보는 농가 빚을 (   )해 주겠다던 공약을 지키지 않았다.

(2) 냉전 시대가 (   )된 이후 세계는 차츰 화해와 공존 체제로 나아갔다.

(3) 은행은 몇몇 회사에 대출금을 정해진 기한 내에 (   )할 것을 채근하고 있다.

2 다음 〈보기〉의 뜻을 참고하여 십자말풀이를 완성해 보자.

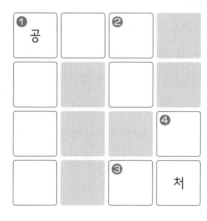

❶공		❷	
			❹
		❸	처

┌─────────── 보기 ───────────┐
가로
❶ 남을 위하여 수고한 것을 생색내며 스스로 자랑함
❸ 사람이 많이 살고 상공업이 발달한 번잡한 지역

세로
❶ 공평하여 사사로움이 없음
❷ 늘어놓는 말이나 이야기
❹ 자기를 어떤 사람으로 여겨 그렇게 처신함
└──────────────────────────┘

독해쌤과 함께하는 감상 넓히기

농촌의 현실을 고발한 작품

이번에 감상한 「황만근은 이렇게 말했다」는 농가의 부채 문제를 통해 농촌의 어려운 현실을 다루고 있습니다. 이와 같이 시대 현실에 따른 농촌의 문제 상황을 고발한 다른 작품들을 더 감상해 볼까요?

만무방_김유정
1930년대 일제 강점하의 농촌을 배경으로, 극심한 경제적 고통을 겪고 있는 응칠과 응오 두 형제의 삶을 통해 당시 농촌 사회가 안고 있던 구조적 모순을 드러낸 소설입니다.

우리 동네 황씨_이문구
1970년대 산업화 과정에서 나타난 가치관의 변화와 공동체 의식의 붕괴 등 농촌의 현실적인 문제를 자신의 이익만 추구하는 황 씨와 마을 사람들 간의 갈등을 통해 드러낸 소설입니다.

이생규장전 ① _김시습

앞부분 줄거리 송도(松都)의 국학에 다니는 이생은 우연히 담 너머를 엿보다가 시를 읊는 최 여인을 보게 된다. 최 여인
의 아름다움에 매혹된 이생은 그녀에게 시를 써서 담 너머로 보내고, 이후 두 사람은 시를 주고받으며 사랑에 빠진다. 하
지만 아들의 행동을 수상히 여긴 이생의 아버지는 이생을 지방으로 보내고, 최 여인은 상심 끝에 그만 병이 나고 만다.
우연히 딸의 방에서 이생의 편지를 발견한 최 여인의 부모는 딸에게 자초지종을 묻는다.
┌─고려 시대에 둔 중앙의 교육 기관

전개

가 "저를 고이 길러 주신 아버지와 어머니께 어찌 감히 사실을 숨기겠습니까? 가만히
생각하옵건대 남녀가 사랑을 느끼는 것은 인간의 정리로서 가장 중요한 일입니다. 그러
인정과 도리를 아울러 이르는 말
므로 혼기를 늦추어서는 안 된다는 것은 "시경"의 '주남' 편에도 나타나고, 여자가 정조
혼인하기에 알맞은 나이
를 지키지 못하면 흉하다는 것은 "역경"에 경계되어 있습니다. 저는 냇버들 같은 연약
한 자질로서 용색(容色)이 시드는 것은 생각하지 않고서, 절개를 지키지 못하여 옆 사람
용모와 안색을 아울러 이르는 말
의 비웃음을 받게 되었습니다. 〈중략〉 부모님께서 제 소원을 들어주신다면 남은 생명이
나마 보전되겠습니다만, 만약 저의 간곡한 청을 거절하신다면 죽음만이 있을 뿐입니다.
도련님과 저승에서 다시 함께 만날지언정 절대로 다른 가문에는 시집가지 않겠습니다."

그녀의 부모는 이미 딸의 뜻을 알았으므로 다시는 병의 증세를 묻지 않고 깨우치고 달
래 주어서 그녀의 마음을 누그러지게 해 주었다.

나 그들은 매자(媒子)를 사이에 넣어 예절을 갖추어 이생의 집으로 보냈다. 이생의 아
결혼이 이루어지도록 중간에서 소개하는 사람
버지는 최 씨의 집안에 대해서 묻고 난 뒤 이렇게 말했다.

"저희 집 아이가 비록 나이 어려서 바람이 났다고 하나, 학문에 정통하고 풍채도 현인
답게 생겼소. 훗날에 장원으로 급제할 것이며 이름을 세상에 떨칠 것이니 배필을 서둘
러 구할 생각이 없소."

매자가 돌아와서 사실대로 전하니 최 여인의 아버지는 다시 매자를 이 씨 집에 보내어
말하게 했다.

"송도에 사는 친구들이 모두 그 댁의 영식(令息)은 재주가 남달리 뛰어나다고 칭찬하고
윗사람의 아들을 높여 이르는 말
있습니다. 지금은 아직 과거를 보지 않고 있습니다만, 어찌 끝까지 초야에 묻혀 있을
궁벽한 시골을 이르는 말
인물이겠습니까? 제 여식도 과히 남에게 뒤지지는 않으니 그들의 혼인을 이루어 주심
이 어떠하겠습니까?"

매자는 다시 이생의 아버지를 찾아가서 그대로 전했다. 이생의 아버지는 말했다.

"나도 젊어서부터 책을 들고 학문을 닦았으나 아직 성공을 하지 못했습니다. 그러니
노복들은 뿔뿔이 흩어지고 친척들도 도와주지 않아서 생활이 치밀하지 못해 살림이
종살이를 하는 남자

여러분은 죽음도 갈라놓지 못하
는 영원한 사랑을 꿈꿔 본 적이 있
나요? 고전 소설의 특징을 살펴보
며 죽음을 초월한 남녀의 애절한 사
랑을 담은 작품을 감상해 볼까요?

독해쌤의
감상 질문

1. **인물·사건** 이 작품에서 이생
   과 최 여인의 세 번의 만남과
   이별은 어떻게 이루어질까요?

2. **서술** • 이 작품에 나타난
   전기적 요소와 그 효과는 무
   엇인가요?
   • 이 작품에 삽입된 시는 어떤
   기능을 하나요?

3. **주제** 이 작품에 담긴 작가
   의 생사관은 어떠한가요?

독해쌤 속담속담

◆ 이 작품은 현실적인 내용을
다루는 전반부와 비현실적인
내용을 다루는 후반부로 나
눌 수 있어요. 구성 단계상으
로는 발단부터 위기까지가
전반부에 해당하고 절정과
결말이 후반부에 해당돼요.
즉, 이 작품에서 전기적 요소
는 절정 이후에 나타난다고
볼 수 있어요. 이러한 구성을
고려하며 작품을 감상해 보
아요.

궁색해졌습니다. 그런데 어찌 권세 있는 가문에서 빈한한 선비의 아들을 사위로 삼으려
_{살림이 가난하여 집안이 쓸쓸한}
하겠습니까? 이는 반드시 호사가들이 내 가문을 지나치게 칭찬해서 규수 댁을 속이려
_{남의 일에 특별히 흥미를 가지고 말하기 좋아하는 사람}
는 것입니다.”

매자는 한 번 더 돌아와서 들은 대로 일러 주니 최 씨 집에서 말했다.

“모든 예물 드리는 절차와 의장은 저희 집에서 다 처리할 것이니 좋은 날을 가려 가약
_{부부가 되자는 약속}
을 맺게 해 주셨으면 좋겠습니다 하고 여쭈어 주시오.”

매자는 또 달려가서 이 말을 전했다. / 이 씨 집에서는 마침내 뜻을 돌려서 곧 사람을
보내어 이생을 불러와서 그의 의사를 물었다.

> **전개** | 이생과 최 여인이 이생 부모의 반대를 극복하고 혼인함

[01~02] 다음 설명이 맞으면 ○, 틀리면 ×표 하시오.

01 서술자가 등장인물의 심리와 사건을 모두 알고 있
는 입장에서 서술하고 있다. (○, ×)

02 이생과 최 여인은 시련 없이 사랑의 결실을 맺는다.
(○, ×)

[03~04] 다음 빈칸에 들어갈 알맞은 말을 쓰시오.

03 최 여인의 부모는 ㅁㅈ를 통해 최 여인과 이생의
혼사를 추진하고 있다.

04 이생의 아버지는 이생이 훗날 ㅈㅇ으로 급제한
뒤 배필을 구해도 된다고 생각한다.

---

05 윗글에 대한 설명으로 적절하지 않은 것은? [서술]

① 대화를 통해 인물의 성격이 제시되고 있다.
② 부수적 인물이 중심인물의 말을 중개하고 있다.
③ 격조 있고 정중한 표현을 통해 대화가 진행되고
있다.
④ 사건이 전개되며 갈등이 해소되는 국면에 접어
들고 있다.
⑤ 공간적 배경을 중국으로 설정하여 사건을 전개
하고 있다.

06 (가)에서 알 수 있는 내용으로 적절하지 않은 것은? [인물·사건 + 배경·소재]

① 최 여인은 학식을 갖춘 집안의 여식이다.
② 당시 사회는 절개를 지키는 것을 중시하였다.
③ 최 여인은 당대의 질서나 운명에 순응하는 인물
이다.
④ 최 여인은 부모에게 자신이 원하는 바를 단호하
게 말한다.
⑤ 최 여인의 부모는 딸을 금지옥엽처럼 여겨 딸의
간청을 들어준다.

07 (나)의 사건 전개 과정을 〈보기〉와 같이 나타날 때,
이에 대한 이해로 가장 적절한 것은? [수능형] [인물·사건 + 서술]

〈보기〉	
1차 청혼	ⓐ 이생 아버지의 거절 1
2차 청혼	ⓑ 최 여인 아버지의 전언 1
	ⓒ 이생 아버지의 거절 2
3차 청혼	ⓓ 최 여인 아버지의 전언 2

↓

ⓔ 혼인 성사

① ⓐ에서 상대에게 원하는 바를 부탁하고 있다.
② ⓑ에서 ⓔ를 위한 거래를 제안하고 있다.
③ ⓑ와 ⓓ는 문제 해결을 위한 말하기이다.
④ ⓒ로 인해 ⓓ에서는 서운함을 토로하고 있다.
⑤ ⓔ는 ⓐ~ⓓ가 일어나게 된 원인이다.

이생규장전 ②

위기

다 이윽고 신축년에 홍건적이 서울을 점령하니 임금은 복주(福州)로 피난을 갔다. 적들은 집을 불태우고 사람을 죽이고 가축을 잡아먹으니, 백성들은 능히 서로 보호하지 못하고 동서로 달아나 숨어서 제각기 살기를 꾀했다.

이생은 가족들을 데리고 궁벽한 산골에 숨어 있었는데 한 도적이 칼을 빼어 들고 쫓아
<u>매우 후미지고 으슥한</u>
왔다. 이생은 겨우 달아났는데 여인은 도적에게 사로잡힌 몸이 되었다. 도적이 여인을 겁탈
<u>남의 것(물건이나 정조 등)을 폭력으로 빼앗으려고</u>
하려고 하자 여인이 크게 꾸짖으며 저항하였으나, 결국 처참하게 죽임을 당하였다.

> **위기** 홍건적의 침입으로 최 여인이 죽게 됨

절정

라 한편 이생은 황폐한 들에 숨어서 목숨을 보전하다가 도적의 무리가 떠났다는 소식을 듣고 부모님이 살던 옛집을 찾아갔다. 그러나 집은 이미 병화(兵火)에 타 버리고 없었
<u>전쟁으로 인한 화재</u>
다. 다시 아내의 집에 가 보니 행랑채는 쓸쓸하고 집 안에는 쥐들이 우글거리고 새들만 지저귈 뿐이었다. 그는 슬픔을 견디지 못해, 작은 누각에 올라가서 눈물을 거두고 길게
<u>사방을 바라볼 수 있도록 문과 벽이 없이 다락처럼 높이 지은 집</u>
한숨을 쉬며 날이 저물도록 앉아서 ⊙지난날의 즐겁던 일들을 생각해 보니, 완연히 한바
<u>눈에 보이는 것처럼 아주 뚜렷하게</u>
탕 꿈만 같았다. 밤중이 거의 되자 희미한 달빛이 들보를 비추는데, 낭하(廊下)에서 발자
<u>복도. 건물 안에 다니게 된 통로</u>
국 소리가 들려왔다. 그 소리는 먼 데서 점점 가까이 다가왔다. 살펴보니 사랑하는 아내가 거기 있었다. 이생은 그녀가 이미 이승에 없는 사람임을 알고 있었으나 너무나 사랑하는 마음에 반가움이 앞서 의심도 하지 않고 말했다.

"부인은 어디로 피난하여 목숨을 보전하였소?"

마 여인은 이생의 손을 잡고 한바탕 통곡하더니 곧 사정을 이야기했다.

"저는 본디 양가의 딸로서 어릴 때부터 가정의 교훈을 받아 자수와 바느질에 힘썼고,
<u>지체가 있는 좋은 집안</u>
시서(詩書)와 예법을 배웠으므로 규중(閨中)의 법도만 알았을 뿐 어찌 집 밖의 일을 알
<u>시와 글씨</u>　　　<u>부녀자가 거처하는 곳</u>
았겠습니까? 그러나 낭군께서 붉은 살구꽃이 피어 있는 담 안을 엿보게 되자, 저는 스스로 몸을 바쳤으며 꽃 앞에서 한 번 웃고 난 후 평생의 가약을 맺었고, 휘장 속에서 거듭 만났을 때는 정이 백 년을 넘쳤습니다. 사세(事勢)가 이렇게 되자 슬픔과 부끄러움을 차마 견딜 수가 없었습니다. ⓐ장차 백 년을 함께하려 했는데 어찌 ⓑ횡액(橫厄)을
<u>뜻밖에 닥쳐오는 불행</u>
만나 구렁에 넘어질 줄 알았겠습니까? 끝내 이리 같은 놈들에게 정조를 잃지는 않았지만, ⓒ몸뚱이는 진흙탕에서 찢김을 당하고 말았습니다. 진실로 천성이 그렇게 만든 것입니다만, 인정으로는 차마 할 수 없는 일이었습니다. 저는 낭군과 궁벽한 산골에서 헤어진 후로 ⓓ짝 잃은 새가 되고 말았던 것입니다. 집도 없어지고 부모님도 잃었으니 피곤한 혼백(魂魄)의 의지할 곳 없음이 한스러웠습니다. 의리는 중하고 목숨은 가벼우므
<u>혼령, 영혼</u>
로 쇠잔한 몸뚱이로써 치욕을 면한 것만은 다행이었습니다만, 누가 산산조각이 난 제
<u>쇠하여 힘이나 세력이 점점 약해진</u>　　<u>수치와 욕됨</u>
마음을 불쌍히 여겨 주겠습니까? ⓔ다만 갈기갈기 찢어진 썩은 창자에만 맺혀 있을 뿐입니다. 해골은 들판에 버려졌고 몸뚱이는 땅에 버려지고 말았으니, 생각하면 그 옛날의 즐거움은 오늘의 이 비운을 위해 마련된 것이 아니었던가 싶습니다. 그러나 이제 봄바람이 깊은 골짜기에 불어와서 제 환신(幻身)이 이승에 되돌아왔습니다. 낭군과 저와
<u>허깨비같이 허망하고 덧없는 몸이라는 뜻으로, 사람의 몸을 비유적으로 이르는 말</u>

는 삼세(三世)의 깊은 인연이 맺어져 있는 몸, 오랫동안 뵙지 못한 정을 이제 되살려서
_{전세(前世), 현세(現世), 내세(來世)의 세 가지}
결코 옛날의 맹세를 저버리지 않겠습니다. 낭군께서 지금도 삼세의 인연을 알아주신다
면 끝내 고이 모실까 합니다. 낭군께서는 허락해 주시겠습니까?"

확인 문제

[01~03] 다음 설명이 맞으면 ○, 틀리면 ×표 하시오.

01 이 작품은 죽음을 초월한 남녀 간의 사랑을 그리고
있다. (○, ×)

02 이 작품에서 최 여인은 소극적인 여성상을 보여 준
다. (○, ×)

03 이생은 최 여인이 죽은 것을 알고 있지만 최 여인
의 혼백을 반가워할 정도로 최 여인을 사랑하고 있
다. (○, ×)

[04~05] 다음 빈칸에 들어갈 알맞은 말을 쓰시오.

04 이 작품에서는 ㅎㄱㅈ의 난이라는 역사적 사실
이 사건 전개에 영향을 주고 있다.

05 이 작품은 죽은 최 여인의 ㅎㅅ이 이승에 되돌아
온다는 점에서 전기성이 두드러진다.

실력 문제

06 윗글에 대한 설명으로 적절하지 <u>않은</u> 것은?
> 인물·사건 + 배경·소재 + 서술

① 역사적 사건을 배경으로 하여 비극성을 드러내
고 있다.
② 과거와 현재가 교차하는 구성으로 사건이 전개
되고 있다.
③ 인물 간의 대화를 통해 지난 일을 요약적으로
제시하고 있다.
④ 작품의 제목인 '이생규장전'의 의미가 담긴 구절
이 나타나 있다.
⑤ 비현실적인 상황을 제시하여 전기적(傳奇的) 성
격을 드러내고 있다.

07 ㉠에 담긴 '이생'의 심정으로 가장 적절한 것은?
> 인물·사건 + 어휘

① '모든 것이 일장춘몽(一場春夢)이란 말인가.'
② '결국 인과응보(因果應報)는 피할 수 없구나.'
③ '고진감래(苦盡甘來)라는 옛말이 틀리지 않았어.'
④ '아내는 죽었지만 꼭 결초보은(結草報恩)하겠어.'
⑤ '겨우 도망쳐 왔지만 진퇴양난(進退兩難)이구나.'

08 ⓐ~ⓔ에 대한 이해로 적절하지 <u>않은</u> 것은?
> 인물·사건

① ⓐ: 이생과 최 여인은 백년해로를 꿈꾸었음을
알 수 있다.
② ⓑ: 이생과 최 여인의 사랑이 외부적 요인에 의
해 좌절되었음을 알 수 있다.
③ ⓒ: 최 여인이 사랑을 지키지 못해 자책하는 마
음을 알 수 있다.
④ ⓓ: 사랑을 잃고 홀로 남은 최 여인의 슬픔을
알 수 있다.
⑤ ⓔ: 최 여인이 이생과의 사랑을 다하지 못해 한
이 맺혔음을 알 수 있다.

수능형

09 〈보기〉를 참고하여 윗글을 감상한 내용으로 적절하
지 <u>않은</u> 것은?
> 인물·사건 + 배경·소재

> **보기**
>
> 이 작품은 유교·불교·도교 사상을 아울러 포섭
> 한 작가 김시습의 세계관이 잘 드러나 있다.

① 최 여인이 환신하여 이생과 재회하는 데에는 도
교 사상이 반영되어 있다고 볼 수 있어.
② 최 여인이 어릴 때부터 규중의 법도를 익힌 것은
유교적 관습을 따른 것으로 볼 수 있어.
③ 최 여인의 환신이 삼세의 인연을 말하는 데에는
불교 사상이 반영되어 있다고 볼 수 있어.
④ 정조를 지키려다 죽임을 당한 최 여인의 모습에
는 유교 사상이 반영되어 있다고 볼 수 있어.
⑤ 최 여인과 이생이 시를 주고받으며 사랑에 빠진
것은 유교의 가부장적 질서에 따른 자연스러운
만남으로 볼 수 있어.

이생규장전 ③

독해쌤 속 닥 속 닥

◆ 과연 최 여인과 재회한 이생은 행복한 결말을 맞을 수 있을지 생각해 보며 이어지는 내용을 계속 감상해 보아요.

바 이생은 기쁘고 또 고마워서,

"그것은 본디 나의 소원이오."

하고는 서로 즐겁게 심정을 털어놓았다.

이윽고 이야기가 가산(家産)에 미치자 여인은 말했다.
여러 사람의 시체를 한 우덤에 묻고는
한집안의 재산

"조금도 잃지 않고 어떤 산골짜기에 묻어 두었습니다."

"우리 두 집 부모님의 해골은 어디에 있소?"

"하는 수 없이 어떤 곳에 그냥 버려 두었습니다."

서로 쌓였던 이야기가 끝나고 잠자리에 드니 지극한 즐거움은 옛날과 같았다.

사 이튿날 여인은 이생과 함께 산골짜기에 가서 매장한 곳을 찾으니 거기에는 금은 몇 덩어리와 재물이 약간 있었다. 그들은 두 집 부모님의 해골을 거두고 금은과 재물을 팔아서 각각 오관산(五冠山) 기슭에 합장하고는 나무를 세우고 제사를 지내 모든 예절을 다
여러 사람의 시체를 한 우덤에 묻고는
마쳤다.

◆ 절정 부분에서는 이생이 이승으로 돌아온 최 여인과 더불어 행복한 나날을 보내요. 이생과 죽은 최 여인의 환신이 살아 있을 때와 같이 사랑을 나누는 모습에서 죽음마저 초월한 사랑을 느낄 수 있어요.

그 후 이생은 벼슬을 구하지 않고 아내와 함께 살게 되니, 피난 갔던 노복들 또한 찾아들었다. 이생은 이로부터 인간의 모든 일을 완전히 잊어버리고서 친척과 손님의 길흉사
길사와 흉사를 아울러 이르는 말
에도 문을 닫고 나가지 않았으며 늘 아내와 함께 시구를 지어 주고받으며 ㉠즐거이 세월을 보냈다.

> **절정** 이생과 최 여인의 환신이 재회하여 행복하게 지냄

결말 **아** 어느덧 몇 해가 지난 어느 날 저녁에 여인은 이생에게 말했다.

"세 번이나 가약을 맺었습니다마는, 세상일이 뜻대로 되지 않았으므로 즐거움도 다하기 전에 슬픈 이별이 갑자기 닥쳐왔습니다."

하고는 마침내 목메어 울었다. 이생은 깜짝 놀라면서 물었다.

"무슨 까닭으로 그런 말씀을 하시오?"

◆ 최 여인의 말을 들은 이생은 아마 '청천벽력(靑天霹靂)'과 같은 심정일 거예요. 피할 수 없는 이별 앞에 선 두 사람의 마음을 생각하며 이어지는 내용을 계속 감상해 보아요.

여인은 대답했다.

[A] "저승길은 피할 수가 없습니다. 천제(天帝)께서 저와 낭군의 연분이 끊어지지 않았고 또 전생에 아무런 죄악도 없었으므로, 이 몸을 환신시켜 잠시 낭군을 뵈어 시름을 풀게 했던 것입니다. 그러나 오랫동안 인간 세상에 머물러 있으면서 산 사람을 미혹하게 할 수는
무엇에 홀려 정신을 차리지 못하게
없습니다."

하더니 시비에게 명하여 술을 올리게 하고
곁에서 시중을 드는 계집종
는 옥루춘곡에 맞추어 노래를 지어 부르면서 이생에게 술을 권했다.

확인 문제

[01~03] 다음 설명이 맞으면 ○, 틀리면 ×표 하시오.

01 이 작품은 잘못을 저지른 인물에게 불행이 닥치면서 권선징악적 주제를 드러내고 있다. （ ○ , × ）

02 최 여인과 이생이 부모님의 제사를 지내는 장면은 당시의 유교 문화를 보여 준다. （ ○ , × ）

03 최 여인은 이생에게 저승으로 돌아갈 수밖에 없다고 말하며 이생을 향한 원망 어린 눈물을 흘리고 있다. （ ○ , × ）

[04~06] 다음 빈칸에 들어갈 알맞은 말을 쓰시오.

04 최 여인은 ⬚ㄱㅅ⬚을 조금도 잃지 않고 어떤 산골짜기에 묻어 두었다.

05 (아)에서 최 여인은 ⬚ㅇㅅ⬚과 저승의 경계를 분명하게 인식하고 있다.

06 최 여인이 말한 세 번의 ⬚ㄱㅇ⬚ 중에서 세 번째는 삶과 죽음의 경계를 초월하여 이생과 재회한 것을 말한다.

실력 문제

인물·사건

07 윗글의 등장인물에 대한 설명으로 적절하지 <u>않은</u> 것은?

① 이생은 최 여인의 환신과 재회한 것을 기뻐했다.
② 이생과 최 여인의 환신은 몇 해 동안 함께 살았다.
③ 이생은 출세가 좌절되자 두문불출(杜門不出)하였다.
④ 최 여인은 이생과 다시 이별하게 되자 슬픔을 드러냈다.
⑤ 이생과 최 여인은 시련을 겪으며 세 번의 가약을 맺었다.

인물·사건 + 배경·소재 + 서술

08 윗글에 나타난 전기적 요소를 다음과 같이 정리할 때, 적절하지 <u>않은</u> 것은?

전기적 요소가 나타난 부분	• 이생이 부모님의 유골을 합장하고 제사를 치른 부분 ………………… ①
	• 죽은 최 여인이 환신으로 나타나 이생과 부부의 연을 이어 가는 부분 ………… ②
전기적 요소를 활용한 효과	• 작품 전체에 신비한 분위기를 줌 …… ③
	• 인물이 비현실적인 경험을 하게 하여 독자의 흥미를 높임 …………………… ④
	• 죽음조차 초월한 남녀 간의 간절한 사랑이라는 주제를 극적으로 드러냄 ……… ⑤

인물·사건

09 [A]에서 알 수 있는 내용으로 적절하지 <u>않은</u> 것은?

① 최 여인은 저승으로 돌아가야 할 때가 되었다.
② 최 여인은 천제의 도움으로 환신할 수 있었다.
③ 최 여인이 저승으로 돌아가는 것은 피할 수 없다.
④ 이승에서 최 여인과 이생의 사랑은 지속될 수 없다.
⑤ 최 여인은 전생의 죄악을 갚기 위해 이승으로 돌아왔다.

수능형 인물·사건

10 ㉠의 상황에서 '최 여인'이 불렀음 직한 노래로 가장 적절한 것은?

① 묏버들 가려 꺾어 보내노라 님의 손에
　자시는 창밖에 심어 두고 보소서
　밤비에 새잎 나거든 나인가도 여기소서
② 백설이 잦아진 골에 구름이 몰려 있노라
　반가운 매화는 어디에 피었는가
　석양에 홀로 서 있어 갈 곳 몰라 하노라
③ 천만 리 머나먼 길에 고운 임 이별하고 와
　내 마음 둘 데 없어서 냇가에 앉았더니
　저 물도 내 마음 같아서 울어 밤길 가는구나
④ 산 위에 꽃 피었고 꽃 아래는 산인데
　한 곡조로 그치려니 눈물이 흐르네
　낙동강 물은 끝날 날이 없고
　한(恨) 머금은 푸른 물결 가서는 오지 않네
⑤ 하늘은 삼신산 같은 수명을 주시고
　까치는 날아와 백세 영화 알려 주네
　만 이랑의 좋은 밭이 내 소원 아니거니
　원앙처럼 즐겁게 한평생을 보내리라

이생규장전 ❹

독해쌤 속닥속닥

◆ 최 여인은 지난날에 일어난 사건과 곧 닥칠 이별의 슬픔을 한 편의 시로 노래하고 있어요. 이 노래를 부르는 최 여인의 마음은 어떠할지, 작품 중간에 시를 삽입했을 때의 효과를 생각해 보며 읽어 보아요.

◆ 최 여인은 죽은 사람이 인간 세상에 계속 머무를 수 없다고 이야기해요. 이를 통해 알 수 있는 작가의 생사관을 생각해 보아요.

◆ 우리가 지금까지 읽었던 고전 소설들은 대부분 행복한 결말을 보여 줬는데, 이 작품은 결국 비극적인 결말로 끝맺고 있네요. 이 작품의 작가 김시습은 세조의 왕위 찬탈과 사육신의 죽음 이후 벼슬을 하지 않고 숨어 지낸 인물이에요. 그러므로 현실의 질서를 거부하는 삶을 살았던 작가의 현실에 대한 부정적 인식이 작품에 반영되었다고 볼 수 있죠. 또한 작가가 비극적 결말을 통해 부당한 현실에 대한 저항 의식을 드러낸 것으로 볼 수도 있어요.

자 도적 떼 밀려와서 처참한 싸움터에

몰죽음 당하니 원앙도 짝 잃었네

여기저기 흩어진 해골 그 누가 묻어 주리

피투성이 그 <u>유혼</u>은 하소연도 할 곳 없네
죽은 사람의 넋이 육체를 벗어나 떠다님. 또는 그런 영혼

슬프다 이내 몸은 무산 선녀 될 수 없고

깨진 거울 갈라지니 마음만 쓰라리네

이로부터 작별하면 둘이 모두 아득하네

저승과 이승 사이 소식조차 막히리라

차 노래를 한 곡 부를 때마다 눈물에 목이 메여 거의 곡조를 이루지 못했다. 이생도 또
음악적 통일을 이루는 음의 연속
한 슬픔을 걷잡지 못했다.

"나도 차라리 부인과 함께 <u>황천</u>으로 갔으면 하오. 어찌 <u>무료히</u> 홀로 여생을 보내겠소.
사람이 죽은 뒤에 그 혼이 가서 산다고 하는 세상   흥이 있는 일이 없어 심심하고 지루하게
지난번에 난리를 겪고 난 후에 친척과 노복들이 각각 서로 흩어지고, ㉠돌아가신 부모

님의 해골이 들판에 버려져 있을 때, 부인이 아니었더라면 누가 능히 장사를 지내 주었
죽은 사람을 땅에 묻거나 화장하는 일
겠소. 옛사람의 말씀에 부모님이 살아 계실 때는 예절로써 섬기고 돌아가신 후에도 예

절로써 장사를 지내야 한다고 했는데, 이런 일을 모두 부인이 실천했소. 그것은 부인의

천성이 효성이 지극하고 인정이 두터운 때문이니 감격해 마지않았으며, ㉡스스로 부끄
본래 타고난 성격이나 성품
러움을 이기지 못하였소. 부인은 이승에서 함께 오래 살다가 백년 후에 같이 세상을 떠

나는 것이 어떻겠소?"

여인은 대답했다.

"낭군의 수명은 아직 남아 있으나, 저는 이미 저승의 <u>명부</u>에 이름이 실려 있으니 오래
어떤 일에 관련된 사람의 이름, 주소, 직업 따위를 적어 놓은 장부
머물러 있을 수가 없습니다. ㉢만약 군이 인간 세상을 그리워해서 미련을 가진다면, 저

승의 법에 위반됩니다. 그렇게 되면 죄가 저에게만 미치는 것이 아니라 낭군님에게까지

그 허물이 미칠 것입니다. 다만 저의 유골이 아직 그곳에 흩어져 있으니, 만약 은혜를

베풀어 주시겠다면 ㉣유골을 거두어 비바람 맞지 않게 해 주십시오."

두 사람은 서로 바라보며 눈물을 흘렸다. 잠시 후에 여인은 말했다.

"낭군님, 부디 안녕히 계십시오."

말을 마치자 점점 사라져서 마침내 <u>종적</u>을 감추었다. 이생은 아내가 말한 대로 그녀의
없어지거나 떠난 뒤에 남는 자취나 형상
해골을 거두어 부모의 무덤 곁에 장사를 지내 주었다.

카 ㉤그 후 이생은 아내를 지극히 생각한 나머지 병이 나서 두서너 달 만에 그도 세상

을 떠났다.

이 사실을 들은 사람들은 모두 슬퍼하고 탄식하면서, 그들의 절개를 사모하지 않는 이

가 없었다고 한다.

결말 | 이생과 최 여인이 영원한 이별을 함

확인 문제

[01~04] 다음 설명이 맞으면 ○, 틀리면 ✕표 하시오.

01 이 작품에는 사후 세계를 부정하는 작가의 인식이 드러난다. (○, ✕)

02 이생은 최 여인을 다시 돌아오게 하기 위해 최 여인의 유골을 수습하였다. (○, ✕)

03 이생은 바람대로 이승에서 최 여인과 함께 오랫동안 살다가 최 여인과 함께 황천으로 갔다. (○, ✕)

04 사람들은 이생과 최 여인의 지고지순한 사랑에 감동을 받았다. (○, ✕)

[05~07] 다음 빈칸에 들어갈 알맞은 말을 쓰시오.

05 일반적인 고전 소설과 달리 이 작품은 |ㅂ|ㄱ|ㅈ|인 결말로 끝맺는다.

06 (자)에서 '깨진 |ㄱ|ㅇ|'은 이생과 최 여인이 헤어질 것임을 의미한다.

07 (자)에서 짝을 잃은 '|ㅇ|ㅇ|'은 최 여인의 처지와 같은 반면, 임의 곁에 머무르는 '|ㅁ|ㅅ| |ㅅ|ㄴ|'는 최 여인의 처지와 대조된다.

실력 문제

주제

08 윗글에서 알 수 있는 삶과 죽음에 대한 작가의 관점으로 가장 적절한 것은?

① 원한을 가진 사람이 저승으로 가려면 덕을 쌓아야 한다.
② 사람이 죽으면 곧장 영혼과 육신으로 분리되어 사라진다.
③ 사람이 죽더라도 그 영혼은 사랑하는 사람 곁에 영원히 머문다.
④ 사람이 죽으면 살아온 삶에 따라 천국이나 지옥으로 가게 된다.
⑤ 사람이 죽으면 영혼이 이승에 잠시 머물 수는 있으나 결국은 저승으로 가야 한다.

인물·사건 + 서술

09 (자)에 제시된 노래에 대한 설명으로 적절하지 않은 것은?

① 인물의 심리와 정서를 효과적으로 전달한다.
② 인물 간의 갈등이 해소되는 계기를 마련한다.
③ 이전에 일어났던 사건을 압축적으로 보여 준다.
④ 앞으로 사건이 어떻게 전개될 것인지를 암시한다.
⑤ 상황을 함축적으로 표현하여 애상적인 분위기를 형성한다.

인물·사건 + 어휘

10 (차)를 〈보기〉와 같이 정리할 때, 〈보기〉의 ⓐ, ⓑ에 들어갈 한자 성어가 바르게 짝지어진 것은?

> **보기**
>
> • 행복한 상황의 파국 ·················· (ⓐ)
>   이생과 최 여인의 인연이 다함
> • 최 여인이 사라짐 ·················· (ⓑ)
>   최 여인의 유골을 거두어 장사를 지냄

	ⓐ	ⓑ
①	흥진비래(興盡悲來)	회자정리(會者定離)
②	설상가상(雪上加霜)	환골탈태(換骨奪胎)
③	회자정리(會者定離)	일편단심(一片丹心)
④	일편단심(一片丹心)	환골탈태(換骨奪胎)
⑤	흥진비래(興盡悲來)	설상가상(雪上加霜)

인물·사건

11 ㉠~㉢에 대한 설명으로 적절하지 않은 것은?

① ㉠: 자식으로서의 도리를 다하게 해 준 최 여인에 대한 고마움이 드러나 있다.
② ㉡: 이생은 난리 때 가족을 돌보지 못하고 자신만 살아남은 것에 대해 죄책감을 느끼고 있다.
③ ㉢: 최 여인이 이생과 함께할 수 없는 이유가 제시되어 있다.
④ ㉣: 부모의 장례를 부탁하는 최 여인의 효심이 드러나 있다.
⑤ ㉤: 최 여인을 향한 이생의 지극한 사랑을 짐작할 수 있다.

작품 전체

발단	전개☆	위기☆	절정☆	결말☆
이생이 최 여인을 만나 사랑을 나눔	이생과 최 여인이 이생 부모의 반대를 극복하고 혼인함	❶ ㅎ ㄱ ㅈ 의 침입으로 최 여인이 죽게 됨	이생과 최 여인의 ❷ ㅎ ㅅ 이 재회하여 행복하게 지냄	이생과 최 여인이 영원한 이별을 함

☆: 교재 수록 부분

작품 압축

■ '이생'과 '최 여인'의 만남과 이별

이 작품은 인물 간의 만남과 이별이 반복되는 구성으로 사건이 전개되어 결말의 비극성을 강조한다.

	만남	이별
1	이생과 최 여인이 시를 주고받으며 사랑하는 사이가 됨	이생의 아버지의 반대로 이생과 최 여인이 이별함
2	최 여인의 부모의 도움으로 두 사람이 혼인함	홍건적의 침입으로 최 여인이 죽음을 맞이함
3	이생이 죽은 최 여인의 환신과 ❸ ㅈ ㅎ 함	삶과 죽음의 경계를 넘지 못하고 영원히 이별함

■ 결말에 담긴 작가의 생사관

이 작품은 행복한 결말을 보이는 일반적인 고전 소설과 달리 비극적인 결말을 맺고 있는데, 이는 작가의 생사관과 연결된다.

❹ ㅂ ㄱ ㅈ 결말	• 이승과 저승의 질서에 따라 이생과 최 여인이 영원히 이별함 • 이생이 최 여인을 그리워하다 병이 나서 세상을 떠남

⇩

작가의 생사관	죽은 사람의 영혼은 이승에 잠시 머물 수는 있어도, 결국은 ❺ ㅈ ㅅ 으로 가야만 한다는 작가의 생사관이 반영됨

인물·사건 / 주제 / 서술

■ 작품에 나타난 전기적 요소와 그 효과

전기(傳奇)는 '전하여 오는 기이한 일을 세상에 전함'이라는 뜻으로, 죽은 최 여인의 환신은 이 작품의 전기적 성격을 보여 준다.

전기적 요소	죽은 최 여인의 환신이 돌아와 이생과 함께 살아감

⇩

효과	• 인물이 ❻ ㅂ ㅎ ㅅ ㅈ 인 경험을 하게 함으로써 독자의 흥미를 높임 • 남녀 간의 애절한 사랑을 강조하며, 작품 전체에 신비한 분위기를 부여함 • 사랑을 좌절시키는 외부의 횡포에 대한 강한 저항을 표현함

■ 삽입된 시의 기능

작품 중간에 삽입된 시는 서사적 전개에 변화를 주며, 서정적 분위기를 살리고 있다.

정서적 기능	• 인물의 ❼ ㅈ ㅅ 를 효과적으로 전달함 • 독자에게 인물의 심리와 상황에 대한 정서적 여운을 줌 • 작품의 애상적 분위기를 형성함
서사적 기능	• 이전에 일어난 사건을 압축적으로 제시함 • 앞으로 전개될 사건의 방향을 암시함 • 서사적인 사건 전개의 단조로움을 탈피함

어휘 체크

어휘력 테스트

1 다음 〈보기〉의 뜻을 참고하여 십자말풀이를 완성해 보자.

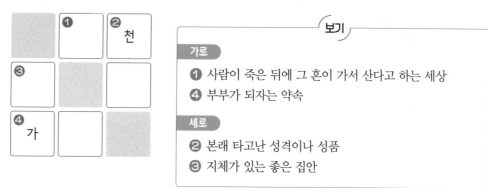

	❶	❷ 천
❸		
❹ 가		

┌─ 보기 ─┐

가로

❶ 사람이 죽은 뒤에 그 혼이 가서 산다고 하는 세상
❹ 부부가 되자는 약속

세로

❷ 본래 타고난 성격이나 성품
❸ 지체가 있는 좋은 집안

2 다음 단어의 뜻을 참고하여 끝말잇기를 완성해 보자.

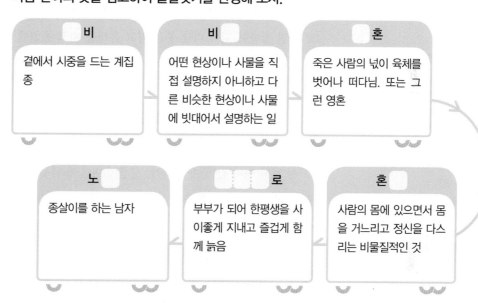

□비	비□	□혼
곁에서 시중을 드는 계집 종	어떤 현상이나 사물을 직접 설명하지 아니하고 다른 비슷한 현상이나 사물에 빗대어서 설명하는 일	죽은 사람의 넋이 육체를 벗어나 떠다님. 또는 그런 영혼

노□	□□로	혼□
종살이를 하는 남자	부부가 되어 한평생을 사이좋게 지내고 즐겁게 함께 늙음	사람의 몸에 있으면서 몸을 거느리고 정신을 다스리는 비물질적인 것

독해쌤과 함께하는 **감상 넓히기**

귀신과의 사랑을 다룬 작품

이번에 감상한 「이생규장전」은 죽은 사람과 산 사람의 사랑을 다룬 전기적 요소가 두드러진 작품입니다. 이 밖에도 생사를 초월하여 사랑을 이루고자 하는 주인공들의 이야기가 많습니다. 이러한 내용의 작품들을 더 감상해 볼까요?

만복사저포기_김시습

부처와 저포 내기를 한 양생이 죽은 처녀의 환신과 사랑을 나누는 한문 소설로, 『금오신화』에 수록되었습니다. 삶과 죽음을 넘어선 애절한 사랑을 담고 있으며 비극적 결말을 맺는다는 점에서 「이생규장전」과 공통점을 지닌 작품입니다.

취유부벽정기_김시습

홍생이 대동강 부벽루에서 고국의 흥망을 탄식하는 시를 읊다가 기자의 후손인 천상의 선녀 기씨녀를 만나 사랑을 나누는 한문 소설로, 『금오신화』에 수록되었습니다. 홍생이 기씨녀를 그리워하다가 꿈을 꾼 뒤 죽음을 맞는 결말로, 비현실적인 존재와의 사랑을 그린 작품입니다.

구운몽 ① _김만중

독해쌤의 감상 질문

1. **인물·사건** • 사건 전개 과정에서 육관 대사는 어떤 역할을 하나요?
   • 현실과 꿈속에서 주인공의 처지와 가치관은 어떻게 달라지나요?
2. **서술** 이 작품에서 '현실-꿈-현실'의 구성은 어떤 특징을 보이나요?
3. **주제** 이 작품의 제목은 주제와 어떤 관계가 있나요?

독해쌤 속닥속닥

◆ 부처 공부를 하고 있는 성진은 '여덟 선녀'를 본 후에 마음이 심란하여 잠을 이루지 못하고 있어요. 그가 어떤 생각을 하였길래 대사에게 크게 꾸짖음을 들은 것인지, 성진의 속마음을 제시한 부분을 중심으로 파악해 보아요.

앞부분 줄거리 당나라 때, 형산 연화봉에서 불법을 베푸는 육관 대사는 동정 용왕의 술대접 자리에 제자 성진을 보낸다. 성진은 용왕이 권하는 술을 마시고 돌아오는 길에 남악 위 부인을 모시는 팔선녀를 만나 수작을 건다.

전개

가 성진이 ㉠여덟 선녀를 본 후에 정신이 자못 황홀하여 마음에 생각하되,

'남아가 세상에 나 어려서 공맹의 글을 읽고, 자라 요순 같은 임금을 만나, 나면 장수 되고 들면 정승이 되어 **비단 옷을 입고 옥대를 띠고 옥궐에 조회**하고, 눈에 고운 빛을 보고 귀에 좋은 소리를 듣고 은택(恩澤)이 백성에게 미치고 공명이 후세에 드리움이 또한 대장부의 일이라. 우리 부처의 법문은 **한 바리 밥과 한 병 물과 두어 권 경문과 일백 여덟 낱 염주뿐이라. 도덕이 비록 높고 아름다우나 적막하기 심하도다.**'

> 은택: 은혜와 덕택
> 옥궐: '궁궐'을 아름답게 이르는 말
> 공명: 공을 세워서 자기의 이름을 널리 드러냄. 또는 그 이름

나 ⓐ생각을 이리하고 저리하여 밤이 이미 깊었더니 문득 눈앞에 팔선녀가 섰거늘 놀라 고쳐 보니 이미 간 곳이 없더라. 성진이 마음에 뉘우쳐 생각하되,

'부처 공부에서 특히 뜻을 바르게 함이 으뜸 행실이라. 내 출가한 지 십 년에 일찍 반점 어기고 구차한 마음을 먹지 않았더니, 이제 이렇듯이 염려를 그릇하면 어찌 나의 전정(前程)에 해롭지 아니하리오?'

> 출가: 번뇌에 얽매인 세속의 인연을 버리고 성자의 수행 생활에 들어감
> 전정: 앞으로 가야 할 길

다 향로에 불을 다시 피우고 의연히 포단에 앉아 정신을 가다듬어 ⓑ염주를 고르며 일천 부처를 염하더니, 홀연 창 밖에 동자가 부르되,

> 포단: 부들로 둥글게 틀어 만든 방석
> 홀연: 뜻하지 아니하게 갑자기

"사형은 잠들었느냐? 사부가 부르시나이다."

성진이 놀라 생각하되, / '깊은 밤에 나를 부르니 반드시 연고가 있도다.'

> 연고: 일의 까닭

동자와 한가지로 방장에 나아가니 대사가 모든 제자를 모으고 ⓒ등촉을 낮같이 켜고 소리하여 꾸짖되, / "성진아, 네 죄를 아느냐?"

> 방장: 고승(高僧)이 거처하는 처소

성진이 ⓓ섬돌에 내려 꿇어 가로되, / "소자가 사부를 섬긴 지 십 년에 일찍 한 말도 불순히 한 적이 없으니 진실로 어리석고 아득하여 지은 죄를 알지 못하나이다."

> 섬돌: 집채의 앞뒤에 오르내릴 수 있게 놓은 돌층계

대사가 이르되, / "중의 공부가 세 가지 행실이 있으니 **몸과 말씀과 뜻**이라. 네 **용궁에 가 술을 취하고**, 석교에서 여자를 만나 희롱한 후에 돌아와 미색을 권련하여 세상 부귀를 흠모하고 불가의 적막함을 싫이 여기니, 이는 세 가지 행실을 일시에 무너뜨림이라."

> 권련: 간절히 생각하여 그리워하여

라 성진이 ⓔ고두(叩頭)하고 울며 가로되, / "스승님아, 성진이 진실로 죄 있거니와 주계를 파하기는 주인이 괴로이 권하기에 마지못함이요, 선녀로 더불어 언어를 수작하기는 길을 밟을 말미암음이니 각별 부정한 말을 한 바가 없고, 선방에 돌아온 후에 일시

> 고두: 공경하는 뜻으로 머리를 땅에 조아리고
> 주계: 술을 삼가라는 훈계
> 선방: 참선하는 방

에 마음을 잡지 못하나 마침내 스스로 뉘우쳐 뜻을 바르게 하였으니, 제자가 죄 있거든

사부가 달초(撻楚)하실 뿐이지 어이 차마 내치려 하시나이까? 사부 우러러 뵙기를 부모

<small>어버이나 스승이 자식이나 제자의 잘못을 징계하기 위하여 회초리로 볼기나 종아리를 때리실</small>

같이 하여 성진이 십이 세에 부모를 버리고 스승님을 좇아 머리를 깎으니 연화 도량이

곧 성진의 집이니 나를 어디로 가라 하시나니이까?"

전개 　성진은 여덟 선녀를 본 뒤 불교에 회의를 느끼고, 이에 육관 대사는 성진의 죄를 질책함

확인 문제

[01~02] 다음 설명이 맞으면 ○, 틀리면 ×표 하시오.

01 성진은 십이 세에 출가하여 불교 공부를 하고 있다.
　　　　　　　　　　　　　　　　　　（ ○, × ）

02 성진은 스승을 속이고 팔선녀와 여러 번 만남을 가
　　 졌다. 　　　　　　　　　　　　　　（ ○, × ）

[03~04] 다음 빈칸에 들어갈 알맞은 말을 쓰시오.

03 성진은 팔선녀를 본 후에 부처의 법문을 따르는 삶
　　 이 높고 아름다우나 ㅈㅁ하다고 생각하였다.

04 대사는 성진이 세상 부귀를 흠모한 것을 두고 ㅈ
　　 를 지었다고 생각하고 있다.

실력 문제

서술

05 윗글에 대한 설명으로 가장 적절한 것은?

① 현재와 과거의 장면이 교차되고 있다.
② 서술자가 직접 인물에 대해 논평하고 있다.
③ 역사적인 사건을 통해 사실성을 높이고 있다.
④ 외양을 묘사하여 인물의 성격을 드러내고 있다.
⑤ 대화 장면을 통해 인물 간 갈등이 드러나고 있다.

인물·사건

06 ㉠에 대한 설명으로 적절한 것은?

① 성진이 마음의 동요를 느끼는 계기가 된다.
② 성진이 출가 전의 삶을 추억하는 계기가 된다.
③ 성진이 연화 도량을 뜨기로 결심하는 계기가 된다.
④ 대사가 성진이 지은 죄를 용서하는 계기가 된다.
⑤ 대사가 성진에게 동자를 불러오게 하는 계기가
　　 된다.

인물·사건

07 ⓐ~ⓔ에 대한 설명으로 적절하지 않은 것은?

① ⓐ: 성진이 불교 수행과 상관없는 잡생각에 빠
　　 져 있음을 보여 준다.
② ⓑ: 헛된 생각에서 벗어나 마음을 다잡으려는
　　 성진의 모습을 보여 준다.
③ ⓒ: 성진의 잘못이 쉽게 넘어갈 수 없는 큰일임
　　 을 보여 준다.
④ ⓓ: 성진이 대사가 화를 내는 이유를 미리 알고
　　 있었음을 보여 준다.
⑤ ⓔ: 자신의 잘못을 알고 대사에게 용서를 구하
　　 려는 성진의 모습을 보여 준다.

수능형　　　　　　　　　　**인물·사건** + **배경·소재** + **주제**

08 〈보기〉를 바탕으로 윗글을 이해한 내용으로 적절하
　　 지 않은 것은?

> **보기**
>
> 　이 작품에는 유교, 도교, 불교 사상이 융합되어
> 드러나 있다. 유교적 이상은 충효와 입신양명으로,
> 나라에 공을 세워 부귀공명을 누리는 것이 입신양
> 명을 따르는 삶이다. 한편 등장인물 중 용왕과 선
> 녀는 도교의 신선 사상을 반영한 상상력을 보여 준
> 다. 그리고 인간의 세속적 욕망은 덧없는 것이며
> 고통의 근원이라고 보는 불교 사상이 핵심 사상으
> 로서 주제를 드러내고 있다.

① '비단 옷을 입고 옥대를 띠고 옥궐에 조회'하는
　　 삶은 입신양명을 의미하는군.
② '한 바리 밥과 한 병 물과 두어 권 경문'은 부귀
　　 공명과 대조되는 불교적 삶의 모습이군.
③ '도덕이 비록 높고 아름다우나 적막하기 심하도
　　 다.'는 유교적 이상이 고통의 근원이라는 인식
　　 을 반영하고 있군.
④ 대사가 강조한 '몸과 말씀과 뜻'은 세속적 욕망
　　 을 멀리하는 삶의 태도를 의미하는 것이겠군.
⑤ 성진이 '용궁에 가 술을 취하고' 팔선녀를 만났
　　 다는 것은 도교적 상상력이 반영된 설정이군.

구운몽 2

중략 부분 줄거리 육관 대사의 명으로 인간 세상으로 추방된 성진은 양소유로 환생한다. 양소유는 열여섯 살 때 과거에 급제하고 입신양명을 하는데, 그 과정에서 환생한 팔선녀들과 차례로 부부의 연을 맺게 된다. 벼슬이 승상에 이르는 등 부귀영화를 누리는 양소유는 나이가 들면서 벼슬에서 물러나기를 황제에게 청하고, 황제는 마지못해 이를 허락하고 취미궁을 하사한다.

절정

마 양 부인이 옷깃을 여미고 물어 가로되, / "승상이 공을 이미 이루고 부귀 극하여 만
_{더할 수 없는 정도에 이르러}
인이 부러워하고 천고에 듣지 못한 바라. 좋은 날을 당하여 풍경을 희롱하며 꽃다운 술
은 잔에 가득하며 사랑하는 사람이 곁에 있으니, 이 또한 인생에 즐거운 일이거늘, 퉁
소 소리 이러하니 ㉠오늘 퉁소는 ㉡옛날 퉁소가 아니로소이다."

바 승상이 옥소를 던지고 부인 낭자를 불러 난간을 의지하고 손을 들어 두루 가리키며
_{옥으로 만든 퉁소}
가로되, / "북으로 바라보니 평평한 들과 무너진 언덕에 석양이 시든 풀에 비친 곳은 **진시**
황의 아방궁이요, 서로 바라보니 슬픈 바람이 찬 수풀에 불고 저문 구름이 빈 산에 덮
은 데는 **한 무제의 무릉**이요, 동으로 바라보니 분칠한 성이 청산을 둘렀고 붉은 박공이
_{지붕 끝머리에 팔(八) 자 모양으로 붙인 두꺼운 널빤지}
반공에 숨었는데 명월은 오락가락하되 옥난간을 의지할 사람이 없으니 이는 **현종 황제**
_{땅으로부터 그리 높지 아니한 허공}
태진비로 더불어 노시던 화청궁이라. 이 세 임금은 천고 영웅이라 온 천하를 다스리고
세상 사람들을 부리며 호화 부귀 백 년을 짧게 여기더니 이제 다 어디 있느뇨?

소유는 본디 하남 땅 베옷 입은 선비라. 성천자 은혜를 입어 벼슬이 장상에 이르고,
_{덕이 높은 천자} _{장수와 재상을 아울러 이르는 말}
여러 낭자가 서로 좇아 은정이 백 년이 하루 같으니, 만일 지난 세상에서 맺은 인연이
_{은혜로 사랑하는 마음}
다하면 각각 돌아감은 천지에 떳떳한 일이라. 우리 백 년 후 높은 대 무너지고 굽은 못
이 이미 메이고 가무하던 땅이 이미 변하여 거친 산과 시든 풀이 되었는데, 초부와 목
_{땔나무를 하는 사람. 나무꾼}
동이 오르내리며 탄식하여 가로되, '이것이 양 승상이 여러 낭자로 더불어 놀던 곳이라.
승상의 부귀 풍류와 여러 낭자의 옥용화태 이제 어디 갔느뇨?' 하리니, **어이 인생이 덧**
_{옥같이 고운 얼굴과 꽃같이 고운 자태}
없지 않으리오?

내 생각하니 천하에 유도와 선도와 불도가 가장 높으니 이 이른바 삼교라. 유도는 생
전의 명예를 죽어서 남길 뿐이요, 신선은 예부터 구하여 얻은 자가 드무니 진시황, 한
무제, 현종 황제를 볼 것이라. 내 치사한 후로부터 밤에 잠만 들면 매양 포단 위에서 참
_{나이가 많아 벼슬을 사양하고 물러난}
선하여 뵈니 이 필연 불가로 더불어 인연이 있는지라. 내 장차 장자방의 적송자 좇음을
_{중국 옛 전설의 신농씨 때에, 비를 다스렸다는 신선}
본받아, 집을 버리고 스승을 구하여 남해를 건너 관음을 찾고 오대에 올라 문수께 예
_{관음보살} _{문수보살. 지혜를 맡은 보살}
하여, **불생불멸할 도를 얻어 세상 고락을 초월**하려 하되, 여러 낭자로 더불어 반생을
좇았다가 일조에 이별하려 하니 슬픈 마음이 자연 곡조에 나타남이로소이다."
_{하루아침}

사 여러 낭자는 다 전생에 근본이 있는 사람이라. 또한 세속 인연이 지날 때니 이 말을
듣고 자연 감동하여 이르되,

"부귀 번화 중 이렇듯 청정한 마음을 내시니 장자방을 어이 족히 이르리오? 첩 등 자매
여덟 사람이 당당히 심규 중에서 **분향 예불하여** 상공 돌아오시기를 기다릴 것이니, 상
_{여인의 처소} _{향을 피워 부처 앞에 경배하여}
공이 이번 행하시매 벽벽이 밝은 스승과 어진 벗을 만나 큰 도를 얻으리니 득도한 후에
_{틀림없이}
부디 첩 등을 먼저 제도하소서."
_{미혹한 세계에서 중생을 건져 내어 생사 없는 열반의 언덕에 이르게 하소서}

◆ 승상, 즉 양소유는 '진시황의 아방궁, 한 무제의 무릉, 현종 황제가 태진비로 더불어 놀던 화청궁'을 언급하며 부귀 영화를 누리는 인생의 덧없음에 대한 인식을 드러내고 있어요. 승상의 심리와 함께 주제 의식이 드러난 부분을 파악하며 읽어 보아요.

◆ 인생의 덧없음을 느낀 양 승상이 유교와 도교의 한계를 언급하며 불교에 귀의할 뜻을 밝히고 있는 부분이에요. 양 승상은 이러한 뜻을 드러내며 여덟 낭자와 이별하게 될 것이기에 곡조에 슬픈 마음이 드러난 것이라고 말하고 있어요. 즉 '퉁소 소리'는 양 승상의 심경 변화와 부인들과의 이별을 암시하는 소재라고 볼 수 있네요.

확인 문제

[01~02] 다음 설명이 맞으면 ○, 틀리면 ×표 하시오.

01 양 승상은 자신의 명예가 진시황, 한 무제, 현종 황제와 같이 높아지기를 바라고 있다. (○ , ×)

02 양 승상은 여덟 낭자에게 불교에 귀의할 것을 권유하고 있다. (○ , ×)

[03~04] 다음 빈칸에 들어갈 알맞은 말을 쓰시오.

03 '진시황의 아방궁, 한 무제의 무릉, 현종 황제의 화청궁'은 모두 ⓘ ⓢ 의 덧없음을 보여 주는 소재이다.

04 양 승상은 천하에서 가장 높은 삼교 중 ⓘ ⓒ 와 선도의 한계를 느끼고 있다.

실력 문제

인물·사건

05 윗글을 통해 알 수 있는 내용으로 가장 적절한 것은?

① 양 승상은 좀 더 풍요로운 삶을 바라고 있다.
② 양 승상은 여러 낭자와 더불어 여생을 마치려 한다.
③ 양 승상은 여러 낭자에게 자신의 본심을 숨기고 있다.
④ 양 승상의 결심에 대해 여러 낭자는 이미 알고 있었다.
⑤ 양 승상은 옛 제왕들의 삶을 통해 깨달음을 얻고 있다.

인물·사건

06 (바)에서 '양 승상'이 자신이 불가로 더불어 인연이 있다고 판단한 계기로 적절한 것은?

① 초부와 목동의 탄식 소리를 들음
② 하남 땅 베옷을 입은 선비로 살아옴
③ 포단 위에서 참선하는 꿈을 자주 꿈
④ 집을 버리고 스승을 구하기 위해 남해를 건넘
⑤ 여덟 낭자들이 다 전생에 근본이 있는 사람임을 알게 됨

인물·사건 + 배경·소재

07 ⊙과 ⓛ에 대한 설명으로 가장 적절한 것은?

① ⊙과 ⓛ은 승상으로서의 삶에 대한 만족감을 나타낸다.
② ⊙과 ⓛ은 양 부인에 대한 변하지 않는 사랑을 나타낸다.
③ ⊙은 속세에 대한 회의를, ⓛ은 속세에서의 즐거움을 나타낸다.
④ ⊙은 현재의 삶에 대한 불만족을, ⓛ은 과거의 삶에 대한 그리움을 나타낸다.
⑤ ⊙은 꿈을 다 이루지 못한 미련을, ⓛ은 꿈을 이룰 수 있다는 믿음을 나타낸다.

수능형
인물·사건 + 주제

08 〈보기〉를 바탕으로 윗글을 감상한 내용으로 적절하지 <u>않은</u> 것은?

> **보기**
>
> 이 작품에서 주인공의 이름은 주제 의식을 간접적으로 드러낸다. '성진'은 '진정한 본성'이라는 뜻으로 '진정으로 깨달은 자'라는 의미가 담겨 있다. 이에 비해 '소유'라는 이름은 '짧은 시간 동안 세상에서 놀다가 가는 사람'이라는 의미로 인간 세상의 욕망이 영원할 수 없으며 모두 부질없음을 담고 있다. 이를 바탕으로 할 때 '소유'가 세속적 욕망의 허망함을 깨닫고 불도에 귀의하고자 하는 것은 진정 깨달은 자로 돌아가려는 태도로 볼 수 있다.

① '진시황의 아방궁', '한 무제의 무릉', '현종 황제 태진비로 더불어 노시던 화청궁'은 인간 세상의 욕망이 영원할 수 없음을 보여 준다.
② '승상의 부귀 풍류'와 '여러 낭자의 옥용화태'는 소유가 부질없음을 느끼는 대상이다.
③ 소유가 '어이 인생이 덧없지 않으리오?'라고 말하는 것은 그가 세속적 욕망의 허망함을 깨달았음을 드러낸다.
④ 소유가 '불생불멸할 도를 얻어 세상 고락을 초월'하려는 것은 그가 '진정으로 깨달은 자'로 돌아갈 것임을 암시한다.
⑤ 낭자들이 '분향 예불하여 상공 돌아오시기를 기다릴 것'이라고 한 것은 소유가 짧은 시간 동안 불도를 닦고 인간 세상으로 돌아올 것임을 예고한다.

구운몽 ❸

독해쌤 속닥속닥

◆ 양 승상이 불교에 귀의하려고 결심한 순간 갑자기 '호승'이 등장하고 있네요. 호승의 외양 묘사를 보면 그가 비범한 능력을 지닌 인물임을 짐작할 수 있어요. 호승의 역할에 주목하면서 이어지는 내용을 감상해 보아요.

아 잔을 씻어 다시 부으려 하더니, 홀연 석경에 막대 던지는 소리 나거늘 괴이히 여겨
　　　　　　　　　　　　　　　　　　　　　　　돌이 많은 좁은 길
생각하되 '어떤 사람이 올라오는고?' 하더니, 한 호승이 눈썹이 길고 눈이 맑고 얼굴이 괴
이하더라.

엄연히 좌상에 이르러 승상을 보고 예하여 왈,
사람의 걸모양이나 언행이 의젓하고 점잖게
"㉠산야 사람이 대승상께 뵈나이다."

승상이 ㉡이인(異人)인 줄 알고 황망히 답례 왈,
　　　　　재주가 신통하고 비상한 사람
"사부는 어디로부터 오신고?"

호승이 웃어 왈,

"평생 고인을 몰라보시니 ㉢귀인이 잊기를 잘한다는 말이 옳도소이다."
오래전부터 사귀어 온 친구
승상이 자세히 보니 과연 낯이 익은 듯하거늘 홀연 깨쳐 능파 낭자를 돌아보며 왈,

"소유가 전일 토번을 정벌할 제 꿈에 ⓐ동정 용궁에 가 잔치하고 돌아오는 길에 남악에
가 놀았는데, 한 ㉣화상이 법좌에 앉아서 불경을 설명하여 신자를 가르치더니 노부가
　　　　　　 '승려'를 높여 이르는 말
그 화상이냐?"

호승이 박장대소하고 가로되,

"옳다. 옳다. 비록 옳으나 몽중에 잠깐 만나 본 일은 생각하고 ⓑ십 년을 동처하던 일을
　　　　　　　　　　　　　　　　　　　　　　　　　 한방에서 같이 거처하던
알지 못하니 누가 양 장원을 총명타 하더뇨?"

◆ 호승과 승상의 대화를 보니, 호승은 무언가 알고 있는데 승상은 그 사실을 전혀 모르고 있는 것처럼 보여요. 게다가 호승이 승상과 '십 년을 동처'하였다고 하니 이 둘의 관계를 충분히 짐작할 수 있을 거예요.

자 승상이 아득하여 가로되,

"소유가 십오륙 세 전은 부모 슬하를 떠나지 않았고 ㉤십육 세에 급제하여 계속 직명
　　　　　　　　　　　　　　　　　　　　　　　　　　　　직업이나 직무, 직위, 벼슬 따위의 이름
(職名)이 있었으니, 동(東)으로 연국에 사신으로서 명령을 받들고 서(西)로 토번을 정벌
한 밖은 일찍 경사를 떠나지 않았으니 언제 ㉥사부로 더불어 십 년을 상종(相從)하였으
　　　　　　　　　　　　　　　　　　　　　　　　　　　　　서로 따르며 친하게 지냈으리오
리오?"

호승이 웃어 왈,

ⓓ"상공이 오히려 춘몽(春夢)을 깨지 못하였도소이다."

승상 왈,

"사부가 어찌하면 소유로 하여금 춘몽을 깨게 하리오?"

호승 왈, / "이는 어렵지 아니하니이다."

하고, 손 가운데 석장을 들어 석난간을 두어 번 두드리니 홀연 네 녘 산골로부터 구름이
　　　　　 승려가 짚고 다니는 지팡이
일어나 대 위에 끼이어 지척을 분별치 못하니, 승상이 정신이 아득하여 마치 취몽 중에
　　　　　　　　　　　　　　　　　　 아주 가까운 거리
있는 듯하더니 오래되어서야 소리 질러 가로되,

"사부가 어이 정도로 소유를 인도치 아니하고 환술로 서로 희롱하느뇨?"
　　　　　　　　　　　　　　　　　　　　　　남의 눈을 속이는 술법
차 말을 떨구지 못하여서 구름이 걷히니 호승이 간 곳이 없고 좌우를 돌아보니 여덟 낭
자가 또한 간 곳이 없는지라. 정히 경황하여 하더니, 그런 높은 대와 많은 집이 일시에 없
　　　　　　　　　　　　　　　 놀라고 당황하여
어지고 ⓔ제 몸이 한 작은 암자 중의 한 포단 위에 앉았으되 향로에 불이 이미 사라지고
지는 달이 창에 이미 비치었더라.

◆ (차)에서는 배경의 변화를 주의 깊게 살펴봐야 해요. 높은 대와 많은 집 등이 모두 없어지고 '작은 암자', '지는 달'이라는 공간적, 시간적 배경이 제시되고 있네요. 드디어 성진이 꿈에서 깨어난 장면이에요.

> **절정** 양 승상은 인생의 덧없음을 느끼고, 한 호승이 나타나 그의 꿈을 깨움

확인 문제

[01~02] 다음 설명이 맞으면 ○, 틀리면 ×표 하시오.

01 양 승상은 꿈속에서 호승을 만난 적이 있다고 여기고 있다. (○, ×)

02 호승은 자신을 알아보는 승상을 반가워하고 있다. (○, ×)

[03~04] 다음 빈칸에 들어갈 알맞은 말을 쓰시오.

03 호승은 도술을 사용하여 양 승상의 ㅊㅁ 을 깨우고 있다.

04 성진이 꿈에서 깨어 현실로 돌아오면서 공간적 배경이 작은 ㅇㅈ 로 바뀌고 있다.

실력 문제

[서술]

05 윗글에 나타난 '호승'의 말하기 방식으로 가장 적절한 것은?

① 상대방이 스스로 어리석음을 깨닫도록 이끌어 가고 있다.

② 상대방의 과거를 요약적으로 제시하며 깨달음을 주고 있다.

③ 자신의 정체를 직접 밝히며 상대방의 총명함을 칭찬하고 있다.

④ 꿈에서 잠깐 만나 본 일을 먼저 언급하며 상대방의 이해를 돕고 있다.

⑤ 상대방을 도와준 과거의 경험을 설명하며 상대방의 각성을 촉구하고 있다.

[인물·사건]

06 ㉠~㉤ 중, 가리키는 대상이 다른 것은?

① ㉠　② ㉡　③ ㉢　④ ㉣　⑤ ㉤

[인물·사건]

07 윗글의 '호승'에 대한 설명으로 적절한 것을 〈보기〉에서 모두 골라 묶은 것은?

〈보기〉

ㄱ. 앞으로 새로운 사건이 전개될 것임을 암시한다.

ㄴ. 주인공을 꿈에서 현실로 돌아오게 하며 사건을 전환한다.

ㄷ. 꿈에서 깨기를 망설이는 주인공의 심리적 갈등을 심화한다.

ㄹ. 위기에 빠진 주인공을 도술로 도와주는 조력자의 역할을 한다.

① ㄱ, ㄴ　② ㄱ, ㄷ　③ ㄱ, ㄹ
④ ㄴ, ㄷ　⑤ ㄴ, ㄹ

[수능형]

[인물·사건 + 서술]

08 〈보기〉를 바탕으로 ⓐ~ⓔ를 감상한 내용으로 적절하지 않은 것은?

〈보기〉

이 작품은 꿈에서 깨어난 주인공이 꿈속의 경험을 통해 꿈꾸기 이전보다 더욱 불도에 정진하여 득도에 이르게 된다는 내용이 '현실–꿈–현실'의 환몽 구조를 통해 드러나고 있다. 이때 꿈은 득도하지 못한 주인공 성진의 세속적 욕망을 상징한다. 한편 이 작품의 환몽 구조는 성진의 꿈속 인물인 양 승상 또한 꿈을 꾸어 현실을 보게 되는 구조를 취하고 있다는 점이 특징적이다.

① ⓐ는 성진의 꿈속 인물인 양 승상이 또 다른 꿈에서 본 현실의 경험에 해당한다.

② ⓑ는 성진이 꿈을 꾸기 이전에 현실 세계에서 살아가던 모습을 의미한다.

③ ⓒ는 불도에 정진하여 득도에 이르고자 하는 성진의 욕망을 보여 준다.

④ ⓓ는 부귀영화를 누렸던 양 승상의 삶이 꿈속의 경험이라는 것을 드러낸다.

⑤ ⓔ는 성진이 꿈에서 깨어나 현실로 돌아왔음을 알려 준다.

구운몽 ④

독해쌤 속닥속닥

◆ (카)에서는 '백팔 염주'와 '갓 깎은 머리털'을 통해 앞에 전 개된 이야기가 성진의 꿈이 었다는 점이 드러나고 있어요. 그렇다면 이제 성진이 꿈을 통해 무엇을 깨달았는지, 깨달음의 내용을 직접 제시한 부분을 살펴봅시다.

◆ 장주의 꿈 이야기는 '호접지 몽(胡蝶之夢)'이라고도 불리는데요, 장주(장자)가 나비가 된 꿈을 꾸다가 깬 뒤에 자신이 나비가 된 것인지, 나비가 자신이 된 것인지 분간이 가지 않았다는 내용이에요. 육관 대사는 이 이야기를 통해 꿈과 현실을 구별하는 것이 무의미함을 말하고 있어요.

결말

가 스스로 자신의 몸을 보니 백팔 염주가 걸려 있고 머리를 손으로 만져 보니 갓 깎은 머리털이 가칠가칠하였으니 완연히 소화상의 몸이요 전혀 대승상의 위의가 아니니, 정신이 황홀하여 오랜 후에야 비로소 제 몸이 연화 도량의 성진(性眞) 행자(行者)임을 깨달았으니, 처음에 스승에게 책망을 듣고 풍도옥(酆都獄)으로 가서 인간 세상에 환도하여 양가의 아들이 되었다가, ⓐ장원 급제 한림학사를 한 후 출장입상(出將入相), 공명신퇴(功名身退)하여 두 공주와 여섯 낭자로 더불어 즐기던 것이 다 하룻밤의 꿈이라. 마음에,

> 위의가 있고 엄숙한 태도나 차림새
> '지옥'을 이르는 말
> 중생이 윤회하는 여섯 가지 길 중 하나로 다시 태어남
> 나가서는 장수가 되고 들어와서는 재상이 됨
> 공을 세워서 자기의 이름을 널리 드러낸 후 물러남

'이는 필연 사부가 나의 생각이 그릇됨을 알고 나로 하여금 그런 꿈을 꾸게 하시어 인간 부귀와 남녀 정욕이 다 허무한 일임을 알게 함이로다.'

타 급히 세수하고 의관을 정제하여 처소에 나아가니, 제자들이 이미 다 모였더라.

육관 대사가 큰 소리로 묻되, / "성진아, 인간 부귀를 겪어 보니 과연 어떠하더냐?"

성진이 머리를 조아리고 눈물을 흘리며 가로되,

"ⓑ성진이 이미 깨달았나이다. 제자가 불초하여 ⓒ생각을 그릇되게 하여 죄를 지었으니 마땅히 인간 세상에서 윤회하는 벌을 받아야 하거늘, 사부께서 자비하시어 하룻밤 꿈으로 제자의 마음을 깨닫게 하시니 사부의 은혜는 천만 겁이 지나도 갚기 어렵나이다."

> 못나고 어리석어서
> 중생이 번뇌와 업에 의해 생사 세계를 그치지 않고 돌고 도는
> 어떤 시간의 단위로도 계산할 수 없는 무한히 긴 시간

대사가 가로되,

"네가 흥을 타고 갔다가 흥이 다하여 돌아왔으니 내가 무슨 간여할 바가 있으리오? 또 네가 이르되, '인간 세상에 윤회할 것을 꿈을 꾸었다.'고 하니, 이는 꿈과 인간 세상을 다르다고 하는 것이니, 네가 아직도 꿈을 깨지 못하였도다. 옛말에 'ⓓ장주(莊周)가 꿈에서 나비가 되었다가 다시 나비가 장주가 되었다.'고 하니, 어느 것이 거짓 것이고, 어느 것이 참된 것인지 분변하지 못하나니, ㉠이제 성진과 소유에 있어 어느 것이 꿈이요 어느 것이 꿈이 아니뇨?"

> 세상 물정에 대한 바른 생각이나 판단을 하지

성진이 가로되, / "제자 성진은 아득하여 꿈과 참된 것을 분별하지 못하겠사오니, ⓔ사부는 설법(說法)을 베풀어 제자로 하여금 깨닫게 하소서."

> 어리석어
> 불교의 교리를 풀어 밝힘

파 팔선녀가 대사의 앞에 나아와 머리를 조아리고 가로되,

"제자 등이 비록 위 부인을 모셨으나 실로 배운 일이 없어 세속 정욕을 잊지 못하더니, 대사의 자비하심을 입어 하룻밤 꿈에 크게 깨달았으니 제자 등이 이미 위 부인께 하직하고 불문에 돌아왔으니 사부는 끝내 가르침을 바라나이다."

대사 왈, / "여선의 뜻이 비록 아름다우나 불법이 깊고 머니 큰 역량과 큰 발원이 아니면 능히 이르지 못하나니 선녀는 모름지기 스스로 헤아려 하라."

> 선경에 산다는 여자, 선녀
> 신이나 부처에게 소원을 빎

팔선녀가 물러가 낯 위의 연지분을 씻어 버리고 흑운 같은 머리를 깎고 들어와 사뢰되,

"제자 등이 이미 얼굴을 변하였으니 맹세하여 사부의 가르침을 태만치 아니하리이다."

하 이후에 성진이 연화 도량 대중을 거느려 크게 교화를 베푸니, 신선과 용왕과 사람과 귀신이 한가지로 존숭함을 육관 대사와 같이하고, 여덟 비구니가 인하여 성진을 스승으로 섬겨 깊이 보살 대도를 얻어 아홉 사람이 한가지로 극락세계로 가니라.

> 높이 받들어 숭배함
> 불과를 구하는 보살이 닦는 길

결말 꿈에서 깬 성진은 잘못을 뉘우치고 팔선녀도 불문에 귀의한 후, 모두 득도하여 극락세계로 들어감

확인 문제

[01~02] 다음 설명이 맞으면 ○, 틀리면 ×표 하시오.

01 성진은 하룻밤 꿈으로 자신의 어리석음을 깨닫게 해 준 스승께 감사해하고 있다. (○, ×)

02 육관 대사는 성진이 불도를 깨우친 것을 칭찬하고 있다. (○, ×)

[03~04] 다음 빈칸에 들어갈 알맞은 말을 쓰시오.

03 손목에 걸린 │ㅇㅈ│와 가칠가칠한 머리털은 성진의 신분을 나타낸다.

04 육관 대사는 성진을 가르치기 위해 장주가 꿈에서 │ㄴㅂ│가 된 이야기를 인용하고 있다.

실력 문제

인물·사건

05 윗글의 인물에 대한 이해로 적절하지 **않은** 것은?

① 성진은 육관 대사의 가르침을 따르려 한다.
② 성진은 여덟 낭자와 다시 만날 것을 믿고 있다.
③ 성진은 꿈에서 깬 뒤 양소유로서의 삶을 되돌아보고 있다.
④ 육관 대사는 성진이 꿈을 통해 속세를 경험했음을 알고 있다.
⑤ 팔선녀는 육관 대사를 찾아가 불도에 입문하기를 청하고 있다.

주제

06 ㉠에 담긴 '육관 대사'의 의도로 가장 적절한 것은?

① 꿈은 허망한 것에 불과하다.
② 진리를 깨닫는 일은 매우 어렵다.
③ 스스로의 힘으로 진리를 얻어야 한다.
④ 꿈을 통해 참된 진리를 터득할 수 있다.
⑤ 꿈과 현실을 구분하려는 생각에서 벗어나야 한다.

서술

07 (카)에 대한 설명으로 적절한 것을 〈보기〉에서 모두 골라 묶은 것은?

〈보기〉
ㄱ. 사건을 요약적으로 제시하여 독자의 이해를 돕고 있다.
ㄴ. 인물의 심리를 직접 제시하여 새로운 갈등을 예고하고 있다.
ㄷ. 서술자가 인물의 처지에 대한 자신의 생각을 드러내고 있다.
ㄹ. 인물이 새롭게 깨닫게 된 내용을 제시하여 주제를 드러내고 있다.

① ㄱ, ㄴ   ② ㄱ, ㄷ   ③ ㄱ, ㄹ
④ ㄴ, ㄷ   ⑤ ㄴ, ㄹ

수능형   인물·사건

08 〈보기〉를 참고하여 ⓐ~ⓔ를 이해한 내용으로 적절하지 **않은** 것은?

〈보기〉
이 작품은 '회의(懷疑)와 부정(否定)'의 과정을 통해 이야기가 전개된다. 초반에 성진이 세속에 호기심을 갖는 모습은 불교적 가치관에 대한 '회의와 부정'에서, 결말에 이르러 다시 불교적 삶을 택하는 모습은 세속적 삶에 대한 '회의와 부정'에서, 마지막 육관 대사의 성진에 대한 가르침은 참·거짓의 이분법적 구분에 대한 '회의와 부정'에서 이루어진다.

① ⓐ는 '첫 번째 회의와 부정'과 '두 번째 회의와 부정' 사이에 일어난 일이다.
② ⓑ는 '두 번째 회의와 부정'을 경험한 직후의 일이다.
③ ⓒ는 '두 번째 회의와 부정'과 '세 번째 회의와 부정' 사이에 일어난 일이다.
④ ⓓ는 '세 번째 회의와 부정' 단계의 핵심 내용을 보여 주는 비유적 표현이다.
⑤ ⓔ는 '두 번째 회의와 부정'에서 '세 번째 회의와 부정'으로 나아가고자 함을 의미한다.

독해 체크

작품 전체

발단	전개·위기※	절정※	결말※
중국 당나라 때 육관 대사의 제자 성진은 심부름으로 용궁에 갔다가 용왕에게 술을 대접받고, 돌아오는 길에 팔선녀를 만나 수작을 부림	성진은 ❶ⓢⓢ적 욕망을 품다 속세로 추방되어 양소유로 환생한 뒤 입신양명하고, 그 과정에서 환생한 팔선녀와 차례로 인연을 맺어 두 부인과 여섯 낭자를 거느리며 벼슬이 승상에 이르고 부귀영화를 누림	벼슬에서 물러나 한가하게 지내던 양소유는 문득 인생의 덧없음을 느끼고, 한 호승이 나타나 그의 꿈을 깨움	꿈에서 깬 성진은 ❷ⓩⓜ을 뉘우치고 팔선녀도 불문에 귀의한 후, 모두 득도하여 극락세계로 들어감

※: 교재 수록 부분

작품 압축

■ '육관 대사'의 역할과 '성진(양 승상)'의 깨달음

육관 대사		성진(양 승상)
• 성진의 스승 • 행실이 바르지 않으며 세속적 욕망을 품고 불교에 회의를 느낀 성진의 죄를 꾸짖음 • 성진의 꿈에서 ❸ⓗⓢ으로 등장하여 도술로 성진을 현실로 돌아오게 함 • 꿈에서 깬 성진에게 꿈과 현실의 구별 자체가 무의미하다는 참다운 깨달음을 가르침	⇒	• 연화 도량의 행자 • ❹ⓟⓢⓝ를 만난 뒤 세속적 욕망으로 불교에 회의를 느낌 • 꿈에서 양소유로 환생하여 ❺ⓑⓖⓞⓗ를 누리고 팔선녀와 인연을 맺지만 인생무상을 느낌 • 꿈에서 깬 뒤 인간 부귀와 남녀 정욕이 허망한 꿈에 불과함을 깨달음

인물·사건

서술 주제

■ '현실-꿈-현실'의 환몽 구조

이 작품은 현실과 꿈이 교차되고 있는데, 비현실적인 선계가 현실이고 현실적인 인간계가 꿈(비현실)이라는 역설적인 구조를 취하고 있다. 이를 통해 꿈속의 일, 즉 세속적 욕망이 허망함을 나타내고 있다.

현실 (선계)	• 세속적 욕망에 갈등하는 성진 • 불교적, 비현실적

⇓ 입몽

꿈 (❻ⓞⓖ계)	• 세속적 욕망을 성취하는 양소유 • 유교적, 현실적

⇓ 각몽

현실 (선계)	• 인생무상을 깨닫고 불도에 정진하는 성진 • 불교적, 비현실적

■ 제목 '구운몽'의 의미로 본 주제 의식

이 작품에서 '꿈'은 성진이 깨달음에 이르는 과정이자 인생무상의 주제 의식을 드러내는 역할을 한다.

구(九)	운(雲)	몽(夢)
인물	주제	환몽 구조
성진과 팔선녀 (아홉 명)	뜬구름과 같은 인생의 덧없음 → 인생무상	❼ⓚ을 통해 깨달음을 얻는 과정

⇓

주제 의식
성진과 팔선녀 아홉 사람이 속세의 삶을 갈망하다가 꿈에서 부귀영화를 누린 후에 ❽ⓞⓢⓜⓢ을 깨닫고 불도에 귀의함

어휘 체크

어휘력 테스트

1 다음 괄호 안에 들어갈 단어를 〈보기〉에서 골라 써 보자.

┌─────────────── 보기 ───────────────┐

상종   연고   지척

└────────────────────────────────────┘

(1) 선생님께서는 나에게 지각한 (　　　　　)를 대라고 하셨다.

(2) 그는 행실이 바르지 않아 더는 (　　　　　)하지 못할 사람이다.

(3) 오늘 아침에 안개가 심하게 깔려서 (　　　　　)도 분간할 수 없었다.

2 다음 단어의 뜻을 참고하여 끝말잇기를 완성해 보자.

가	가	귀영
번뇌에 얽매인 세속의 인연을 버리고 성자(聖者)의 수행 생활에 들어감	옳고 그름	재산이 많고 지위가 높으며 귀하게 되어서 세상에 드러나 온갖 영광을 누림

심	석	석
사물의 가치를 변별하고 자기의 행위에 대하여 옳고 그름, 선과 악을 판단하는 도덕적 의식	저녁때의 햇빛. 또는 저녁때의 저무는 해	변화하거나 발전하지 아니하고 어떤 상태에서 돌처럼 굳어 버린 것을 비유적으로 이르는 말

독해쌤과 함께하는 감상 넓히기

꿈이 주요 소재로 등장하는 작품

이번에 감상한 「구운몽」과 같이 고전 소설 중에서는 '꿈'이 주요 소재나 장치로 등장하는 작품을 종종 만날 수 있어요. 작품마다 꿈의 구체적 기능은 다르지만 꿈을 활용하여 주제 의식을 효과적으로 전달하고 있지요. 이러한 특징을 보이는 고전 산문들을 더 감상해 볼까요?

옥루몽 _남영로

주인공 양창곡의 일대기를 환몽 구조로 나타낸 영웅 소설입니다. 천상계의 신선이었다가 옥황상제의 노여움을 사 인간 세상에 태어난 양창곡이, 함께 환생한 선녀들과 인연을 맺으며 영웅적 활약을 펼치고 부귀공명을 누린 뒤 다시 천상으로 돌아가는 내용입니다.

조신의 꿈 _작자 미상

『삼국유사』에 수록된 환몽 구조의 전기적 설화로, 「옥루몽」, 「구운몽」 등에 영향을 미친 작품입니다. 김 씨 낭자와 인연 맺기를 소망하던 승려 조신이 꿈속에서 그녀와 부부가 되어 갖은 고생을 한 뒤 꿈에서 깨어 세속적 욕망의 헛됨을 깨닫는 내용입니다.

● 고전 소설

임경업전 ① _작자 미상

독해쌤의 감상 질문

1. 인물·사건 · 임경업, 호왕, 김자점은 어떤 성격과 가치관을 지니고 있나요?
   · 인물 간 갈등의 원인은 무엇이고, 어떻게 해소됐나요?
2. 배경·소재 이 작품에 '병자호란'이라는 역사적 사실은 어떻게 반영되었나요?
3. 주제 이 작품을 통해 알 수 있는 당대의 민중 의식은 무엇인가요?

독해쌤 속 닥 속 닥

◆ 이 작품은 병자호란의 역사적 사실과 임경업의 일생을 바탕으로 창작된 소설이에요. 소설에서 호왕은 죽음을 코앞에 두고도 충성심과 절개를 잃지 않는 임경업을 높이 평가하여 그의 원대로 세자와 대군을 고국으로 돌려보낼 것을 명령하고 있네요.

앞부분 줄거리 호국이 조선을 침입하여 인조의 항복을 받아 낸다. 임경업이 의주에서 세자 일행을 인질로 끌고 가던 호국병을 격파하자 호국 왕이 진노하여 인조에게 임경업을 호국으로 보낼 것을 명한다. 임경업은 호국으로 보내져 호군으로서 명군과 싸우지만 명나라와의 의리를 지켜 역으로 호국을 치려 하다가 실패하여 호군에게 잡힌다.

절정 1

가 호왕이 크게 노하여 이르기를,

"네 목숨이 내게 달렸거늘 종시 굴하지 아니하느냐? 네가 항복하면 왕을 봉하리라."

경업이 가로되, / "ⓐ병자년에 우리 주상이 종사(宗社)를 위하여 네게 항복하셨거니와
종묘와 사직이라는 뜻으로, '나라'를 이르는 말
내 어찌 몸을 위하여 네게 항복하리요."

하니 호왕이 분통이 터져 군사에게 명하여, / "내어 베어라." / 하니 경업이 대꾸하여,

"내 명은 하늘에 있거니와 ⓑ네 머리는 십보지하에 있느니라."
열 걸음 아래
하고 안색도 변하지 않고 무사를 보며, 바삐 죽이라 하니, 호왕이 경업의 강직함을 보고
마음이 꼿꼿하고 곧음
탄복하여, 묶은 것을 풀고 손으로 이끌어 올려 앉히고 말하기를,
매우 감탄하여 마음으로 따라

"장군이 내게는 역신(逆臣)이나 조선에는 충신(忠臣)이라. 내 어찌 충절을 해하리요. 장군의 원대로 하리라."

하며, / ㉠"세자와 대군을 놓아 보내라." / 하더라.

나 이때 세자와 대군이 별궁에 계시면서 임 장군을 주야로 기다리는데, 문득 문 지키는 관원이 들어와 고하되 임 장군이 천자께 청하여 세자와 대군을 놓아 보낸다 하거늘, 세자와 대군이 기뻐하며 궁문 밖으로 나와 기다리다가 경업이 와서 울며 절하되, 세자와 대군이 경업의 손을 잡고 함께 들어가 호왕을 뵈오니 호왕이 이르기를,

"ⓒ경 등을 임경업이 생사 불구하고 구하여 돌아가려 하기로 내 경업의 충절에 감동하여 경 등을 보내노니 각각 소원을 말하면 내 정을 표하리라."

하거늘 세자는 금은을 청하고 ⓓ대군은 조선에서 잡혀 온 사람을 청하여 쉬이 돌아가기를 원하니 호왕이 각각 원대로 하라 하고 대군을 기특히 여기더라. 경업이 세자와 대군을 뫼시고 나와 하직하거늘, 세자와 대군이 울며 말하기를,
먼 길을 떠날 때 웃어른께 작별을 고하거늘
"장군의 덕택으로 고국에 돌아가거니와 장군을 두고 가니 마음이 어두운지라 어찌 슬프지 아니하리요. 바라건대 장군도 쉬이 돌아오기를 바라노라."

하니 경업이 대답하기를, / "하늘이 도와 세자와 대군이 고국에 돌아가시니 불승 만행이
아주 다행함
오나, 모시고 가지 못하오니 ⓔ가슴 아픔을 어찌 측량하오리까."
어떤 감정이나 느낌을 억눌러 참아 내지 못함

확인 문제

[01~02] 다음 설명이 맞으면 ○, 틀리면 ×표 하시오.

01 호왕은 자신에게 항복하지 않는 임경업에게 동정심을 느끼고 있다. (○ , ×)

02 임경업은 호왕에게 조선에서 잡혀 온 세자와 대군을 풀어 달라고 요구하였다. (○ , ×)

[03~04] 다음 빈칸에 들어갈 알맞은 말을 쓰시오.

03 임경업은 명나라에 대한 ㅇ ㄹ 를 지키려다 실패하여 호군에게 잡혔다.

04 ㅎ ㅇ 은 임경업의 강직함을 보고 탄복하여 묶은 것을 풀어 주었다.

실력 문제

05 윗글의 인물에 대한 설명으로 적절하지 **않은** 것은?

① 호왕은 백성을 먼저 생각한 대군을 기특히 여겼다.
② 호왕은 권위를 내세워 임경업의 굴복을 요구하였다.
③ 임경업은 자신보다 세자와 대군의 안위를 걱정하였다.
④ 임경업은 자신의 소원을 들어준 호왕의 진심에 감동하였다.
⑤ 세자와 대군은 임경업을 두고 고국에 돌아가는 것을 슬퍼하였다.

06 (가)와 (나)에 대한 설명으로 적절한 것은?

① 전기적 요소를 활용하여 낭만적 분위기를 조성하고 있다.
② 역순행적 구성을 사용하여 사건의 정황을 드러내고 있다.
③ 특정한 소재를 활용하여 앞으로 일어날 일을 암시하고 있다.
④ 인물 간의 대화를 중심으로 사건을 생동감 있게 전개하고 있다.
⑤ 배경을 사실적으로 묘사하여 인물이 처한 상황을 나타내고 있다.

07 호왕이 ㉠과 같은 결정을 내린 이유로 가장 적절한 것은?

① 용맹함과 강직함을 지닌 임경업의 보복이 두려웠기 때문에
② 죽음 앞에서도 절개를 잃지 않은 임경업에게 감탄했기 때문에
③ 임경업이 세자와 대군을 풀어 주면 항복할 것을 약속했기 때문에
④ 임경업의 마음을 돌리기 위해서는 세자와 대군의 도움이 필요했기 때문에
⑤ 세자와 대군이 조선에 돌아가 임경업을 직접 처벌할 것이라고 믿었기 때문에

08 〈보기〉를 바탕으로 ⓐ~ⓔ를 이해한 내용으로 적절하지 **않은** 것은?

> **보기**
>
> 이 작품은 병자호란을 배경으로 하여 실존 인물인 임경업 장군의 일생을 바탕으로 창작된 역사 소설이다. 병자호란은 조선 인조 14년에 청나라가 침입한 난리로, 인조가 삼전도에서 항복하고 청나라에 대하여 신하의 예를 행하기로 한 굴욕적인 협약을 맺었던 사건이다. 한편 이 작품은 실제로 청나라와 적극적으로 대결한 임경업 장군의 충성심을 표현하면서 병자호란으로 인한 고난을 보상받고 싶어 한 민중의 정서를 반영하고 있다.

① ⓐ에는 인조가 삼전도에서 항복한 역사적 사실이 반영되어 있다.
② 임경업이 호왕에게 ⓑ라고 말한 것에서 청나라와 적극적으로 대결하려는 임경업의 태도가 드러나고 있다.
③ 호왕이 세자와 대군에게 ⓒ라고 말한 것에서 임경업의 충성심을 알 수 있다.
④ ⓓ에는 병자호란으로 인한 고난을 보상받고 싶어 한 민중의 정서가 반영되어 있다.
⑤ 임경업이 ⓔ라고 말한 것에서 세자와 대군이 호왕 앞에서 굴욕을 당하였음을 알 수 있다.

임경업전 ②

독해쌤 속담속담

◆ 호국의 부마로 뽑힐 수도 있는 (다)의 상황에서 임경업이 어떻게 재치 있게 대응하는지 파악해 보세요. 그리고 임경업의 성격으로 볼 때, 그가 호국의 부마 자리를 거절한 실제 이유가 무엇일지 추론해 보아요.

다 이때에 호국왕의 딸 숙모 공주가 있으니 천하절색이라. 부마를 구하더니, 호왕이 경업을 유의하여 공주더러 이르니, 공주가 관상 보기를 잘하여 경업의 관상 보기를 청하거늘,
<small>세상에 드문 아주 뛰어난 미인   임금의 사위</small>
경업이 부마에 뽑힐까 두려워하여 신발 속에 솜을 넣어 키를 세 치를 돋우고 들어갔더니,
공주가 엿보고 말하기를,
<small>약 3.03cm</small>

"들어오는 걸음은 사자 모양이요 나가는 걸음은 범의 형용이니 짐짓 영웅이로되, 다만 키가 세 치 더한 것이 애닯다."

하거늘, 호왕이 마음에 서운하나 그와 방불한 자가 없는지라.
<small>거의 비슷한</small>

이에 장군더러 말하기를, / "장군이 부마가 되어 부귀를 누림이 어떠하뇨?"

장군이 대답하기를, / ⊙"어찌 이런 말씀을 하십니까. 지극히 황공하며 하물며 조강지처가 있사오니, 존명을 받들지 못하리이다."
<small>남의 명령을 높여 이르는 말</small>
호왕이 재삼 권유하되 경업이 죽기로써 좇지 아니하니, 호왕이 안타까워하더라.

경업이 돌아감을 청하니, 호왕이 미루고 허락하지 아니하거늘 여러 신하들이 아뢰기를,

"절개 높고 충심이 깊은 사람을 두어 무익하고, 보내어도 해로움이 없사오니, 의로써
<small>신념, 신의 따위를 굽히지 아니하고 굳게 지키는 꿋꿋한 태도   이롭거나 도움이 될 만한 것이 없고</small>
보내면 조선이 또한 의로써 섬길 것이니 보냄이 마땅하나이다."

호왕이 그 말을 따라 큰 잔치를 벌여 대접하고 예물을 갖추어 보낼 제, 의주까지 호송하니라.

절정 1 임경업의 충절과 당당한 태도에 탄복한 호왕이 임경업을 조선으로 돌려보냄

절정 2

◆ (라)는 김자점과 임경업의 갈등이 시작되는 부분이에요. 역모를 계획하고 있는 김자점은 임경업이 걸림돌이 될 거라고 생각하고 그를 대역 죄인으로 몰아가고 있어요. 임금의 명령도 듣지 않고 임경업에 해를 가하는 김자점의 위세가 대단하네요. 이 모든 갈등의 원인이 김자점 개인의 욕심 때문이라는 점을 잘 기억해 두세요.

라 이때 김자점의 위세가 조정에 진동하는지라. 경업이 돌아오는 통지문이 왔거늘, 자점이 헤아리되, '경업이 돌아오면 나의 계교를 이루지 못하리라.' 하고 상께 아뢰기를,
<small>지위와 권세를 아울러 이르는 말   요리조리 헤아려 보고 낸 꾀</small>

"경업은 반역 죄인이라, 황명을 거역하고 도망하여 남경에 들어가 우리 조선을 치고자
<small>황제의 명령   명나라의 수도</small>
하다가, 하늘이 무심치 아니하사 북경에 잡힌 바 되어 제 계교를 이루지 못하매 하는
<small>청나라의 수도</small>
수 없어 세자와 대군을 청하여 보내고 뒤쫓아 나오니, 어찌 이런 대역 죄인을 그저 두겠나이까!"

상이 크게 놀라 말씀하시기를,

"무슨 연고로 만고 충신을 해하려 하는가? 경업이 비록 과인을 해롭게 하여도 아무도 그를 해치지 못하리라."

하시고 자점을 엄히 꾸짖어 나가라 하시니, 자점이 나와 그 무리와 의논하기를,

"경업이 의주에 오거든 역적으로 잡아 오라." / 하더라.

마 이때 경업이 데려갔던 격군과 호국 사신을 데리고 의주에 이르니, 사자(使者)가 와
<small>외국과 왕래하는 사신의 배를 부리는 뱃사공   명령을 받고 심부름하는 사람</small>
이르되, "장군이 반역했다 하여 역률(逆律)로 잡아 오라 합니다."
<small>역적을 처벌하는 법률</small>
하고 칼을 씌우며 재촉하니, 의주 백성들이 울며 이르기를,
<small>죄인에게 씌우던 형틀</small>

"우리 장군이 만리타국에서 이제야 돌아오거늘, 무슨 연고로 잡혀가는고?"
<small>조국이나 고향에서 멀리 떨어져 있는 다른 나라   일의 까닭</small>
하거늘, 경업이 말하기를, / "모든 백성은 나의 형상을 보고 조금도 놀라지 말라. 나는 죄 없이 잡혀가노라." / 하니 남녀노소 없이 무슨 연고인 줄 모르고 슬퍼하더라.

절정 2 김자점의 흉계로 임경업이 억울하게 잡혀감

확인 문제

[01~02] 다음 설명이 맞으면 ○, 틀리면 ×표 하시오.

01 김자점은 임경업이 돌아오면 자신의 계교를 이루지 못할 것을 염려하여 그를 역적으로 몰았다.

(○, ×)

02 의주 백성들은 임경업이 잡혀가는 이유를 이해하고 있었다.

(○, ×)

[03~04] 다음 빈칸에 들어갈 알맞은 말을 쓰시오.

03 임경업은 ㅈㄱㅈㅊ 가 있다는 이유를 들어 부마가 되기를 바라는 호왕의 권유를 거절하였다.

04 호국의 신하들은 임경업이 ㅈㄱ 가 높고 충심이 깊은 사람이라고 평가하였다.

실력 문제

인물·사건

05 윗글에서 알 수 있는 내용으로 적절하지 <u>않은</u> 것은?

① 호국의 신하들은 임경업이 돌아가는 것에 찬성하였다.
② 호왕은 큰 잔치를 벌여 귀국하는 임경업을 대접하였다.
③ 김자점은 세자와 대군이 귀국하는 것을 못마땅해하였다.
④ 임금은 임경업을 반역 죄인이라고 말하는 김자점을 꾸중하였다.
⑤ 임경업은 호왕의 딸을 속이기 위해 일부러 키가 커 보이도록 꾸몄다.

인물·사건 + 서술

06 ㉠에 대한 설명으로 적절하지 <u>않은</u> 것은?

① 상대의 권위를 인정하고 있는 말이다.
② 남편의 도리를 지키려는 의도가 담긴 말이다.
③ 상대의 권유에 대한 반응에 해당하는 말이다.
④ 자신의 현재 처지를 언급하여 거절하는 말이다.
⑤ 풀려나지 못할 것을 염려하여 상대를 속이는 말이다.

인물·사건

07 (다)에 나타난 '임경업 부마 삼기' 사건에 대한 설명으로 가장 적절한 것은?

① 이 사건의 전개 과정에서 임경업의 관상 보기를 두고 공주의 내적 갈등이 심화된다.
② 이 사건은 임경업에 대한 호왕의 호감에서 비롯된 것으로 사건 전개의 개연성을 높인다.
③ 이 사건의 결과 혼사가 성사되지 않음으로써 세자와 대군이 다시 호국으로 돌아오게 된다.
④ 이 사건의 당사자인 공주가 임경업의 비범함을 인정하지 않아서 호왕과 갈등이 심화된다.
⑤ 이 사건의 당사자인 임경업이 공주의 외모에 관심을 둠으로써 그가 세속적 인물임이 드러난다.

수능형 인물·사건 + 서술

08 〈보기〉를 참고하여 윗글을 읽은 학생의 반응으로 적절하지 <u>않은</u> 것은?

> **보기**
>
> 조선 후기에는 소설을 낭독하는 사람이 있었다. 이들은 등장인물의 역할에 맞춰 억양과 몸짓, 표정 등을 바꾸어 가며 청중의 몰입도를 높였다. 이에 따라 인물의 심리가 즉각 전달되고 사건은 보다 생생해져서, 청중은 낭독자의 안내에 따라 작품을 수용하고 현실 문제에 대한 관심을 키우게 된다. 실제로 「임경업전」을 낭독할 때 청중은 청나라에 대한 적대감, 충신이자 영웅인 임경업에 대한 흠모, 간신에 대한 반감 등의 감정을 자유롭게 표출했다.

① 임경업이 호왕 앞에서 자신의 의견을 굽히지 않는 장면을 낭독할 때, 임경업의 충성심이 청중에게 즉각 전달됐겠군.
② 호국의 신하들이 호왕을 설득하는 장면을 낭독할 때, 청중은 임경업의 충성심을 조롱하는 청나라에 대한 적대감을 표출했겠군.
③ 김자점이 임경업을 모함하는 장면을 낭독할 때, 간신 김자점에 대한 청중의 반감이 커지면서 현실 문제에 대한 관심이 높아졌겠군.
④ 사자가 임경업에게 잡아가겠다고 말하는 장면을 낭독할 때, 이야기에 몰입한 청중은 임경업이 되어 그 말을 듣는 듯한 생생함을 느꼈겠군.
⑤ 의주 백성들이 죄도 없는데 잡혀가는 임경업을 보며 우는 장면을 낭독할 때, 임경업을 흠모하는 청중은 자신의 일처럼 슬픔을 표현했겠군.

임경업전 ❸

독해쌤 속 닥 속 닥

◆ (바)에서 김자점이 임금도 모
르게 임경업을 옥에 가두어
탄압하고 있군요. 억울하게
감옥에 갇혀서도 임금을 원
망하지 않는 모습에서 임경
업의 됨됨이를 확인할 수 있
습니다. 이는 '충(忠)'을 중시
했던 당대의 유교적 이념이
반영된 것으로 볼 수 있어요.

절정 3

바 자점이 심복을 보내 거짓 조서를 전하고 옥에 가두니, 경업이 옥에 갇혀 생각하되,

'나라에 친임하시면 죽어도 한이 없을 것이요, ⓐ세자와 대군이 내 일을 알고 계신지
_{임금이 직접 임명하시면}
모르고 계신지.'

하며 주야로 번민하여 목이 말라 물을 구하나 옥졸이 물을 주지 아니하니 이는 자점의 흉
_{괴로워하여}
계로 옥졸들에게 분부한 때문이리라. 경업이 이러한 형편을 보고 탄식하여 이르기를,

"옥졸들까지도 나를 미워하니, 이는 필시 하늘이 나를 죽게 하심이니 누구를 원망하리오."

하더니, 다음 날 상이 승전 내시를 보내 경업을 부르시니 그 사람 또한 자점이 두려워 하
교를 전하지 못한지라.

사 ㉠전옥(典獄) 관원은 강직한지라 경업의 애매함을 불쌍히 여겨 경업더러 이르기를,

"장군을 역적으로 잡음이 다 자점의 흉계이니, 잘 주선하여 누명을 벗으라."

경업이 그제야 자점의 흉계로 알고 통분을 이기지 못하여 바로 몸을 날려 옥문(獄門)을
_{원통하고 분함}
깨치고 탈출하여 궐내에 들어가 상을 뵙고 청죄한데, 상이 경업을 보시고 반겨 가로되,
_{저지른 죄에 대하여 벌을 줄 것을 청하는데}

"ⓑ경이 만리타국에 갔다가 이제 돌아오매 반가움이 끝이 없거늘 무슨 일로 청죄하느
뇨?" / 경업이 돈수 사죄하여 말씀 여쭙기를,
_{머리가 땅에 닿도록 하는 절}

┌ "신이 무인년에 북경에 잡혀가다가 중간에 도망한 죄는 만사무석이오나, 대명(大明)과
│ _{만 번 죽어도 아까울 것이 없음}
│ 함께 호왕을 베어 병자년 원수를 갚고 세자와 대군을 모셔 오고자 하였더니, 간인에게
[A]│ _{간사한 사람}
│ 속아 북경에 잡혀갔다가 천행으로 살아 돌아옵더니, 의주에서 잡혀 아무 연고인 줄 알
│ _{하늘이 준 큰 행운}
└ 지 못하옵고 ⓒ오늘을 당하와 천안(天顏)을 뵈오니 이제 죽어도 한이 없사옵니다."
_{임금의 얼굴을 높여 이르는 말}

하는지라.

◆ 김자점과 임경업의 갈등이
최고조에 이르고 있는 부분
이에요. 임금 앞에서 김자점
에게 호통을 치고 있는 것으
로 보아, 임경업이 불의를 참
지 못하는 성품인 것을 알 수
있겠죠.

아 상이 들으시고 매우 놀라시어 신하더러 이르기를,

"경업을 무슨 죄로 잡아온고?"

하시고 자점을 패초(牌招)하사 실사를 물으시니, 자점이 속이지 못하여 아뢰기를,
_{임금이 승지를 시켜 신하를 불러}

"경업이 역적이옵기로 잡아 가두고 계달코자 하였나이다."
_{신하가 글로 임금에게 아뢰고자}

경업이 크게 노하여 큰 소리로 꾸짖기를,

"ⓓ이 몹쓸 역적아! 들으라. 벼슬이 높고 국록이 족하거늘 무엇이 부족하여 모반할 마
_{나라에서 주는 녹봉}
음을 두어 나를 해하고자 하느뇨?"

자점이 듣고 무언이거늘, 상이 노하여 이르기를,
_{말이 없음}

"ⓔ경업은 삼국의 유명한 장수요, 또한 만고 충신이거늘 네 무슨 일로 죽이려 하느뇨?"

하시고,

"자점과 함께한 자를 금부에 가두고 경업은 물러가 쉬게 하라."
_{의금부. 중죄인을 신문하는 일을 맡아 하는 관아}

하시다.

◆ 심복 수십 명을 매복시켜 무
방비 상태인 임경업을 공격
하도록 한 것을 보면, 김자점
이 비열하고 난폭한 성격의
소유자라는 것을 짐작할 수
있어요.

┌ 경업이 사은하고 퇴궐할 제, 자점은 궐문 밖에 나와 심복 수십 명을 매복하였다가,
│ _{받은 은혜에 대하여 감사히 여겨 사례하고}
│ 경업이 나옴을 보고 불시에 달려들어 마구 때리니, 경업이 아무리 용맹한들 손에 촌
[B]│ _{작고 날카로운 쇠붙이나 무기}
│ 철이 없는지라. 여러 번 맞아 거의 죽을 정도로 다쳤으매 자점이 용사들을 분부하여
└ 경업을 옥에 가두고 금부로 가니라.

● 정답과 해설 44쪽

확인 문제

[01~02] 다음 설명이 맞으면 ○, 틀리면 ✕표 하시오.

01 임경업은 세자와 대군이 자신을 옥에 가두었다고 믿고 있었다. (○, ✕)

02 김자점은 임경업을 쉬게 하라는 임금의 명령을 따르지 않았다. (○, ✕)

[03~04] 다음 빈칸에 들어갈 알맞은 말을 쓰시오.

03 김자점은 □□ 에게 임경업에게 호의적인 행동을 하지 못하도록 지시하였다.

04 김자점의 흉계를 알게 된 임경업은 스스로 옥을 □□ 하여 임금을 뵙고 청죄하였다.

실력 문제

05 ^{서술} 윗글에 대한 설명으로 적절한 것은?

① 인물들의 대립 구도를 통해 이야기의 흥미를 높이고 있다.
② 서술자의 개입을 통해 앞으로 일어날 일을 암시하고 있다.
③ 배경의 변화를 구체적으로 묘사하여 인물의 심리를 드러내고 있다.
④ 적대자와의 도술 대결을 통해 주인공의 영웅적인 면모를 부각하고 있다.
⑤ 초월적 존재의 도움으로 악인의 횡포를 징벌함으로써 권선징악의 주제를 드러내고 있다.

06 ^{인물·사건} ㉠의 역할로 가장 적절한 것은?

① 임경업이 몰랐던 정보를 제공한다.
② 임경업의 불쌍한 처지를 임금께 알린다.
③ 임경업이 누명을 벗도록 그를 풀어 준다.
④ 김자점의 명령을 받아 임경업을 탄압한다.
⑤ 임경업과 김자점의 갈등 상황을 중재한다.

07 ^{서술} [A]에 나타난 말하기 방식에 대한 설명으로 가장 적절한 것은?

① 고사를 인용하여 자신이 처한 상황을 구체적으로 제시하고 있다.
② 자신이 겪은 지난 일을 요약적으로 제시하여 자신의 심정을 전달하고 있다.
③ 주변에서 쉽게 볼 수 있는 자연물에 자신의 감정을 의탁하여 드러내고 있다.
④ 자신의 심정을 실제 느끼는 것과 반대로 표현하여 자신의 속마음을 감추고 있다.
⑤ 대상을 의도적으로 우스꽝스럽게 묘사하여 대상에 대한 자신의 심리를 강조하고 있다.

08 ^{인물·사건} [B]를 이해한 내용으로 적절하지 <u>않은</u> 것은?

① 김자점의 비열하고 난폭한 성격이 드러나는군.
② 김자점의 계략으로 임경업이 죽을 위기에 처하였군.
③ 김자점은 임경업을 해하기 위해 심복들을 미리 준비시켜 놓았군.
④ 임경업은 아무런 무기도 없어서 갑작스러운 공격에 대응하지 못했군.
⑤ 임경업은 심하게 다쳤기 때문에 김자점의 심복들에게 속수무책으로 당하였군.

09 ^{인물·사건} 윗글을 연극으로 재구성할 때, ⓐ~ⓔ를 연기하는 배우에게 할 수 있는 말로 적절하지 <u>않은</u> 것은?

① ⓐ: 자신이 옥에 갇힌 상황을 세자와 대군이 알고 있는지 모르고 있는지 답답해하는 모습을 보여 주세요.
② ⓑ: 기쁜 얼굴로 임경업을 맞이하면서도 임경업이 벌을 청하는 상황에 어리둥절한 표정을 지어 주세요.
③ ⓒ: 많은 어려움을 딛고 임금을 다시 만나게 된 것에 감격스러워하는 표정을 보여 주세요.
④ ⓓ: 크게 분노한 표정과 큰 목소리로 김자점에게 호통치는 모습을 보여 주세요.
⑤ ⓔ: 차분한 목소리에 타이르는 듯한 어조로 김자점을 설득하는 모습을 보여 주세요.

임경업전 ④

자 이때 대군이 시자(侍者)더러 묻기를,
_{귀한 사람을 모시고 시중드는 사람}

"임 장군이 입성하였으나 지금 어디 있느뇨?"

시자가 대답하기를,

"소인 등은 모르나이다."

대군이 의심하여 바삐 입궐하여 경업의 거처를 묻되, 상이 수말을 이르시니 대군이 아
_{일의 시작과 끝}
뢰기를,

"자점이 이런 만고 충신을 해하려 하오니 이는 역적이라. 엄중히 다스리소서."

하고, 명일을 기다려 친히 경업에게 가 보려 하시더라.
_{내일}

차시, **경업이 자점에게 매를 많이 받아** 천명이 다하게 되매 분기대발하여 신음하다 죽
_{이때} _{분한 생각이나 기운이 크게 일어나}
음을 맞으니, 그때 나이 사십팔 세요, 기축(己丑) 9월 26일이라.

절정 3 흉계가 드러난 김자점에 의해 임경업이 억울하게 죽음

결말

차 이때 임 장군이 돌아오는 소식이 고향에 미치매, 자손 친척들이 그 기별을 듣고 크
_{다른 곳에 있는 사람에게 소식을 전함. 또는 소식을 적은 종이}
게 기뻐하여 동생 삼 형제와 아들 삼 형제 등이 급히 경성에 이르니 이미 죽었는지라. 일

행이 시체를 붙들고 천지를 부르짖어 통곡하니, **행인도 낙루치 않을 이 없더라.** 상이 승
_{소리를 높여 슬피 우니} _{눈물을 흘리지}
지를 보내어 위문하시고, 대군이 친히 나아가 조문하시며 예관(禮官)을 보내사,

"삼 년 제사를 받들라."

하시니라.

자점은 경업을 모함한 죄로 제주에 안치하시고, 그 무리 등은 삼수, 갑산, 진도, 거제,
_{조선 시대에, 먼 곳에 보내 다른 곳으로 옮기지 못하게 주거를 제한하던 일. 또는 그런 형벌}
흑산도, 금갑도에 정배하시다.
_{죄인을 지방이나 섬으로 보내 정해진 기간 동안 그 지역 내에서 감시를 받으며 생활하게 하던 일. 또는 그런 형벌} _{생각이나 행동이 괘씸하고 엉큼한}
자점이 반심을 품은 지 오래된 데다가 외딴섬에 안치되매 더욱 앙앙(怏怏)하여 불측한
_{배반하려고 하는 마음} _{매우 마음에 차지 아니하거나 야속하여}
마음이 나타나거늘, 우의정 이시백이 자점의 일을 아뢰니, 상이 놀라 금부도사를 보내 엄

하게 형벌을 하여 국문한 후 옥에 가두었더라.
_{국청에서 형장을 가하여 중죄인을 신문한}
이날 밤 한 ㉠꿈을 얻으시니, 경업이 나와 아뢰기를,

"흉적 자점이 소신을 죽이고 반심을 품어 거의 일이 되었사오니 바삐 국문하옵소서."

하고 울며 가거늘, 상이 놀라 깨달으시니 경업이 앞에 있는 듯한지라. 상이 슬픔을 이기

지 못하시고 날이 밝으매 자점을 올려 국문하시니, 자점이 자복하여 **역심을 품은 일과 경**
_{저지른 죄를 자백하고 복종하여}
업을 모해한 일을 승복하거늘, 상이 노하여 자점의 삼족을 다 내어,
_{꾀를 써서 남을 해친} _{죄를 스스로 고백하거늘} _{부모, 형제, 처자를 통틀어 이르는 말}
"저자 거리에서 죽이라."

하시고,

"그 무리를 다 문죄하라."

하시며, 경업의 자식들을 불러 하교하기를,

"너희 아비가 자결한 줄로 알았더니, 꿈에 와 '자점의 모해로 죽었다.' 하기로 내어 주나

니 **원수를 갚으라.**"

하시다.

결말 꿈속에서 임경업을 만난 임금이 김자점을 처형함

확인 문제

[01~02] 다음 설명이 맞으면 ○, 틀리면 ×표 하시오.

01 대군은 김자점을 의심하여 임경업에게 옥에 갇힌 경위를 물었다. (○, ×)

02 우의정 이시백은 김자점이 반심을 품은 사실을 왕에게 알렸다. (○, ×)

[03~04] 다음 빈칸에 들어갈 알맞은 말을 쓰시오.

03 임경업은 김자점에게 매를 많이 맞아 신음하다 ㅈ ㅇ 을 맞이하였다.

04 임금은 ㄲ에 나타난 임경업의 말을 듣고 김자점이 역심을 품고 임경업을 모해한 일을 밝혀냈다.

 실력 문제

05 윗글에 대한 설명으로 적절하지 <u>않은</u> 것은? [서술]

① 인물의 회상을 통해 과거와 현재를 교차시키고 있다.
② 주인공의 죽음을 제시하여 작품의 비극성을 고조하고 있다.
③ 사건이 일어난 날짜를 구체적으로 밝혀 사실감을 높이고 있다.
④ 악인의 횡포를 징벌함으로써 권선징악의 세계관을 드러내고 있다.
⑤ 서술자가 작품 속의 상황과 사건을 전지적 작가 시점으로 전달하고 있다.

06 ㉠에 대한 이해로 가장 적절한 것은? [배경·소재]

① 임경업의 죽음의 진실을 밝히고 있다.
② 임금의 비극적 죽음을 암시하고 있다.
③ 임금과 임경업의 갈등을 해소하고 있다.
④ 임금에 대한 임경업의 섭섭한 마음을 전달하고 있다.
⑤ 임경업이 원수를 갚기 위해 부활할 것임을 예고하고 있다.

07 윗글의 내용과 일치하지 <u>않는</u> 것은? [인물·사건]

① 대군은 김자점이 임경업을 해칠 것을 염려하였다.
② 임금은 임경업이 자결한 줄 알고 승지를 보내어 위문하였다.
③ 임경업이 충신임을 인정하는 대군은 그의 죽음을 예우하였다.
④ 우의정 이시백은 임경업이 임금의 꿈에 나타날 것을 미리 알고 있었다.
⑤ 임경업의 자손과 친척들은 임경업이 죽었다는 사실을 모른 채 경성에 이르렀다.

수능형

08 〈보기〉를 참고하여 윗글을 감상한 내용으로 적절하지 <u>않은</u> 것은? [주제]

> **보기**
>
> 이 작품은 민중이 살아가는 현실과 그 속에서 민중이 지닌 소망을 동시에 반영하고 있다. 보잘것없는 집안에서 태어나 장원 급제한 후 위기로부터 나라를 구한 주인공은 민중의 소망이 반영된 영웅이다. 그런데 그 민중적 영웅이 뜻을 이루지 못한 채 비극을 맞이한다는 설정은 부정적 현실을 보여 주는 한편, 나라가 위기에 처했는데도 사리사욕만 채우던 무능한 지배층에게 그 책임을 돌림으로써 민중의 분노를 담아낸 것이다.

① 민중적 영웅인 '경업이 자점에게 매를 많이 받아' 비극을 맞이했다는 설정은 부정적 현실의 책임이 지배층에게 있음을 나타낸 것이군.
② 임경업의 죽음을 본 '행인도 낙루치 않을 이 없더라.'라는 부분에서 민중의 소망이 반영된 영웅을 잃은 슬픔을 엿볼 수 있군.
③ 김자점이 '역심을 품은 일'을 꾸미고 있었다는 사실은 나라의 위기에도 사리사욕만 채우던 지배층의 모습을 보여 주는 것이군.
④ 임금이 김자점의 삼족을 '저자 거리에서 죽이라.'라고 명령한 것은 지배층에 대한 민중의 분노를 담은 것이군.
⑤ 임금이 임경업의 자식들에게 '원수를 갚으라.'라고 한 것은 책임을 돌리는 지배층의 무능한 모습을 나타낸 것이군.

작품 전체

발단	전개	위기	절정💀	결말💀
무과에 급제한 임경업이 가달을 물리쳐 용맹을 떨침	호국이 임경업을 피해 함경도로 들어와 세자와 대군을 인질로 잡아감	호왕이 임경업에게 명을 치도록 요구하지만, 임경업은 명과 내통하여 거짓 항복을 받음	호군에게 잡힌 임경업은 ^❶[ㅎ][ㅇ]을 탄복시켜 귀국하나, 김자점에 의해 억울하게 죽음	^❷[ㄲ] 속에서 임경업을 만난 임금이 김자점을 처형하고, 임경업의 충의를 포상함

💀: 교재 수록 부분

작품 압축

■ 인물의 성격과 가치관

임경업	• ^❸[ㅇ][ㅇ]적 인물 • 의연하고 당당한 태도를 갖춤 • 충절이 깊고 재치로 난관을 극복함
호왕	• 호국(청나라)의 왕 • 충성심과 절개, 의리를 중요하게 여김 • 임경업의 충절에 감동받아 그를 ^❹[ㅂ][ㅁ]로 삼으려 함
김자점	• 임경업을 역적으로 몰아 모함하는 ^❺[ㄱ][ㅅ] • 흉계에 능하며 비열하고 난폭함

■ 인물 간의 갈등 양상

	임경업과 호왕	임경업과 김자점
갈등 내용	호왕이 권위를 내세워 임경업에게 ^❻[ㅎ][ㅂ]을 요구함	김자점이 역모에 방해가 되는 임경업을 죽이고자 함
해소 과정	호왕이 임경업의 충절에 탄복하여 임경업의 요구대로 세자와 대군을 풀어 주고, 임경업도 귀국할 수 있도록 함	김자점의 ^❼[ㅇ][ㅁ]로 죽은 임경업이 임금의 꿈에 나타나 사실을 밝히고, 임금은 김자점을 처형한 뒤 임경업의 충의를 포상함

인물·사건

배경·소재   주제

■ 작품에 반영된 시대상

^❽[ㅂ][ㅈ][ㅎ][ㄹ]	조선 인조 14년(1636년)에 청나라가 침입한 난리

⇊

인조의 굴욕적인 항복	삼전도에서 청나라에 항복하고 신하의 예를 행하기로 한 인조의 모습이 작품 속에 반영되어 있음
강화도의 함락	병자호란 때 강화도가 함락된 후 대군과 궁중 비빈이 청나라의 포로로 잡혀갔던 모습이 작품 속에 반영되어 있음

■ 작품에 반영된 민중 의식과 주제

민중 의식	주제
역사적 사실과 실존 인물을 바탕으로 허구적 사건을 더하여 병자호란의 치욕으로부터 벗어나고자 하는 민중의 심리를 담음	⇒ 호국에 대한 정신적 승리감
나라를 걱정하는 마음보다 개인의 사리사욕만을 채우려 하는 간신 때문에 임경업과 같은 영웅이 희생된 현실을 반영함	⇒ 영웅의 ^❾[ㅂ][ㄱ]적 일생과 지배층에 대한 비판 의식

어휘력 테스트

1 제시된 뜻과 예문을 참고하여 다음 초성에 해당하는 단어를 괄호 안에 써 보자.

(1) ㄱㄱ : 요리조리 헤아려 보고 생각해 낸 꾀

예 철수는 나를 골탕 먹이려고 (   )를 꾸몄다.

(2) ㅈㄱ : 신념, 신의 따위를 굽히지 아니하고 굳게 지키는 꿋꿋한 태도

예 그는 어떠한 역경 속에서도 변절하지 않고 (   )로 충성을 다하였다.

(3) ㄱㅂ : 다른 곳에 있는 사람에게 소식을 전함. 또는 소식을 적은 종이

예 민수는 급히 오라는 (   )을 받고 고향으로 갔다.

2 다음 〈보기〉의 뜻을 참고하여 십자말풀이를 완성해 보자.

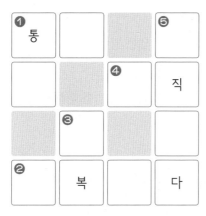

보기

가로
❶ 소리를 높여 슬피 욺
❷ 죄를 스스로 고백하다.
❹ 먼 길을 떠날 때 웃어른께 작별을 고하는 것

세로
❶ 원통하고 분함
❸ 매우 감탄하여 마음으로 따름
❺ 마음이 꿋꿋하고 곧다.

독해쌤과 함께하는 감상 넓히기

전쟁을 배경으로 영웅의 활약을 다룬 작품

이번에 감상한 「임경업전」은 전쟁 이야기를 다룬 군담 소설이면서 영웅의 일대기를 다룬 영웅 소설이에요. 고전 소설 중에는 전쟁에서 영웅이 활약하는 내용의 작품들이 많아요. 「임경업전」과 유사하게 간신의 등장은 필수적이랍니다. 이러한 고전 소설들을 더 감상해 볼까요?

조웅전_작자 미상
중국 송나라를 배경으로 충신 조웅이 역적 이두병을 처단하고 태자를 복위시켜 나라를 구한다는 내용을 다룬 소설입니다. 영웅의 일대기 형식에 따른 주인공의 비범한 면모와 자유연애의 애정관이 잘 드러나 있는 작품입니다.

유충렬전_작자 미상
중국 명나라를 배경으로 충신 유충렬과 간신 정한담 간의 갈등을 중심으로 전개되는 소설입니다. 간신 때문에 고난을 당하는 유충렬이 전란 중에 큰 공을 세워 명예를 되찾는 과정을 통해 권선징악의 주제를 강조한 작품입니다.

성난 기계 ① _차범석

독해쌤의 감상 질문

1. 인물·사건 '기계'와 '성난 기계'가 상징하는 인물의 모습은 무엇인가요?
2. 배경·소재 '알맹이', '포장'에 담긴 의미는 무엇인가요?
3. 형상화 방식 이 작품에 나타난 서술상의 특징은 무엇인가요?
4. 주제 이 작품이 인물의 변화를 통해 말하고자 하는 바는 무엇인가요?

독해쌤 속 닥 속 닥

◆ 이 작품은 병원이라는 공간에서 폐 수술 여부를 두고 의사(회기)와 간호사(금숙), 환자 내외(인옥, 상현)의 대사를 통해 사건이 전개되는 단막극이에요. (가)에서 회기는 인옥의 폐 수술 요청을 냉정하게 거절하며 기계적으로 대응하고 있네요. 근본적인 것은 해결해 주지 않은 채 일회적인 처방만 내려 주는 회기를 인옥은 어떻게 바라보고 있는지 생각해 보아요.

앞부분 줄거리 폐 전문 외과 의사인 양회기는 담배 공장의 포장공으로 일하는 인옥에게서 폐 수술을 요청받는다. 그러나 수술 결과에 대해 책임을 지게 되는 것을 우려한 회기는 수술을 거절한다.

전개

가 회기: (ⓐ   ) 나는 환자의 생명을 구해 줌으로써 기쁘게 해 주겠다거나 사회를 위해서 선심을 쓰겠다는 생각은 없소. 나도 이 병원에서 월급을 받고 일하는 고용인이니까, 댁과 마찬가지로……
남에게 베푸는 후한 마음

인옥: (ⓑ   ) 그러니 수술을 해 주시면 되잖아요?

회기: (ⓒ   ) 원래 나는 자신 없는 일엔 손을 안 대는 성질이오.

인옥: 환자가 죽어 가도 말씀이에요?

회기: 그렇다고 내가 죽일 수는 없소. 나는 나를 위해서 사는 거지, 그 누구를 위해서 사는 사람은 아니니까.

인옥: (안타깝게) 선생님……

회기: 댁이 공장에서 담배를 사서 피울 사람을 생각하지 않는 것과 마찬가지 이치지요. 그렇잖아요?

인옥: (ⓓ   ) 선생님은 냉정하시군요…… ㉠기계처럼…….

이때 금숙의 표정이 크게 동요된다.

[A]
┌ 회기: (창밖으로 시선을 돌리며) 직업이란 사람을 기계로 만들게 마련이죠. 댁의 손처럼…….
│ 인옥: 그리고 내 손처럼……. (이제는 눈물도 말라 버린 표정으로) 그렇다고 마음까지 기계가 될 수는 없잖아요? …… (서서히 일어서며) 어두운 공장에서 담배 개비를 스무 개씩 집어넣는 것은 내 손이지만, 제 마음은 언제나 어린것들을 생각하고 나를 생각했어요…… 어떻게 하면 살 수 있을까 하고…….
└

회기: (약간 감동하며) 내 얘기가 좀 지나쳤는지 모르지만 나는 결코 댁이 죽어도 좋다는 것은 아닙니다. 그 대신 좋은 약을 소개해 드릴 테니 써 보세요.

인옥: (혼잣말처럼) ㉡알맹이는 어찌 되었든 ㉢포장만 그럴싸하게 꾸미라는 말이군요…….. 늘 듣던 얘기지.

회기: (ⓔ   ) 그런 뜻이 아니라…….

확인 문제

[01~03] 다음 설명이 맞으면 ◯, 틀리면 ✕표 하시오.

01 이와 같은 갈래의 작품은 공간적 배경과 등장인물 수에 제약이 있다. （◯, ✕）

02 이 작품은 환상적인 공간을 설정하여 현대 사회의 모습을 우회적으로 비판한다. （◯, ✕）

03 회기는 인옥의 수술을 두고 자신의 명성과 직업의식 사이에서 내적 갈등을 하고 있다. （◯, ✕）

[04~05] 다음 빈칸에 들어갈 알맞은 말을 쓰시오.

04 회기는 ㅈㅅ 없다는 이유로 인옥의 수술 요청을 거절하였다.

05 인옥은 이제까지 가족을 위해 담배 ㄱㅈ에서 힘들게 일하며 자신을 희생하는 삶을 살아왔다.

실력 문제

06 윗글에 등장하는 인물에 대한 설명으로 적절하지 않은 것은?　[인물·사건]

① 금숙은 인옥의 말을 듣고 마음이 흔들린다.
② 회기는 이기적이고 개인적인 태도를 보인다.
③ 회기는 인옥의 수술이 쉽지 않다고 판단한다.
④ 인옥은 공장에서 담배 개비를 넣는 일을 한다.
⑤ 인옥은 자신의 상황을 비관하여 삶의 의지를 잃는다.

07 ㉠에 담긴 의도로 가장 적절한 것은?　[주제]

① 합리적인 의사 결정에 대한 수긍
② 객관적이고 정확한 판단에 대한 찬사
③ 냉정하고 비인간적인 태도에 대한 비판
④ 빈틈없이 완벽한 수술 실력에 대한 감탄
⑤ 경제적 이익만 추구하는 모습에 대한 분노

08 ㉡과 ㉢이 의미하는 바로 적절한 것은?　[배경·소재]

	㉡	㉢
①	손	마음
②	나	어린것들
③	육체	정신
④	내면	겉모습
⑤	좋은 약	수술

09 ⓐ～ⓔ에 들어갈 지시문으로 적절하지 않은 것은?　[형상화 방식]

① ⓐ: 조소하는 태도로
② ⓑ: 다시 애원하며
③ ⓒ: 냉정하게
④ ⓓ: 공감한다는 듯이
⑤ ⓔ: 약간 난처해하며

[수능형]

10 [A]와 〈보기〉를 비교한 내용으로 적절하지 않은 것은?　[형상화 방식]

> **보기**
>
> 회기는 창밖으로 시선을 돌렸다.
> "직업이란 사람을 기계로 만들기 마련이죠. 댁의 손처럼……."
> 인옥은 이제는 눈물도 말라 버린 표정으로 말하였다.
> "그리고 내 손처럼……. 그렇다고 마음까지 기계가 될 수는 없잖아요? ……"
> 인옥은 자리에서 일어서며 어두운 공장에서 담배 개비를 스무 개씩 집어넣는 것은 자신의 손이지만, 마음은 언제나 어린것들을 생각하고 자신을 생각했다고 읊조렸다. 어떻게 하면 살 수 있을까라는 생각만 했다고 말하는 인옥은 비통한 심정이었다.

① [A]는 〈보기〉와 달리 무대 상연을 전제로 한다.
② [A]는 〈보기〉와 달리 사건을 현재형으로 제시한다.
③ 〈보기〉는 [A]와 달리 인물의 행동을 서술자가 묘사한다.
④ [A]와 〈보기〉 모두 서술자가 인물의 심리를 직접적으로 제시한다.
⑤ [A]와 〈보기〉 모두 주로 인물 간의 갈등을 바탕으로 사건이 전개된다.

성난 기계 ❷

나 금숙: 아까 그 환자에게 대해서 너무 냉담하신 것 같았어요…… 가엾잖아요?
<u>태도나 마음씨가 동정심 없이 차가우신</u>

회기: 가엾은 건 나 자신일지도 모르지…….

금숙: 하지만 지금까지 어느 환자에게도 수술을 거절해 보신 일도 없었거니와 실수도 없

었잖아요……. 그런데 왜 그렇게 완고하게 거절하셨어요?
<u>융통성이 없이 올곧고 고집이 세게</u>

회기: ㉠(어둡고 침울한 표정으로 변하며) 내가 냉정했을까?

금숙: 그 환자는 선생님을 원망하고 있을 거예요…….

회기: (깊은 생각에 잠기며) 세상은 참 묘한 거야……. 사람들은 '의(醫)는 인술(仁術)'이니
<u>사람을 살리는 어진 기술이라는 뜻으로, '의술'을 이르는 말</u>
뭐니 하여 의사를 무슨 절대적인 존재처럼 신성시하지만, 나 자신은 조금치도 그런 실
감이 안 나거든……. 여자건, 남자건, 미인이건, 늙은이건 닥치는 대로 배를 가르고 갈
비뼈를 떼어 내어 썩은 폐 조각을 잘라 내는 하나의 노동을 하고 있는 데 불과하니 말
야…….

* 회기는 의술을 '인술(仁術)'이 라고 여기는 데 동의하지 않고 기계적인 노동에 불과하다고 말하고 있어요. 앞서 인옥이 회기에게 '기계' 같다고 한 말이 떠오르네요.

금숙: 그렇게 해서 귀중한 생명을 건져 내지 않아요?

회기: 그러나 나는 지금까지 그와 같은 목적을 의식하면서 수술을 한 적은 없었어! 5년 전
에 미국에 건너가서 폐 외과를 전공할 때도, 지금까지 우리나라에서는 못 해 본 수술을
해 본다는 호기심과 이걸 배워 가지고 가면 내 존재가 뚜렷해진다는 공명심은 있었지
<u>공을 세워 자기의 이름을 널리 드러내려는 마음</u>
만, 인간을 구하느니 하는 도의심 따위는 느껴 보지도 못했거든! (하며 담배 연기를 푹푹
<u>사람이 마땅히 행하여야 할 도덕적 의리를 소중히 여기는 마음</u>
뱉는다.)

> **전개** 회기는 수술 결과에 자신이 없다며 인옥을 돌려보냄

다 **절정** 상현: 실은 제 처가 나와는 한마디 의논도 없이 수술을 받겠다고 서두르고 있어서
요…….

회기: 그래요…….

* (나)와 (다) 사이에는 간호사 금숙의 회기에 대한 애정이 드러나는 내용과 수술을 거절했다는 회기의 말에 인옥의 남편 상현이 안심하는 내용이 생략되어 있어요.

상현: 글쎄, 그게 될 말입니까? 다른 병이면 또 모르지만 폐를 함부로 떼어 내고 갈아 내
어서야 되겠어요? 게다가 요즈음 세상은 돈 있고 병 치료도 하는 법이지……. 그런 돈
이 어디 있겠습니까…….

회기: 그렇지만 치료빈 걱정할 필요가 없다던데요?

상현: ㉡(완강히 부인하며) 그럴 리가 있습니까! 우리 내외가 죽어라 벌어도 어린것들하고
겨우 풀칠하는 판국인데……. 그런 돈 있으면…….

회기: ㉢(잠시 생각 끝에) 그럼, 선생께서는 부인의 병을 고치지 않아도 좋단 말씀인가요?

* 상현이 아내의 수술을 반대하는 근본적 이유는 결국 돈과 관련되어 있어요. 상현은 생계 때문에 아내가 감독관에게 잘 보여야 하는 상황을 방치하고 있기도 해요. 이러한 이유로 아내의 수술 거부를 요청하는 상현에게 회기는 어떤 반응을 보일지 예상하며 이어지는 내용을 계속 감상해 보아요.

상현: ㉣(약간 당황하며) <u>부끄러운 얘기지만…….</u> 내 벌이라는 게 처가 공장에서 나올 때
속옷이나 치마폭에 감춰 가지고 나오는 담배를 팔아야만……. ㉤(회기와 시선이 마주치
자 멋쩍게 웃으며) 하지만, 그게 어디 쉽습니까? 감시가 이만저만이라야죠.
<u>어색하고 쑥스럽게</u>

회기: 그것만으로 생활비가 나올까요?

상현: 그러니 자연히 감독관에게 곱게 보여야만…….

> **절정** 상현은 돈과 아내의 부정을 이유로 인옥의 수술을 반대함

확인 문제

[01~02] 다음 설명이 맞으면 ○, 틀리면 ×표 하시오.

01 회기는 공명심을 가지고 외과 의사 생활을 하고 있다. (○, ×)

02 상현의 아내 인옥은 가난한 형편 때문에 수술을 망설이고 있다. (○, ×)

[03~04] 다음 빈칸에 들어갈 알맞은 말을 쓰시오.

03 회기는 폐 수술을 하는 의료 행위를 하나의 ㄴㄷ에 불과하다고 말하고 있다.

04 상현은 아내가 공장에서 몰래 숨겨 나온 ㄷㅂ를 팔아 벌이를 하고 있다.

실력 문제

05 윗글을 통해 알 수 있는 사실로 적절하지 <u>않은</u> 것은? 〔인물·사건〕

① 상현은 아내와 갈등을 겪고 있다.
② 상현은 회기의 수술 실력을 의심하고 있다.
③ 금숙은 회기의 의사로서의 능력을 믿고 있다.
④ 상현의 아내는 가정의 생계를 책임지고 있다.
⑤ 회기는 수술을 기계적인 노동에 지나지 않다고 생각하고 있다.

06 〈보기〉는 '상현'이 아내의 수술을 반대하는 이유를 정리한 것이다. 빈칸에 들어갈 내용으로 적절한 것은? 〔인물·사건〕

┌─ 보기 ─┐

표면적 이유	근본적 이유
폐는 함부로 떼어 내고 갉아 내어서는 안 됨	( )

① 공장에서 허락하지 않음
② 수술하는 데 쓸 돈이 없음
③ 감독관의 도움을 받고 싶지 않음
④ 자신과 수술에 대해 의논하지 않음
⑤ 자식들이 아내의 수술을 원하지 않음

07 ㉠~㉤에 대한 연출자의 지시로 적절하지 <u>않은</u> 것은? 〔형상화 방식〕

① ㉠: 자신의 결정에 대한 회의감이 느껴지는 어조로 대사를 해 주세요.
② ㉡: 다소 과장된 몸짓으로 펄쩍 뛰듯이 연기해 주세요.
③ ㉢: 상대방의 의사를 분명하게 확인하려는 태도로 대사를 해 주세요.
④ ㉣: 자신의 속마음을 들켜 어쩔 줄 몰라 하는 표정을 지어 주세요.
⑤ ㉤: 회기의 시선에 주눅 들지 말고 자부심이 느껴지는 어조로 대사를 해 주세요.

수능형

08 〈보기〉를 바탕으로 윗글을 이해한 내용으로 적절하지 <u>않은</u> 것은? 〔주제〕

┌─ 보기 ─┐

이 작품에서는 전쟁 이후의 비정한 현실과 그러한 현실에 종속되어 버린 인간을 발견할 수 있다. 비정한 현실은 인간의 삶을 비참하게 만들며, 인간의 태도나 의식에까지 영향을 미치고 있는데, 한편으로는 그러한 현실에 종속되지 않은 인물이 등장하여 비정한 현실이 극복될 수 있는 단서가 되고 있다.

① 상현과 상현의 아내가 처한 상황을 통해 비정한 현실이 인간의 삶을 비참하게 만들었음을 확인할 수 있다.
② 상현의 아내를 가엾게 여기는 금숙의 말에서 비정한 현실에 종속되지 않은 인물의 모습을 확인할 수 있군.
③ 아픈 환자의 수술을 냉정하게 거절하는 회기의 행동에서 비정한 현실에 종속된 인물의 모습을 확인할 수 있군.
④ 의사로서 도의심을 느껴 보지 못하였다는 회기의 말에서 비정한 현실이 인간의 의식에 영향을 미쳤음을 확인할 수 있군.
⑤ 수술할 돈이 없으면서 치료비는 걱정 없다는 상현의 아내의 말에서 비정한 현실이 극복될 수 있는 단서를 발견할 수 있군.

성난 기계 ③

라 회기: (미심쩍게) 내가 알기엔 부인께서는 가족을 위해서 수술을 받아야겠다고 한사
코 고집하는 것을……. / 상현: 아닙니다. 그건…….

회기: (조용하나 위엄 있게) 그렇지만, 내버려 두면 부인께서 어떻게 된다는 건 아시고 계
시죠?

상현: (냉혹하게) 별수 없죠! 죽고 사는 건 인력으로 막을 수 없으니까.

회기: (뭉클 불쾌감이 솟으며) 아니, 그럼 부인이 죽어도 괜찮단 말이오?

상현: 어차피 죽을 목숨이라면……. 그대로 두는 게죠. 그 돈이 있으면 나와 어린것들이
살아날 수 있으니까요!

회기: (노골적으로 분노를 터뜨리며) 그건 너무 심하지 않소?

상현: (반항적으로) 심한 건 내 아내죠. 그 병이 어떤 병이라고 수술을 합니까? 그것도
공으로 한다면 또 모르지만, 돈 쓰고 저 죽고 하면, 남은 우리들은 어떻게 살아가라고.
선생님! 그러니 나는…….

회기: (외치며) 그건 살인이나 다름없소…….

이 말이 떨어지자 금숙이는 의아한 표정으로 회기를 쳐다본다.

상현: 뭐라구요?

회기: (강하게) 아내가 죽어 가도 내버려 두는 법이 어디 있단 말이오?

상현: (처음에 지녔던 겸손과 비굴은 찾아볼 수 없는 태도로) 참견 마세요! 내 처를 내가 죽
이건 살리건 무슨 걱정이오! 나 살고 남도 있지! (불쑥 일어서서 손가방을 쥐며) 아무튼
실례했습니다! (하며 문을 탁 닫고 나가 버린다.)

> **하강** 회기는 인옥의 죽음을 방치하려는 상현의 비인간적인 모습에 분노함

대단원

마 회기는 감전된 사람처럼 멍하니 서 있고 금숙이는 회기를 주시하고만 있다. 무거운 침묵
이 흐른다.

회기: (여전히 허공을 바라보며) 미스 정! / 금숙: 예?

회기: 아까 그 환자의 주소 알지! / 금숙: 예, 접수부를 보면…….

회기: 좋아! 그럼 속달 우편으로 보내요. / 금숙: 예? (하며 가까이 온다.)

회기: 수술을 받고 싶으면 편지 받는 즉시 찾아오라고!

금숙: (놀라운 표정으로) 아니, 그렇지만…….

회기: (속삭이듯) 자신은 있어! 그 대신 수혈(輸血)용 혈액을 충분히 준비할 것을 잊지 말
어! 알겠어?

금숙: (빙그레 웃으며) 선생님, 웬일이세요?

회기: 응? (가볍게 웃으며) 이번 환자는 꼭 살려 보고 싶은 의욕이 생기는군! / 금숙: 왜요?

회기: (분노를 띠며) 그 친구에게 살해당할 바엔 내가 맡아서 살리지! 참을 수 없는 모욕을
당한 것 같아!

금숙: (흘긋 쳐다보며) 기계가 노하셨네요…….

◆ (라)에서 가난한 처지를 이유로 아내의 수술을 반대하고 자신과 자식들이 살아갈 궁리만 하는 상현의 모습은 인간성을 상실한 오늘날의 세태를 떠올리게 해요.

◆ 비정한 상현의 모습에 회기는 분노를 느껴요. 정확하고 빈틈없지만 감정을 보이지 않는 '기계' 같던 회기가 성이 난 거지요. 이제 회기는 어떤 선택을 하게 될지 이어지는 내용을 계속 감상해 보아요.

◆ 회기는 인옥을 살리기로 결심하네요. 인옥이 수술을 해 달라고 애원할 때에는 비인간적인 모습을 보였었는데 말이죠. 이러한 회기의 변화를 통해 작가가 전하고자 하는 바를 생각해 보아요.

분명하지 못하여 마음이 놓이지 않는 데가 있게
사람의 힘
숨김없이 모두를 있는 그대로 드러내는
힘을 들이거나 대가를 치르지 않고 거저
의심스럽고 이상한
어떤 목표물에 주의를 집중하여 보고만
빨리 배달함. 또는 그런 것
치료를 위하여, 건강한 사람의 혈액을 환자의 혈관 내에 주입하는 것

회기: 잔소리 말고, 편지나 어서 써!

금숙: 예! (하며 제자리에 앉아 편지를 쓰기 시작한다. 회기는 상현이가 두고 간 담배갑을 발견하자, 담배 한 개비를 빼더니 물끄러미 바라본다.)

회기: (혼잣소리로) ㉠담배는 포장도 중요하지만 알맹이가 좋아야지!

금숙: (편지를 쓰다 말고) 그 담배만은 진짜겠지요…… 공장에서 직접 나왔을 테니까…….

회기: 그렇지! (하며 라이터 불을 켠다.)

대단원 회기는 금숙을 시켜 인옥에게 수술을 받으러 오라는 편지를 보냄

 확인 문제

[01~02] 다음 설명이 맞으면 ○, 틀리면 ✕표 하시오.

01 상현은 회기가 자신을 노골적으로 비난하자 비굴한 태도를 보이고 있다. (○, ✕)

02 이 작품은 현대인의 인간성 상실을 비판하면서도, 한편으로는 인간성 회복의 가능성을 제시하고 있다. (○, ✕)

[03~04] 다음 빈칸에 들어갈 알맞은 말을 쓰시오.

03 회기는 아내의 죽음을 방치하려는 상현의 비인간적인 태도에 ㅂㄴ하였다.

04 회기는 금숙에게 인옥 앞으로 ㅅㅅ을 받으러 오라는 편지를 보내도록 하였다.

 실력 문제

형상화 방식

05 윗글의 특징으로 적절하지 않은 것은?

① 중심인물의 태도 변화가 드러나 있다.
② 상징적 소재를 활용하여 주제를 드러내고 있다.
③ 전반부와 후반부의 대립적 구조가 나타나 있다.
④ 소수의 등장인물 사이에서 벌어진 사건을 다루고 있다.
⑤ 갈등의 양상이 공간적 배경의 변화에 따라 달라지고 있다.

배경·소재 + 주제

06 ㉠을 이해한 내용으로 적절하지 않은 것은?

① 작품의 주제 의식을 드러내는 역할을 한다.
② 겉과 속이 모두 인간다워야 한다는 의미이다.
③ 대단원에 이르러 회기가 얻게 된 깨달음의 내용이다.
④ '포장'은 인간의 외면을, '알맹이'는 인간의 내면을 의미한다.
⑤ '포장'은 상현의 비정함을, '알맹이'는 금숙의 인간미를 상징한다.

인물·사건 + 주제

07 〈보기〉는 이 작품의 제목인 '성난 기계'의 의미를 정리한 것이다. 빈칸에 들어갈 내용으로 적절한 것은?

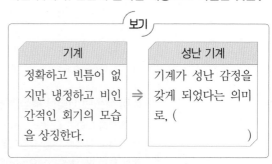

① 회기가 수술에 실패하여 의사로서의 명성을 잃게 되었음을 의미한다.
② 회기가 비정한 현실에 좌절하여 인간성을 상실하게 되었음을 의미한다.
③ 회기가 인간성을 회복하고 타인의 고통을 이해하게 되었음을 의미한다.
④ 회기가 비정한 현실에 분노하여 의사 생활을 포기하게 되었음을 의미한다.
⑤ 회기가 수술 실력을 쌓기 위해 다시 미국으로 유학을 가게 되었음을 의미한다.

독해
체크

작품 전체

발단	전개❈	절정❈	하강❈	대단원❈
인옥이 폐 전문 의사인 회기를 찾아와 수술을 해 달라고 애원함	회기는 수술 결과에 자신이 없다며 인옥을 돌려보냄	상현은 ❶ㄷ과 아내의 부정을 이유로 인옥의 수술을 반대함	회기는 인옥의 죽음을 방치하려는 상현의 ❷ㅂㅇㄱㅈ인 모습에 분노함	회기는 금숙을 시켜 인옥에게 ❸ㅅㅅ을 받으러 오라는 편지를 보냄

❈: 교재 수록 부분

작품 압축

■ '기계'와 '성난 기계'의 상징적 의미

이 작품의 제목이기도 한 '성난 기계'는 '기계'처럼 냉정하고 비인간적이던 회기가 인간적인 감정을 회복하였음을 의미한다.

기계		성난 기계
정확하고 빈틈이 없지만 냉정하고 비인간적인 회기의 모습을 상징함	⇨	기계가 감정을 갖게 되었다는 의미로, 회기가 인간성을 ❹ㅎㅂ하였음을 의미함
⋮		⋮
타인의 고통을 외면하는 회기		타인의 고통을 이해하는 회기

■ '알맹이', '포장'의 의미

수술을 거절하며 약을 써 보라는 회기에게 인옥은 '알맹이'는 어찌 되었든 '포장'만 꾸미라는 말이냐고 반응하는데, 이후 수술을 결심한 회기는 '포장'과 '알맹이' 모두 중요하다는 것을 깨닫는다.

알맹이	내면의 상태, 정신세계, 인간성
❺ㅍㅈ	겉모습, 육체

⇓

회기: 담배는 포장도 중요하지만 알맹이가 좋아야지!
→ 겉과 속이 모두 인간다워야 한다고 생각함

인물·사건 / 배경·소재
형상화 방식 / 주제

■ 이 작품의 서술상 특징과 효과

이 작품에 나타난 다양한 서술상 특징은 부정적 인물 유형이 긍정적 인물 유형으로 변화되는 극적 반전을 효과적으로 드러냄으로써 인간성 회복의 가능성이라는 주제를 부각한다.

서술상 특징	• 전반부와 후반부의 ❻ㄷㄹ 구조 • 인물의 대사를 통한 극 전개 • 단일한 무대 장치, 소수의 등장인물, 단순한 사건

⇓

효과	• 인물의 유형 ❼ㅂㅎ를 효과적으로 드러냄 • 주제 의식을 선명하게 형상화함

■ 이 작품의 창작 의도

이 작품은 수술을 거부하던 의사가 수술을 하기로 마음을 바꾸는 과정을 통해 비정하고 각박한 현대 사회를 비판하고, 인간성 회복에 대한 희망을 보여 주고 있다.

회기의 인간성 회복 과정	자신 없다는 이유로 인옥의 수술을 거부함 → 극단적으로 비인간적인 상현의 태도에 ❽ㅂㄴ함 → 인옥을 수술하기 결심함

⇓

창작 의도	• 비인간적인 현대인의 모습 비판 • 인간성 회복에 대한 ❾ㅎㅁ

어휘 체크

어휘력 테스트

1 제시된 뜻과 예문을 참고하여 다음 초성에 해당하는 단어를 괄호 안에 써 보자.

(1) ㅅㅅ : 남에게 베푸는 후한 마음

　예 놀부는 부자이지만 (　　　　　)이라고는 쓸 줄 모르는 욕심쟁이였다.

(2) ㄱㅁㅅ : 공을 세워 자기의 이름을 널리 드러내려는 마음

　예 그는 (　　　　　)에 눈이 어두워 다른 사람의 성과까지 가로채려 했다.

(3) ㄴㄱㅈ : 숨김없이 모두를 있는 그대로 드러내는. 또는 그런 것

　예 방송에서 특정 제품을 (　　　　　)으로 홍보하는 경우 제재를 받는다.

2 다음 〈보기〉의 뜻을 참고하여 십자말풀이를 완성해 보자.

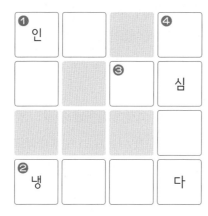

〈보기〉

가로
❶ 사람의 힘
❷ 태도나 마음씨가 동정심 없이 차갑다.
❸ 할 일에 대하여 어떻게 하기로 마음을 굳게 정함. 또는 그런 마음

세로
❶ 사람을 살리는 어진 기술이라는 뜻으로, '의술'을 이르는 말
❹ 분명하지 못하여 마음이 놓이지 않는 데가 있다.

독해쌤과 함께하는 감상 넓히기

인간성을 상실한 현대인의 삶을 비판한 작품

이번에 감상한 「성난 기계」와 같이 인간성을 상실한 현대인의 삶에 대한 비판을 담은 희곡들이 많아요. 이 작품에서는 비정한 현대인의 모습을 사실적으로 드러냈는데요. 실험적인 기법을 쓰거나 상징적인 배경과 소재를 활용해 현대인의 삶을 그려 낸 작품들도 있답니다. 이러한 작품들을 더 감상해 볼까요?

원고지_이근삼
다양한 실험적 기법을 활용하여 중산층이자 지식층인 대학 교수 가정의 일상을 그려 낸 희곡입니다. 인간성을 상실한 현대인들의 기계적인 삶과 부조리한 현실을 풍자하고 있습니다.

북어 대가리_이강백
대립되는 가치관을 지닌 창고지기 자앙과 기임을 통해 인간다운 삶을 말살당한 채 자본의 논리에 끌려다니는 현대인의 삶을 보여 주는 희곡입니다. 폐쇄된 공간에서 인간성을 상실하고 획일화된 인간의 모습을 그려 현대 사회의 인간 소외를 비판하고 있습니다.

실전 10

• 시나리오

오발탄 ①_이범선 원작, 나소운·이종기 각색

6·25 전쟁 이후 한국 사회는 물질적으로나 정신적으로 매우 피폐했어요. 전쟁 이후 희망이 보이지 않는 현실을 살아가는 평범한 사람들의 이야기를 담은 이 작품을 감상해 볼까요?

독해쌤의 감상 질문

1. 인물·사건 철호와 영호의 가치관과 태도는 어떻게 다른가요?

2. 배경·소재 철호가 앓던 이를 뽑는 행위의 의미는 무엇일까요?

3. 형상화 방식 이 작품에 사용된 영상 기법의 특징과 효과는 무엇인가요?

4. 주제 '오발탄'의 의미는 무엇이고, 이를 통해 작가가 전달하고자 한 것은 무엇일까요?

독해쌤 속 닥 속 닥

◆ (가)와 (나)에는 철호와 영호의 대화를 통해 인물 간 갈등이 잘 드러나고 있어요. 영호는 취직을 거부하며 '가난하더라도 깨끗이 살자'는 가치관을 지닌 철호에게 반항하고 있어요. 한편 철호는 '양심이구 윤리구 버려야 한다'고 생각하는 영호의 말이 억설이라고 하고 있네요. 이를 통해 삶에 대한 인물들의 가치관 차이를 엿볼 수 있어요.

앞부분 줄거리 철호는 월남 가족의 가장으로, 전쟁의 충격으로 '가재'라는 말만 되풀이하는 병든 어머니, 만삭의 아내, 제대하고 2년이 넘도록 방황하는 남동생 영호, 힘들게 살아가는 여동생 명숙과 함께 해방촌의 판잣집에서 살고 있다.
└ 아이를 낳을 달이 다 참. 또는 달이 차서 배가 몹시 부름 ┘

전개
가 S# 74. 철호의 집 방 안

영호: 취직이요. 형님처럼 전차 값도 안 되는 월급을 받고 남의 살림이나 계산해 주란 말에요? 싫습니다. / 철호: 그럼 뭐 뾰죽한 수가 있는 줄 아니?

영호: 있지요. 남처럼 ㉠용기만 조금 있으면. / 철호: 용기?

영호: 네. 분명히 용기지요. / 철호: 너 설마 엉뚱한 생각을 하고 있는 건 아니겠지.

영호: 엉뚱하긴 뭐가 엉뚱해요.

철호: (버럭 소리를 지르며) 영호야! 그렇게 살자면 이 형도 벌써 잘살 수 있었단 말이다.

영호: 저도 형님을 존경하지 않는 건 아녜요. 가난하더라도 깨끗이 살자는 형님을……. 하지만 형님! 인생이 저 골목에서 십 환짜리를 받고 코 흘리는 어린애들에게 보여 주는 요지경이라면야 가지고 있는 돈값만치 구멍으로 들여다보고 말 수도 있죠. 그렇지만 어
└ 확대경을 장치하여 놓고 그 속의 여러 가지 재미있는 그림을 돌리면서 구경하는 장치나 장난감
디 인생이 자기 주머니 속의 돈 액수만치만 살고 그만둘 수 있는 요지경인가요? 형님의 어금니만 해도 푹푹 쑤시고 아픈 걸 견딘다고 절약이 되는 건 아니죠. 그러니 비극이 시작되는 거죠. 지긋지긋하게 살아야 하니까 문제죠. 왜 우리라고 좀 더 넓은 테두리까지 못 나가라는 법이 어디 있어요.

영호는 반쯤 끌러 놨던 넥타이를 풀어서 방구석에 픽 던진다. 철호가 무겁게 입을 연다.

철호: 그건 억설이야. / 영호: 억설이오?
└ 근거도 없이 억지로 고집을 세워서 우겨 댐. 또는 그런 말
철호: 네 말대로 꼭 잘살자면 양심이구 윤리구 버려야 한다는 것 아니야.

영호: 천만에요.

나 S# 75. 철호의 집 골목

┌ 스카프를 두르고 핸드백을 걸친 명숙이가 엿듣고 있다.

│ 철호 E: 그게 바루 억설이란 말이다. 마음 한구석이 어딘가 비틀려서 하는 억지란 말
[A] └ 효과음(effect). 화면에 삽입된 음향
│ 이다.

└ 영호 E: 비틀렸죠. 분명히 비틀렸어요. 그런데 그 비틀리기가 너무 늦었단 말입니다.

전개 철호는 헛된 꿈을 좇는 영호와 갈등함

확인 문제

[01~04] 다음 설명이 맞으면 ○, 틀리면 ×표 하시오.

01 이 작품은 전쟁 직후 비참했던 사회 현실을 배경으로 하고 있다. (○, ×)

02 이 작품은 대사를 통해 인물의 가치관을 간접적으로 드러내고 있다. (○, ×)

03 영호는 잘 다니던 직장을 그만두고 헛된 꿈을 꾸고 있다. (○, ×)

04 철호는 전차 값도 안 되는 월급을 받으면서 성실하게 살아가는 가장이다. (○, ×)

[05~07] 다음 빈칸에 들어갈 알맞은 말을 쓰시오.

05 철호는 어려운 상황에서도 ㅇㅅ을 지키며 사는 것을 중시하고 있다.

06 영호는 돈을 아끼기 위해 치통을 견디며 살아가는 철호의 삶을 'ㅂㄱ'이라고 인식하고 있다.

07 명숙은 집 밖의 ㄱㅁ에서 방 안에 있는 철호와 영호가 말다툼하는 소리를 엿듣고 있다.

실력 문제

08 윗글에 대한 설명으로 적절한 것은? 〔형상화 방식〕

① 인물 간의 대화를 통해 사건의 긴장감을 조성하고 있다.
② 인물의 공간 이동을 통해 사건 전개에 속도감을 더하고 있다.
③ 작품 밖 서술자가 인물 간의 갈등을 객관적으로 조명하고 있다.
④ 인물의 독백을 연속적으로 제시하여 인물의 심리를 부각하고 있다.
⑤ 인물의 회상 장면을 통해 사건 해결의 실마리를 과거에서 찾고 있다.

09 윗글의 인물에 대한 적절한 설명을 〈보기〉에서 모두 골라 묶은 것은? 〔인물·사건〕

〈보기〉

ㄱ. 철호는 영호가 취직을 하지 않으려는 이유에 공감하고 있다.
ㄴ. 철호는 영호가 돈을 벌기 위해 잘못된 선택을 할까 염려하고 있다.
ㄷ. 영호는 적은 월급을 받으며 성실하게 살아가려는 철호를 존경하고 있다.
ㄹ. 영호는 지긋지긋하게 살아야 한다는 것에 분노하며 철호의 무능력을 탓하고 있다.

① ㄱ, ㄴ ② ㄱ, ㄷ ③ ㄱ, ㄹ
④ ㄴ, ㄷ ⑤ ㄴ, ㄹ

10 [A]의 표현 효과를 이해한 내용으로 가장 적절한 것은? 〔형상화 방식〕

① 철호와 영호에 대한 명숙의 오해가 풀렸음을 나타낸다.
② 철호와 영호가 갈등하는 원인이 명숙과 관련되어 있음을 드러낸다.
③ 명숙이 철호와 영호의 갈등이 해소되기를 바라고 있음을 나타낸다.
④ 명숙의 회상을 통해 철호와 영호의 갈등이 과거부터 이어져 왔음을 드러낸다.
⑤ 다른 공간에서 일어나고 있는 철호와 영호의 갈등을 명숙이 알게 되었음을 나타낸다.

11 ㉠에 대한 설명으로 가장 적절한 것은? 〔인물·사건〕

① 가난하더라도 깨끗이 살고자 하는 마음
② 아픈 걸 견디면서 돈을 절약하려는 마음
③ 더 좁은 테두리로 들어가 살아 보고 싶은 마음
④ 양심을 저버리더라도 가난에서 벗어나려는 마음
⑤ 자기 주머니 속의 돈 액수에 맞게 분수를 지키려는 마음

오발탄 ②

독해쌤 속닥속닥

중략 부분 줄거리 철호는 은행 강도를 한 영호가 경찰서에 잡혀 있다는 전화를 받고 경찰서에 갔다가 집으로 돌아온다.

절정

다 S# 103. 철호의 방 안

철호가 아랫방에 들어서자 윗방 구석에서 ⓐ고리짝을 뒤지고 있던 명숙이가 원망스럽게

명숙: 오빠 어딜 그렇게 돌아다니슈.

ⓑ철호는 들은 척도 않고 아랫목에 털썩 주저앉아 버린다.

명숙: 어서 병원에 가 보세요. / 철호: 병원에라니?

명숙: 언니가 위독해요. / 철호: ……

명숙: 점심때부터 진통이 시작되어 죽을 애를 다 쓰고 그만 어린애가 걸렸어요.
_{해산할 때에, 짧은 간격을 두고 주기적으로 반복되는 배의 통증}
철호: ……

라 S# 104. 동대문 산부인과 복도

철호가 419호실 앞으로 휘청거리고 와서 조용히 노크한다. / 이윽고 문이 열리면 텅— 빈
_{얼마 있다가. 또는 얼마쯤 시간이 흐른 뒤에}
실내를 간호원이 소독하고, 한 간호원이 철호의 위아래를 훑어보며

간호원: 혹시 이 방에 입원한 환자의 가족이신가요?

철호: ……네. / 간호원: ㉠……

철호: ㉡……. / 간호원: 한 시간 좀 지났어요.

철호: ……?…… / 간호원: 부인과 과장실에 가 보세요.

하고 문을 닫는다. ⓒ화석 같은 철호.

마 S# 105. 시체 안치실 앞

ⓓ철호가 유령처럼 걸어온다. / 문 앞에 와서 손잡이를 잡다가 힘없이 놓고 돌아선다.

눈앞에 뽀얗게 흐린 채 거기 우두커니 서 있을 뿐……

절정 | 영호는 은행 강도로 잡혀가고, 아내가 출산 중에 세상을 떠나자 철호는 절망감에 빠짐

하강

바 S# 107. 거리

┌ 허탈한 상태로 걸어가는 철호. / 여기서 자신의 소리가 겹친다.

│ 소리: (벽력같은 소리로) 영호야! 그렇게 살자면 이 형도 벌써 잘살 수 있었단 말이다.
[A]
│ 입은 찢어지고 눈에선 눈물이 사정없이 솟고 그러면서도 눈만은 정기(精氣)가 차서 앞
│ _{생기 있고 빛이 나는 기운}
└ 을 정시(正視)하며……
    _{똑바로 보여}

사 S# 110. 다른 거리

문방구점, 라디오방, 사진관, 제과점. 그는 길옆에 늘어선 가게의 진열장을 하나하나 기웃
거리며 걷고 있다. 하나 ⓔ철호의 눈에는 무엇인지 하나도 보이지 않는다. / 그는 어느 문 앞
에 걸린 간판 앞에 우뚝 선다. '치과' 그것을 쳐다보는 철호의 얼굴이 점점 찌푸려지며 손으로
볼을 움켜쥔다. 철호가 주머니에서 만 환을 꺼내 보더니 이윽고 결심한 듯 안으로 들어간다.
_{1953년부터 1962년까지 통용된 우리나라의 옛 화폐 단위}

◆ (라)에서 아내가 위독하다는 소식에 산부인과로 향한 철호는 텅빈 병실을 간호원이 소독하는 장면을 목격하는데요, 간호원과 철호의 대화에서 이어지는 '……'는 불안감을 느끼게 합니다. 간호원은 철호에게 아내의 죽음을 직접적으로 말하지 못하지만, 철호는 '한 시간 좀 지났어요.'라는 간호원의 말에 아내의 죽음을 직감하고 있어요.

◆ (바)에서 철호는 아내를 잃고 거리를 방황하면서 과거 자신이 동생 영호에게 했던 말을 떠올리고 있어요. 이를 통해 철호의 절망적인 상황을 효과적으로 제시하고 있어요.

07 ⓐ~ⓔ에 대한 이해로 적절하지 않은 것은? 인물·사건

① ⓐ: 명숙은 철호가 가정과 상관없는 일을 하고 왔다고 오해하고 있다.

② ⓑ: 철호는 명숙이 자신에게 원망스럽게 말하는 이유를 모르고 있다.

③ ⓒ: 철호는 부인과 과장실로 가라는 간호원의 의도를 전혀 파악하지 못하고 있다.

④ ⓓ: 철호는 아내가 죽었다는 사실에 충격을 받아 정신을 차리지 못하고 있다.

⑤ ⓔ: 철호는 현실에 좌절한 채 허탈감과 절망감에 빠져 있다.

확인 문제

[01~02] 다음 설명이 맞으면 ○, 틀리면 ✕표 하시오.

01 철호의 아내는 아이를 출산하는 중에 죽음을 맞이하였다.　(○ , ✕)

02 명숙은 영호가 은행 강도를 했다는 사실을 알고 철호를 원망하였다.　(○ , ✕)

[03~04] 다음 빈칸에 들어갈 알맞은 말을 쓰시오.

03 철호는 거리를 걸어가면서 과거 자신이 ㅇㅎ에게 했던 말을 떠올리고 있다.

04 거리를 기웃거리며 걷던 철호는 ㅊㄱ를 발견하고 무언가 결심한 듯 안으로 들어간다.

실력 문제

05 [A]에 대한 설명으로 가장 적절한 것은? 형상화 방식

① 영호와 달리 성실하게 살고 있는 철호의 자부심을 보여 준다.

② 철호의 신념과 그가 처한 상황이 대조되어 비참함을 부각한다.

③ 어려운 상황에서도 포기하지 않으려는 철호의 의지를 보여 준다.

④ 영호의 부정적 상황과 철호의 긍정적 상황이 대조되어 주제를 부각한다.

⑤ 영호에게 잘살게 해 주겠다는 약속을 지키지 못한 것에 대한 철호의 자괴감을 보여 준다.

06 ㉠과 ㉡에 담긴 인물의 심리로 가장 적절한 것은? 인물·사건

	㉠	㉡
①	경멸	무시
②	난처함	의아함
③	미안함	고마움
④	측은함	미안함
⑤	불쾌함	난처함

수능형

08 〈보기〉는 (사)에 해당하는 원작 소설의 일부분이다. 〈보기〉를 시나리오로 각색하면서 고려했을 점으로 가장 적절한 것은? 형상화 방식

> **보기**
>
> 　문방구점, 라디오방, 사진관, 제과점. 그는 길가에 늘어선 이런 가게의 진열장을 하나하나 기웃거리며 걷고 있었다. 그러면서도 무엇이 있는지 하나도 보이지는 않았다. 그러던 철호는 또 우뚝 섰다. 그는 거기 눈앞에 걸린 간판을 쳐다보고 있었다. 장기판만 한 흰 판에 빨간 페인트로 치과라고 써 있었다. 철호는 갑자기 이가 쑤시는 것을 느꼈다. 아침부터, 아니 벌써 전부터 홀떡홀떡 쑤시는 충치가 갑자기 아팠다. 양쪽 어금니가 아래위 다 쑤셨다. 사실은 어느 것이 정말 쑤시는 것인지조차도 분간할 수가 없었다. 철호는 호주머니에 손을 넣어 보았다. 만 환 다발이 만져졌다. 철호는 치과 간판이 걸린 층계 이층으로 올라갔다.

① 공간적 배경을 바꾸어 시대상이 더 잘 드러나도록 한다.

② 장면 해설을 통해 사건의 의미를 직접적으로 전달하도록 한다.

③ 사건을 추가하여 인물 간의 갈등이 구체적으로 드러나도록 한다.

④ 인물의 심리가 표정과 행동을 통해 간접적으로 드러나도록 한다.

⑤ 장면에 등장하는 인물의 수를 늘려 사건을 다양한 시각에서 바라보도록 한다.

오발탄 ③

독해쌤 속닥속닥

◆ (아)에서는 철호가 갑자기 오랫동안 앓던 이를 뽑고 있어요. 출혈이 심해서 안 된다는 의사의 만류에도 불구하고 이를 몽땅 뽑겠다고 한 것은, 자신을 괴롭히는 현실의 고통에서 해방되고 싶어 하는 철호의 심리를 보여 주는 것이죠.

◆ (자)에서 택시를 탄 철호는 어디로 가야 할지 정하지 못하고 방황하고 있어요. '해방촌'은 철호의 집(가난한 생활)이 있는 곳이고, '동대문 부인 병원'은 아내가 죽음을 맞이한 곳이며, '종로서'는 동생 영호가 잡혀 있는 곳이에요. 삶의 방향을 상실한 철호의 비극적 처지가 잘 드러난 부분이에요.

아 S# 111. 동 치과 안

앗! / 하는 비명과 함께 의사가 집게를 들고 철호의 이를 뽑아낸다.

의사: 좀 아팠지요. 뿌리가 구부러져서…….

하며 뽑아 든 이를 보인다. / 철호가 침을 타구에 뱉는다. 나오는 피 ―.

_{가래나 침을 뱉는 그릇}

ⓐ의사가 계속해서 뽑은 자리를 치료하고 나서

의사: 됐습니다. 한 삼십 분 후에 솜을 빼 버리슈.

철호는 머리를 좌우로 흔들어 보고 나서

철호: 이쪽을 마저 뽑아 주실까요?

의사: 어금니를 한 번에 두 개씩 빼면 출혈이 심해서 안 됩니다.

철호: 몽땅 뽑았으면 좋겠는데요.

> 하강 : 갈 곳을 모르고 방황하던 철호는 치과에 들러 평소 앓던 이를 모두 뽑아 버림

대단원 자 S# 117. 자동차 안

조수: 어디로 가시죠? / 철호: 해방촌!

ⓑ자동차가 원을 그리며 돌자

철호: 아냐. ⓒ동대문 부인 병원으로.

이번엔 반대로 커브를 돌리자

철호: 아냐. ⓓ종로서로 가아!

운전수와 조수가 못마땅해서 힐끗 돌아본다.

차 S# 120. 자동차 안

조수: 경찰섭니다.

혼수상태의 철호가 눈을 뜨고 경찰서를 물끄러미 내다보다가 뒤로 쓰러지며

_{의식을 잃고 인사불성이 되는 일}

철호: 아니야. 가! / 조수: 손님 종로 경찰선데요.

철호: 아니야. 가! / 조수: 어디로 갑니까?

철호: 글쎄 가재두……. / 조수: 참 딱한 아저씨네. / 철호: …….

운전수가 자동차를 몰며 조수에게

운전수: 취했나? / 조수: 그런가 봐요.

운전수: 어쩌다 오발탄 같은 손님이 걸렸어. 자기 갈 곳도 모르게.

_{잘못 쏜 탄환}

철호가 그 소리에 눈을 떴다가 스르르 감는다.

밤거리의 풍경이 쉴 새 없이 뒤로 흘러간다. / 여기에 들리는 철호의 소리.

철호 E: 아들 구실, 남편 구실, 애비 구실, 형 구실, 오빠 구실, 또 사무실 서기 구실, 해야 할 구실이 너무 많구나. 그래 난 네 말대로 아마도 조물주의 ⓔ오발탄인지도 모른다.

정말 갈 곳을 알 수가 없다. 그런데 지금 나는 어딘지 가긴 가야 하는데…….

이때 네거리에 자동차가 벨 소리와 함께 선다.

조수: (돌아보며) 어딜 가시죠?

철호가 의식이 몽롱해진 소리로

철호: ⑤가자…….

대단원 택시에 올라탄 철호는 목적지를 정하지 못하고 몽롱한 의식 상태에서 '가자'라고 말함

확인 문제

[01~02] 다음 설명이 맞으면 ○, 틀리면 ✕표 하시오.

01 운전수와 조수는 행선지를 자꾸 바꾸는 철호를 못마땅해하고 있다. (○, ✕)

02 네거리에서 울린 벨 소리는 철호가 각성을 통해 희망을 되찾게 해 준다. (○, ✕)

[03~04] 다음 빈칸에 들어갈 알맞은 말을 쓰시오.

03 앓던 ⃞이⃞를 뽑는 철호의 행위는 자신의 삶을 고통스럽게 하는 것을 없애 버리려는 것으로 볼 수 있다.

04 철호가 택시에서 처음 말한 '⃞ㅎ⃞ㅂ⃞ㅊ⃞'은 철호 가족이 사는 동네로, 극심한 가난을 상징하는 공간이다.

실력 문제

인물·사건

05 ⑤에 대한 설명으로 가장 적절한 것은?

① 죽은 아내를 그리워하는 마음을 표현한다.
② 절망적 현실로부터 벗어나고 싶은 욕구를 드러낸다.
③ 부조리한 현실에 정면으로 맞서겠다는 의지를 보여 준다.
④ 소박하지만 행복했던 과거로 돌아가고 싶은 소망을 나타낸다.
⑤ 고된 삶이지만 애틋한 가족에게 돌아가고 싶은 마음을 표현한다.

배경·소재 + 주제

06 @~@ 중, 다음 빈칸에 들어가기에 적절한 것은?

( )은/는 시대에 적응하지 못하고 삶의 방향을 상실한 존재를 의미하며, 전후 사회의 부조리한 현실과 그로 인한 개인의 상실과 절망이라는 주제를 부각한다.

① @ ② ⓑ ③ ⓒ ④ ⓓ ⑤ ⓔ

수능형 **인물·사건**

07 윗글의 '철호'와 〈보기〉의 '윌리 로만'에 대한 설명으로 적절하지 **않은** 것은?

〈보기〉

미국의 극작가 아서 밀러의 희곡 「세일즈맨의 죽음」에서 주인공 윌리 로만은 성실하게 일하면 반드시 성공한다는 신념으로 30년간 세일즈맨으로 살아왔다. 하지만 믿었던 두 아들에게 배반당하고, 오랜 세월 근무한 회사에서 몰인정하게 해고당한다. 궁지에 몰린 그는 가족에게 보험금을 남겨 주기 위해 자동차를 과속으로 달려 스스로 목숨을 끊는 선택을 하고 만다.

① 철호는 윌리 로만과 달리 자신이 처한 상황에서 결단을 내리지 못하고 있다.
② 윌리 로만은 철호와 달리 평소 신념을 실천하기 위해 죽음을 선택하고 있다.
③ 철호와 윌리 로만 모두 가족에 대한 책임을 중요하게 생각하고 있다.
④ 철호와 윌리 로만 모두 자신이 어찌할 수 없는 한계 상황에 도달하고 있다.
⑤ 철호와 윌리 로만 모두 외부적 요소로 인해 좌절하는 소시민의 전형이라 할 수 있다.

독해 체크

발단	전개✿	절정✿	하강✿	대단원✿
계리사 사무실 서기인 철호는 월남 가족의 가장으로 해방촌의 판잣집에서 살아감	어머니는 전쟁의 충격으로 '가자!'라는 말만 하고, 철호는 헛된 꿈을 좇는 영호와 갈등함	영호는 은행 강도로 잡혀가고, 아내가 출산 중에 세상을 떠나자 철호는 절망감에 빠짐	갈 곳을 모르고 방황하던 철호는 ❶ㅊㄱ에 들러 평소 앓던 이를 모두 뽑아 버림	택시에 올라탄 철호는 목적지를 정하지 못하고 몽롱한 의식 상태에서 '❷ㄱㅈ'라고 말함

✿: 교재 수록 부분

작품 **압축**

■ '철호'와 '영호'의 대조적인 삶의 태도

주어진 현실에 순응하며 양심을 지키려는 철호와 속물적인 삶을 추구하는 영호의 갈등이 나타난다.

철호	영호
• 열악한 환경 속에서도 ❸ㅇㅅ과 윤리를 지키며 살아가려고 노력함 • 자신의 힘으로 어쩔 수 없는 현실 앞에서 깊은 무력감을 느낌	• 사회적 모순에 반발하여 직업도 없이 한탕주의를 좇음 • 현실에 적응하지 못하고 은행 강도가 되어 감옥에 들어감

⇔

■ '앓던 이'를 뽑는 행위의 의미

철호가 '앓던 이'를 뽑는 것은 자신을 괴롭히는 것들로부터의 해방을 의미한다.

앓던 이 (치통)	• ❹ㄱㄴ한 삶 • 가장으로서 갖는 가족 부양에 대한 압박감 • 혼란한 사회를 살아가는 데 걸림돌이 되는 양심

⇩

앓던 이를 뽑음	• 자신의 삶을 고통스럽게 하는 것을 없애 버리려는 시도 • 현실의 고통으로부터의 ❺ㅎㅂ

인물·사건 / 배경·소재 / 형상화 방식 / 주제

■ 소리와 화면을 결합하는 기법의 사용 효과

S# 107	동생 영호에게 자신이 했던 말을 효과음으로 사용하여 아내의 죽음으로 인한 철호의 ❻ㅈㄱㄱ을 표현함
S# 120	갈 곳을 잃은 인물의 속마음을 효과음으로 사용하여 철호의 혼란과 절망감을 표현함

⇩

효과
• 인물의 절망적 상황을 효과적으로 제시함 • 인물의 복잡한 내면 심리를 선명하게 전달함

■ '오발탄'의 의미와 주제

이 작품은 전후 한국 사회의 절망적인 현실을 그린 소설을 각색한 시나리오로, 주인공 가족의 비극적인 삶을 통해 전후 사회의 부조리를 비판하고 있다.

오발탄	• 사전적 의미: 잘못 쏜 탄환 • 상징적 의미: 시대에 적응하지 못하고 삶의 ❼ㅂㅎ을 상실한 존재

⇩

주제
• 전후 사회의 빈곤과 부조리한 현실 ❽ㅂㅍ • 전후 사회의 황폐한 현실로 인한 개인의 상실과 절망

어휘 체크 어휘력 테스트

1 다음 괄호 안에 들어갈 단어를 〈보기〉에서 골라 써 보자.

> 보기
>
> 구실   억설   요지경

(1) 그녀는 어린 동생들을 돌봐 주며 맏이 (   )을 톡톡히 하고 있다.

(2) 요즈음 그는 갑작스럽게 세상살이가 (   ) 속을 들여다보듯 신이 났다.

(3) 인간의 비극이 거울의 발명에서 비롯되었다고 하면 나의 지나친 (   )일까?

2 다음 단어를 활용하기에 적절한 문장을 찾아 바르게 연결해 보자.

(1) 몽롱하다   •

(2) 허탈하다   •

(3) 기웃거리다   •

• ㉠ 시합에서 진 선수들은 (   ) 운동장을 빠져나 갔다.

• ㉡ 그는 아직 마취에서 완전히 깨어나지 않아 의식이 (   ).

• ㉢ 낯선 사람이 동네를 (   ) 다닌다는 소문에 이 웃들의 경계심이 높아졌다.

독해쌤과 함께하는 **감상 넓히기**

전후 사회의 상처를 다룬 작품

이번에 감상한 「오발탄」과 같이 전후 사회의 현실을 비판한 작품들이 많아요. 전쟁 직후 사람들이 전쟁으로 인한 상처와 불안을 안고 있고, 가난과 부조리로 고달픈 생활을 하는 모습을 형상화한 작품들을 다양하게 찾아볼 수 있어요. 이러한 작품들을 더 감상해 볼까요?

나무들 비탈에 서다_황순원

전쟁을 겪은 인물의 방황과 갈등, 그리고 전쟁 이후 인물들이 후유증과 상처를 극복해 나가는 과정을 그린 소설입니다. 전쟁으로 인해 상처받은 사람들을 따뜻하게 감싸 안으려는 작가 의식이 담겨 있습니다.

잉여 인간_손창섭

전쟁이 남긴 상처를 지닌 채 현실에 적응하지 못하고 떠도는 인물들을 통해 전후 사회의 비인간적 현실을 비판한 소설입니다. 작가는 이러한 현실을 휴머니즘을 통해 극복할 수 있다는 가능성을 제시하고 있습니다.

규중칠우쟁론기 ① _작자 미상

여러분의 생활필수품에는 무엇이 있나요? 그 물건들이 서로 대화를 나눈다면 어떤 이야기가 오고 갈까요? 조선 시대 여인들의 필수품이었던 바느질 도구들의 대화를 통해 작가가 드러내고자 한 세태가 무엇인지 작품을 통해 감상해 볼까요?

독해쌤의 감상 질문

1. **표현** · 이 작품에 등장하는 바느질 도구를 표현한 방법은 무엇인가요?
   · 이 작품의 서술상 특징은 무엇인가요?
2. **주제** · '감토 할미'와 '규중 부인'의 태도에서 얻을 수 있는 교훈은 무엇인가요?
   · 이 작품의 구성을 통해 드러내고자 한 주제는 무엇인가요?

독해쌤 속 닥 속 닥

➡️ 이 작품은 일반적인 수필과 달리 작품 속에 '나'가 등장하지 않고, 3인칭 관찰자 시점으로 인물들의 대화를 객관적인 입장에서 보여 주고 있어요. 따라서 이 작품에서는 글쓴이의 직접적인 경험에 대한 내용은 드러나 있지 않아요.

가 이른바 규중 칠우(閨中七友)는 부인네 방 가운데 일곱 벗이니 글하는 선비는 필묵(筆墨)과 종이, 벼루로 문방사우(文房四友)를 삼았나니 규중 여자인들 홀로 어찌 벗이 없으리오.

부녀자가 거처하는 곳 / 붓과 먹

이러므로 침선(針線) 돕는 무리를 각각 명호를 정하여 벗을 삼을 새, 바늘로 세요 각시(細腰閣氏)라 하고, 자를 척 부인(戚夫人)이라 하고, 가위로 교두 각시(交頭閣氏)라 하고, 인두로 인화 부인(引火夫人)이라 하고, 다리미로 울 낭자(熨娘子)라 하고, 실로 청홍흑백 각시(靑紅黑白閣氏)라 하며, 골무로 감토 할미라 하여, 칠우를 삼아 규중 부인네 아침 세수를 마치매 칠우가 일제히 모여 처음부터 끝까지 하기를 한가지로 의논하여 각각 소임을 이루어 내는지라.

바느질 / 이름과 호 / 맡은 바 직책이나 임무

가 규중 칠우에 대한 소개

나 일일(一日)은 칠우가 모여 침선의 공을 의논하더니 척 부인이 긴 허리를 재며 이르되,

"여러 벗들은 들으라, 나는 세명주 굵은 명주 백저포(白紵布) 세승포(細升布)와, 청홍녹라(靑紅綠羅) 자라(紫羅) 홍단(紅緞)을 다 내어 펼쳐 놓고 남녀의 옷을 마련할 새, 장단광협(長短廣狹)이며 수품 제도(手品制度)를 나 곧 아니면 어찌 이루리오. 이러므로 옷을 짓는 공이 내 으뜸 되리라."

흰모시 / 가는 베 / 길고 짧음과 넓고 좁음 / 솜씨와 격식

교두 각시 두 다리를 빨리 놀려 내달아 이르되,

"척 부인아, 그대 아무리 마련을 잘한들 베어 내지 아니하면 모양이 제대로 되겠느냐. 내 공과 내 덕이니 네 공만 자랑 마라."

세요 각시 가는 허리 구부리며 날랜 부리 돌려 이르되,

"두 벗의 말이 불가하다. 진주(眞珠) 열 그릇이나 꿴 후에 구슬이라 할 것이니, 재단(裁斷)에 능소 능대(能小能大)하다 하나 나 곧 아니면 작의(作衣)를 어찌하리오. 세누비 미누비 짧은 솔 긴 옷을 이룸이 나의 날래고 빠름이 아니면 잘게 뜨며 굵게 박아 마음대로 하리오. 척 부인이 재어 내고 교두 각시가 베어 낸다 하나 내 아니면 공이 없으려든 두 벗이 무슨 공이라 자랑하나뇨."

옳지 아니하다 / 옷감이나 재목 따위를 치수에 맞도록 재거나 자르는 일 / 모든 일에 두루 능하다 / 누비 줄이 촘촘하고 고운 누비 / 중간 누비

청홍 각시 얼굴이 붉으락푸르락 하야 이르되,

"세요야, 네 공이 내 공이라. 자랑 마라. 네 아무리 착한 체하나 한 솔 반 솔인들 내 아니면 네 어찌 성공하리오."

확인 문제

[01~04] 다음 설명이 맞으면 ○, 틀리면 ×표 하시오.

01 이 작품은 서술자인 규중 부인의 목소리로 이야기가 전개되고 있다. (○, ×)

02 이 작품은 인물들이 대화를 주고받는 형식으로, 극적 구성을 취하고 있다. (○, ×)

03 이 작품은 사물을 의인화하여 각각의 개성을 지닌 인물로 형상화하고 있다. (○, ×)

04 이 작품에서 규중 칠우의 태도는 당시 사회에서 제대로 목소리를 내지 못했던 여성들의 수동적인 모습을 반영한 것으로 볼 수 있다. (○, ×)

[05~07] 다음 빈칸에 들어갈 알맞은 말을 쓰시오.

05 규중 칠우의 공통점은 모두 [ㅂ][ㄴ][ㅈ]에 쓰이는 도구라는 점이다.

06 척 부인은 한자 '척(尺)' 자와 [ㅂ][ㅇ]이 같은 점에 주목하여 붙인 이름이다.

07 척 부인과 교두 각시, 세요 각시, 청홍 각시는 저마다 앞다투어 [ㄱ][ㅊ][ㅅ]를 하는 모습을 보인다.

 실력 문제

08 윗글에 대한 설명으로 적절하지 <u>않은</u> 것은? [표현]

① 여성의 일상적 삶과 관련된 소재를 다루고 있다.
② 허구적인 설정을 통해 교훈적 의미를 드러내고 있다.
③ 사물에 인격을 부여하여 인간 세태를 풍자하고 있다.
④ 작품 속 '나'가 관찰자의 입장에서 인물의 내면을 서술하고 있다.
⑤ 인물의 이름을 사물의 생김새와 쓰임새에 따라 재미있게 표현하고 있다.

09 윗글을 이해한 내용으로 적절하지 <u>않은</u> 것은? [표현]

① 척 부인은 옷감을 펼쳐 놓고 길이를 재는 일이 옷을 지을 때 가장 중요하다고 말하고 있어.
② 청홍 각시는 척 부인과 교두 각시가 하는 재단의 중요성을 부정하며 그 공을 깎아내리고 있어.
③ 세요 각시는 좋은 것이라도 쓸모 있게 만들어야 가치가 있다는 말로 자신의 공을 내세우고 있어.
④ 선비들이 글공부에 필요한 문방사우를 가까이 했듯 여인들도 바느질에 필요한 도구를 가까이 했음이 드러나 있어.
⑤ 교두 각시가 자기의 공을 자랑하려고 서둘러 달려 나오는 모습을 통해 교두 각시의 급한 성격과 조바심을 알 수 있어.

10 윗글에서 글쓴이가 풍자하는 세태로 적절한 것은? [주제]

① 이해관계에 따라 변하는 세태
② 과정보다 결과를 중시하는 세태
③ 이기적이고 타인을 헐뜯는 세태
④ 노력은 하지 않고 성공만 추구하는 세태
⑤ 남의 약점을 이용해 이익을 얻으려는 세태

수능형

11 〈보기〉의 '글쓴이'가 윗글의 '규중 칠우'에게 할 말로 가장 적절한 것은? [주제]

보기

수필 「플루트의 연주자」에서 글쓴이는 하모니를 목적으로 하는 오케스트라에서 연주 시간이 짧거나 연주 빈도가 낮은 파트의 연주자들이 있지만, 그들이 있기에 연주가 완성될 수 있다고 본다. 글쓴이는 오케스트라의 플루트 연주자처럼 크게 주목을 받지는 못하더라도 묵묵히 전체의 조화에 기여하는 것은 뜻 깊은 일임을 역설하고 있다.

① 각자 재능을 알려야 옷도 더 잘 만들 수 있어.
② 주목받는 일에 익숙해질 때 실력도 늘게 될 거야.
③ 능력이 부족하면 전체의 조화를 깨뜨리게 된다는 점을 명심해.
④ 옷 짓는 과정에서 각자의 역할에 충실해야 옷이 제대로 완성될 수 있어.
⑤ 각자 자신의 재주에 자부심을 갖고 서로의 입장 차이를 좁혀 나가는 것이 중요해.

규중칠우쟁론기 ②

독해쌤 속닥속닥

◆ 규중 칠우가 앞다투어 자신의 공을 내세우느라 다른 친구들을 깎아내리기 바쁘군요. 이런 모습들을 통해 글쓴이가 비판하고자 하는 대상이 규중 칠우임을 알 수 있어요.

다 감토 할미 웃고 이르되, / "각시님네, 어지간히 자랑 마소. 이 늙은이 수말 적기로 아가씨네 손부리 아프지 아니하게 바느질 도와 드리나니 옛말에 이르기를 ⊙닭의 입이 될지언정 소 뒤는 되지 말라 하였으니, 청홍 각시는 세요의 뒤를 따라다니며 무슨 말 하시나뇨. 실로 얼굴이 아까워라. 나는 매양 ⓒ세요의 귀에 찔리었으되 낯가죽이 두꺼워 견딜 만하고 아무 말도 아니 하노라."

인화 부인 이르되, / "그대네는 다투지 말라. 나도 잠깐 공을 말하리라. 미누비 세누비 누구로 말미암아 젓가락 같이 고우며, 혼솔이 나 곧 아니면 어찌 풀로 붙인 듯이 고우
<small>홈질로 꿰맨 옷의 솔기</small>
리요. 바느질 솜씨가 서툰 자가 들락날락 바르지 못한 것도 내 손바닥으로 한 번 씻으면 잘못한 흔적이 감추어지니, 세요의 공이 나로 하여금 광채 나니라."

<small>승 규중 칠우의 공치사</small>

◆ 규중 칠우의 공치사가 이어지자 잠에서 깬 규중 부인이 한마디 하네요. 이 말 때문에 이전까지 경쟁 관계에 놓여 있던 규중 칠우의 관계가 달라져요. 이들의 화제가 무엇으로 전환되는지 이어지는 내용을 계속 감상해 보아요.

라 규중 부인이 이르되, / "ⓒ칠우의 공으로 의복을 다스리나 그 공이 사람의 쓰기에 있나니 어찌 칠우의 공이라 하리오."

하고 말을 마치자 칠우를 밀치고 베개를 돋우고 잠을 깊이 드니 척 부인이 탄식하고 이르되, "@매정한 것은 사람이오 공 모르는 것은 여자로다. 의복 마를 제는 먼저 찾고 이루어 내면 자기 공이라 하고, 게으른 종 잠 깨우는 막대는 나 곧 아니면 못 칠 줄로 알고 내 허리 부러짐도 모르니 어찌 야속하고 노엽지 아니리오."

교두 각시 이어 가로대, / "그대 말이 가하다. 옷 마름질하여 베어 낼 때는 나 아니면 못
<small>옳다</small>
하려마는 드나니 아니 드나니 하고 내어 던지며 두 다리를 각각 잡아 흔들 제는 언짢고 노엽기 측량하리오. 세요 각시 잠깐이나 쉬랴 하고 달아나면 매양 내 탓만 여겨 내게 집탈하니 마치 내가 감춘 듯이 문고리에 거꾸로 달아 놓고 좌우로 돌려 보며 전후로 검
<small>남의 잘못을 집어내어 트집을 잡으니</small>
사하여 얻어 내기 몇 번인 줄 알리오. 그 공을 모르니 어찌 애원하지 아니리오."
<small>슬프고 원망스럽지</small>

세요 각시 한숨짓고 이르되,

"내 일은 무슨 일이건대 사람의 손에 보채이며 요악지성(妖惡之聲)을 듣는고. 각골통한
<small>요망하고 간악한 말</small>
(刻骨痛恨)하며, 더욱 나의 약한 허리 휘두르며 날랜 부리 돌려 힘껏 침선을 돕는 줄은
<small>뼈에 사무칠 만큼 원통하고 한스러우며</small>
모르고 마음 맞지 아니면 나의 허리를 부러뜨려 화로에 넣으니 어찌 분하지 아니리오. 사람과는 극한 원수라 갚을 길 없어 ⓜ이따금 손톱 밑을 질러 피를 내어 한을 풀면 조금 시원하나, 간흉한 감토 할미 밀어 만류하니 더욱 애달프고 못 견디리로다."
<small>간사하고 흉악한</small>

<small>전 규중 부인의 개입과 규중 칠우의 불평</small>

◆ 규중 칠우가 저마다 인간에 대한 원망을 쏟아 내네요. 이때 잠에서 깬 규중 부인의 꾸지람을 듣고 감토 할미가 사죄하는데요. 감토 할미의 태도를 통해 작가가 전하고자 한 교훈은 무엇일지 생각해 보아요.

마 칠우 이렇듯 담론하며 회포를 이르더니 자던 여자가 문득 깨서 칠우에게 이르되, "칠우는 내 허물을 그대토록 하느냐."

감토 할미 머리를 조아려 사죄하여 이르되,

"젊은 것들이 망령되게 생각이 없는지라 만족하지 못하리로다. 저희들이 재주가 있으나 공이 많음을 자랑하야 원언(怨言)을 지으니 벌을 받아 마땅하되, 평소 깊은 정과 저희 조그만 공을 생각하야 용서하심이 옳을까 하나이다."

여자가 답하되, / "할미 말을 좇아 물시(勿施)하리니, 내 손부리 성함이 할미 공이라. 꿰
　　　　　　　　　　　　하려던 일을 그만두리니
어 차고 다니며 은혜를 잊지 아니하리니 금낭(錦囊)을 지어 그 가운데 넣어 몸에 지녀
　　　　　　　　　　　　　　　　　비단 주머니
서로 떠나지 아니하리라."

하니 할미는 머리를 조아리며 사절하고 여러 벗들은 부끄러운 얼굴로 물러나리라.

결 | 규중 부인의 질책과 감토 할미의 사죄

[01~02] 다음 설명이 맞으면 ○, 틀리면 ✕표 하시오.

01 이 작품은 바느질 도구들을 예찬하기 위한 목적으로 창작되었다. 　　　　　　　(○ , ✕)

02 규중 부인의 질책에 즉시 반성하고 용서를 구하는 모습을 통해 감토 할미가 처세술에 능한 인물임을 알 수 있다. 　　　　　　　　(○ , ✕)

[03~04] 다음 빈칸에 들어갈 알맞은 말을 쓰시오.

03 '□ㅈ □ㅇ'의 등장은 규중 칠우의 화제가 전환되는 계기가 되어 칠우의 관계 변화를 가져온다.

04 (라)에서 칠우는 규중 부인이 잠든 사이 저마다 인간에 대해 □ㅍ을 하고 있다.

05 윗글을 통해 글쓴이가 말하고자 한 바로 적절한 것은? 　　[주제]

① 위기의 상황에 닥치더라도 침착하게 문제를 해결해 나가자.
② 적대적 관계에 있는 사람에게도 당당하게 맞서 권리를 되찾자.
③ 자신이 지닌 재주에 자부심을 갖고 부지런히 재주를 갈고닦자.
④ 인간은 자연과 조화를 이루며 살아가야 하는 존재임을 잊지 말자.
⑤ 누가 알아주지 않아도 자신의 직분에 최선을 다하는 삶을 살아가자.

06 ㉠~㉤의 의미로 적절하지 않은 것은? 　　[표현]

① ㉠: 크고 훌륭한 자의 뒤를 쫓아다니는 것보다는 작고 보잘것없는 데서 우두머리가 되는 것이 낫다는 의미이다.
② ㉡: 바늘에 찔리는 것을 견딜 만큼 인내심이 많다는 의미이다.
③ ㉢: 물건들의 공이 있지만 사람이 그것을 사용하지 않으면 소용이 없다는 의미이다.
④ ㉣: 규중 칠우가 얄미울 정도로 쌀쌀맞고 자기의 공을 몰라준다는 의미이다.
⑤ ㉤: 바늘이 사람을 미워해서 찌르려고 하는데 이를 골무가 밀어낸다는 의미이다.

수능형

07 〈보기〉의 '장부'가 윗글의 '규중 부인'에게 충고할 말로 가장 적절한 것은? 　　[주제]

> **보기**
>
> 장부가 앞으로 나와 입을 열었다.
> "제가 온 것은 전하의 총명이 모든 사리를 잘 판단한다고 들었기 때문입니다. 하오나 지금 뵈오니 그렇지 않으시군요. 대체로 임금된 자로서 간사하고 아첨하는 자를 가까이하지 않고 정직한 자를 멀리하지 않는 자는 드뭅니다. 그래서 맹자(孟子)는 불우한 가운데 일생을 마쳤고, 풍당(馮唐)은 낭관으로 파묻혀 머리가 백발이 되었습니다. 예부터 이러하오니 전들 어찌하오리까."
>
> – 설총, 「화왕계」 중에서

① 아첨하는 자만 잘 봐주는 것은 잘못입니다.
② 남을 탓하기 전에 자신부터 돌아봐야 합니다.
③ 사리를 잘 판단하여 잘못을 지적해야 합니다.
④ 간사한 마음을 버리고 정직하게 살아야 합니다.
⑤ 때로는 잘못을 너그러이 용서하는 태도가 필요합니다.

작품 **전체**

기		승		전		결
규중 칠우에 대한 소개	⇒	규중 칠우의 ❶ㄱㅊㅅ	⇒	규중 부인의 개입과 규중 칠우의 ❷ㅂㅍ	⇒	규중 부인의 질책과 감토 할미의 사죄

작품 **압축**

■ 사물의 의인화

이 작품은 일곱 가지 바느질 도구들을 각각의 특성에 맞게 이름을 붙여 의인화함으로써 인물의 성격을 생동감 있게 표현하고 있다.

칠우	이름	근거
자	척 부인	한자 '尺(자 척)'과 동음
가위	교두 각시	가위 날이 교차하는 모습
❸ㅂㄴ	세요 각시	허리가 가는 모습
실	청홍 각시	실의 다양한 색깔
골무	감토 할미	감투와 비슷한 생김새
❹ㅇㄷ	인화 부인	불에 달구어 사용함
다리미	울 낭자	한자 '熨(다릴 울)'을 사용함

■ 작품의 서술상 특징

이 작품은 수필이지만 작품 속에 '나'가 등장하지 않는 대신 작품에 등장하는 규중 칠우가 이야기를 이끌어 간다.

작품의 시점

작품 속 인물인 규중 칠우가 이야기를 이끌어 나가는 3인칭 관찰자 시점으로, 글쓴이는 의인화된 인물들의 내면을 직접 제시하지 않고 이들의 말과 행동을 ❺ㄱㅊ하여 서술함

⇓

효과

인생의 단면을 객관적이고 극적으로 제시하여 독자들이 자유롭게 작품을 해석할 수 있도록 유도함

표현

주제

■ '감토 할미'와 '규중 부인'의 태도가 주는 교훈

이 작품에서 감토 할미의 처세는 공동체 속에서의 바람직한 행동에 대한 긍정적 교훈과 그러한 인간상에 대한 비판적 교훈을 함께 제시해 준다.

감토 할미

• 다른 바느질 도구들이 인간을 원망할 때에는 참여하지 않음
• 규중 부인의 꾸중에 즉시 반성하고 용서를 구함

⇓

❻ㅇㅊ으로 자신만 위기를 모면하려는 인간상에 대한 비판

규중 부인

• 인간을 원망하는 칠우를 꾸짖음
• 자신에게 용서를 비는 감토 할미의 공을 높이 사며 감토 할미를 총애함

⇓

아첨하는 사람만 잘 봐주는 지배층에 대한 비판

■ 작품의 구성에 담긴 주제 의식

이 작품은 규중 칠우가 공을 다투는 전반부와 인간에 대해 불평하는 후반부로 나뉜다. 전반부의 규중 칠우는 풍자의 대상으로 공치사를 일삼느라 남을 헐뜯는 인간들의 모습을 나타내고, 후반부의 규중 칠우는 실제 인간을 비판하고 풍자하는 역할을 한다.

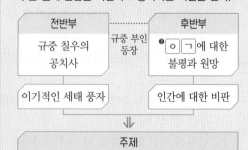

전반부		후반부
규중 칠우의 공치사	규중 부인 등장	❼ㅇㄱ에 대한 불평과 원망
이기적인 세태 풍자		인간에 대한 비판

⇓

주제

자신의 처지를 망각한 채 불평만 하지 말고 역할과 직분에 따라 성실한 삶을 추구해야 한다.

어휘 체크

어휘력 테스트

1 다음 괄호 안에 들어갈 단어를 〈보기〉에서 골라 써 보자.

> 보기
>
> 규중   소임   침선

(1) 대학은 학문을 발전시키고 자유와 정의를 수호할 (　　　　)이 있다.

(2) 어머니가 손수 만드신 옷만 봐도 어머니의 (　　　　) 솜씨를 알 수 있다.

(3) 영감은 여간한 일이 아니면 (　　　　)에서 일어나는 일들은 짐짓 모른 체하였다.

2 다음 단어를 활용하기에 적절한 문장을 찾아 바르게 연결해 보자.

(1) 노엽다 •

(2) 간흉하다 •

(3) 담론하다 •

• ㉠ 나는 선생님과 함께 인생과 학문에 대해 (　　　　) 시간을 가졌다.

• ㉡ 아버지께서는 심하게 다툰 나와 형 앞에서 (　　　　) 얼굴을 애써 감추며 말씀하셨다.

• ㉢ 일제 강점기 때 일본은 조선의 말과 글을 빼앗아 조선의 정신을 말살하려는 (　　　　) 속셈을 갖고 있었다.

독해쌤과 함께하는 감상 넓히기

사물을 의인화한 작품

이번에 감상한 「규중칠우쟁론기」와 같이 고전 산문 중에는 사물을 사람처럼 표현한 작품들이 많아요. 당시 사회상을 비판하기 위해 의인화를 사용한 작품도 있지만, 대상에 대한 애정을 드러내기 위해 사물을 의인화한 작품도 있답니다. 이러한 작품들을 더 감상해 볼까요?

국선생전_이규보

술을 의인화한 '국성'의 일생을 통해 바람직한 인간의 모습을 나타낸 가전체 작품입니다. 작가는 술의 긍정적인 면을 통해 군자의 처신을 경계하고, 신하로서 군왕을 보필하며 치국의 이상을 실현해야 한다는 교훈을 제시하고 있습니다.

조침문_유씨 부인

일찍 남편을 여의고 바느질을 하며 외롭게 살아온 유씨 부인이 아끼던 바늘이 부러지자 애통한 마음을 달래고자 제문 형식으로 쓴 수필입니다. 바늘을 의인화하여 여성 특유의 섬세한 정서를 보여 주는 작품입니다.

3

갈래 복합

(가) 오우가 _윤선도
(나) 꽃 출석부 1 _박완서

여러분은 자연의 모습을 보면서 기쁨이나 즐거움의 감정을 느껴 본 적이 있나요? 고전 시가 「오우가」에서 화자는 자연물을 친구라고 말하고 있고, 현대 수필 「꽃 출석부 1」에서 글쓴이는 자연물을 식구라고 인식하고 있어요. 자연물에서 어떤 가치를 발견하고, 또 어떤 감정을 느꼈기에 이런 태도를 보이는지 작품을 감상해 볼까요?

독해쌤의 감상 질문

1. **화자·대상** · '물, 바위, 소나무, 대나무, 달'은 각각 어떤 속성을 지니고 있나요?
   · 다섯 벗에 대한 화자의 태도는 어떠한가요?
2. **표현** 이 작품에서 활용한 표현 방법에는 어떤 것들이 있나요?
3. **주제** 작가가 지향하는 삶의 모습은 어떠한가요?

독해쌤 속담속담

◆ (가)의 화자는 '물, 바위, 소나무, 대나무, 달'에서 인간의 덕성을 발견하고 있어요. 각 자연물이 지닌 속성을 인간의 덕성과 대응해 보면 자연물의 상징적 의미를 찾을 수 있어요.

가 내 벗이 몇이나 하니 <u>수석(水石)</u>과 <u>송죽(松竹)</u>이라.
　　　　　　　　　　　　물과 바위　　　소나무와 대나무
동산(東山)에 달 오르니 그 더욱 반갑구나.

두어라 이 다섯밖에 또 더하여 무엇하리.　　　　　　　〈제1수〉

구름 빛이 좋다 하나 검기를 자주 한다.

바람 소리 맑다 하나 그칠 적이 많도다.

좋고도 그칠 때 없기는 물뿐인가 하노라.　　　　　　　〈제2수〉

꽃은 무슨 일로 피면서 쉬이 지고

ⓐ풀은 어이 하여 푸르는 듯 누르나니

아마도 변치 않는 것은 바위뿐인가 하노라.　　　　　　〈제3수〉

더우면 꽃 피고 추우면 잎 지거늘

솔아 너는 어찌 ㉠눈서리를 모르느냐.

<u>구천(九泉)</u>에 뿌리 곧은 줄을 그로 하여 아노라.　　　　〈제4수〉
땅속 깊은 밑바닥

나무도 아닌 것이 풀도 아닌 것이

곧기는 누가 시키며 속은 어이 비었느냐.

저렇게 사시(四時)에 푸르니 그를 좋아하노라.　　　　　〈제5수〉

작은 것이 높이 떠서 만물을 다 비추니

밤중에 광명(光明)이 너만 한 이 또 있느냐.

보고도 말 아니 하니 내 벗인가 하노라.　　　　　　　　〈제6수〉

　　　　　　　　　　　　　　　　　　　　　　　－ 윤선도, 「오우가」

독해쌤의 감상 질문

1. 글쓴이 · '복수초'에 대한 글쓴이의 첫인상은 어떠한가요?
· '복수초'에 대한 글쓴이의 인식은 어떻게 달라지나요?
2. 표현 '꽃 출석부'는 무엇이고 이를 통해 드러나는 글쓴이의 태도는 어떠한가요?
3. 주제 자연에 대한 글쓴이의 가치관은 어떠한가요?

독해쌤 속 닥 속 닥

◆ (나)는 '복수초'와 관련된 경험을 다루고 있어요. 보통 수필에서 어떤 경험을 다룰 때에는 '반전'이나 '발견'이 있기 마련이에요. 따라서 '발견하기 전'과 '반전을 통한 발견'으로 나누어 경험의 내용을 정리하면 작품을 더 꼼꼼하게 읽을 수 있어요.

◆ 수업 시간에 선생님들께서 출석부로 학생들의 출석 상황을 확인하는 것처럼 글쓴이도 이름과 순서가 있는 '꽃 출석부'를 머릿속에 가지고 있으면서 꽃들을 일일이 확인하고 있어요. 이렇게 출석을 부르는 글쓴이의 태도에서 어떤 마음을 느낄 수 있는지 생각해 보아요.

나 작년 가을에 이웃집에서 복수초를 나누어 받았다. 뿌리는 구근이 아니라 흑갈색 잔뿌리와 검은 흙이 한데 엉겨 있고, 키는 땅에 닿을 듯이 작은데 잎도 새의 깃털처럼 잘게 갈라져 있어서 전체적으로 볼륨이 느껴지지 않아 하찮은 잡초처럼 보였다. 그전에 나는 복수초라는 화초를 사진으로 본 적은 있지만 실물을 본 적은 없기 때문에 그게 과연 눈 속에서 핀다는 그 복수초인지 잘 믿기지 않았다. 생각해서 나누어 준 분 앞이라 당장 양지바른 곳에 심긴 했지만 곧 가을이 깊어지니 워낙 시원치 않아 보이던 이파리들은 자취도 없어지고 나 역시 그게 있던 자리조차 기억 못하게 되었다.

아마 3월이 되자마자였을 것이다. 샛노란 꽃이 두 송이 땅에 닿게 피어 있었다. 하도 키가 작아서 하마터면 밟을 뻔했다. 그러나 빛깔은 진한 황금색이어서 아직 아무것도 싹트지 않은 황량한 마당에 몹시 생뚱스러워 보였다. 그리고 곧 큰 눈이 왔다. 아무리 눈 속에도 피는 꽃이라고 알려져 있어도 그 작은 키로 견디기엔 너무 많은 눈이었다. 나는 눈으로는 눈의 무게를 이기지 못해 꺾인 듯이 축 처진 소나무 가지를 바라보면서 마음으로는 그 샛노란 꽃의 속절없음을 생각하고 있었다. 대문 밖의 눈은 쳐 주었지만 마당의 눈은 그대로 방치해 두었기 때문에 녹아 없어지는 데 며칠 걸렸다. 놀랍게도 제일 먼저 녹은 데가 복수초 언저리였다. ⓑ고 작은 풀꽃의 머리칼 같은 뿌리가 땅속 어드메서 따뜻한 지열을 길어 올렸기에 그 두터운 눈을 녹이고 더욱 샛노랗게 더욱 싱싱하게 해를 보고 있었다. 온종일 그렇게 피어 있다가 해질 무렵에는 타원형으로 오므라든다. 그러다가 아주 시들어 버릴 줄 알았는데 다음 날 해만 뜨면 다시 활짝 핀다. 그러나 마냥 그럴 수는 없는 일이다. 곧 안 깨어나고 져 버리는 날이 있겠기에 그게 피어 있는 동안만이라도 누구에겐가 보여 주고 자랑하고 싶어서 나는 집에 손님만 오면 그걸 구경시킨다. 그러나 내가 기대하는 것만치 신기해 해 주는 이가 별로 없다. 〈중략〉

올해는 복수초가 1번이 되었지만 작년까지만 해도 산수유가 1번이었다. 곧 4월이 되면 목련, 매화, 살구, 자두, 앵두, 조팝나무 등이 다투어 꽃을 피우겠지만 그래도 조금씩 날짜를 달리해 순서대로 피면서 그 그늘에 제비꽃이나 민들레, 은방울꽃을 거느린다. 꽃이 제일 먼저 핀 것은 복수초지만 잎이 제일 먼저 흙을 뚫고 모습을 드러낸 것은 상사초고 그다음이 수선화다. 수선화는 벚꽃이 필 무렵에나 필 것 같고 상사초는 잎이 시들어 지상에서 사라지고 나서도 한참이나 더 있다가 꽃대를 밀어 올릴 것이다. 이렇게 그것들을 기다리고 마중하다 보니 내 머릿속에 ⓒ출석부가 생기게 되고, 출석부란 원래 이름과 함께 번호를 매기게 되어 있는지라 100번이 넘는다는 걸 알게 되었다. 이름을 모르면 100번이라는 숫자도 나오지 않았을 것이다. 그것들이 순서를 지키지 않고 멋대로 피고 지면 이름이 궁금하지 않았을지도 모른다.

[A] 내가 출석을 부르지 않아도 그것들은 올 것이다. 그래도 나는 그것들이 올해도 하나도 결석하지 않고 전원 출석하기를 바라기 때문에 그것들이 뿌리로, 씨로 잠든 땅을 함부로 밟지 못한다. 그것들이 왕성하게 자랄 여름에는 그것들이 목마를까 봐 마음 놓고 어디 여행도 못 할 것이다. 그것들은 출석할 때마다 내 가슴을 기쁨으로 뛰놀게

했다. 100식구는 대식구다. 나에게 그것들을 부양할 마당이 있다는 걸 생각만 해도 뿌듯한 행복감을 느낀다. 내가 이렇게 사치를 해도 되는 것일까. 괜히 송구스러울 때
생활 능력이 없는 사람의 생활을 돌봄   필요 이상의 돈이나 물건을 쓰거나 분수에 지나친 생활을 함   마음에 두렵고 거북한 느낌이 있을
도 있다.

그것들은 내가 기다리지 않아도 올 것이다. 그래도 나는 기다린다. 기다리는 기쁨 때문에 기다린다.

– 박완서, 「꽃 출석부 1」

확인 문제

[01~04] 다음 설명이 맞으면 ○, 틀리면 ×표 하시오.

01 (가)는 3장 6구의 형식으로 된 시조이다. (○, ×)

02 (가)는 자연물을 통해 화자의 정서를 드러내고 있다. (○, ×)

03 (나)는 농촌을 배경으로 실제 일어난 일에 허구를 더해 꾸며 쓴 이야기이다. (○, ×)

04 (나)에는 시간의 흐름에 따른 대상의 변화와 그에 대한 글쓴이의 인식 변화가 드러나 있다. (○, ×)

[05~09] 다음 빈칸에 들어갈 알맞은 말을 쓰시오.

05 (가)의 〈제1수〉에서 '이 다섯'은 물, 바위, 소나무, 대나무, ⬚을 가리킨다.

06 (가)의 〈제2수〉에서 'ㄱㄹ'과 '바람'은 맑고 깨끗하지만 쉽게 변하는 속성을 지니고 있다.

07 (가)의 화자는 뿌리가 곧고 눈서리를 모르는 소나무와 곧고 푸른 ⬚ㄴㅁ에서 지조와 절개라는 가치를 발견하고 있다.

08 (나)는 두터운 눈을 녹이고 샛노랗게 피어 있는 'ㅂㅅㅊ'를 소재로 하고 있다.

09 (나)의 글쓴이는 처음에 복수초를 보고 하찮은 ㅈㅊ 같다고 생각했으나, 복수초가 눈 속에서 살아남은 것을 보고 ㄴㄹㅇ을 느꼈다.

실력 문제

10 (가)와 (나)의 공통점으로 가장 적절한 것은?

① 색채어를 사용하여 대상을 묘사하고 있다.
② 의태어를 사용하여 상황을 생동감 있게 그리고 있다.
③ 역설적 표현을 사용하여 삶의 가치를 깨닫게 하고 있다.
④ 설의적 표현을 통해 대상에 대한 그리움을 표현하고 있다.
⑤ 말을 건네는 방식을 통해 대상에 대한 친근감을 드러내고 있다.

11 (가)에서 운율을 형성하는 방법을 〈보기〉에서 모두 골라 묶은 것은?

보기
ㄱ. 4음보의 사용   ㄴ. 후렴구의 사용
ㄷ. 7·5조의 사용   ㄹ. 대구법의 사용

① ㄱ, ㄴ   ② ㄱ, ㄷ   ③ ㄱ, ㄹ
④ ㄴ, ㄷ   ⑤ ㄴ, ㄹ

12 ㈀의 상징적 의미로 가장 적절한 것은?

① 지조와 절개   ② 고난과 시련
③ 평화와 희망   ④ 외로움과 고독감
⑤ 시련을 이겨 내려는 의지

13 (가)의 〈제4수〉와 〈보기〉의 공통점으로 가장 적절한 것은?

> ┌─ 보기 ┐
>
> 국화야 너는 어찌 따뜻한 봄철 다 지내고
> 잎이 지는 추운 계절에 너 홀로 피었느냐?
> 아마도 오상고절(傲霜孤節)은 너뿐인가 하노라.
> 　　　　　　　　　　　　　　　　　－ 이정보

① 대상이 지닌 이중적 속성을 비판하고 있다.
② 대상과 관련된 과거의 경험을 떠올리고 있다.
③ 대상의 속성과 대조되는 자신을 성찰하고 있다.
④ 계절에 따라 대상이 변화하는 과정을 묘사하고 있다.
⑤ 보편적인 자연물과는 다른 속성을 지닌 대상을 부각하고 있다.

14 ㉡에 담긴 글쓴이의 마음으로 가장 적절한 것은?

① 더 많은 종류의 꽃들을 마당에 심고 싶은 욕심
② 어려운 상황에서도 꽃을 예쁘게 키워 낸 것에 대한 자부심
③ 소중하게 가꾼 꽃들을 주변 사람들에게 나누어 주고 싶은 바람
④ 추운 겨울이 지나고 꽃이 피는 봄이 빨리 오기를 기다리는 조급함
⑤ 자연의 질서에 따라 차례차례 피고 지는 꽃들에 대한 애정과 기대감

15 [A]를 통해 알 수 있는 글쓴이의 태도에 대한 설명으로 적절하지 않은 것은?

① 꽃을 자신이 부양할 가족이라고 인식하고 있다.
② 꽃이 피어날 때를 기다리면서 기쁨을 느끼고 있다.
③ 꽃을 통해 지난날의 상처를 치유하고 위로받고 있다.
④ 꽃이 피어날 수 있는 공간이 있다는 것에 행복해하고 있다.
⑤ 기다리는 꽃들이 모두 피어나기를 바라며 정성을 쏟고 있다.

16 ⓐ와 ⓑ에 대한 이해로 가장 적절한 것은?

① ⓐ는 화자가 찬양하는 대상이고, ⓑ는 글쓴이를 성찰하게 하는 대상이다.
② ⓐ는 화자에게 안도감을 주는 대상이고, ⓑ는 글쓴이에게 불안감을 주는 대상이다.
③ ⓐ는 화자에게 부정적 인식을 주는 대상이고, ⓑ는 글쓴이에게 감탄을 주는 대상이다.
④ ⓐ는 영원히 변하지 않는 속성을 지닌 대상이고, ⓑ는 쉽게 변하는 속성을 지닌 대상이다.
⑤ ⓐ는 화자가 화려한 아름다움을 느끼는 대상이고, ⓑ는 글쓴이가 소박한 아름다움을 느끼는 대상이다.

17 〈보기〉를 바탕으로 (가)와 (나)를 이해한 내용으로 적절하지 않은 것은?

> ┌─ 보기 ┐
>
> 　(가)의 화자와 (나)의 글쓴이는 자연물에 상징적 의미를 부여하고 있다. 즉 일상에서 관찰한 자연의 모습을 바탕으로 대상이 지닌 고유한 속성을 인식하고, 대상의 속성과 인간의 삶을 연결함으로써 새로운 의미를 발견하고 있다.

① (가)의 〈제4수〉에서 화자는 눈서리 속에서도 잎이 지지 않는 '솔'의 모습을 통해 시련에 굴하지 않는 굳건함을 발견하고 있다.
② (가)의 〈제5수〉에서 화자는 곧고 사계절 내내 푸른 '대나무'의 모습을 통해 본모습을 지켜 나가는 꿋꿋함을 발견하고 있다.
③ (가)의 〈제6수〉에서 화자는 높이 떠서 환하게 빛나는 '달'의 모습을 통해 자신의 능력을 적극적으로 드러내는 자신감을 발견하고 있다.
④ (나)에서 글쓴이는 시들지 않고 해가 뜨면 다시 활짝 피는 '복수초'의 모습을 통해 강인한 생명력을 발견하고 있다.
⑤ (나)에서 글쓴이는 눈을 녹이고 더욱 싱싱하게 피어난 '복수초'의 모습을 통해 역경을 이겨 내는 의지를 발견하고 있다.

(가) 오우가

제1수	제2수	제3수	제4수	제5수	제6수
다섯 **❶**ㅂ 에 대한 벗 소개	물의 불변성	**❷**ㅂ ㅇ의 영원성	소나무의 지조와 절개	대나무의 지조와 절개	달의 광명과 과묵함

작품 압축

■ 다섯 벗의 속성

이 작품에서 화자는 다섯 가지 자연물, 즉 '물, 바위, 소나무, 대나무, 달'을 '벗'이라고 부르며 자연물에 인격을 부여하고, 그들의 긍정적인 속성에 주목하고 있다.

자연물	자연물의 속성
❸ㅁ	깨끗하고 그침이 없음
바위	변하지 않음
소나무	뿌리가 곧아 눈서리를 모름
대나무	곧고 속이 비었으며 항상 푸름
❹ㄷ	만물을 다 비출 정도로 밝고 과묵함

■ 화자의 예찬적 태도

화자는 다섯 벗에서 찾아낸 속성을 인간의 덕성과 연결하여 예찬하고 있다. 특히 '물, 바위, 소나무'의 덕성은 다른 대상과의 대조를 통해 효과적으로 제시하고 있다.

구름, 바람		물
가변성	⇔	불변성

꽃, **❺**ㅍ		바위
순간성	⇔	영원성

❻ㄲ, 잎		소나무
가변성	⇔	지조, 절개

화자·대상

표현   주제

■ 작품에서 활용한 표현 방법

이 작품에서는 의인법, 문답법, 대구법 등 다양한 표현 방법을 활용하여 주제를 효과적으로 드러내고 있다.

의인법	'수석, 송죽, 달'과 같은 자연물을 '벗'이라고 표현함
❼ㅁ ㄷ 법	'내 벗이 몇이나 하니 수석과 송죽이라.'와 같이 스스로 묻고 답함
❽ㄷ ㄱ 법	'구름 빛이 좋다 하나 검기를 자주 한다. / 바람 소리 맑다 하나 그칠 적이 많도다.'와 같이 유사한 구조의 시구를 짝 지어 표현함
설의법	'밤중에 광명이 너만 한 이 또 있느냐.'와 같이 의문문 형식으로 표현함

■ 작가가 추구하는 삶의 모습

이 작품에서 작가는 자연물을 단순히 자신이 즐기고 친화하는 대상으로만 본 것이 아니라, 그것들로부터 작가가 추구하는 이상적인 삶의 모습을 이끌어 냄으로써 선비가 지녀야 할 올바른 태도를 보여 주고 있다.

자연물	물과 바위, 소나무와 대나무, 달

⇓

이상적 삶의 모습	• 맑고 **❾**ㄲ ㄲ한 성정(청렴함)을 영원히 지키는 삶 • 지조와 절개를 지키는 삶 • 모든 백성에게 선정을 베푸는 삶 • 침묵의 미덕을 지닌 삶

(나) 꽃 출석부 1

처음	중간	끝
이웃집에서 나누어 받은 **❶**`ㅂ` `ㅅ` `ㅊ`의 첫인상	눈 속에서 꽃을 피운 복수초와 꽃들이 피는 순서에 따라 **❷**`ㅊ` `ㅅ` `ㅂ`를 만든 글쓴이	꽃들이 피어나기를 기쁘게 기다리는 글쓴이

작품 압축

■ '복수초'에 대한 글쓴이의 첫인상

이 작품은 글쓴이가 이웃집에서 복수초를 나누어 받아 마당에 심었던 경험을 바탕으로 하고 있다. 글쓴이는 처음에 복수초의 외양만을 보고 부정적 반응을 보인다.

복수초의 모습
• 흙갈색 잔뿌리와 흙이 한데 엉겨 있음 • 키가 땅에 닿을 듯이 작음 • 잎이 잘게 갈라져 있음 • 전체적으로 부피감이 느껴지지 않음

⇓

글쓴이의 반응
• 하찮은 **❸**`ㅈ` `ㅊ`라고 인식함 • 마당에 심은 뒤 있던 자리를 기억하지 못할 만큼 존재를 잊어버림

■ '복수초'에 대한 글쓴이의 인식 변화

글쓴이는 황량한 마당에 피어난 복수초가 눈 속에서도 살아남은 것을 본 것을 계기로 하여 인식의 변화를 보인다.

계기가 된 경험	복수초에 대한 태도
• 황량한 마당에 피어난 작은 복수초가 **❹**`ㄴ` 속에서도 살아남음 • 복수초가 눈을 녹이고 더욱 샛노랗고 싱싱하게 피어남	• 복수초의 강인한 **❺**`ㅅ` `ㅁ` `ㄹ`에 감탄함 • 복수초가 핀 모습을 다른 사람들에게 보여 주고 자랑하고 싶어짐

⇓

복수초에 대한 글쓴이의 인식과 태도가 긍정적으로 바뀜

글쓴이

표현 주제

■ '꽃 출석부'의 의미와 글쓴이의 태도

글쓴이는 순서대로 피어나는 꽃들을 기다리고 마중하다 보니 머릿속에 '꽃 출석부'가 생겼다고 표현하며 꽃들에 대한 애정을 드러내고 있다.

꽃 출석부의 의미	글쓴이가 꽃들을 기다리고 마중하며, 꽃이 피는 **❻**`ㅅ` `ㅅ`에 따라 머릿속에 만든 것

⇓

꽃 출석부에 담긴 글쓴이의 태도	• 꽃에 대한 글쓴이의 섬세한 관찰과 **❼**`ㅇ` `ㅈ`이 담겨 있음 • 피어날 꽃들에 대한 기다림, 기대감을 담고 있음

■ 글쓴이의 가치관

글쓴이는 출석을 부르지 않아도 꽃들이 피어날 것을 알지만, 조심스럽고 정성스러운 태도로 꽃들을 기다리며 그 기다림에 기쁨을 느끼고 있다.

글쓴이의 행위	• 꽃이 자라는 **❽**`ㄸ`을 함부로 밟지 않음 • 꽃이 왕성하게 자랄 여름에 정성을 다해 물을 줌

⇓

글쓴이의 가치관	• 꽃을 자신이 **❾**`ㅂ` `ㅇ`할 가족이라고 여김 • 자연을 아끼고 사랑하는 마음을 지님

어휘 체크

어휘력 테스트

1 다음 단어를 활용하기에 적절한 문장을 찾아 바르게 연결해 보자.

(1) 하찮다 •

(2) 부양하다 •

(3) 생뚱스럽다 •

• ㉠ 작은 생명이라도 (   ) 여겨서는 안 된다.

• ㉡ 과묵한 민수가 갑자기 소리를 지르는 것이 (   ) 보였다.

• ㉢ 그가 부모님을 대신하여 동생들을 (   ) 것이 힘들어 보였다.

2 다음 〈보기〉의 뜻을 참고하여 십자말풀이를 완성해 보자.

❶송				
		❸		
	❷	치		

보기

가로
❶ 마음에 두렵고 거북한 느낌이 있다.
❷ 내버려 두다.

세로
❶ 소나무와 대나무를 아울러 이르는 말
❸ 필요 이상의 돈이나 물건을 쓰거나 분수에 지나친 생활을 함

독해쌤과 함께하는 감상 넓히기

자연물을 통해 삶의 깨달음을 주는 작품

이번에 감상한 「오우가」와 「꽃 출석부 1」은 모두 자연에 대한 애정이 잘 드러난 작품입니다. 현대시 중에는 자연물을 소재로 하여 삶의 깨달음을 발견하고 있는 작품들이 많답니다. 이러한 작품들을 더 감상해 볼까요?

버팀목에 대하여_복효근

태풍에 쓰러진 나무를 지탱하는 버팀목을 보고 연상한 내용을 바탕으로 인간 관계와 인생사의 의미를 성찰한 시입니다. 화자는 자신의 삶을 지탱해 준 버팀목과 같은 존재를 떠올리며, 다른 누군가의 버팀목이 되어 주는 삶의 가치를 깨닫고 있습니다.

가을 떡갈나무 숲_이준관

가을의 떡갈나무 숲을 의인화하여 떡갈나무 숲에 대한 애정을 표현한 시입니다. 자연과 교감하며 위로받는 화자의 모습을 통해 자연과 인간이 서로 갈등 없이 조화롭게 살아가는 세계를 보여 주는 작품입니다.

(가) 누항사 _박인로
(나) 가난한 날의 행복 _김소운

여러분들은 '가난해도 행복할 수 있다.'라는 말에 동의하나요? 고전 시가인 「누항사」와 현대 수필인 「가난한 날의 행복」은 모두 가난한 삶을 소재로 다루고 있어요. 이들 작품 속에는 가난을 뛰어넘는 인생의 소중한 가치가 담겨 있답니다. 그 가치를 찾아보며 작품을 감상해 볼까요?

독해쌤의 감상 질문

1. 화자·대상 · 화자는 어떤 처지와 상황에 놓여 있나요?
   · 화자는 자신이 처한 삶의 현실에 대하여 어떤 태도를 보이고 있나요?
2. 표현 화자의 상황과 정서를 부각하기 위해 사용한 표현 방법은 무엇인가요?
3. 주제 화자가 추구하는 삶의 자세는 무엇인가요?

가 소 한 번 주마 하고 엉성하게 하는 말씀

친절하다 여긴 집에 / 달 없는 황혼에 허위허위 달려가서
_{허둥지둥}

굳게 닫은 문 밖에 우두커니 혼자 서서

┌ 큰기침 에헴이를 오래토록 하온 후에

어와 그 뉘신고 염치없는 내옵노라

초경도 거읜데 그 어찌 와 계신고
_{저녁 7~9시 사이}

해마다 이러하기 구차한 줄 알건마는

소 없는 가난한 집에 걱정 많아 왔노라

공짜로나 값을 쳐서나 줌 직도 하지마는

다만 어젯밤에 건넛집 저 사람이

[A] 목 붉은 수꿩을 구슬 같은 기름에 구워 내고

갓 익은 삼해주(三亥酒)를 취하도록 권하거든
_{정월 셋째 해일(亥日)에 빚은 좋은 술}

이러한 은혜를 어이 아니 갚을런고

내일로 주마 하고 큰 언약 하였거든

실약(失約)이 미편(未便)하니 말하기가 어려왜라
_{약속을 어기는 것}

사실이 그러하면 설마 어이할고

헌 모자 숙여 쓰고 축 없는 짚신에 설피설피 물러 오니
_{맥없이 느릿느릿 걷는 모양}

└ 풍채 적은 모습에 개 짖을 뿐이로다
_{드러나 보이는 사람의 겉모양}

누추한 집에 들어간들 잠이 와서 누웠으랴

북창에 기대 앉아 새벽을 기다리니

무정한 오디새는 이 내 한(恨)을 돕는구나

아침이 끝나도록 슬퍼하며 먼 들을 바라보니

즐거운 농가(農歌)도 흥 없이 들리는구나

세상 인정 모른 한숨은 그칠 줄을 모르는구나

아까운 저 쟁기는 볏보님도 좋을시고
_{말이나 소에 끌려 논밭을 가는 농기구}

가시 엉킨 묵은 밭도 쉽게 갈련마는

빈 집 벽 가운데에 쓸데없이 걸렸구나

봄 농사도 거의로다 팽개쳐 던져 두자

강호(江湖)에서 큰 꿈을 생각한 지도 오래더니

먹고사는 것이 누가 되어 아아 잊었구나

저 물가를 바라보니 푸른 대나무가 많기도 많구나

교양 있는 선비들아 낚싯대 하나 빌려다오

갈대꽃 깊은 곳에 명월청풍(明月淸風) 벗이 되어
　　　　　　　　밝은 달과 맑고 시원한 바람

임자 없는 풍월강산(風月江山)에 절로절로 늙으리라

무심한 백구야 오라고 하며 말라고 하겠느냐
　　　　갈매기

다툴 이 없는 것은 다만 이것뿐인가 여기노라 〈중략〉

단사표음(簞食瓢飮)을 이도 족히 여기노라
대나무로 만든 밥그릇에 담은 밥과 표주박에 든 물이라는 뜻으로, 청빈하고 소박한 생활을 이르는 말

평생 한 뜻이 따뜻하게 입고 배불리 먹는 데는 없도다

태평천하에 충효(忠孝)를 일을 삼아

화형제(和兄弟) 신붕우(信朋友)를 그르다고 할 이 누가 있으리

- 박인로, 「누항사」

나 다음은 어느 중로(中老)의 여인에게서 들은 이야기다. 여인이 젊었을 때였다. 남편
　　절지도 아니하고 아주 늙지도 아니한 사람
이 거듭 사업에 실패하자, 이들 내외는 갑자기 가난 속에 빠지고 말았다.

　남편은 다시 일어나 사과 장사를 시작했다. 서울에서 사과를 싣고 춘천에 갖다 넘기면
다소의 이윤이 생겼다.
장사 따위를 하여 남은 돈
　그런데 한 번은, 춘천으로 떠난 남편이 이틀이 되고 사흘이 되어도 돌아오지를 않았다.
제 날로 돌아오기는 어렵지만, 이틀째에는 틀림없이 돌아오는 남편이었다. 아내는 기다
리다 못해 닷새째 되는 날 남편을 찾아 춘천으로 떠났다. 〈중략〉 매표구 앞에 늘어선 줄
　　　　　　　　　　　　　　　　　　　　　　　　　차표나 입장권 따위의 표를 파는 창구
속에 남편이 서 있었다. 아내는 너무 반갑고 원망스러워 말이 나오지 않았다.

　트럭에다 사과를 싣고 춘천으로 떠난 남편은, 가는 길에 사람을 몇 태웠다고 했다. 그들
이 사과 가마니를 깔고 앉는 바람에 사과가 상해서 제값을 받을 수 없었다. 남편은 도저
히 손해를 보아서는 안 될 처지였기에 친구의 집에 기숙을 하면서, 시장 옆에 자리를 구
　　　　　　　　　　　　　　　　　　　　남의 집이나 학교 회사 따위에 딸린 집에서 기거함
해 사과 소매를 시작했다. 그래서 어젯밤 늦게서야 겨우 다 팔 수 있었다는 것이다. 전보
물건을 생산자나 도매상에게서 사들여 직접 소비자에게 팖　　　　　　　　　　　　　　　전신을 이용한 통신이나 통보
도 옳게 제 구실을 하지 못하던 8·15 직후였으니……

　함께 춘천을 떠나 서울로 향하는 차 속에서 남편은 아내의 손을 꼭 쥐었다. 그때만 해
도 세 시간 남아 걸리던 경춘선, 남편은 한 번도 그 손을 놓지 않았다. 아내는 한 손을 맡
긴 채 너무도 행복해서 그저 황홀에 잠길 뿐이었다. / 그 남편은 그러나 6·25 때 죽었다
고 한다. 여인은 어린 자녀들을 이끌고 모진 세파(世波)와 싸우지 않으면 안 되었다.
　　　　　　　　　　　　　　　　　　　　　　　　　오질고 거센 세상의 어려움
　"이제 아이들도 다 커서 대학엘 다니고 있으니, 그이에게 조금은 면목이 선 것도 같아
　　　　　　　　　　　　　　　　　　　　　　　　　　　　　　　남을 대할 만한 체면
요. 제가 지금까지 살아올 수 있었던 것은, 춘천서 서울까지 제 손을 놓지 않았던 그이
의 손길, 그것 때문일지도 모르지요."

여인은 조용히 웃으면서 이렇게 말을 맺었다.

지난날의 가난은 잊지 않는 게 좋겠다. 더구나 그 속에 빛나던 사랑만은 잊지 말아야겠다. ㉠"행복은 반드시 부와 일치하진 않는다."라는 말은 결코 진부한 일 편의 경구(警句)
_{어떤 사상이나 진리 따위를 예리하고 간결하게 표현한 어구}
만은 아니다.

— 김소운, 「가난한 날의 행복」

[01~05] 다음 설명이 맞으면 ○, 틀리면 ✕표 하시오.

01 (가)의 갈래는 대체로 3(4)·4조의 4음보가 연속되는 가사이다. (○, ✕)

02 (가)에서 '목 붉은 수꿩'과 '삼해주'는 화자의 현재 처지를 보여 준다. (○, ✕)

03 (가)에서 화자는 궁핍한 현실 속에서도 자연 친화적인 삶을 추구하고 있다. (○, ✕)

04 (나)에서 글쓴이는 자신이 직접 경험한 이야기를 전달하고 있다. (○, ✕)

05 (나)에서는 경구를 사용하여 작품의 주제를 집약적으로 표현하고 있다. (○, ✕)

[06~10] 다음 빈칸에 들어갈 알맞은 말을 쓰시오.

06 (가)에서 화자가 '달 없는 황혼'에 이웃을 찾아간 이유는 'ㅅ'를 빌리기 위해서이다.

07 (가)에서 'ㅇㄷㅅ'는 화자의 슬픈 감정을 고조하는 역할을 한다.

08 (가)의 화자는 ㄷㅅㅍㅇ과 같은 청빈하고 소박한 생활에 만족하며 살겠다고 다짐하고 있다.

09 (나)는 ㄱㄴ 속에서도 따뜻한 애정을 보여 준 부부의 이야기를 그리고 있다.

10 (나)에서 글쓴이는 ㅎㅂ이 반드시 부와 일치하는 것은 아님을 일깨워 주고 있다.

11 (가)와 (나)의 공통점으로 가장 적절한 것은?   _{표현}

① 특정한 인물을 통해 삶의 태도를 반성하고 있다.
② 공간의 이동을 통해 대상에 대한 그리움을 드러내고 있다.
③ 과거와 현재를 대비하여 미래에 대한 희망을 드러내고 있다.
④ 대화의 방식을 이용하여 인물의 상황을 구체적으로 제시하고 있다.
⑤ 일화를 제시하여 다른 사람이 겪은 사건을 객관적으로 전달하고 있다.

12 (가)의 표현상 특징으로 가장 적절한 것은?   _{표현}

① 3음보의 반복을 통해 리듬감을 형성하고 있다.
② 반어적 표현을 사용하여 주제를 강조하고 있다.
③ 자연물을 활용하여 화자의 정서를 나타내고 있다.
④ 계절의 변화에 따른 화자의 심리 변화를 드러내고 있다.
⑤ 액자식 구성을 활용하여 사건을 객관적으로 전달하고 있다.

13 (가)의 화자에 대한 설명으로 적절하지 <u>않은</u> 것은?   _{화자·대상}

① 소를 빌리지 못한 자신의 처지를 한탄하고 있다.
② 소를 빌려주겠다고 한 이웃의 말을 진심이라고 믿고 있다.
③ 먹고사는 것이 누가 되어 자신의 꿈을 잊고 살아가고 있다.
④ 현실적 한계를 자각하고 자신의 꿈을 추구하겠다는 마음을 먹고 있다.
⑤ 잠을 이루지 못한 채 자신이 살아오면서 겪은 수모를 떠올리며 분노하고 있다.

14 〈보기〉는 [A]를 시나리오로 각색한 것이다. ⓐ~ⓔ 중, 적절하지 <u>않은</u> 것은?

화자·대상

> 〈보기〉
>
> 화자: (큰기침으로) 에헴, 에헴 ······················· ⓐ
>
> 소 주인: 이 늦은 저녁에 무슨 일로 오셨습니까? ·· ⓑ
>
> 화자: (미안한 기색으로) 공짜로든 돈을 치르든 소를 좀 빌렸으면 합니다. ···················· ⓒ
>
> 소 주인: (난감한 표정을 지으며) 어제 건넛집 사람이 술과 안주를 가져왔기에 내일 빌려주겠다고 했구려. ······································ ⓓ
>
> 화자: 그렇다면 어쩔 수 없지요. ···················· ⓔ
>
> (화자 힘없이 물러 나오는데 개가 짖는다.)

① ⓐ   ② ⓑ   ③ ⓒ   ④ ⓓ   ⑤ ⓔ

15 (가)의 '풍월강산'과 (나)의 '경춘선'에 대한 설명으로 가장 적절한 것은?

시어(구) + 표현

① '풍월강산'과 '경춘선' 모두 부정적 현실을 의미한다.

② '풍월강산'과 '경춘선' 모두 환상적이고 낭만적인 세계를 상징한다.

③ '풍월강산'은 삶에 대한 불만을, '경춘선'은 삶에 대한 자부심을 나타낸다.

④ '풍월강산'은 전통적인 삶의 모습을, '경춘선'은 현대적인 삶의 모습을 의미한다.

⑤ '풍월강산'은 현재의 소망을 되새기는, '경춘선'은 과거의 추억이 깃든 공간이다.

16 (나)의 '남편'의 성격으로 가장 적절한 것은?

표현

① 정이 많고 책임감이 강하다.

② 경제적 성취에 대한 욕심이 많다.

③ 정착하지 않고 자유롭게 살기를 원한다.

④ 가정보다는 친구와의 우정을 더 중시한다.

⑤ 이익과 손해를 따지며 계산적으로 행동한다.

17 ㉠의 의미로 가장 적절한 것은?

주제

① 경제적으로 여유가 있어야 행복한 삶을 살 수 있다.

② 물질적으로 가난하더라도 행복의 가치를 얻을 수 있다.

③ 소유에 대한 욕심에서 벗어나야 마음의 평온이 찾아온다.

④ 다른 사람들과의 경쟁을 통해 얻은 행복일수록 더 가치가 있다.

⑤ 고생과 좌절을 겪지 않으면 행복이 소중하다는 것을 느낄 수 없다.

수능형

18 〈보기〉를 바탕으로 (가)를 감상한 내용으로 적절하지 <u>않은</u> 것은?

화자·대상 + 주제

> 〈보기〉
>
> 이 작품은 임진왜란 후 각박하고 피폐한 사회적 상황에서 이전과 달라진 사대부의 현실을 잘 보여 준다. 이 작품의 화자는 사대부로서의 지위도 보장되어 있지 않고, 농민으로 살아갈 여건도 갖추지 못해 괴로운 처지이다. 작품 속에는 농사를 지으며 궁핍하게 살아가야 하는 화자의 모습과 함께 자연에 묻혀 풍류를 즐기고자 하는 태도가 드러나 있다.

① '헌 모자 숙여 쓰고 축 없는 짚신에 설피설피 물러 오니'에서 사대부로서의 지위가 보장되어 있지 않은 화자의 처지가 드러난다.

② '세상 인정 모른 한숨은 그칠 줄을 모르는구나'에서 각박해진 사회적 상황에 대한 화자의 인식이 드러난다.

③ '봄 농사도 거의로다 팽개쳐 던져 두자'에서 농민으로 살아갈 여건을 갖추지 못한 화자의 상황이 드러난다.

④ '갈대꽃 깊은 곳에 명월청풍(明月淸風) 벗이 되어'에서 자연에 묻혀 풍류를 즐기고자 하는 화자의 태도가 드러난다.

⑤ '다툴 이 없는 것은 다만 이것뿐인가 여기노라'에서 사대부로서 농민과 갈등을 겪은 것에 대한 화자의 괴로움이 드러난다.

독해 체크

(가) 누항사

서사		본사 ✤		결사 ✤
길흉화복을 하늘에 맡기고 가난한 생활 속에서도 마음 편히 살고자 함	1	전쟁에 임하여 죽을 고비를 넘겼던 일을 떠올림	1	❷ㅈㅇ을 벗 삼아 살기를 소망함
	2	전란 후 농사를 짓고자 하나 소가 없어 고심함	2	빈이무원(가난해도 그 가난을 원망하지 않음)의 삶을 추구하면서 충효와 우애, 신의를 지향함
	3	이웃집에 ❶ㅅ를 빌리러 갔다가 거절을 당하고 돌아옴		
	4	매정한 세태를 한탄하며 밭갈이를 포기함		

 ✤: 교재 수록 부분

작품 압축

■ 화자의 처지와 상황

이 작품의 제목인 '누항(좁고 누추한 곳)'에서도 알 수 있듯이, 화자는 사대부 신분이지만 가난으로 고통받는 현실을 살아가고 있다.

화자의 처지와 상황이 드러난 시구
소 없는 가난한 집, 누추한 집, 먹고사는 것이 누가 되어

⇓

화자의 처지와 상황
• 직접 농사일을 해서 생계를 유지해야 함 • 소가 없어 농사를 짓지 못할 만큼 ❸ㄱㄴ함

■ 사대부로서의 화자의 태도

이 작품의 화자는 가난한 현실 속에서도 가난을 원망하지 않으며, 사대부로서 이상 즉, 지향하는 삶의 태도나 가치를 잃지 않고 있다.

자연 친화적 태도	유교적 가치
• 자연을 벗 삼아 늙기를 소망함 • 소박한 생활을 하는 가운데 즐거움을 찾는 안빈낙도의 삶을 지향함	가난한 삶에 만족하며 ❹ㅊㅎ, 우애, 신의와 같은 유교적 삶의 가치를 실천하면서 살아갈 것을 다짐함

화자·대상

표현 주제

■ 표현상의 특징과 효과

화자의 상황 부각	• 대화체: 화자와 소 주인과의 대화 • ❺ㅇㅌㅇ: 허위허위, 설피설피
화자의 정서 부각	• 설의적 표현: 설마 어이할고 등 • 감탄형 어미: ~(는)구나 • ❻ㅈㅇㅁ을 활용한 표현: 무정한 오디새, 명월청풍, 무심한 백구 등
운율 부각	• 외형률: 3(4)·4조, 4음보 • 대구법: 오라고 하며 말라고 하겠느냐

■ 작품의 주제와 문학사적 의의

주제
누항에 묻혀 사는 선비의 ❼ㄱㅍ한 삶, 안빈낙도와 유교적 도리를 추구하는 자세

⇓

문학사적 의의
이 작품은 자연에 묻혀 살면서 유교적 도리를 지키려는 조선 시대 사대부의 전형적인 모습을 드러내면서도, 사대부 신분이지만 가난으로 고통받는 화자의 현실을 사실적으로 표현하여 가사 문학의 전환점을 마련한 작품으로 평가받음

독해 체크

(나) 가난한 날의 행복

작품 전체

서두	본문✲	결말✲
앞으로 나올 이야기에 대한 간단한 소개	세 쌍의 가난한 부부 이야기 ① 가난한 신혼 부부 이야기 ② 시인 부부의 젊은 시절 ③ 중로(中老) 여인의 ❶ㅎㅅ	가난 속에서도 빛나던 ❷ㅅㄹ

✲: 교재 수록 부분

작품 압축

■ 글쓴이가 전하는 이야기

이 작품은 세 편의 독립적인 이야기를 옴니버스식 구성으로 제시하고 있다. 옴니버스식 구성이란 하나의 주제를 중심으로 몇 개의 독립된 이야기를 늘어놓아 한 편의 작품으로 만드는 방식을 말한다.

이야기	주요 내용
가난한 신혼 부부 이야기	비록 반찬은 없지만 쪽지를 통해 아내를 위로한 남편의 배려
시인 부부의 젊은 시절	쌀이 떨어져 찐 고구마를 밥상에 내놓으면서도 남편의 마음을 편안하게 해 주는 아내의 배려
중로 여인의 회상	❸ㅊㅊ에서 서울까지 잡고 온 남편의 따뜻한 손길

■ 중로 여인 이야기가 주는 교훈

중로 여인	남편
• 춘천으로 사과 장사를 하러 간 남편이 돌아오지 않자 남편을 찾으러 춘천으로 감 • 남편에 대한 걱정 때문에 매표구에서 남편을 발견하고서도 말이 나오지 않았음	• 사과가 상한 상황에서 돈을 벌기 위해 사과 소매를 함 • 서울로 돌아가는 길에 자신을 찾으러 춘천까지 온 아내의 ❹ㅅ을 꼭 잡아 줌 – 아내에 대한 미안함, 사랑, 고마움의 표현

교훈

가난한 생활 속에서도 서로를 아끼고 사랑하는 마음으로 행복을 느낌

글쓴이 / 표현 / 주제

■ 이야기 전달 방식의 효과

특징

글쓴이가 전지적 입장의 서술자가 되어 일화를 제시한 후, 이에 대한 자신의 생각을 ❺ㅅㅈ하게 진술함

⇓

효과

• 작품의 주제를 효과적으로 이끌어 냄
• 독자가 이야기의 감동과 여운을 쉽게 정리할 수 있도록 함

■ 작품의 주제

이 작품에서 글쓴이는 경구를 활용하여 작품의 주제를 집약적으로 제시하고 있다.

경구	행복은 반드시 ❻ㅂ와 일치하진 않는다.
의미	행복은 상대에 대한 애정과 배려, 존중에서 온다는 의미를 함축함

⇓

주제	진정한 ❼ㅎㅂ의 의미(가난 속에서 피어나는 행복)

어휘 체크

어휘력 테스트

1 제시된 뜻과 예문을 참고하여 다음 초성에 해당하는 단어를 괄호 안에 써 보자.

(1) ㅁ ㅁ : 남을 대할 만한 체면

예 그는 엄청난 잘못을 저질러 부모님을 대할 (   )이 없었다.

(2) ㅅ ㅍ : 모질고 거센 세상의 어려움

예 그 노인은 온갖 (   )를 다 겪었다.

(3) ㄱ ㄱ : 어떤 사상이나 진리 따위를 예리하고 간결하게 표현한 어구

예 "이마에 땀을 흘리지 않는 자는 식탁에 앉을 수 없다."라는 (   )는 성실한 삶의 자세를 일러 준다.

2 다음 〈보기〉의 뜻을 참고하여 십자말풀이를 완성해 보자.

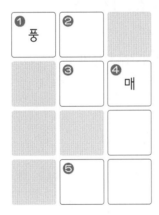

보기

가로
❶ 드러나 보이는 사람의 겉모양
❸ 물건을 생산자나 도매상에게서 사들여 직접 소비자에게 팖
❺ 갈매기

세로
❷ 밭에서 기르는 농작물
❹ 차표나 입장권 따위의 표를 파는 창구

독해쌤과 함께하는 감상 넓히기

행복의 의미를 전하는 작품

이번에 감상한 「가난한 날의 행복」과 같이 진정한 행복의 의미를 생각해 보게 하는 작품들이 많아요. '행복은 반드시 부와 일치하진 않는다.'라는 말의 의미를 생각해 보게끔 해 주는 작품들을 더 감상해 볼까요?

행복의 메타포 _안병욱
우리 일상에서 쉽게 발견할 수 있는 일들을 통해 진정한 의미의 행복이 무엇인가에 대해 말하고 있는 수필입니다. 이 작품에서는 행복은 결국 마음의 문제에 달려 있다는 것을 강조하고 있습니다.

흥부 부부상 _박재삼
가난 속에서도 서로를 이해하면서 살아온 흥부 부부를 소재로 하는 시입니다. 가난한 삶의 애환을 사랑과 웃음으로 극복하는 흥부 부부의 모습을 통해 진정한 삶의 가치를 깨닫게 해 줍니다.

실전

(가) 안민가 _충담사
(나) 평생에 일이 업서~ _낭원군
(다) 이론

여러분은 향가와 시조가 닮은꼴 갈래인 것을 알고 있나요? 향가는 신라 시대, 시조는 고려 시대 말에 발생한 갈래이고 표기 수단도 서로 다른데, 어떤 점에서 닮았다고 볼 수 있을까요? 갈래 간의 공통점에 주목하며 작품을 감상해 볼까요?

독해쌤의 감상 질문

1. 화자·대상 · (가)에 나타난 화자의 어조는 어떠한가요?
   · (나)의 화자는 어디에서 어떤 삶을 살고 있나요?

2. 시어(구) (나)에서 '산수', '강호', '강산풍월'은 무엇을 의미하나요?

3. 표현 · (가)에서 화자의 의도를 효과적으로 드러내기 위해 사용한 표현 방법은 무엇인가요?
   · (나)에서 화자의 정서를 드러낸 표현 방법은 무엇인가요?

4. 주제 (가)는 어떤 사상을 토대로 주제를 전달하고 있나요?

가
임금은 아버지요
신하는 사랑하실 어머니요
백성은 어린아이라고 한다면
백성이 ㉠사랑을 알 것입니다.
꾸물거리며 사는 백성들
이들을 먹여 다스려
㉡이 땅을 버리고 어디로 갈 것인가 한다면
나라가 다스려짐을 알 것입니다.
아으, 임금답게 신하답게 백성답게 한다면
㉢나라가 태평할 것입니다.

– 충담사, 「안민가」

독해쌤 속 닥 속 닥

◆ (나)의 작가인 낭원군은 조선의 왕족으로, 당시 왕족은 관직 진출이 금지되었다는 것을 고려할 때, '평생에 일'은 정치를 의미해요. 즉, 이 작품은 작가가 자신의 능력을 펼칠 수 없었던 심정을 자연과 벗하는 모습으로 노래한 거예요.

나
평생에 일이 업서 산수 간에 노니다가
강호에 ㉣님자 되니 ㉤세상일 다 니제라
엇더타 강산풍월이 그 벗인가 하노라
     자연의 아름다운 풍경

– 낭원군의 시조

◆ (다)는 (가)와 (나)의 갈래가 엮인 이유에 대해 설명하고 있는 글이에요. 향가의 형식적 특징이 시조에 어떤 영향을 끼쳤는지를 살펴볼 수 있어요. 특히 10구체 향가가 '4구＋4구＋2구'의 형태로 시상이 전개된다는 점과 마지막 2구인 낙구에 나타나는 감탄사의 효과를 파악하며 읽어 보아요.

다 향가와 시조는 일반적으로 형식적 측면에서 전승 과정에 초점을 두고 두 갈래의 영
_{문화, 풍속, 제도 따위를 이어받아 계승함. 또는 그것을 물려주어 잇게 함}
향 관계를 설명한다. 시조의 기원에 대한 다양한 설 중, 10구체 향가에서 비롯하였으리라
_{사물이 처음으로 생김. 또는 그런 근원}
는 설에 바탕을 두고 설명하는 학자들은 초기의 4구체나 과도기 형태인 8구체가 아닌,

10구체를 향가 중에서 정제된 형식으로 본다. 10구체는 대개 '4구＋4구＋2구'의 형태로
_{정돈되어 가지런히 된}
시상을 전개하다가 낙구에 주제를 제시하며 시상을 마무리한다. 이러한 형태는 후대 평

시조가 정제된 틀을 갖추게 된 데에 영향을 끼쳤는데, 특히 낙구의 감탄사는 시조의 종장

첫 구에 나타나는 감탄사에 영향을 미쳤으리라는 것이다. 향가의 감탄사와 시조 종장의

감탄사는 앞에 나온 내용을 정서적으로 고양시키거나 환기시켜 노래의 내용을 완결하는
_{정신이나 기분 따위를 북돋워서 높이거나　　　주의나 여론, 생각 따위를 불러일으켜}
효과가 있다.

이런 전승 과정을 거쳐 형성된 시조가 오늘날까지 창작될 수 있었던 것은, 간결한 형식

에서 기인한 바가 크다고 할 수 있다. 이러한 평시조의 형식적 특징은 조선 후기에 접어
_{원인을 둔}
들어 그 변화가 두드러지게 나타난다. 각 장 4음보의 정형성이 파괴되어 시조의 장형화가

이루어지고 사설시조가 출현하게 된다.

향가와 시조는 형식적 측면에서와는 달리 내용적 측면에서의 영향 관계를 설명하기는

어렵다. 10세기 말 무렵까지 창작됐던 향가는 현재까지 가사가 전해지는 것이 총 25수에

불과하고, 위홍과 대구 화상이 간행했다는 향가집 『삼대목』도 현재 전해지지 않는다. 현
_{책 따위를 인쇄하여 발행했다는}
재 전하는 작품들의 내용은 주로 불교적 신앙심을 바탕으로 한 것이 많지만, 추모(追慕),
_{백성이 안심하고 편히 살게 함　　　　　　　　　　　　　　　죽은 사람을 그리며 생각함}
축사(逐邪), 안민(安民), 연군(戀君) 등 다양하다.
_{요사스러운 기운이나 귀신을 울리쳐 내쫓음　　임금을 그리워함}
반면, 고려 말에 발생하여 조선 시대에 들어 본격적으로 융성한 시조는 시조가 지니는
_{기운차게 일어나거나 대단히 번성한}
형식미 때문에 조선 전기 사대부들의 미의식과 정신세계를 표현하는 데 적합한 갈래로

자리 잡았다. 이 시기 시조의 주제는 유교적 이념과 자연에 대한 동경이었는데, 이는 조

선 사대부들의 이상이기도 했다. 조선 후기 시조는 자기 자신에 대한 새로운 인식과 실학

의 대두로 인하여 관념적이고 형식적인 경향에서 벗어났다. 그러면서 시조에는 새로운
_{어떤 세력이나 현상이 새롭게 나타남을 이르는 말}
인간성을 발견하고 다양한 현실적 삶을 표현하고자 하는 경향이 나타났다.

◆ 이어서 향가와 시조가 주로 어떤 내용을 담고 있는지 살펴보아요. 그리고 조선 시대에 들어 창작이 활발했던 시조의 내용이 시간의 흐름에 따라 어떤 변화를 보였는지 정리해 보아요.

확인 문제

[01~04] 다음 설명이 맞으면 ○, 틀리면 ×표 하시오.

01 (가)의 갈래는 10구체 향가이고, (나)의 갈래는 평시조이다. (○ , ×)

02 (가)는 대조적인 의미를 지닌 시어를 열거하여 시적 긴장감을 높이고 있다. (○ , ×)

03 (나)에는 벼슬살이에 대한 화자의 후회와 반성의 태도가 두드러지게 나타난다. (○ , ×)

04 (다)를 통해 향가와 달리 시조는 지금까지도 창작되고 있다는 것을 알 수 있다. (○ , ×)

[05~07] 다음 빈칸에 들어갈 알맞은 말을 쓰시오.

05 (가)에서는 임금을 아버지, 신하를 어머니, 백성을 ⬜⬜⬜⬜에 빗대어 표현하였다.

06 (나)에서는 자연의 일부분인 '산수', '강호', '⬜⬜⬜⬜'을 통해 자연을 나타내고 있다.

07 (나)의 '⬜⬜⬜'는 감탄사로, 시조의 종장 첫 구가 3글자로 고정된 것을 보여 준다.

실력 문제

제표현

08 (가)와 (나)의 공통점으로 가장 적절한 것은?

① 유사한 문장 구조를 반복하여 운율을 형성하고 있다.
② 말을 건네는 방식을 사용하여 대상과의 친밀감을 드러내고 있다.
③ 청각적 이미지를 사용하여 시의 전반적인 분위기를 조성하고 있다.
④ 영탄적 표현을 사용하여 시적 상황에 대한 화자의 정서를 부각하고 있다.
⑤ 가정적 상황을 제시하여 현재에 비해 미래가 나아질 것이라는 화자의 기대감을 드러내고 있다.

09 (가)의 화자가 말하고자 하는 바로 가장 적절한 것은?

① 임금과 신하, 백성이 수평적 관계를 유지해야 한다.
② 나라가 태평해지기 위해서는 백성의 희생정신이 필요하다.
③ 임금이 신하와 백성을 잘 먹여 다스리는 것이 통치의 근본이다.
④ 임금과 신하, 백성이 각자의 본분에 충실할 때 나라가 평안해진다.
⑤ 임금은 신하와 백성이 자신들의 삶에 안주하지 않도록 엄하게 다스려야 한다.

시어(구)

10 ㉠~㉤에 대한 설명으로 적절하지 않은 것은?

① ㉠: 임금과 신하가 백성을 다스리는 데 있어 근본이 되는 태도를 의미한다.
② ㉡: 임금이 백성에게 질문한 내용이다.
③ ㉢: 화자가 궁극적으로 지향하는 경지에 해당한다.
④ ㉣: 자연 속에서 살아가는 화자 자신을 가리키는 말이다.
⑤ ㉤: 자연과 대비되는 속세의 공간을 의미한다.

수능형

표현 + 주제

11 (다)를 바탕으로 (가)~(나)를 이해한 내용으로 적절하지 않은 것은?

① (가)와 (나)는 내용적 측면에서 영향 관계를 설명하기 쉽지 않겠군.
② (가)의 주제가 9구~10구에 제시된 것처럼 (나)의 주제도 종장에 제시된 것이군.
③ (가)의 '4구＋4구＋2구' 형태의 구성은 (나)의 각 장 4음보의 정형성에 영향을 준 것이군.
④ (가)는 안민(安民)을 구현한 노래이고, (나)는 사대부의 의식과 정신세계를 표현한 노래이군.
⑤ (가)의 '아으'와 (나)의 '엇더타'는 앞에 나온 내용을 고양시켜 노래의 내용을 완결하는 효과가 있군.

(가) 안민가

작품 전체

기(1~4구)	서(5~8구)	결(9~10구)
❶ㅇㄱ, 신하, 백성의 관계	나라를 다스리는 방법	나라를 ❷ㅌㅍ하게 할 방안

작품 압축

■ 작품 창작 배경과 화자의 어조

(가)는 신라 때 승려 충담사가 왕의 명을 받아 지은 10구체 향가로, 교훈적이고 직설적인 성격을 지닌 노래이다.

작품 창작 배경

경덕왕 때 나라가 안팎으로 혼란하자 왕이 충담사에게 백성을 다스려 편안히 할 노래를 지어 달라고 명함

⇩

화자의 어조

• 임금과 신하에게 나라를 다스리는 방법을 설득적이고 ❸ㅈㅅㅈ인 어조로 제시함
• 자신보다 신분이 높은 청자에게 말하고 있으므로 공손한 어조를 사용함

■ 작품의 사상과 주제

(가)의 제목인 '안민가'는 백성이 안심하고 편히 살게 할 노래라는 의미로, (가)는 나라를 잘 다스려 백성을 편안하게 하고자 하는 유교적 이념을 바탕으로 하고 있다.

• 임금과 신하가 민본주의에 따라 백성을 ❹ㅅㄹ으로 다스릴 때
• 임금과 신하, 백성이 각자의 본분에 충실할 때

⇒ 나라가 태평해질 것임 – 국태민안(國泰民安)

⇩

사상	❺ㅇㄱ적 통치 이념

⇩

주제	나라를 다스리는 올바른 방안, 치국안민(治國安民)의 도리

(화자·대상 / 주제 / 표현)

■ 임금, 신하, 백성의 관계를 비유한 표현

(가)에서는 임금, 신하, 백성의 관계를 가족 관계에 빗대어 교훈적인 내용을 친근하게 전달하고 있다. 즉, 아버지와 어머니가 어린아이를 사랑하는 것과 같이 임금과 신하가 백성을 사랑으로 다스려야 함을 표현하고 있다.

나라		❻ㄱㅈ
임금		아버지
신하	비유 ❼ㅇㅇㅂ)	어머니
백성		어린아이

■ 유사한 문장 구조의 반복과 그 효과

반복법	'기-서-결'이 각각 '~ 한다면 ~ㄹ 것입니다'라는 문장 구조를 ❽ㅂㅂ함

⇩

효과	• 주제 의식을 강조함 • 구조적인 안정감이 느껴짐

(나) 평생에 일이 업서~

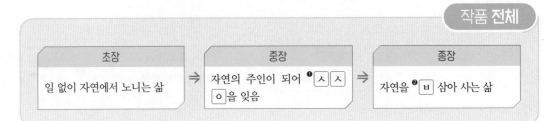

작품 전체

초장	중장	종장
일 없이 자연에서 노니는 삶	자연의 주인이 되어 ❶ㅅㅅ ㅇ을 잊음	자연을 ❷ㅂ 삼아 사는 삶

작품 압축

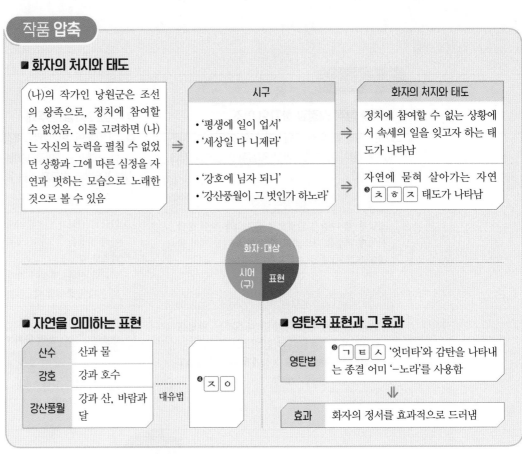

■ 화자의 처지와 태도

(나)의 작가인 낭원군은 조선의 왕족으로, 정치에 참여할 수 없었음. 이를 고려하면 (나)는 자신의 능력을 펼칠 수 없었던 상황과 그에 따른 심정을 자연과 벗하는 모습으로 노래한 것으로 볼 수 있음

시구
- '평생에 일이 업서'
- '세상일 다 니제라'

- '강호에 님자 되니'
- '강산풍월이 그 벗인가 하노라'

화자의 처지와 태도

정치에 참여할 수 없는 상황에서 속세의 일을 잊고자 하는 태도가 나타남

자연에 묻혀 살아가는 자연 ❸ㅊㅎㅈ 태도가 나타남

화자·대상 / 시어(구) / 표현

■ 자연을 의미하는 표현

산수	산과 물	
강호	강과 호수	대유법 ❹ㅈㅇ
강산풍월	강과 산, 바람과 달	

■ 영탄적 표현과 그 효과

영탄법	❺ㄱㅌㅅ '엇더타'와 감탄을 나타내는 종결 어미 '-노라'를 사용함
효과	화자의 정서를 효과적으로 드러냄

(다) 이론

작품 전체

1문단	2문단	3문단	4문단
향가(10구체)와 ❶ㅅㅈ의 형식적 영향 관계 - 향가의 시상 전개 방식과 낙구의 감탄사가 시조의 형식에 영향을 미침	시조의 형식적 특징과 변화 - 조선 후기에 평시조의 ❷ㅈㅎㅅ이 깨지며 사설시조가 출현함	향가의 내용적 특징 - 주로 ❸ㅂㄱㅈ 신앙심을 바탕으로 한 것이 많지만 추모, 축사, 안민, 연군 등 내용이 다양함	시조의 내용적 특징과 변화 - 조선 전기에는 사대부의 미의식과 정신세계가 주를 이루었지만 후기로 갈수록 관념성을 탈피함

어휘 체크 — 어휘력 테스트

1 제시된 뜻과 예문을 참고하여 다음 초성에 해당하는 단어를 괄호 안에 써 보자.

(1) ㄱ ㅅ ㅍ ㅇ : 자연의 아름다운 풍경

　例 금강산 만이천봉을 바라보니 (　　　　　)에 취한다는 것이 이런 느낌이구나 싶었다.

(2) ㅌ ㅍ : 나라가 안정되어 아무 걱정 없고 평안함

　例 정치가 잘되어야 나라가 (　　　　　)하다.

(3) ㅈ ㅅ : 문화, 풍속, 제도 따위를 이어받아 계승함. 또는 그것을 물려주어 잇게 함

　例 해녀박물관은 제주 해녀 문화의 보존과 (　　　　　)을 위해 개관하였다.

2 다음 단어를 활용하기에 적절한 문장을 찾아 바르게 연결해 보자.

(1) 간행하다　•

(2) 기인하다　•

(3) 환기하다　•

　• ㉠ 우리나라의 무역 적자는 주로 수출 부진에 (　　　　　) 것이다.

　• ㉡ 그동안 인터넷상에 쓴 글들을 모아 책으로 (　　　　　) 계획이다.

　• ㉢ 선생님은 수업 초반에 학생들의 흥미를 (　　　　　) 위해 영상을 준비하였다.

독해쌤과 함께하는 감상 넓히기

10구체 향가의 대표적인 작품

이번에 감상한 「안민가」는 신라 때 지어진 10구체 향가입니다. 10구체 향가는 향가 중 가장 정제된 형식을 지녔으며 시조의 발생에 영향을 주었다는 설이 유력하죠. 그럼 10구체 향가의 주요 작품들을 더 감상해 볼까요?

제망매가_월명사
신라 경덕왕 때 승려 월명사가 죽은 누이의 명복을 빌며 지은 10구체 향가입니다. 혈육의 죽음으로 인한 인간적인 슬픔과 인생의 무상함을 종교적으로 극복하려는 의지를 드러내고 있습니다.

찬기파랑가_충담사
신라 경덕왕 때 승려 충담사가 지은 10구체 향가로, 화랑인 기파랑을 찬양하는 노래입니다. 기파랑이 화랑으로서 지녔던 고고한 인격을 '달'과 '조약돌'과 같은 자연물에 비유하여 예찬하고 있습니다.

(가) 어이 못 오던가~ _작자 미상
(나) 규원가 _허난설헌
(다) 찰밥 _윤오영

지금 만날 수 없는 누군가를 간절히 그리워하는 마음은 누구나 한 번쯤 경험해 보았을 거예요. 사랑하는 사람을 하염없이 기다리는 애타는 마음, 다시는 볼 수 없는 사람을 그려 보는 마음을 떠올리며 다음 작품들을 감상해 볼까요?

독해쌤의 감상 질문

1. 화자·대상 (가)와 (나)에 나타난 화자의 정서나 태도는 어떠한가요?

2. 시어(구) · (가)에서 임을 오지 못하게 하는 장애물은 무엇인가요?
· (나)에서 화자의 정서를 효과적으로 드러내는 소재는 무엇인가요?

3. 표현 (가)와 (나)에서 두드러지게 사용된 표현 방법은 무엇인가요?

독해쌤 속닥속닥

◆ (가)처럼 시조 중에서 하나 혹은 두 개의 행이 정형적인 규칙을 깨고 길어진 것을 사설시조라고 해요. 사설시조에서 길어진 행은 무언가를 열거하면서 재미를 줄 때가 많아요. (가)도 중장에서 장황한 열거를 통해 상황을 제시하고 있는데요, 이것이 어떤 효과로 이어지는지 생각하며 감상해 보아요.

가 ㉠어이 못 오던가 무슨 일로 못 오던가

너 오는 길에 무쇠 성(城)을 쌓고 성 안에 담 쌓고 담 안에 집을 짓고 집 안에 뒤주
쌀 따위의 곡식을 담아 두는 세간의 하나
놓고 뒤주 안에 궤(櫃)를 짜고 그 안에 너를 필 자형(必字形)으로 결박하여 넣고 쌍배
물건을 넣도록 나무로 네모나게 만든 그릇   몸이나 손 따위를 움직이지 못하도록 동이어 묶어
목 외걸쇠 금거북 자물쇠로 수기수기 잠겨 있더냐 네 어이 그리 아니 오더냐
쌍으로 된 문고리를 거는 쇠
한 해도 열두 달이오 한 달도 서른 날에 날 와 볼 하루 없으랴

– 작자 미상

나 엊그제 젊었더니 하마 어이 다 늙거니

소년 행락(少年行樂) 생각하니 일러도 속절없다
어린 시절에 즐겁게 지내던 일
늙어서야 서러운 말 하자 하니 목이 멘다

부생모육(父生母育) 몹시 고생하여 이내 몸 길러 낼 제
부모가 낳고 기름
공후 배필(公侯配匹)은 못 바라도 군자 호구(君子好逑) 원하더니

삼생(三生)의 원업(怨業)이요 월하(月下)의 연분(緣分)으로
전세, 현세, 내세의 세 가지 세상   월하노인. 부부의 인연을 맺어 준다는 전설상의 늙은이
장안 유협(長安遊俠) 경박자(輕薄子)를 꿈같이 만나 있어
말이나 행동이 조심스럽지 못하고 가벼운 사람
당시에 마음 쓰기 살얼음 디디는 듯

삼오 이팔(三五二八) 겨우 지나 천연 여질(天然麗質) 절로 이니
타고난 아름다운 모습
이 얼굴 이 태도로 백년 기약(百年期約)하였더니

연광(年光)이 훌훌하고 조물(造物)이 시샘하여
흘러가는 시간
㉡봄바람 가을 물이 베올에 북 지나듯
베의 실 가닥
설빈화안(雪鬢花顔) 어디 가고 면목가증(面目可憎) 되었구나
고운 머리와 아름다운 얼굴   얼굴 생김생김이 남에게 미움을 살 만한 데가 있음
내 얼굴 내 보거니 어느 임이 날 사랑할까

스스로 참괴(慚愧)하니 누구를 원망하랴 〈중략〉
매우 부끄러워하니
차라리 잠이 들어 꿈에나 보려 하니

바람에 지는 잎과 풀 속에 우는 벌레

무슨 일 원수로서 잠조차 깨우는가

㉢천상의 견우직녀 은하수 막혀서도

칠월 칠석 일 년 일도(一年一度) 실기(失期)치 않거든
일 년에 한 번   시기를 놓치지

우리 임 가신 후는 무슨 약수(弱水) 가렸관대

오거나 가거나 소식조차 그쳤는고

난간의 빗겨 서서 임 가신 데 바라보니

초로(草露)는 맺혀 있고 모운(暮雲)이 지나갈 제
풀잎에 맺힌 이슬   날이 저물 무렵의 구름

ⓐ죽림(竹林) 푸른 곳에 새 소리 더욱 섧다

세상의 서러운 사람 수없다 하려니와
젊어서 혈색이 좋은 얼굴

ⓔ박명(薄命)한 홍안(紅顔)이야 나 같은 이 또 있을까
복이 없고 팔자가 사나운

아마도 이 임의 탓으로 살동말동 하여라

– 허난설헌, 「규원가」

◆ (나)의 결사 마지막 2구에 화자의 태도가 집약적으로 드러나 있어요. 화자는 자신의 현재 상황이 기구한 운명에 의한 것이라는 생각을 하면서도, 자신을 버린 임 때문에 살 듯 말 듯 하다고 하며 임에 대한 원망과 비난을 직접적으로 표출하고 있어요.

독해쌤의 감상 질문

1. 글쓴이 (다)의 글쓴이가 그리워하고 있는 대상은 누구인가요?

2. 표현 (다)에서 과거를 회상하는 부분과 현재는 어떻게 이어지고 있나요?

3. 주제 '찰밥'이라는 소재를 통해 드러내고자 한 바는 무엇인가요?

◆ 수필은 일상적인 사물이나 경험을 개성적인 관점으로 바라보면서 인생에 대한 성찰이나 교훈적 주제를 이끌어 낼 때가 많아요. (다) 역시 '찰밥'이라는 일상 속 소재와 관련한 경험을 어머니와의 추억과 연결하여 어머니의 사랑과 어머니에 대한 그리움이라는 주제를 드러내고 있어요.

다 찰밥을 싸서 손에 들고 새벽에 문을 나선다. 오늘 친구들과 소풍을 가기로 약속을 하고 점심 준비로 찰밥을 마련한 것이다.

내가 소학교 때 원족을 가게 되면 여러 아이들은 과자, 과실, 사이다 등 여러 가지 먹을
'초등학교'의 전 용어 '소풍'으로 순화된 말
것을 견대에 뿟듯하게 넣어서 어깨에 둘러메고 모여들었지만, 나는 항상 그렇지가 못했
돈이나 물건을 넣어 허리에 매거나 어깨에 두르기 편하도록 만든 자루
다. 견대조차 만들지 못하고 찰밥을 책보에 싸서 어깨에 둘러메고 따라가야 했다. 어머니
책을 싸는 보자기
는 새벽같이 숯불을 피워 가며 찰밥을 지어 싸 주시고 과자나 사과 하나 못 사 주는 것을
몹시 안타까워하셨다. 어머니는 가난한 살림에 다른 여축은 못 해도, 내 원족 때를 생각
쓰고 남은 물건을 모아 둠. 또는 그 물건
하고 고사 쌀에서 찹쌀을 떠 두시는 것은 잊지 아니하셨다. 나는 이 어머니의 애틋한 심
나쁜 기운은 없어지고 복은 오도록 집안에서 섬기는 신에게 올리는 제사
정을 아는 까닭에, 과자나 사과 같은 것은 아예 넘겨다보지도 아니했고, 오직 어머니의
정성 어린 찰밥이 소중했었다. 이것을 메고 문을 나설 때 장래에 대한 자부와 남다른 야
망에 부풀어, 새벽하늘을 우러러보며 씩씩하게 걸었다. 말하자면 이 어머니의 애정의 선
물이 어린 나에게 커다란 격려와 힘이 되었던 것이다. ⓜ이것이 인연이 되어, 소풍 혹은
등산을 하려면 으레 찰밥을 마련하는 것이 한 전례가 되고 습성이 된 셈이다.
예로부터 전하여 내려오는 일 처리의 관습
오늘도 친구들과 야유를 약속한 까닭에 예와 같이 이 찰밥을 싸서 손에 들고 나선 것이
들에 나가 노는 놀이
다. 밥을 들고 퇴를 내려서며 문득 부엌문 쪽을 둘러봤다. 새벽에 숯불을 피우시던 어머
툇간에 놓은 마루
니의 모습이 눈앞에 떠오르다가는 안개처럼 사라져 버린다. 슬픈 일이다. 손에 밥은 들려
있건만 그 어머니가 없다.

어머니는 새벽녘에 손수 숯불을 불어 가며 찰밥을 싸 주고 기대하며 기르시던 그 아들
에게서 과연 무엇을 얻으셨던가? 그는 매일매일 그래도 당신 아들만이 무엇인가 남다른
출세를 하리라고 믿고 그의 구차한 여생을 한줄기 희망으로 살아왔건만 그의 아들은 좀
살림이 몹시 가난한
체로 출세하지 않았다. 스스로 고난의 길을 걷고만 있지 아니했던가. 어머니는 운명하시
는 순간에도 그 아들의 손을 꼭 잡았다. 먼 길을 떠나던 그 순간에도 아들에 대한 희망을
놓지지 않고 웃음을 보이려 했다. "나는 너의 성공하는 것을 못 보고 가지만 너는 이담에
꼭 크게 성공해야 한다." 그는 무엇을 성공이라고 생각했는지 나는 모른다.

생각하면 슬픈 일이다. 끝끝내 아들의 성공을 믿으려던 그. 그 아들도 그때는 막연하게 나마 감격에 어린 눈으로 대답했었다. 사실 그는 야망에 차 있던 청년이기도 했다. 환상에 사로잡히어 멍하니 섰던 나는 갑자기 시계를 들여다본다. 아침 여섯 시 반, 일곱 시 사십 분까지 불광동 종점으로 모이기로 된 약속이다.

[A]
여명의 하늘은 훤히 밝아 오고 서글서글한 바람이 옷깃으로 기어든다. 나는 문을
희미하게 날이 밝아 오는 빛. 또는 그런 무렵
나서며 먼 하늘을 한 번 바라보고는 고개를 숙였다. 백수(白首) 오십에 성취한 바 없
허옇게 센 머리
이 열한 살 때 메고 가던 그 밥을 손에 들고 소년 시대의 기분으로 문을 나서는 사나
이. 어머니! 야망에 찼던 어머니의 아들은 이제 찰밥을 안고 흰 터럭을 바람에 날리
며, 손등으로 굵은 눈물을 닦습니다.

- 윤오영, 「찰밥」

확인 문제

[01~06] 다음 설명이 맞으면 ○, 틀리면 ×표 하시오.

01 (가)는 일상적인 소재를 나열하여 화자의 상황을 사실적으로 표현하고 있다. (○, ×)

02 (가)에서 화자가 기다리는 임은 강압적 요인에 의해 화자를 만나러 오지 못하고 있다. (○, ×)

03 (가)와 (나) 모두 4·4조를 기본으로 한 4음보의 연속체 시가로, 행수에 제한이 전혀 없다. (○, ×)

04 (나)는 규방에 갇혀 외로이 지내는 화자가 남편에게 버림받은 자신의 신세를 한탄하며 부른 노래이다. (○, ×)

05 (나)에서 '바람에 지는 잎과 풀 속에 우는 벌레'는 화자의 서러운 감정을 투영한 대상으로 볼 수 있다. (○, ×)

06 (다)의 글쓴이는 자신이 어머니의 마지막 당부를 실현하지 못했다고 판단하고 있다. (○, ×)

[07~10] 다음 빈칸에 들어갈 알맞은 말을 쓰시오.

07 (가)에서는 임이 오지 못하도록 막는 ㅈㅇㅁ을 연쇄적으로 이어 가는 표현을 사용하고 있다.

08 (나)에서 '마음 쓰기 ㅅㅇㅇ 디디는 듯'은 화자의 조심스러웠던 마음을 비유적으로 나타내는 표현이다.

09 (나)에서 화자는 자신의 과거 모습을 '설빈화안', 현재 모습을 'ㅁㅁㄱㅈ'으로 대조하여 제시함으로써 현재 자신의 처지를 부각하여 드러내고 있다.

10 (다)의 글쓴이는 경제적으로 넉넉하지 못했던 어린 시절에 느낀 어머니의 사랑에 대해 ㅎㅅ하고 있다.

실력 문제

11 (가)~(다)의 공통점으로 가장 적절한 것은?
① 미래에 대한 낙관적인 인식을 보여 주고 있다.
② 어린 시절의 경험에 대한 회상을 포함하고 있다.
③ 대상의 부재로부터 느끼게 된 정서를 드러내고 있다.
④ 인생의 무상감으로 인한 내면적 갈등을 표출하고 있다.
⑤ 공간의 이동에 따라 감정이 변화하는 과정을 드러내고 있다.

12 (가)에 사용된 표현 방법과 그 효과에 대한 적절한 반응을 〈보기〉에서 모두 골라 바르게 묶은 것은? `표현`

보기

ㄱ. 장황한 열거로 과장된 상황을 가정한 부분은 해학적인 느낌을 주고 있어.

ㄴ. 시상을 마무리하는 부분에 사용된 의문형 문장은 원망의 감정을 환기하고 있어.

ㄷ. 의지를 강조하는 표현을 통해 부정적 현실을 바꾸려는 화자의 적극적 태도를 부각하고 있어.

ㄹ. 청자를 설정하여 묻고 답하는 형식을 취함으로써 화자의 정서를 더 효과적으로 전달하고 있어.

① ㄱ, ㄴ ② ㄱ, ㄷ ③ ㄴ, ㄷ
④ ㄴ, ㄹ ⑤ ㄷ, ㄹ

13 (다)의 '찰밥'에 대한 설명으로 적절하지 <u>않은</u> 것은? `글쓴이` + `주제`

① 글쓴이에 대한 어머니의 사랑과 정성을 상징한다.
② 글쓴이의 과거와 현재를 매개해 주는 역할을 한다.
③ 글쓴이가 가난한 어린 시절을 보냈음을 알게 해 준다.
④ 글쓴이와 어머니 사이의 갈등을 해소해 주는 소재이다.
⑤ 글쓴이에게 어머니가 보여 준 격려와 응원의 마음을 의미한다.

14 ㉠~㉤에 대한 반응으로 적절하지 <u>않은</u> 것은? `시어(구)` + `표현`

① ㉠은 유사한 문장을 반복하여 리듬감을 형성하고 있군.
② ㉡은 세월의 흐름을 화자에게 친근한 소재를 통해 비유적으로 표현하고 있군.
③ ㉢에서는 화자 자신의 처지와 대비되는 대상에 대한 부러움도 엿볼 수 있군.
④ ㉣은 남편에게 사랑받지 못한 화자의 슬픔과 외로움을 설의적 표현을 통해 강조하고 있군.
⑤ ㉤에는 바람직하지 못한 과거와 결별하지 못한 상황에 대한 글쓴이의 안타까움이 드러나 있군.

15 ⓐ에 대한 설명으로 가장 적절한 것은? `표현`

① 역설적 표현으로 화자의 처지를 강조하고 있다.
② 자연 현상을 통해 시간의 경과를 나타내고 있다.
③ 문장 안의 어순을 바꾸어 시적 의미를 강조하고 있다.
④ 화자가 자연물에 자신의 감정을 이입하여 표현하고 있다.
⑤ 화자의 상황과 대조되는 대상을 제시하여 화자의 정서를 부각하고 있다.

16 [A]의 상황을 나타내는 말로 가장 적절한 것은? `글쓴이` + `어휘`

① 고진감래(苦盡甘來)
② 노심초사(勞心焦思)
③ 유구무언(有口無言)
④ 전전반측(輾轉反側)
⑤ 풍수지탄(風樹之嘆)

`수능형`

17 (나)의 '꿈'과 〈보기〉의 '꿈'이 지닌 공통점으로 가장 적절한 것은? `화자·대상` + `시어(구)`

보기

오르며 내리며 헤매며 오락가락하니
잠깐 동안 힘이 다하여 풋잠을 잠깐 드니
정성이 지극하여 <u>꿈</u>에 임을 보니
옥 같은 얼굴이 반이 넘게 늙었구나.
마음에 먹은 말씀 실컷 아뢰고자 하니
눈물이 계속 나니 말인들 어찌 하며
정을 못다 풀어 목마저 메니
　　　　　　　　– 정철, 「속미인곡」 중에서

① 대상에 대한 화자의 그리움이 바탕에 깔려 있다.
② 화자와 대상이 서로를 이해하는 계기로 작용하고 있다.
③ 화자가 현실에 대한 비판 의식을 드러내는 매개가 되고 있다.
④ 대상에 대해 화자가 갖고 있던 기존의 편견을 강화하고 있다.
⑤ 화자로 하여금 지난 삶을 돌아볼 수 있는 기회를 제공하고 있다.

(가) 어이 못 오던가~

초장	중장	종장
임이 오지 못하는 ❶ㅇㅇ에 대한 궁금함	임이 오지 못하는 상황에 대한 상상	자신을 보러 오지 않는 임에 대한 ❷ㅇㅁ

작품 압축

■ 임에 대한 화자의 마음

- 초장에서는 임이 오지 않는 이유를 직접 물음
- 중장에서는 임이 절대로 오지 못할 상황을 ❸ㄱㅈ하여 제시한 후, 그런 극한의 상황도 아닐 텐데 왜 오지 않는가를 따져 물음
- 종장에서는 하고많은 날 중에 자신을 보러 올 하루가 없겠느냐고 물음

⇩

- 임이 왜 오지 않는지 물음으로써 임에 대한 그리움과 기다림을 드러내고 있음
- 거듭되는 물음들을 통해 아무리 기다려도 오지 않는 야속한 임에 대한 원망을 드러내고 있음

■ 임을 오지 못하게 하는 장애물

중장에서 화자는 임에게 '무쇠 성', '담', '집', '뒤주', '궤', '쌍배목 외걸쇠', '금거북 자물쇠'로 가로막혀 있느냐고 말하고 있다. 즉 이 시어들은 모두 화자가 상상한 상황 속에서 임이 오지 못하게 막는 ❹ㅈㅇ ㅁ의 역할을 한다. 이를 통해 화자는 그런 기막힌 장애물들이 있지 않은 이상 어떻게 임이 자신을 보러 오지 않을 수가 있는가 하는 의구심을 제기하며 답답한 마음을 토로하고 있다.

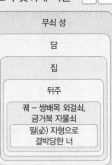

무쇠 성
담
집
뒤주
궤 – 쌍배목 외걸쇠, 금거북 자물쇠
필(必) 자형으로 결박당한 너

화자·대상 / 시어(구)

표현

■ 작품에 사용된 표현 방법

초장	중장	종장
'어이 못 오던가 무슨 일로 못 오던가'에서 구절을 반복하는 ❺ㅂㅂ법이 사용됨	• '무쇠 성을 쌓고~ 담 쌓고~ 집을 짓고~ 뒤주 놓고~ 궤를 짜고~'로 장애물에 막힌 상황을 나열해 나가는 ❻ㅇㄱ법이 사용됨 • '성 → 성 안에 담 → 담 안에 집 → 집 안에 뒤주 → 뒤주 안에 궤' 등과 같이 앞 구절의 끝 어구를 다음 구절의 앞 구절에 이어받는 ❼ㅇㅅ법이 사용됨 • 임이 오지 못할 상황을 화자가 가정하여, 사실과 다르게 부풀려 표현하는 과장법으로 나타냄	'한 해도 열두 달이오 한 달도 서른 날에 날 와 볼 하루 없으랴'에서 물음의 형식으로 의도를 강조하는 ❽ㅅㅇ법이 사용됨

(나) 규원가

작품 **전체**

기☆		승		전		결☆
과거 회상과 흐르는 **❶**[ㅅ][ㅇ]에 대한 한탄	⇒	임에 대한 원망과 서글픈 심정	⇒	거문고를 타며 달래 보는 외로움과 한	⇒	임에 대한 기다림과 **❷**[ㅇ][ㅁ]에 대한 한탄

☆: 교재 수록 부분

작품 **압축**

■ 작품에 드러나는 화자의 정서와 태도

시구		화자의 정서와 태도
• 엊그제 젊었더니 하마 어이 다 늙거니 • 연광(年光)이 흘흘하고 • 봄바람 가을 물이 베올에 북 지나듯	⇒	흐르는 세월에 대한 **❸**[ㅎ][ㅌ]
• 삼생(三生)의 원업(怨業)이요 월하(月下)의 연분(緣分)으로 • 조물(造物)이 시샘하여		현재 자신의 처지를 체념적, 운명적으로 받아들임
• 스스로 참괴(慚愧)하니 누구를 원망하랴 • 박명(薄命)한 홍안(紅顔)이야 나 같은 이 또 있을까		자신의 신세에 대한 자조와 한탄
• 오거나 가거나 소식조차 그쳤는고 • 아마도 이 임의 탓으로 살동말동 하여라		소식조차 없는 임(남편)에 대한 **❹**[ㅇ][ㅁ]

화자·대상

시어(구) **표현**

■ 화자의 정서를 드러내는 소재

화자는 임과 떨어져 있는 상황에서 임을 그리워하고 기다린다. 이러한 정서는 '꿈'에서라도 임과 재회하기를 바라는 것에서 드러나기도 하고, 자신과 대비되는 처지의 '견우직녀'를 부러워하는 것에서 드러나기도 한다.

❺[ㄲ]		잎, 벌레
그리운 임을 잠깐이나마 볼 수 있는 수단	⇐ 방해	잠을 깨움으로써 임을 볼 수 없게 하는 방해물

화자		**❻**[ㄱ][ㅇ][ㅈ][ㄴ]
임과의 사이에 약수라도 가렸는지 임을 만나지 못함	⇔ 대비	은하수가 그 사이를 막고 있지만 일 년에 한 번씩은 꼭 만남

■ 작품에 사용된 표현 방법

감정이입	**❼**'[ㅅ]'는 대나무 숲에서 서럽게 우는 존재로, 화자의 감정이 이입된 대상임

+

비유적표현	'살얼음 디디는 듯', '봄바람 가을 물이 베올에 북 지나듯'에서 **❽**[ㅈ][ㅇ]법을 통해 화자의 정서와 태도를 효과적으로 드러냄

+

설의적표현	'박명(薄命)한 홍안(紅顔)이야 나 같은 이 또 있을까'에서 설의법을 통해 자신의 신세에 대한 한탄을 강조함

(다) 찰밥

처음		중간		끝
준비한 찰밥을 들고 문을 나서는 글쓴이	⇒	찰밥과 관련된 추억과 돌아가신 어머니에 대한 ❶ㅎㅅ	⇒	어머니를 떠올리며 ❷ㄴㅁ을 흘리는 글쓴이

작품 압축

■ 글쓴이가 그리워하는 대상

글쓴이는 어린 시절 소풍 때마다 가난한 형편에도 정성스럽게 찰밥을 싸 주시던 어머니를 떠올리며 돌아가신 어머니에 대한 그리움과, 어머니의 기대에 부응하지 못한 자식으로서의 회한을 담담하게 그려 내고 있다.

글쓴이	• 소풍을 가기 위해 찰밥을 들고 문을 나서다가, 어린 시절 어머니가 싸 주셨던 찰밥을 떠올림 • 돌아가신 어머니를 그리워하며 어머니의 기대에 부응하지 못한 회한의 심정으로 눈물을 흘림

⇓ 그리움

❸ㅇㅁㄴ	• 가난한 살림 속에서도 아들의 원족 때마다 고사 쌀에서 미리 떠 둔 찹쌀로 정성껏 찰밥을 만들어 줌 • 눈을 감는 순간까지도 아들의 성공을 바라며 아들에 대한 희망을 놓지 않음

■ '찰밥'을 매개로 한 과거 회상

이 작품은 '찰밥'이라는 소재를 매개로 현재의 이야기에서 과거에 대한 회상으로, 그리고 다시 현재의 시점으로 자연스럽게 전환되며 내용이 전개되고 있다.

현재	이른 새벽 친구들과 소풍을 가려고 찰밥을 들고 문을 나섬	
❹ㄱㄱ	가난했던 어린 시절 어머니가 찰밥을 싸 주셨던 기억과, 운명하시던 순간까지 아들의 성공을 바라시던 어머니를 회상함	❺'ㅊㅂ'이 글쓴이의 과거와 현재를 매개함
현재	찰밥을 들고 문을 나서면서 어머니를 떠올리며 눈물을 흘림	

글쓴이 · 표현 · 주제

■ '찰밥'을 통해 나타내고자 한 주제

글쓴이는 '찰밥'이라는 일상 속 소재를 어린 시절의 기억과 연결함으로써 어머니의 사랑과 정성, 아들에 대한 기대를 떠올리고 어머니에 대한 그리움이라는 주제를 이끌어 내고 있다.

어린 시절의 '찰밥'	어른이 된 현재의 '찰밥'
아들에 대한 어머니의 ❻ㅅㄹ과 정성, 격려를 상징함	어머니에 대한 그리움, 어머니의 기대에 부응하지 못한 미안함을 떠올리게 함

⇓

주제
어머니의 사랑과 어머니에 대한 ❼ㄱㄹㅇ

어휘력 테스트

1 제시된 뜻과 예문을 참고하여 다음 초성에 해당하는 단어를 괄호 안에 써 보자.

(1) ㅈㄹ : 예로부터 전하여 내려오는 일 처리의 관습

예 이번 일은 우리 마을의 (   )를 따르는 게 좋겠습니다.

(2) ㄱㅂ : 몸이나 손 따위를 움직이지 못하도록 동이어 묶음

예 형사는 체포된 범인의 (   )을 점검해 보았다.

(3) ㅎㅇ : 붉은 얼굴이라는 뜻으로, 젊어서 혈색이 좋은 얼굴을 이르는 말

예 오늘 나를 만나러 온 소년은 불과 열다섯 살의 (   )이었다.

(4) ㄷㅈ : 쌀 따위의 곡식을 담아 두는 세간의 하나. 나무로 궤짝같이 만드는데, 네 기둥과 짧은 발이 있으며 뚜껑의 절반 앞쪽이 문이 된다.

예 쌀이 다 떨어졌는지 벌써 (   )의 바닥이 보인다.

2 다음 〈보기〉의 뜻을 참고하여 십자말풀이를 완성해 보자.

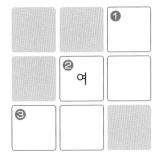

보기

가로
❷ 앞으로 남은 인생
❸ 복이 없고 팔자가 사나움

세로
❶ 전세, 현세, 내세의 세 가지 세상
❷ 희미하게 날이 밝아 오는 빛. 또는 그런 무렵

독해쌤과 함께하는 **감상 넓히기**

부재하는 대상에 대한 그리움을 다룬 작품

이번에 감상한 「어이 못 오던가~」와 「규원가」처럼 그리워하는 대상이 곁에 없는 상황을 노래한 고전 시가가 매우 많습니다. 그리고 「찰밥」처럼 돌아가신 부모님에 대한 추억과 그리움을 표현한 현대시도 많습니다. 이러한 작품들을 더 감상해 볼까요?

이화우 흩뿌릴 제~_계랑

조선 명종 때 전라도 부안의 이름난 기생이었던 계랑이 지은 시조입니다. 자신과 정이 깊었던 유희경이 서울로 올라가 소식이 없자 임에 대한 그리움과 애달픈 마음을 담아 지은 작품입니다.

결빙의 아버지_이수익

성인이 된 화자가 유년기의 아버지에 대한 기억을 떠올리고 어머니에게 고백하듯 이야기하는 형식의 시입니다. 얼어붙은 강물을 보며 한없이 추웠던 어린 시절의 화자를 위해 자신의 몸을 내어 주던 아버지의 희생적 사랑을 회상하고, 아버지에 대한 그리움을 노래한 작품입니다.

(가) 쉽게 씌어진 시 _윤동주
(나) 산길에서 _이성부
(다) 관동별곡 _정철

우리는 살면서 이런저런 다짐을 하고는 해요. 어떤 때는 힘든 상황에 맞서겠다는 각오이기도 하고, 내가 존경하는 사람처럼 열심히 살아가겠다는 마음가짐이기도 하죠. 또 어떤 때는 어려운 사람들을 위해 살아가야겠다는 포부이기도 하고요. 물론 다짐을 그대로 실천하기는 쉽지 않지만, 그렇게 각오를 되새기는 일마저 하지 않는다면 우리 삶은 앞으로 나아가지 못할 거예요. 다음 작품 속 화자들은 어떤 다짐을 하고 있는지 파악하며 감상해 볼까요?

독해쌤의 감상 질문

1. 화자·대상 (가)~(다)에 나타난 화자의 상황과 태도 및 정서는 어떠한가요?

2. 시어(구) · (가)에서 부정적 의미를 지닌 시어와 긍정적 의미를 지닌 시어는 무엇인가요?
   · (나)에서 '산길'의 상징적 의미는 무엇인가요?
   · (다)에서 화자의 다짐을 상징적으로 드러내는 시어(구)는 무엇인가요?

3. 표현 (나)~(다)에서 두드러지게 사용된 표현 방법은 무엇인가요?

4. 주제 · (가)의 제목을 통해 작가가 말하고자 한 바는 무엇인가요?
   · (나)에서 작가가 궁극적으로 말하고자 한 바는 무엇인가요?

가 창 밖에 밤비가 속살거려
남이 알아듣지 못하게 작은 목소리로 자질구레하게 자꾸 이야기하여
육첩방(六疊房)은 남의 나라.
다다미(일본식 돗자리) 여섯 장 크기의 방

시인(詩人)이란 슬픈 천명(天命)인 줄 알면서도
타고난 운명, 하늘의 뜻
한 줄 시를 적어 볼까.

땀내와 사랑내 포근히 품긴
보내 주신 학비 봉투를 받아

대학(大學) 노—트를 끼고
늙은 교수의 강의 들으러 간다.

생각해 보면 어린 때 동무들
하나, 둘, 죄다 잃어버리고

나는 무얼 바라
㉠나는 다만, 홀로 침전(沈澱)하는 것일까?
액체 속에 있는 물질이 밑바닥에 가라앉는. 기분이 가라앉는

인생은 살기 어렵다는데
시가 이렇게 쉽게 씌어지는 것은
부끄러운 일이다.

육첩방은 남의 나라
창 밖에 밤비가 속살거리는데,

등불을 밝혀 어둠을 조금 내몰고,
시대(時代)처럼 올 아침을 기다리는 최후(最後)의 나.

나는 나에게 작은 손을 내밀어
눈물과 위안으로 잡는 최초(最初)의 악수(握手).
위로하여 마음을 편하게 함

― 윤동주, 「쉽게 씌어진 시」

◆ (나)의 화자는 등산을 할 때 걷게 되는 '산길'은 누군가가 번쩍 하고 만든 게 아니라, 고생하며 하루하루를 살아가는 보통 사람들의 부질없어 보이는 발걸음이 무수히 되풀이되어 생겨난 것이라고 말하고 있어요. 그러니 아무리 힘들어도 자신이 지금 주저앉아서는 안 된다는 것을 알고 있다는 말에서 화자의 굳은 의지와 믿음이 느껴지네요.

나 이 길을 만든 이들이 누구인지를 나는 안다

이렇게 길을 따라 나를 걷게 하는 그이들이

지금 조릿대 밭 눕히며 소리치는 **바람**이거나

이름 모를 **풀꽃들** 문득 나를 쳐다보는 수줍음으로 와서

내 가슴 벅차게 하는 까닭을 나는 안다

그러기에 짐승처럼 그이들 옛 내음이라도 맡고 싶어

나는 자꾸 집을 떠나고

ⓛ그때마다 서울을 버리는 일에 신명나지 않았더냐
　　　　　　　　　흥겨운 신이나 멋이 생기지

무엇에 쫓기듯 살아가는 이들도

힘이 다하여 비칠거리는 발걸음들도

무엇 하나씩 저마다 다져놓고 사라진다는 것을

뒤늦게나마 나는 배웠다

그것이 **부질없는 되풀이**라 하더라도
　　　　　대수롭지 아니하거나 쓸모가 없는

그 부질없음 쌓이고 쌓여져서 마침내 길을 만들고

길 따라 그이들 따라 오르는 일

이리 힘들고 어려워도

왜 내가 지금 주저앉아서는 안 되는지를 나는 안다

－ 이성부, 「산길에서」

◆ (다)는 강원도 관찰사로 부임한 화자가 금강산과 관동 팔경을 유람하고 쓴 기행 가사로, 본문에서는 본사 중에서도 금강산을 유람한 부분을 담고 있어요.

◆ '개심대'에 오른 화자는 금강산의 만 이천 봉을 바라보며 산봉우리의 모양과 기세에 감탄하고 있어요. 화자는 봉우리의 기운을 보며 뛰어난 인재에 대한 갈망을 보이고, 비로봉을 보면서는 동산과 태산에 올라 노나라와 천하가 좁다고 한 공자의 고사를 떠올리며 공자의 호연지기를 흠모하는 태도를 드러내고 있어요.

다 개심대(開心臺) 다시 올라 중향성(衆香城) 바라보며,

만 이천 봉(萬二千峯)을 분명히 헤아려 보니

봉(峰)마다 맺혀 있고 끝마다 서린 기운,

맑거든 깨끗하지 말거나, 깨끗하거든 맑지 말거나.

저 기운 흩어 내어 인걸(人傑)을 만들고저.
　　　　　　　특히 뛰어난 인재

형용(形容)도 끝이 없고 체세(體勢)도 많기도 많구나.
사물의 생긴 모양　　　　　몸을 가지는 자세(기세)

천지(天地)를 만드실 때 자연히 되었건만,

이제 와 보게 되니 유정(有情)도 유정(有情)하구나.

비로봉(毗盧峰) 맨 꼭대기 올라 본 이 그 뉘신고.
　　　금강산의 최고봉

동산(東山) 태산(泰山)이 어느 것이 높던고.
　　중국 산동성에 있는 두 산의 이름

노(魯)나라 좁은 줄도 우리는 모르거든,

넓거나 넓은 천하(天下) 어찌하여 작단 말인고.

ⓒ어와 공자의 저 경지를 어이하면 알 것인고.

오르지 못하거니 내려감이 괴이할까.

◆ '화룡소'에 굽이굽이 서린 듯한 천 년 묵은 용이 승천하여 비를 내리기를 바라는 이유는 바로 그늘진 벼랑에 시든 풀을 살려 내기 위한 것이에요. 이때 시든 풀은 굶주린 백성이라고 볼 수 있어요.

원통(圓通)골 가느다란 길로 사자봉(獅子峰)을 찾아가니,

그 앞에 너럭바위 화룡(化龍)소가 되었어라.
　　　　넓고 평평한 바위

천 년(千年) 노룡(老龍)이 굽이굽이 서려 있어,

밤낮으로 흘러내려 창해(滄海)에 이었으니,
　　　　　　　　넓고 큰 바다

풍운(風雲)을 언제 얻어 삼일우(三日雨)를 내리려는가.

그늘진 벼랑에 시든 풀을 다 살려 내어라.

◆ '불정대'에서 바라본 십이 폭포의 장관을 묘사하며 이태백의 시구에 나온 중국의 여산 폭포와 비교하고 있어요.

마하연 묘길상 안문재 넘어 들어
만폭동 상류 가장 깊은 골짜기 돌벽에 새긴 커다란 불상

외나무 썩은 다리 불정대(佛頂臺)에 올라가니

천 길의 절벽을 공중에 세워 두고

은하수 한 굽이를 마디마디 베어 내어

실같이 풀어서 베같이 걸었으니

산수도경에는 열두 굽이 폭포라 했으나 내 보기엔 여럿이라.
산수의 지세를 그림으로 그려 설명한 책

이적선(李謫仙)이 이제 있어 다시 의논하게 되면

여산(廬山) 폭포가 여기보다 낫단 말 못 하리라.

　　　　　　　　　　　　　　　　　　　　- 정철, 「관동별곡」

확인 문제

[01~07] 다음 설명이 맞으면 ○, 틀리면 ×표 하시오.

01 (가)의 화자는 자신의 현재 삶에 대해 만족하고 있다. 　　　　　　　　　　　(○, ×)

02 (가)의 화자는 어두운 현실을 극복하려는 의지를 드러내고 있다. 　　　　　　　(○, ×)

03 (나)는 '그이들'에게 말을 건네는 형식으로 전개되고 있다. 　　　　　　　　　　(○, ×)

04 (나)에서 '산길'은 삶 또는 역사를 상징하는 시어로 볼 수 있다. 　　　　　　　　(○, ×)

05 (다)에 나타난 여정은 '개심대 → 불정대 → 화룡소'이다. 　　　　　　　　　　　(○, ×)

06 (다)에는 비로봉 꼭대기에 올라서 내려다본 경치에 대한 감탄이 드러나 있다. 　(○, ×)

07 (다)의 화자는 열두 굽이 폭포의 모습을 다른 대상에 빗대어 묘사하고 있다. 　　(○, ×)

[08~14] 다음 빈칸에 들어갈 알맞은 말을 쓰시오.

08 (가)의 화자는 자신이 시인이라는 사실을 '슬픈 ㅊ ㅁ'이라고 여긴다.

09 (가)에서 '최초의 악수'는 분열된 두 자아 사이의 ㅎ ㅎ 를 의미한다.

10 (나)의 화자는 주제를 강조하기 위해 '나는 안다'를 ㅂ ㅂ 하고 있다.

11 (나)의 '그이들 옛 내음이라도 맡고 싶어'에는 ㅎ ㄱ 적 이미지가 나타난다.

12 (다)의 화자는 금강산 일만 이천 봉의 끝에 서린 ㄱ ㅇ 이 맑으면서도 깨끗하다고 하였다.

13 (다)의 화자는 십이 폭포가 ㅇ ㅅ 폭포보다 낫다며 십이 폭포에 대한 감탄과 자부심을 드러냈다.

14 (다)에서 '그늘진 벼랑에 시든 풀'은, 고통받는 ㅂ ㅅ 을 상징하는 시어이며, 풀을 살려 내는 'ㅅ ㅇ ㅇ'는 백성을 바르고 어질게 잘 다스리는 정치에 대한 화자의 포부가 드러나는 시어이다.

실력 문제

화자·대상

15 (가)~(다)의 공통점으로 가장 적절한 것은?

① 현재 상황에 대한 화자의 내면적 다짐이 드러나 있다.

② 대상의 부재에서 느끼는 화자의 상실감이 드러나 있다.

③ 자연의 섭리를 본받고자 하는 화자의 태도가 나타나 있다.

④ 이상과 동떨어진 현실에 대한 화자의 안타까움이 나타나 있다.

⑤ 과거 자신이 살아온 삶을 반성하고 후회하는 화자의 모습이 나타나 있다.

화자·대상 + 시어(구) + 표현

16 (가)의 시상 전개를 〈보기〉와 같이 정리할 때, [A]~[D]에 대한 설명으로 적절하지 않은 것은?

보기			
[A]	[B]	[C]	[D]
1~2연	3~6연	7연	8~10연

① [A]: 시간적·공간적 배경을 제시하며 슬픈 현실에 대한 인식을 드러내고 있다.

② [B]: 일상에 대한 진술을 통해 부정적 현실에서 느끼는 분노와 그로 인한 대응을 그려 내고 있다.

③ [C]: 대조적 표현을 통해 자신의 현재 삶에 대한 성찰적 태도를 보여 주고 있다.

④ [D]: [A]의 일부를 변주한 부분을 통해 현실에 대해 다시 인식하고 있음을 나타내고 있다.

⑤ [D]: [C]에서와 달리 암담한 현실에 대한 극복 의지를 보여 주고 있다.

표현

17 ㉠~㉢의 표현상 공통점으로 적절한 것은?

① 의인법을 활용하여 대상을 묘사하고 있다.

② 의문형 진술을 통해 자신을 돌아보고 있다.

③ 대구법을 활용하여 리듬감을 조성하고 있다.

④ 시어의 반복을 통해 시적 의미를 강조하고 있다.

⑤ 감탄사를 활용하여 정서적 감흥을 표현하고 있다.

화자·대상

18 (다)의 화자에 대한 이해로 적절하지 않은 것은?

① 만 이천 봉우리를 보며 나라를 걱정하는 마음을 표출하고 있어.

② 변화무쌍한 산의 모습을 보며 조물주의 솜씨를 예찬하고 있어.

③ 비로봉을 보며 높은 정신적 경지에 대한 동경을 드러내고 있어.

④ 폭포의 아름다움에 대해 이적선과 나누었던 대화를 회상하고 있어.

⑤ 화룡소를 보며 고된 삶을 사는 백성들에 대한 연민을 표현하고 있어.

수능형

시어(구) + 주제

19 〈보기〉를 바탕으로 (나)를 감상한 내용으로 적절하지 않은 것은?

보기

소수의 영웅들이 인류의 역사를 이끌어 왔다는 역사관에 대한 반성으로, 다수의 이름 없는 민중을 역사 발전의 주체로 보는 관점이 대두되었다. 「산길에서」는 이러한 역사관과 관련이 있는 작품으로, 화자는 민중의 삶이 누적되어 민중의 역사가 이루어진다는 인식을 바탕으로 힘없는 이들에 대한 애정과 믿음을 드러내고 있다.

① 화자보다 앞선 이들이 만들어 놓은 '이 길'은 민중에 의해 만들어진 민중의 역사를 상징하는 것이겠군.

② 화자의 가슴을 벅차게 하는 '바람'과 '풀꽃들'은 화자의 애정이 깃든 힘없는 이들에 해당하겠군.

③ '무엇 하나씩 저마다 다져놓고 사라진다'에는 다수의 이름 없는 민중의 삶이 지닌 가치에 대한 화자의 깨달음이 담겨 있겠군.

④ '부질없는 되풀이'는 민중을 향한 화자의 믿음을 헛된 것으로 만드는 억압적 상황에 대한 우려를 표현한 것이겠군.

⑤ '왜 내가 지금 주저앉아서는 안 되는지'를 안다는 것은 화자가 자신을 역사 발전의 주체 중 하나로 인식하는 태도와 관련된 것이겠군.

(가) 쉽게 씌어진 시

독해 체크

작품 전체

1~2연		3~6연		7연		8~10연
❶ㅅㅇ 으로서의 슬픈 현실 인식	→	무기력한 현재의 삶에 대한 회의	→	부끄러운 삶에 대한 자아 ❷ㅅㅊ	→	현실 극복 의지와 분열된 자아의 화해

작품 압축

■ 화자의 상황과 태도

이 작품의 화자는 비 오는 밤에 육첩방이라는 낯선 공간에 있는데, 이는 조국을 잃은 암울한 시대 현실과 일본 유학 중인 화자의 처지를 나타낸다. 화자는 암울한 현실 속에서 무기력한 자신의 삶을 성찰하고, 현실 극복 의지를 다지고 있다.

시간적 배경	
비 오는 밤	

공간적 배경	
남의 나라 ❸ㅇㅊㅂ	

화자의 상황과 태도
조국을 잃은 암울한 시대 현실 속에서 자신의 삶을 성찰하고 현실 극복 의지를 다짐

■ 두 자아의 대립과 화해

마지막 부분에 제시된 '최초의 악수'는 현실적 자아와 내면적 자아가 갈등을 극복하고 화해함으로써 화자가 부끄럽지 않은 삶을 살아갈 것임을 보여 준다.

현실적 자아	내면적 자아
잘못된 현실에 저항하지 못한 채 우울하고 무력하게 살아가는 '나'	현실을 극복하기 위한 자아 성찰의 결과 도달한 ❹ㅊㅎ 의 나'

⇓

두 자아의 화해
'최초의 ❺ㅇㅅ' → 화자가 부끄럽지 않은 삶을 살아갈 것을 보여 줌

화자·대상
시어(구)   주제

■ 시어의 상징적 의미

이 작품은 부정적 이미지의 시어와 긍정적 이미지의 시어가 대비를 이루며 주제를 효과적으로 형상화하고 있다.

시어	상징적 의미
❻ㅂㅂ	자아 성찰의 분위기를 조성하는 암담한 시대 상황
육첩방	억눌리고 암울한 공간, 화자를 구속하는 시대 상황
어둠	일제 강점기의 암울한 현실

⇕

| ❼ㄷㅂ | 어두운 현실을 극복하려는 의지 |
| 아침 | 희망찬 미래, 조국의 광복 |

■ 제목의 의미를 통해 본 작품의 주제

제목의 의미	'쉽게 씌어진 시'는 일제 강점하에서 일본으로 유학을 떠나 조국의 현실과는 관계없이 편안히 공부하며 쉽게 쓴 시를 의미하며, 적극적으로 현실에 저항하지 못하는 화자의 부끄러움이 담겨 있음

⇓

주제	자기 성찰을 통해 암울한 현실을 극복하고자 하는 ❽ㅇㅈ 와 희망

(나) 산길에서

1~5행		6~8행		9~12행		13~17행
① ㅅㄱ 에서 가슴 벅참을 느낀 까닭을 알게 됨	→	산길을 만든 이들을 좇아 서울을 버리는 일에 **②** ㅅㅁ 이 남	→	산길을 걷는 사람들이 저마다 조금씩 산길을 만들어 감을 배움	→	산길에서 주저앉아서는 안 되는 이유를 알게 됨

작품 압축

■ 화자의 상황과 태도

이 작품의 화자는 산길을 오르면서 본 것과 깨달은 것, 다짐한 것을 노래하고 있다.

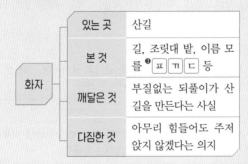

화자	있는 곳	산길
	본 것	길, 조릿대 밭, 이름 모를 **③** ㅍㄲㄷ 등
	깨달은 것	부질없는 되풀이가 산길을 만든다는 사실
	다짐한 것	아무리 힘들어도 주저앉지 않겠다는 의지

■ 시어의 상징적 의미

산길
• 가슴 벅차게 만드는 존재들과 마주하는 공간 • 부질없어 보이는 발걸음들이 **④** ㄷㅍㅇ 되어 만들어진 공간 • 힘들고 어려워도 주저앉지 않겠다고 다짐하게 되는 공간 • 인간의 삶, 민중의 역사 등을 상징함

⇕

서울
속세의 때가 묻은 곳으로, 현실에 안주하고 싶은 공간

화자·대상 / 시어(구) / 표현 / 주제

■ 이 작품의 표현상 특징

단정적이고 독백적인 어조 사용	'나는 안다'와 같은 **⑤** ㄷㅈ 적이고 독백적 어조로 산길에서 얻게 된 깨달음을 효과적으로 전달함
유사한 문장 구조 반복	'~을/를 나는 안다'라는 문장을 반복하여 시적 의미를 강조함
상징적 소재 제시	삶이나 역사를 상징하는 '길'을 통해 주제를 드러냄
⑥ ㅅㅇㅈ 표현 사용	'그때마다 서울을 버리는 일에 신명나지 않았더냐'에서 물음의 형식을 사용하여 시적 내용을 강조함

■ 작가의 작품 경향을 통해 본 주제

이성부는 주로 억압과 소외의 현실을 살아가는 민중의 모습을 담은 현실 참여적인 시를 썼으며, 이 작품도 이와 같은 맥락에서 이해할 수 있다.

작가의 역사 의식	이름 없는 사람들의 삶이 쌓여 역사가 이루어지며, 이러한 역사를 만드는 힘은 고된 삶을 살아가며 이를 견뎌 낸 민중에게서 비롯됨

⇓

주제	산을 오르며 얻은 깨달음 → 깨달음이 **⑦** ㅇㅅ 의식에 대한 자각으로 이어져 현실의 고난에 굴하지 않고 역사를 만들어 가고자 하는 의지를 다짐

(다) 관동별곡

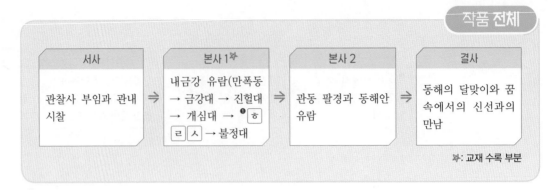

서사	⇒	본사 1✾	⇒	본사 2	⇒	결사
관찰사 부임과 관내 시찰		내금강 유람(만폭동 → 금강대 → 진헐대 → 개심대 → ❶ㅎ ㄹㅅ → 불정대		관동 팔경과 동해안 유람		동해의 달맞이와 꿈 속에서의 신선과의 만남

✾: 교재 수록 부분

작품 압축

■ 시적 대상에 대한 화자의 생각과 느낌

개심대에서 본 일만 이천 봉우리	….	형용(정적인 모습)도 체세(동적인 모습)도 모두 변화무쌍하다고 느끼며, 이를 만든 조물주의 솜씨에 ❷ㄱㅌ함

⇓

화룡소	….	천년 묵은 늙은 용이 서려 있는 것 같다고 묘사하며, 그늘진 벼랑의 시든 풀(굶주린 백성)을 살리겠노라는 ❸ㅍㅂ를 드러냄

⇓

불정대에서 본 십이 폭포	….	은하수를 베어서 실처럼 풀어 베처럼 걸어 놓은 모습에 비유하며, 이태백이 노래한 여산 폭포보다 못할 바가 없으리라고 감탄함

화자·대상

시어 (구) / 표현

■ 선정에 대한 포부를 밝힌 시어(구)

> 풍운(風雲)을 언제 얻어 삼일우(三日雨)를 내리려는가.
> 그늘진 벼랑에 시든 풀을 다 살려 내어라.

⇓

❹ㅍㅇ	바람과 구름을 뜻하며, 훌륭한 정치를 베풀 기회를 의미함
삼일우	삼 일 동안 내리는 비를 뜻하며, 시든 풀(고통받는 백성)을 살릴 좋은 정치, 임금의 은총 등을 의미함
시든 풀	헐벗고 굶주린 ❺ㅂㅅ을 의미함

■ '십이 폭포'의 묘사

불정대에 오른 화자는 은유법과 직유법과 같은 비유적 표현을 통해 십이 폭포의 장관을 묘사하고 있다. '실같이 풀어서 베같이 걸었으니'는 폭포를 가까이서 보면 물줄기가 실타래에서 풀어진 실의 가닥처럼 보이고, 멀리서 보면 베틀에 베가 걸려 있는 것처럼 보인다는 말이다.

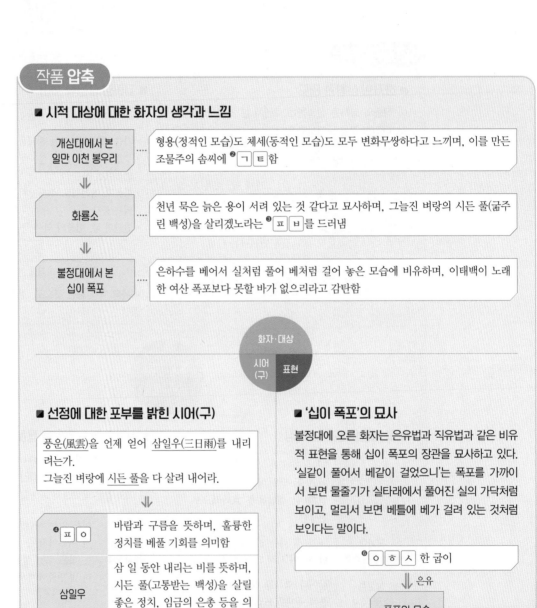

❻ㅇㅎㅅ 한 굽이

⇓ 은유

폭포의 모습

직유 ↗   ↖ 직유

실같이 풀어서	베같이 걸었으니

대구

어휘 체크

어휘력 테스트

1 제시된 뜻과 예문을 참고하여 다음 초성에 해당하는 단어를 괄호 안에 써 보자.

(1) ㅊ ㅁ : 타고난 운명

　예 윤동주에게 시인이란 슬픈 (　　　　　)과도 같았구나.

(2) ㅅ ㅁ : 흥겨운 신이나 멋

　예 음악만 들으면 그들은 곧장 (　　　　　)이 나는 듯했다.

(3) ㅇ ㅇ : 위로하여 마음을 편하게 함. 또는 그렇게 하여 주는 대상

　예 많은 사람들의 위로와 격려가 내게 큰 (　　　　　)이 되었다.

(4) ㄴ ㅇ : 코로 맡을 수 있는 나쁘지 않거나 향기로운 기운. 주로 문학적 표현에 쓰인다.

　예 향기로운 봄의 (　　　　　)이 내 코를 가득 채웠다.

2 다음 단어를 활용하기에 적절한 문장을 찾아 바르게 연결해 보자.

(1) 침전하다　•

(2) 부질없다　•

(3) 괴이하다　•

　• ㉠ 어디선가 갑자기 (　　　　　) 소리가 들리는 듯했다.

　• ㉡ 용액 속에서는 큰 알갱이가 작은 알갱이보다 더 빨리 (　　　　　).

　• ㉢ 따지고 보면 세상의 부귀영화도 하나같이 (　　　　　) 것에 불과하다.

독해쌤과 함께하는 **감상 넓히기**

자아 성찰을 다룬 작품

이번에 감상한 「쉽게 씌어진 시」는 화자가 자신의 삶을 성찰하는 태도가 인상적으로 나타난 시입니다. 이와 같이 자신의 삶을 되돌아보며 자책을 하거나 새로운 다짐을 드러내는 다른 작품들을 더 감상해 볼까요?

만보_이황

'해질녘을 거닐면서'라는 의미의 제목이 붙은 한시입니다. 저녁이라는 시간과 가을이라는 계절을 배경으로 하여 학자인 화자가 학문적으로 이룬 것이 없는 자신을 성찰하며 회한의 정서를 드러내는 작품입니다.

별 헤는 밤_윤동주

자아 성찰의 대명사로 불리는 윤동주 시인의 시입니다. 별을 보면서 지난 추억을 되새기던 화자는 암울한 현실 속에서 자신을 성찰하며 부끄러움을 느끼고, 이를 극복하고자 하는 태도를 보이고 있습니다.

memo

memo

memo

중등
수능
독해

국어 문학 독해

3
심화

정답과 해설

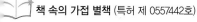

ABOVE IMAGINATION

우리는 남다른 상상과 혁신으로
교육 문화의 새로운 전형을 만들어
모든 이의 행복한 경험과 성장에 기여한다

중등

수능
독해

정답과 해설

1. 운문 문학

실전 01 님의 침묵 _한용운

갈래 자유시, 서정시
성격 불교적, 상징적, 의지적, 역설적
주제 임에 대한 영원한 사랑
특징 • 역설적 표현을 통해 주제 의식을 강조함
　　　• 불교적 세계관을 바탕으로 시상을 전개함

확인 문제

01 ✕ 　02 ○ 　03 ✕ 　04 ○ 　05 공감각적
06 단풍나무 숲 　07 그러나 　08 침묵

실력 문제

09 ⑤ 　10 ⑤ 　11 ④

01 이 작품에서 '님'은 '부처(종교적 절대자), 빼앗긴 조국, 사랑하는 연인' 등 화자가 지향하는 모든 가치, 사랑하는 모든 존재를 가리킨다고 볼 수 있다.

02 이 작품은 사랑하는 임과 이별한 슬픔을 다시 만날 희망으로 전환하면서 임에 대한 영원한 사랑과 재회에 대한 믿음을 노래하고 있다.

03 이 작품은 9행의 '아아, 님은 갔지마는 나는 님을 보내지 아니하였습니다.'라는 역설적 표현을 통해 주제 의식을 강조하고 있다.

04 이 작품의 8행인 '우리는 만날 때에 떠날 것을 염려하는 것과 같이, 떠날 때에 다시 만날 것을 믿습니다.'에는 헤어짐과 만남은 결국 하나라는 불교의 역설적 진리가 담겨 있다.

05 '향기로운 님의 말소리'는 청각의 후각화가 나타난 시구이다. 이와 같이 하나의 감각이 동시에 다른 영역의 감각을 불러일으키는 것을 공감각적 심상이라고 한다.

06 이 작품의 1~2행에서 '사랑하는 나의 님'은 '푸른 산빛'을 깨뜨리고 '단풍나무 숲'을 향하여 난 길로 갔다고 하며, 임과의 이별로 인한 절망적인 상황을 보여 주고 있다. 따라서 희망을 상징하는 '푸른 산빛'은 절망을 상징하는 '단풍나무 숲'과 대조된다.

07 이 작품의 화자는 1~6행까지는 사랑하는 임과의 이별로 인한 슬픔과 괴로움을 나타내다가, 7행의 '그러나'를 기점으로 하여 이별의 슬픔을 재회에 대한 믿음과 희망으로 전환하고 있다.

08 이 작품의 화자는 임과의 이별이라는 객관적인 사실을, 임이 부재한 것이 아니라 잠시 '침묵'하고 있을 뿐이라고 주관적으로 해석함으로써 이별의 슬픔을 극복하고자 한다.

09 [화자·대상] + [표현]

이 작품은 자연물에 화자의 감정을 불어넣어 표현하는 감정 이입을 사용하고 있지 않다.

오답 풀이 ❶ 이 작품은 '−ㅂ니다'라는 경어체의 종결 어미를 반복하여 운율을 형성하고 있다.

❷ 이 작품은 '회자정리 거자필반(會者定離去者必返)'의 불교적 윤회 사상을 바탕으로 시상을 전개하고 있다. '회자정리 거자필반'은 만남에는 헤어짐이 정해져 있고, 떠남이 있으면 반드시 돌아옴이 있다는 뜻으로 불교 용어에서 온 말이다.

❸ 이 작품은 희망을 상징하는 '푸른 산빛'과 절망을 상징하는 '단풍나무 숲', 영원한 사랑의 맹세를 의미하는 '황금의 꽃같이 빛나던 옛 맹서'와 보잘것없는 것을 의미하는 '차디찬 티끌' 등 대조적 이미지를 활용하여 이별의 상황을 나타내고 있다.

❹ 이 작품에서는 7행의 '그러나'를 기점으로 화자의 정서가 슬픔에서 희망으로 전환되고 있다.

알아두기 **이 작품에 나타난 시상의 전환**

1~4행(기)	임과의 이별	이별의 슬픔과 절망
5~6행(승)	이별 후에 느끼는 슬픔	
⇓ '그러나' − 시상의 전환		
7~8행(전)	임과의 재회에 대한 희망	슬픔의 극복과 재회에 대한 희망
9~10행(결)	임에 대한 영원한 사랑	

10 [표현]

1행에서 '님은 갔습니다'라는 시구를 반복하여 화자의 슬픔을 강조하고 있고(ㄴ), 9행에서 '님은 갔지마는 나는 님을 보내지 아니하였습니다.'라는 역설적 표현을 통해 임에 대한 사랑과 재회에 대한 믿음을 표현하고 있다(ㄹ).

오답 풀이 ㄱ. 이 작품에 스스로 묻고 답하는 문답법은 쓰이지 않았다.

ㄷ. 이 작품에 사람이 아닌 것을 사람에 비겨 사람이 행동하는 것처럼 표현하는 의인법은 쓰이지 않았다.

배경지식 ➕ **역설적 표현의 개념과 효과**

개념	겉으로는 뜻이 모순되고 앞뒤가 맞지 않는 표현이지만 그 속에 진리를 담고 있는 표현 방법

⇓

효과	• 강한 인상과 참신한 느낌을 줄 수 있음 • 모순된 표현 속에 숨어 있는 깊은 뜻을 강조하여 나타낼 수 있음 • 독자에게 신선한 충격을 주어 숨겨진 진리나 삶의 가치를 깨닫게 할 수 있음

11 시어(구)

독자마다 처한 입장이나 상황이 다르며, 그에 따라 작품을 다양하게 해석할 수 있다. 따라서 문학 작품이 독자에게 어떻게 받아들여지고 어떤 영향을 줄 것인지를 중심으로 작품을 해석하는 ⓓ의 관점에서 ㉠ '님'의 상징적 의미는 다양하게 해석될 수 있다.

오답 풀이 ❶ 이 작품이 창작된 시기가 일제 강점기였음을 고려할 때 ㉠ '님'은 빼앗긴 조국이라고 볼 수 있으며, 이때 이 작품은 조국 광복에 대한 의지와 신념을 노래한 시로 해석할 수 있다.

❷ 이 작품의 작가 한용운이 승려였음을 고려할 때 ㉠ '님'은 부처나 종교적인 절대자, 불교적 진리 등을 의미한다고 볼 수 있으며, 이때 이 작품은 종교적인 깨달음의 고통을 노래한 시로 해석할 수 있다.

❸ 이 작품이 임과의 이별을 슬퍼하는 내용임을 고려할 때 ㉠ '님'은 사랑하는 연인으로 볼 수 있으며, 이때 이 작품은 사랑하는 사람을 그리워하는 시로 해석할 수 있다.

❺ 이 작품에서 ㉠ '님'의 의미는 작품을 바라보는 관점에 따라 달라지며, '님'의 상징적 의미에 따라 작품에 대한 해석 또한 달라진다.

알아두기 **'님'의 상징적 의미**

부처 (종교적인 절대자)	이 작품의 작가 한용운이 승려였음을 고려할 때, '님' 은 부처나 종교적인 절대자, 불교적 진리 등이라고 볼 수 있음
빼앗긴 조국	이 작품이 창작된 시기가 일제 강점기였음을 고려할 때, '님'은 빼앗긴 조국이라고 볼 수 있음
사랑하는 연인	이 작품이 사랑하는 임과의 이별을 슬퍼하는 내용임을 고려할 때, '님'은 사랑하는 연인으로 볼 수 있음

배경지식 ♣ **한용운의 작품 세계**

한용운(1879~1944)은 승려이자 시인이자 독립운동가로, 호는 만해이며 용운은 법명이다. 3·1 운동 때의 민족 대표 33인 가운데 한 사람으로서 일제에 저항하는 데 앞장섰다.
『님의 침묵』은 1926년에 한용운이 간행한 시집으로 「님의 침묵」을 비롯하여 「알 수 없어요」, 「비밀」 등과 같은 88편의 시들이 수록되어 있다. 시집의 전체 내용은 이별하는 데서 시작되어 만남으로 끝나는 극적 구조를 지닌 한 편의 연작시로 볼 수 있다. 한용운의 문학이 지닌 특징은 바로 불교 사상과 독립사상이 탁월하게 예술적으로 결합된 데서 드러나며, 그의 작품들은 불교적인 비유와 고도의 상징적 수법이 두드러진다.

✚ 독해 체크 본문 018쪽

❶ 이별　❷ 재회　❸ 종교　❹ 조국　❺ 전환
❻ 희망　❼ 모순　❽ 믿음

✚ 어휘 체크 본문 019쪽

• ㉤ - ㉣ - ㉠ - ㉢ - ㉥

실전 **02** **와사등**_김광균

갈래　자유시, 서정시
성격　회화적, 감각적, 주지적, 비유적
주제　도시 문명에 대한 현대인의 고독과 비애
특징　• 감각적인 표현과 참신한 비유를 사용하여 독창적인 이미지를 형상화함
　　　• 수미상관의 구성을 사용하여 주제를 부각함

확인 문제
01 ○　02 ×　03 ○　04 ×　05 시각
06 묘석　07 등불

실력 문제
08 ②　09 ②　10 ⑤　11 ②

01 이 작품의 화자는 도시 속에서 갈 곳을 몰라 방황하며 그 슬픔을 홀로 토로하고 있으므로, 암울하고 쓸쓸한 독백의 어조가 나타난다.

02 이 작품의 화자는 '나'로 표면에 등장하여 도시 문명에 대한 인식을 드러내고 있다.

03 4연의 마지막 행에 제시된 '길―게 늘인 그림자'는 무거운 비애를 지니고 온 화자의 모습이자 고독하고 쓸쓸한 현대인의 모습을 형상화한 표현이다.

04 5연의 '내 호올로 어딜 가라는 슬픈 신호기'에 나타나듯 화자는 방향감을 상실하고 슬퍼하는 모습을 보이고 있을 뿐, 삶의 방향을 찾고자 하는 의지적인 모습은 보이고 있지 않다.

05 이 작품은 주로 시각적 이미지를 사용하여 쓸쓸한 도시의 풍경과 도시인의 고독을 한 폭의 그림처럼 표현하고 있다.

06 이 작품에서는 도시의 물질문명을 대표하는 고층 건물은 '묘석(墓石)'에, 야경은 '잡초'에 빗대고 있다.

07 1연의 '등불'은 떠남의 신호이지만, 화자는 이를 '내 호올로 어딜 가라는 슬픈 신호냐.'라고 하며 외로이 방황하고 있다.

08 표현
이 작품에는 도시 문명을 대표하는 소재들이 나열되어 있으나, 의인법과 점층법을 사용한 표현은 찾아볼 수 없다. '여름해 황망히 나래를 접고'는 무생물을 생물로 표현한 활유법이 사용된 것이다.

오답 풀이 ❶ 이 작품은 1연과 5연이 수미상관을 이루며 도시 문명 속에서 고독과 절망감을 느끼는 화자의 정서가 심화되고 있다.

❸ 이 작품에서는 '차단―한', '비인', '호올로' 등의 시적 허용이 나타난 표현을 활용하여 화자가 느끼는 쓸쓸함과 공허함 등을 강조하고 있다.

❹ 이 작품은 '비인 하늘', '늘어선 고층', '창백한 묘석', '찬란한 야경' 등에서 시각적 이미지를 활용하여 도시의 풍경을 한 폭의 그림처럼 제시하고 있다.

❺ 이 작품에서는 '슬픈', '눈물겹고나', '공허한', '무거운 비애'와 같이 감정을 노출하는 시어를 빈번하게 사용하여 도시 문명에서 느끼는 화자의 고독함을 드러내고 있다.

알아두기 │ **수미상관 구성의 효과**

1연	차단—한 등불이 하나 비인 하늘에 걸려 있다. 내 호올로 어딜 가라는 슬픈 신호냐
5연	내 어디로 어떻게 가라는 슬픈 신호기 차단—한 등불이 하나 비인 하늘에 걸리어 있다.

⇓

첫 연과 마지막 연이 행의 배열이 바뀐 역대칭의 구조로 배치됨

⇓

마지막까지 방향 감각을 상실한 상태에서 벗어나지 못할 것이라는 화자의 절망감을 드러냄

09 시어(구) + 표현

2연에서 도시의 고층 건물을 '창백한 묘석(墓石)'에, 찬란한 야경을 '무성한 잡초'에 빗대어 표현하고 있다. 이를 통해 화자가 화려한 물질문명에 따른 도시의 무질서하고 황량한 풍경을 부정적으로 인식하고 있음을 알 수 있다.

오답 풀이 ❶, ❺ 1연과 5연에서는 비유적 표현이 나타나지 않으며, 현대인의 고독과 방향 상실을 표현하고 있다.

❸ 3연에서는 비유적 표현이 나타나지 않으며, 도시의 소란 속에서 느끼는 소외감을 표현하고 있다.

❹ 4연에서는 비유적 표현이 나타나지 않으며, 군중 속에서 느끼는 고독과 비애를 표현하고 있다.

10 표현

㉠은 시각을 촉각화하여 나타낸 공감각적 이미지로, 황량하고 고독한 화자의 정서를 환기하고 있다. ⑤에서도 '새파란 초생달'이라는 시각적 이미지를 '시리다'라는 촉각적 이미지로 전이한 공감각적 이미지가 쓰였다.

오답 풀이 ❶ 후각적 심상이 쓰였다.

❷ 시각적 심상이 쓰였다.

❸ 청각적 심상이 쓰였다.

❹ 청각을 시각화한 공감각적 심상이 쓰였다.

알아두기 │ **감각적 표현에 담긴 도시의 모습과 화자의 정서**

촉각적 이미지	차단—한 등불
시각적 이미지	비인 하늘, 늘어선 고층(高層), 창백한 묘석(墓石), 찬란한 야경, 무성한 잡초, 길—게 늘인 그림자
청각적 이미지	낯설은 거리의 아우성 소리
공감각적 이미지	피부의 바깥에 스미는 어둠

⇓

화려하면서도 황폐한 도시 문명과
그 속에서 느끼는 화자의 고독과 비애, 소외감 등을 드러냄

배경지식 ✚ **「와사등」의 모더니즘**

모더니즘은 기존의 도덕과 권위를 부정하고 극단적인 개인주의, 도시 문명이 가져다준 인간성 상실에 대한 문제의식 등에 기반을 둔 문예 사조를 말한다. 김광균의 「와사등」은 이러한 모더니즘 경향을 잘 보여 주는 작품으로, 시각적이고 회화적인 기교를 바탕으로 현대 도시 문명에 대한 비판 의식을 드러내고 있다.

11 화자·대상 + 주제

이 작품은 도시 문명 속에서 살아가는 현대인의 삶의 비애와 고독감을 형상화한 시이다. 이 작품에 그려진 도시는 화자에게 상실감과 우울함을 느끼게 할 뿐, 대상을 두려워하며 우러러 보는 마음인 경외심을 느끼게 하는 공간이 아니다.

오답 풀이 ❶ 도시 문명에 대한 부정적인 묘사를 비롯해 '슬픈', '눈물겹고나', '무거운 비애' 등과 같은 시어를 통해 도시 문명 속에서 방황하는 현대인의 비애와 고독감을 전달하고 있다.

❸ 1연에서 화자는 적막한 배경인 '비인 하늘'에 걸려 있는 사물인 '등불 하나'에 주목하고 있으며, 이어지는 '호올로'를 통해 화자가 쓸쓸한 처지에 놓여 있음을 알 수 있다.

❹ 3연과 4연에서 화자는 도시의 밤거리를 공허한 군중의 행렬에 섞여 걸으며 무거운 비애를 느끼는데, 이를 통해 화자가 도시의 단절된 인간관계에서 소외감을 느끼고 있음을 알 수 있다.

❺ 5연은 1연의 내용이 시행의 배열이 바뀐 형태로 반복되고 있는데, 이를 통해 화자가 마지막까지 방향 감각을 잃어버린 채 절망감을 느끼고 있음을 알 수 있다.

알아두기 │ **'등불'의 의미**

문학 작품에서 많이 쓰이는 '등불'의 의미	'등불'은 어둠을 밝히는 속성을 지니므로 문학 작품 속에서 흔히 긍정적인 의미의 시어로 쓰임 예 한용운, 「알 수 없어요」에서 '등불'은 어두운 밤을 이겨 내기 위한 화자의 의지를 나타냄
「와사등」에서 '등불'의 의미	'차단—한 등불'은 차가움의 이미지를 통해 현대 도시 문명을 부정적으로 인식하게 하며, 더불어 어디론가 떠나려는 '슬픈 신호'를 의미하므로 어디로 가야 할지 모른 채 방황하는 도시인의 모습을 연상하게 함

✚ **독해 체크**   본문 022쪽

❶ 도시   ❷ 군중   ❸ 고독   ❹ 비판   ❺ 방향
❻ 현대인   ❼ 수미상관   ❽ 촉각

✚ **어휘 체크**   본문 023쪽

1 (1) 비애 (2) 묘석 (3) 황망히
2 〈가로〉 ❶ 공허하다 ❷ 와사등
　〈세로〉 ❶ 공감각적 ❸ 사념

실전 03 그리움 _이용악

갈래 자유시, 서정시

성격 서정적, 시각적, 애상적

주제 고향과 가족에 대한 그리움

특징
- 의문형 종결 어미를 통해 그리움의 정서를 고조함
- 수미상관의 구조를 활용하여 화자의 정서를 강조함
- 반복적 표현을 통해 고향에 대한 절실한 그리움을 나타냄

확인 문제

01 × 　02 ○ 　03 × 　04 × 　05 그리움

06 눈 　07 차마

실력 문제

08 ③ 　09 ④ 　10 ⑤ 　11 ②

01 이 작품에서 '함박눈'은 가족과 고향을 떠올리게 하는 시어로, 포근하고 아늑한 이미지로 그려지고 있다.

02 이 작품은 '기(1연) – 승(2~3연) – 전(4연) – 결(5연)'의 구성으로 시상이 전개되고 있다.

03 이 작품은 의문형 종결 어미의 반복, 수미상관의 구조, 반복적 표현 등을 통해 고향과 가족에 대한 화자의 그리움의 정서를 드러내고 있으나, 역설 표현은 나타나 있지 않다.

04 이 작품의 4연에서 화자는 '그리운 곳 차마 그리운 곳'이라고 '그리운'을 반복하여 표현함으로써 고향에 대한 그리운 감정을 직접 드러내고 있다.

05 이 작품에는 내리는 '눈'을 보며 고향에 두고 온 가족을 그리워하는 화자의 심정이 잘 드러나 있다.

06 이 작품에서 '눈'은 그리움의 대상인 가족과 '너를 남기고 온 작은 마을'인 북쪽의 고향을 떠올리게 하므로 그리움의 매개체라고 할 수 있다.

배경지식 ➕ 매개체

매개체는 '둘 사이에서 어떤 일을 맺어 주는 것'을 말한다. 문학 작품에서 특정 소재들은 의도적으로 어떤 매개체의 역할을 하도록 설정되기도 한다. 예를 들어 헤어진 연인을 그리워하는 내용을 담은 작품에서 연인이 남긴 물건은 그를 떠올리게 하는 매개체가 될 수 있다.

07 '차마'는 원래 부정적인 말과 호응하는 부사어이다. 하지만 이 작품에서는 시적 허용을 통해 '차마 그리운 곳'이라는 표현으로 쓰여 고향과 가족에 대한 그리움을 강조하고 있다.

08 표현

이 작품은 '–는가'라는 의문형 종결 어미를 반복하여 고향에 대한 화자의 그리움을 심화하여 드러내고 있다. 그러나 묻고 답하는 형식을 사용하여 화자의 의문을 해결하는 내용은 나타나지 않는다.

오답 풀이 ❶ '굽이굽이', '느릿느릿'과 같은 의태어를 사용하여 대상의 모습을 감각적으로 표현하고 있다.

❷ '차마'는 부정적인 말과 호응하는 부사어인데, '차마 그리운 곳'이라는 시적 허용이 나타난 표현으로 쓰여 화자의 그리움을 응축하여 드러내고 있다.

❹ '내리는가', '그리운 곳' 등의 시어를 반복하여 고향과 가족에 대한 절실한 그리움을 나타내고 있다.

❺ 1연과 5연에서 같은 내용을 반복하는 수미상관의 구조를 통해 형태적 안정감을 얻고 그리움의 정서를 강조하고 있다.

알아두기 반복을 통한 효과

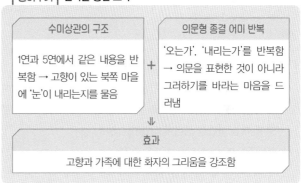

수미상관의 구조	의문형 종결 어미 반복
1연과 5연에서 같은 내용을 반복함 → 고향이 있는 북쪽 마을에 '눈'이 내리는지를 물음	'오는가', '내리는가'를 반복함 → 의문을 표현한 것이 아니라 그러하기를 바라는 마음을 드러냄

효과

고향과 가족에 대한 화자의 그리움을 강조함

09 시어(구)

4연에서 '잉크병 얼어드는' 추운 겨울밤에 잠을 깬 화자는 '어쩌자고 잠을 깨어'라고 자책하는 듯한 의문을 던진다. 이는 뒤에 이어지는 '그리운 곳 차마 그리운 곳'으로 보아 고향을 그리워하며 가족을 염려하는 애달픈 심정을 드러내는 것으로 볼 수 있다.

오답 풀이 ❶ 1연과 5연에서 화자는 '눈'을 매개로 고향을 떠올리면서 '오는가'에서 '쏟아져 내리는가'로의 변주를 통해 그리움의 정서를 심화하고 있을 뿐 실망감을 표현하고 있지는 않다.

❷ 2연에서 '돌아간'은 철길의 휘어진 모양을 나타내고, '달리는'은 철길 위를 이동하는 화물차의 움직임을 나타낸다. 따라서 두 시어가 대상 간의 긴장감을 조성한다고 보기 어렵다.

❸ 2연에서 '철길'에서 '화물차의 검은 지붕'으로 시선이 이동하고 있으나, 화물차는 철길 위를 밤새워 달리고 있으므로 정적인 이미지를 강조했다고 보기 어렵다.

❺ 4연에서 '차마 그리운 곳'은 시적 허용을 통해 고향에 대한 그리움을 강조하고 있을 뿐, 화자가 고향으로 돌아가게 되었다는 내용은 나타나지 않는다.

10 화자·대상

〈보기〉의 ⓐ를 통해 작가는 가족과 떨어져 서울에서 홀로 외롭게 지냈음을 알 수 있다. 이 작품에서 ㉒ '잉크병 얼어드는 이러한 밤에'는 혹독한 추위를 통해 가족과 떨어져 홀로 지내는 화자의 외로움을 드러내고 있다.

오답 풀이 ① 화자는 내리는 '눈'을 보며 고향을 떠올리고 있을 뿐, ㉠에서 홀로 지내는 화자의 외로운 처지가 드러나지는 않는다.

② ㉡은 고향으로 가는 화물차의 모습을 나타낸 것이다.

③ ㉢은 두메산골의 모습을 나타낸 것이다.

④ ㉣은 고향에 있는 가족이 축복받기를 바라는 화자의 마음을 표현한 것으로 볼 수 있다.

알아두기 │ 화자의 처지와 정서

화자의 처지

- 고향에 가족을 두고 옴
- 함박눈이 오는 고향의 모습을 상상하며 가족이 있는 고향에 '복된 눈'이 내리기를 바람
- 혹독하게 추운 겨울밤에 잠에서 깨 가족을 생각함

⇓

화자의 정서

- 가족에 대한 간절한 그리움
- 가족이 축복받기를 바라는 마음

11 시어(구) + 주제

2연과 3연에서 '화물차의 검은 지붕'과 '눈'은 색채 대비를 이루지만, '화물차'는 고향으로 돌아가는 수단으로 이를 통해 문명에 대한 비판을 드러내고 있지는 않다.

오답 풀이 ① 1연에서 고향이 있는 '북쪽'에 포근하고 아늑한 이미지의 '함박눈'이 내리는지 자문함으로써 고향에 대한 그리움을 드러내고 있다.

③ 3연에서 고향을 상징하는 '작은 마을'에 '복된 눈'이 내리기를 바라는 것에는 고향에 있는 '너', 즉 가족을 축복하는 마음이 담겨 있다고 볼 수 있다.

④ 4연에서 잉크병이 얼어 버릴 만큼 혹독한 추위 속에서 잠을 깬 화자는 '그리운 곳 차마 그리운 곳'이라는 표현으로 고향에 대한 절실한 그리움을 드러내고 있다.

⑤ 5연에서 1연의 내용을 다시 반복한 수미상관의 구조를 사용함으로써 고향과 가족에 대한 그리움의 정서를 강조하고 있다.

배경지식 ➕ 이용악의 삶이 반영된 작품

이 작품의 작가 이용악은 1945년 해방 직후 북쪽에 있는 무산(茂山)의 처가에 가족을 두고 혼자 서울에서 외롭게 생활하였다. 이처럼 「그리움」은 실제로 고향이 북쪽인 작가의 삶을 바탕으로 창작된 작품이다.

➕ 독해 체크 본문 026쪽

❶ 밤 ❷ 고향 ❸ 그리움 ❹ 의문형 ❺ 매개체
❻ 축복 ❼ 가족

➕ 어휘 체크 본문 027쪽

1 (1) 굽이굽이 (2) 차마 (3) 심화
2 (1) ㉠ (2) ㉢ (3) ㉡

실전 04 추천사 - 춘향의 말 1 _서정주

갈래 자유시, 서정시
성격 상징적, 이상적, 낭만적, 초월적
주제 초월적 이상 세계에 대한 갈망
특징 • 고전 소설 「춘향전」을 모티프로 하여 화자의 간절한 소망을 형상화함
  • 춘향이 향단에게 말을 건네는 대화체의 형식을 통해 극적 효과를 거둠
  • 동일한 시구의 반복을 통해 의미를 강조하고 운율을 형성함

확인 문제

01 × 02 × 03 ○ 04 ○ 05 좌절
06 바다 07 섬

실력 문제

08 ② 09 ⑤ 10 ① 11 ③

01 1연의 '향단아 그넷줄을 밀어라'라는 시구를 통해 이 작품의 화자는 그네를 밀어 달라고 향단에게 말을 건네는 춘향임을 알 수 있다.

02 이 작품에는 시간의 흐름이 나타나 있지 않다. 이 작품은 그네의 움직임에 따라 시상을 전개하고 있다.

03 이 작품은 고전 소설 「춘향전」을 모티프로 하여 기생의 딸이라는 신분적 제약에 매여 있는 춘향을 통해 초월적 세계로의 지향이라는 주제를 효과적으로 드러내고 있다.

04 '채색한 구름같이 나를 밀어 올려 다오'라는 표현으로 보아, '채색한 구름'은 화자가 지향하는 자유로운 존재를 의미한다.

05 이 작품은 화자인 춘향의 말을 통해 현실에서 벗어나고자 하는 열망과 현실에서 벗어날 수 없는 인간의 숙명으로 인한 좌절을 그려 내고 있다.

06 이 작품에서 '바다'와 '하늘'은 모두 이상 세계, 초월적 세계를 의미한다.

07 이 작품에서 '산호'와 '섬'은 배의 운항을 방해하는 것들로, 화자를 구속하는 현실적 제약, 장애물을 의미한다.

08 표현

이 작품에 인간과 자연의 대립은 나타나지 않는다. 이 작품은 이상과 현실 혹은 지향과 좌절의 대립을 통해 주제를 드러내고 있다.

오답 풀이 ① 호소하는 듯한 어조로 그네를 밀어 달라고 말하여 현실에서 벗어나고 싶은 화자의 정서를 드러내고 있다.

❸ 화자인 춘향이 청자인 향단에게 말을 건네는 방식을 활용하여 시적 의미를 드러내고 극적인 효과를 거두고 있다.

❹ 1연에서 '배를 내어 밀듯이' 향단에게 그넷줄을 밀어 달라는 화자의 소망은 인간의 운명적 한계를 자각한 후에도 5연에서 '바람이 파도를 밀어 올리듯이' 밀어 달라는 간절한 열망으로 심화되고 있다.

❺ '밀어 올려 다오'라는 시구를 반복하여 의미를 강조하고 운율을 형성하고 있다.

09 [화자·대상]

5연에서 한계를 인식한 후에도 '밀어 올려 다오'라고 말하는 것으로 보아, 화자는 체념한 것이 아니라 계속해서 이상 세계를 지향하고 있다. 따라서 5연은 의지적이고 간절한 어조로 낭송하는 것이 적절하다.

[오답 풀이] ❶ 1연의 '머언 바다'는 화자가 지향하는 이상 세계를 의미하므로 이상 세계에 대한 소망이 잘 드러나도록 낭송하는 것이 적절하다.

❷ 2연에서는 화자로 하여금 현실에 애착을 갖게 하는 소재들을 제시하면서도 그것들로부터 밀어 달라고 말하고 있으므로 현실에 대한 애착과 현실에서 벗어나고 싶은 욕망 사이의 갈등이 드러나도록 낭송하는 것이 적절하다.

❸ 3연에서는 동일한 시구의 반복을 통해 소망의 간절함을 표현하고, 느낌표를 사용하여 화자의 갈망이 최고조에 이르렀음을 드러내고 있으므로 느낌표가 쓰인 마지막 행은 격정적인 어조로 낭송하는 것이 적절하다.

❹ 4연의 '나는 아무래도 갈 수가 없다.'는 숙명적 한계를 깨달은 것이므로 좌절감이 드러나는 어조로 낭송하는 것이 적절하다.

[알아두기] 「추천사」에 나타난 내용과 형식의 관련성

1연	그네가 상승하기 직전의 상황을 표현함. 1연의 2~4행은 1행에 비해 상대적으로 행의 길이가 짧아지고 있어 천천히 읽게 되는데, 이러한 느린 속도감은 그네가 이제 막 움직이기 시작하여 하늘을 향해 천천히 올라가는 모습을 떠올리게 함
2, 3연	그네가 상승하는 모습을 형상화함. 말이 촘촘하게 이어지면서 1연에 비해 행 길이가 길어서 빠르게 읽게 되며, 그네가 하늘을 향해 빠른 속도로 올라가는 모습을 떠올리게 함. 그리고 '밀어 올려 다오'라는 시구의 반복으로 춘향의 욕망이 최고조에 이른 모습을 보여 줌
4연	그네가 하강하는 모습을 표현함. 다른 연에 비해 행이 2행으로 짧아지고 템포가 느려지면서 이상 세계로 갈 수 없다는 좌절을 느끼는 춘향의 모습을 떠올리게 함
5연	1연의 반복 형태가 나타나면서 춘향을 통해 인간의 운명적 한계를 보여 줌

10 [시어(구)]

〈보기〉에서 '이 집'은 나로 하여금 현실에서 벗어나려는 뜻을 지니게 하면서도 끝내는 벗어나지 못하게 하는 양면성을 지닌 것으로 나타나 있다. ㉠ '그넷줄' 역시 현실에서 벗어나려는 의지와 현실에서 벗어날 수 없는 한계라는 양면적 속성을 동시에 지닌다.

[오답 풀이] ❷ ㉡ '바다'는 화자가 지향하는 이상 세계를 의미한다.

❸ ㉢ '수양버들나무'는 화자가 현실에 애착을 갖게 하는 소재이다.

❹ ㉣ '산호'는 화자가 가진 현실의 제약, 장애물을 의미한다.

❺ ㉤ '바람이 파도를 밀어 올리듯이' 밀어 올려 달라고 한 것으로 보아, '바람'은 화자가 이상 세계로 향하는 것을 돕는 역할을 나타낸다.

[알아두기] '그네(그넷줄)'의 상징적 의미

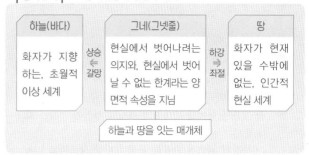

11 [시어(구) + 주제]

'울렁이는 가슴'은 초월적 세계를 향한 벅찬 가슴, 곧 현실적 제약에서 벗어나 이상 세계로 나아가고 싶은 화자의 심리를 드러낸다.

[오답 풀이] ❶ '수양버들나무', '풀꽃더미', '나비 새끼', '꾀꼬리들'은 화자가 현실에 대한 미련과 애착을 갖게 하는 대상이기에 현실에서 벗어나기 위해서는 떨쳐 내야 할 대상이다.

❷ 화자는 그네를 타고 '하늘'에 닿고 싶어 하므로 '하늘'은 화자가 동경하는 이상 세계이다.

❹ '서(西)으로 가는 달'은 어디에도 구속받지 않고 자유롭게 다닐 수 있는 존재로, 인간이라는 숙명 때문에 현실적 제약에 매여 있는 화자와 대조된 모습을 보인다.

❺ 화자는 4연에서 숙명적 한계를 자각하면서도 5연에서 다시 밀어 올려 줄 것을 요청하는 것으로 보아, 이상 세계를 향한 굳은 의지와 간절한 소망을 지니고 있다.

[배경지식] 고전 소설 「춘향전」을 모티프로 한 시

박재삼, 「수정가」	이몽룡과 이별한 춘향의 그리움과 한의 정서가 드러남
김영랑, 「춘향」	죽음을 무릅쓰고 일편단심을 지키는 춘향의 애틋한 정절을 세조에게 맞서 죽음으로 충절을 지킨 사육신과 촉석루에서 순국(殉國)한 논개의 애국심에 대응시켜 노래함
서정주, 「춘향유문」	춘향의 마음을 검은 물, 구름, 소나기로 대비하여 생사를 초월한 사랑의 결합을 노래함
강은교, 「춘향이의 꿈 노래」	죽음을 암시하는 듯한 춘향의 꿈 내용을 소재로 이몽룡을 그리워하는 춘향의 애절한 마음을 노래함

+ 독해 체크 　　　　　　　　　　　본문 030쪽

❶ 현실　　❷ 이상　　❸ 한계　　❹ 대화체　　❺ 운율
❻ 그네　　❼ 하늘　　❽ 달

+ 어휘 체크 　　　　　　　　　　　본문 031쪽

1 (1) 베갯모　(2) 장애물　(3) 모티프
2 (1) ㉡　(2) ㉢　(3) ㉠

실전 05 눈 _김수영

갈래 자유시, 서정시

성격 반성적, 비판적, 의지적, 참여적

주제 순수하고 가치 있는 삶에 대한 소망과 의지

특징 • '눈'과 '가래'의 상징적 의미가 대립 구조를 이룸
• 청유형 어미를 반복하여 화자의 결연한 의지를 표현함
• 문장의 점층적 반복을 통해 의미를 강조하고 리듬감을 살림

 문제

01 × 02 ○ 03 ○ 04 × 05 밤 06 가래
07 젊은 시인

 문제

08 ⑤ 09 ⑤ 10 ① 11 ④

01 이 작품에서 '눈'은 순수하고 깨끗한 존재라는 긍정적인 의미를 나타내고 있다.

02 이 작품은 1연과 3연에서는 '눈은 살아 있다'라는 문장을, 2연과 4연에서는 '기침을 하자'라는 문장을 변형하여 반복함으로써 의미를 점층적으로 강조하고 있다.

03 이 작품의 화자는 불순한 것을 떨쳐 버리려는 태도를 단호하고 의지적인 어조로 드러내어 순수하고 가치 있는 삶에 대한 소망을 노래하고 있다.

04 이 작품에서 '기침을 하는' 행위는 가래(불순한 것)를 뱉어 내는 행위로, 순수한 내면을 지키고자 하는 노력이자 자기 정화를 위한 노력을 의미한다.

05 이 작품에서 '밤새도록 고인 가슴의 가래라도 / 마음껏 뱉자'라는 표현은 어두운 시대 상황에서 불순한 것을 깨끗하게 씻어 내려는 화자의 노력을 보여 준다. 따라서 '밤'은 어두운 시대 현실을 상징한다.

06 '눈'은 깨끗하고 순수한 존재를 상징하는 반면에 '가래'는 더럽고 불순한 것을 상징하므로, 두 시어는 서로 대조적인 의미를 지닌다.

07 이 작품의 2연에서는 '젊은 시인이여 기침을 하자'라고 구체적인 청자를 설정하고 있는데, 여기서 '젊은 시인'은 마당 위에 떨어진 '눈'이 살아 있는 것을 보며 기침을 할 용기를 갖게 되는 화자이자 작가 자신이라고 볼 수 있다. 기침을 하는 행위는 곧 '눈'처럼 순수한 존재가 되기 위한 화자의 노력에 해당한다.

08 화자·대상 + 표현

이 작품은 평서형 종결 어미 '–다' 또는 청유형 종결 어미 '–자'를 사용하고 있다. 주로 감탄형 종결 어미를 통해 화자의 정서를 강하게 나타내는 영탄적 어조는 나타나 있지 않다.

오답 풀이 ❶ 이 작품에서는 소박하고 평범한 일상어를 사용하고 있는데 '눈, 기침, 가래, 밤'과 같은 일상어에 각각 '순수한 존재, 자기 정화 행위, 불순한 것, 어두운 시대 현실' 등의 상징적 의미를 부여하고 있다.

❷ 이 작품의 2연과 4연에서는 '–자'라는 청유형 어미를 반복하여 청자로 하여금 함께 행동할 것을 권하고 있다.

❸ 1연과 3연에서 '눈은 살아 있다'를 점층적으로 반복하여 눈의 생명력을 강조하고, 2연과 4연에서 '기침을 하자'를 점층적으로 반복하여 순수한 삶을 추구하고자 하는 화자의 의지를 강조하고 있다.

❹ 이 작품은 순수하고 가치 있는 삶에 대한 소망과 의지를 상징적으로 표현한 시로, '눈'은 순수한 존재를 의미하고 '가래'는 불순한 것을 의미한다. 화자는 '기침'을 통해 '눈'과 대비되는 속성을 가지는 '가래'를 뱉어 냄으로써 자신이 지향하는 순수한 삶을 강조하고 있다.

09 화자·대상 + 시어(구)

㉠ '젊은 시인'은 이 작품의 화자이자 작가 자신이라고 볼 수 있다. 화자는 순수하고 가치 있는 삶에 대한 소망과 의지를 노래하고 있으므로, 정의롭고 순수한 세상을 추구하는 정치인(ㄷ)과 부정적인 현실에 대한 극복 의지를 가진 노동자(ㅁ)가 ㉠에 해당하는 사람이라고 볼 수 있다.

오답 풀이 ㄱ. 일상의 편안함에 안주하는 직장인은 순수하고 가치 있는 삶을 추구한다고 보기 어렵다.

ㄴ. 자신의 이익에만 관심을 가지는 자본가는 순수하고 가치 있는 삶과 거리가 멀다.

ㄹ. 불합리한 것을 보고 모르는 체하는 공무원은 순수하고 가치 있는 삶과 거리가 멀다.

알아두기 시어 및 시구의 상징적 의미

눈	• 깨끗함, 순수함, 진정한 가치 • 강인한 생명력을 지닌 존재
기침	• 가슴 속에 고여 있는 불순한 것을 뱉어 내는 행위 • 자기 정화 행위
젊은 시인	• 순수함과 진정한 가치를 추구하는 존재 • 화자이자 작가 자신
가래	• 더러움, 불순한 것, 부정적인 것 • 부정적인 현실에서 생긴 속물근성, 소시민성 등

10 어휘

㉡의 '대고'는 '어떤 것을 목표로 삼거나 향하고'라는 뜻이다. 이와 같은 뜻으로 쓰인 것은 하늘을 향하여 하소연을 하였음을 나타낸 ①의 '대고'이다.

오답 풀이 ❷ '이유나 구실을 들어 보이고'라는 뜻이다.

❸ '무엇을 어디에 닿게 하고'라는 뜻이다.

❹ '차, 배 따위의 탈것을 멈추어 서게 하고'라는 뜻이다.

❺ '다른 사람과 신체의 일부분을 닿게 하고'라는 뜻이다.

11 표현

2연의 '눈더러 보라고 마음 놓고 마음 놓고 / 기침을 하자'는 4연의 '밤새도록 고인 가슴의 가래라도 / 마음껏 뱉자'로 변주되었으므로, '마음 놓고'가 '눈을 바라보며'로 변주되었다고 보기 어렵다.

오답 풀이 ❶ 1연에서는 '눈은 살아 있다'에 '떨어진', '마당 위에 떨어진'이 점층적으로 덧붙으면서 상황이 구체화된다.

❷ 1연의 내용은 3연에서, 2연의 내용은 4연에서 변주된다.

❸ 1연과 3연은 '눈은 살아 있다'를 중심으로 내용을 덧붙인 변주가 나타나고, 2연과 4연은 '기침을 하자'를 중심으로 내용을 덧붙인 변주가 나타난다.

❺ 4연에서는 '기침을 하자'가 좀 더 더러운 것을 깊숙한 곳에서부터 뱉어 내려는 의지를 담은 '가래라도 마음껏 뱉자'로 변주된다.

알아두기 반복과 변형을 통한 주제 강조

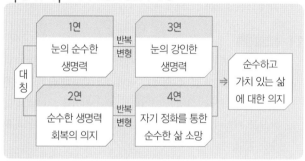

배경지식 ✚ 참여 문학을 대표하는 작품, 「눈」

참여 문학은 작품 창작을 통해 현실 문제에 개입하는 작가의 사회적 책임을 강조한다. 우리 문학에서 참여 문학은 1950년대 중후반 이후 문학의 사회적 역할에 대한 작가들의 자각에서 시작되었다. 자유 민주주의에 대한 열망과 권위주의적 지배 체제에 대한 항거 의식을 담은 4·19 혁명을 기점으로 참여 문학이 활발해졌다. 분단과 통일, 민족의식 등을 바탕으로 한 참여 문학의 대표적인 작가로는 김수영, 신동엽, 고은, 김지하 등이 있다. 김수영 작가가 쓴 「눈」은 부조리한 현실에 대한 저항 의지를 담은 대표적인 참여시로 꼽힌다.

✚ 독해 체크   본문 034쪽

❶ 눈 ❷ 순수 ❸ 죽음 ❹ 의지적 ❺ 비판
❻ 생명력 ❼ 기침 ❽ 반복

✚ 어휘 체크   본문 035쪽

• ㉣ - ㉠ - ㉡ - ㉢ - ㉤

실전 **06** 추억에서 _박재삼

갈래 자유시, 서정시
성격 회상적, 애상적, 서정적, 향토적
주제 가난했던 어린 시절과 어머니의 한(恨)
특징 • 시각적 이미지를 통해 한(恨)의 정서를 감각적으로 형상화함
　　• 구체적 지명과 경상도 방언의 사용으로 향토적 분위기를 조성함

확인 문제
01 ×   02 ○   03 ×   04 ○   05 은전
06 골방   07 한

실력 문제
08 ①   09 ④   10 ⑤   11 ⑤

01 이 작품의 화자는 어린 시절을 회상하며 어머니에 대한 연민과 안타까움을 드러내고 있다. 따라서 회상적이고 애상적인 어조가 나타나며, 화자의 신념을 드러내는 의지적 어조는 나타나 있지 않다.

02 1연의 '바닷밑이 깔리는 해 다 진 어스름'에서 어두워진 저녁의 쓸쓸한 분위기가 드러나 있다.

03 작품의 처음과 끝에 같은 구절을 반복하여 배치하는 기법을 수미상관이라고 하는데, 이 작품에서 첫 연과 마지막 연은 형태나 내용상에 유사점이 없다.

04 2연에서 팔고 남은 생선의 눈깔에서 '은전'을 연상하는 한편, 4연에서 남몰래 흘렸을 어머니의 눈물을 달빛 아래 '옹기들'의 반짝임에 빗대어 나타냄으로써 시각적 이미지가 두드러지고 있다.

05 이 작품에서 화자는 '남은 고기 몇 마리의 / 빛 발하는 눈깔'에서 '은전'을 떠올리고 있다. 하지만 '은전'은 가질 수 없는 것으로, 벗어나기 힘들었던 가난으로 인한 어머니의 한(恨)을 환기하고 있다.

06 이 작품에서 '골방'은 어린 시절 화자와 누이가 어머니를 기다리던 어둡고 좁고 외로운 현실 공간이다. 이는 '밝고 빛나는 별들이 놓인 밭'을 의미하며 소망의 세계를 상징하는 '별밭'과 대조적인 의미를 지닌다.

07 이 작품에서는 화자의 추억 속에서 가난하고 고단했던 어머니의 삶의 모습을 중점적으로 그리고 있다. 특히 마지막 연에서 시각적으로 형상화된 어머니의 눈물을 통해 '한(恨)'의 정서가 더욱 강조되어 나타나고 있다.

1. 운문 문학 **09**

08 표현

이 작품은 어른이 된 화자가 과거 가난했던 어린 시절의 모습을 회상하고 있을 뿐, 미래의 모습은 나타나 있지 않다. 따라서 과거와 미래를 대비하여 시적 상황을 드러내고 있다는 설명은 적절하지 않다.

오답 풀이 ❷ '해 다 진 어스름', '빛 발하는 눈깔들', '은전', '달빛 받은 옹기전의 옹기들' 등에서 시각적 이미지를 통해 어머니에 대한 슬픔과 한의 정서를 감각적으로 형상화하고 있다.

❸ '-ㄴ가', '-ㄹ꼬'와 같은 의문형 어미를 통해 화자의 슬픔을 절제하여 드러내고 있다.

❹ '진주 남강'이라는 지명과 '울 엄매', '오명 가명' 등의 방언을 사용하여 향토적 느낌을 주고 있다.

❺ '울 엄매야 울 엄매', '손 시리게 떨던가 손 시리게 떨던가' 등에서 동일한 시구를 반복하여 운율을 형성하면서 어머니의 한과 가난한 삶의 모습을 강조하여 드러내고 있다.

알아두기 │ 종결 어미와 시구의 반복 효과

의문형, 추측형의 종결 어미 반복	'한이던가', '떨던가', '어떠했을꼬', '것인가' 등	→	어린 시절에 느꼈던 슬픈 감정을 직접 토로하지 않음으로써 화자의 감정을 절제하여 드러냄
시구의 반복	'울 엄매야 울 엄매', '오명 가명', '손 시리게 떨던가 손 시리게 떨던가'	→	운율감을 형성하고, 의미를 강조하여 화자의 정서를 효과적으로 드러냄

09 시어(구)

'울 엄매'는 토속적이고 향토적인 정감을 불러일으키는 경상도 방언으로, 화자가 어린 시절을 떠올리고 있음을 알려 주는 시어이자 화자의 어머니에 대한 애틋함과 안타까움이 담긴 시어이다.

오답 풀이 ❶ '은전'은 화자와 어머니가 갖고 싶어 하였으나 가질 수 없어 한을 느끼게 하는 소재이다.

❷ '별밭'은 화자가 소망하는 세계로, 가난하고 외로운 오누이가 처한 상황과 상반된 의미를 지니는 시어이다.

❸ '골방'은 춥고 좁은 방으로, 어머니를 기다리는 오누이가 머무는 공간이다.

❺ '옹기'는 달빛을 받아 반짝거림으로써 어머니의 눈물과 연결되는 소재이다.

알아두기 │ 시어 및 시구의 상징적 의미

울 엄매	우리 엄마, 울고 있는 엄마(가난으로 한이 맺힌 어머니를 떠올리게 함)
은전	만져 볼 수 없는 물질, 소유할 수 없는 부
별밭	삶의 위안을 가져다주는 대상, 희망과 소망의 공간, 이상적 세계
골방	춥고 가난하고 외로운 어린 시절을 상징하는 공간, 절망적 세계
달빛 받은 옹기전의 옹기들	한으로 채워져 글썽이던 어머니의 눈물

10 시어(구) + 표현

'달빛 받은 옹기전의 옹기들'은 '말없이 글썽이고 반짝이던' 어머니의 눈물을 시각적 이미지를 통해 감각적으로 형상화한 것이다.

오답 풀이 ❶ '해 다 진 어스름'은 해가 진 뒤의 어둑한 상태로, 어둡고 애상적인 분위기를 조성하고 있다.

❷ 팔리지 않고 남은 고기의 '빛 발하는 눈깔들'에서 '은전'을 연상할 수 있는데, '은전'은 가질 수 없는 '손 안 닿는' 것이기에 어머니의 '한'을 느끼게 한다.

❸ '울 엄매야 울 엄매'에서 '울 엄매'는 '우리 엄마' 또는 '우는 엄마'로 해석할 수 있으며, 반복을 통해 어머니의 삶에 대한 연민의 정서를 강조한다.

❹ '손 시리게 떨던가'는 골방에서 어머니를 기다리던 어린 시절 화자와 누이의 모습으로, 촉각적 이미지를 통해 추위와 가난의 모습을 효과적으로 형상화하고 있다.

11 화자·대상

'장면 3'은 '진주 남강'이 맑다고 하지만 오며 가며 신새벽이나 밤빛 아래에서만 볼 수 있었던 어머니의 고단한 삶이 그려진 부분이다. 화자는 그러한 어머니의 삶에 연민을 드러내고 있으므로 어머니가 진주 남강의 풍경을 통해 위로받았다고 볼 수는 없다.

오답 풀이 ❶ '진주 장터'가 배경으로 드러나는 1, 2연에는 생계를 위해 어두워진 밤까지 진주 장터 생어물전에서 장사를 하는 어머니의 모습이 나타나 있다.

❷ 2연에서 '장사 끝에 남은 고기 몇 마리'는 '은전만큼 손 안 닿는 한'을 불러일으킨다. 따라서 고기를 다 팔지 못한 어머니의 고단한 삶과 한을 형상화하고 있다.

❸ '골방'이 배경으로 드러나는 3연에서는 오누이가 어머니를 기다리며 손 시리게 떨던 모습이 나타나 있다.

❹ 어머니가 진주 장터를 오가는 길이 그려진 4연에서 어머니에게 진주 남강은 '신새벽이나 밤빛에 보는 것'이었다고 한 것을 통해 어머니가 새벽부터 밤늦게까지 일하러 다녔음을 알 수 있다.

＋ 독해 체크　　　　　　　　　　　본문 038쪽

❶ 골방　❷ 눈물　❸ 어머니　❹ 별밭　❺ 은전
❻ 한　❼ 의문　❽ 운율

＋ 어휘 체크　　　　　　　　　　　본문 039쪽

· ㉣ - ㉤ - ㉢ - ㉡ - ㉠

[실전] 07 겨울-나무로부터 봄-나무에로 _황지우

갈래 자유시, 서정시
성격 상징적, 의지적, 역동적
주제 시련과 고난을 극복하고 생명력을 회복하는 나무
특징 • 나무를 의인화하여 의지적인 삶의 자세를 드러냄
• 상승적, 역동적 이미지를 통해 나무의 굳센 의지를 보여 줌

확인 문제

01 × 　　02 ○ 　　03 × 　　04 ○ 　　05 겨울
06 그러나 　　07 꽃

실력 문제

08 ② 　　09 ⑤ 　　10 ② 　　11 ②

01 이 작품의 화자는 나무를 바라보며 감탄하는 이로, 작품의 표면에 드러나 있지 않다.

02 이 작품의 시상 전개는 겨울에서 봄으로의 계절의 흐름과 관련이 있다.

03 이 작품은 추운 겨울을 이겨 내고 꽃을 피우는 나무의 생명력에 관한 내용으로, 이상과 현실 사이의 거리감은 드러나 있지 않다.

04 이 작품에서 나무는 힘겹게 벌을 받는 모습이나 의지를 품고 부정적 상황을 거부하는 존재로 의인화되어 나타나고 있다.

05 이 작품은 '겨울'로 상징되는 고통스러운 현실을 스스로 극복하고 '봄'이 되어 마침내 꽃을 피우는 '나무'의 강인한 생명력을 노래하고 있다. 따라서 겨울과 봄이라는 계절의 대립을 통해 시련을 극복하고 생명력을 회복하는 나무의 의지를 강조하고 있다.

06 이 작품은 9행의 '그러나'를 경계로 하여, 묵묵히 고통을 견디는 나무의 모습에서 적극적으로 고통을 극복하는 나무의 모습으로 바뀌면서 시상이 전환되고 있다.

07 이 작품의 후반부에 나타난 '봄-나무'의 모습은 '싹을 내밀고', '푸른 잎이 되고', '자기 몸으로 / 꽃 피는 나무'로 구체화되고 있다.

08 표현
이 작품에서는 '밀고 간다, 막 밀고 올라간다 / 온몸이 으스러지도록 / 으스러지도록 부르터지면서 / 터지면서'에서 유사한 시구를 반복하여 싹을 틔우려는 나무의 의지적인 태도와 역동성을 드러내고 있다.

오답 풀이 ❶ 9행의 '아 벌받은 몸으로'와 21행의 '아아, 마침내, 끝끝내'

에 '아, 아아'와 같은 감탄사가 사용되었는데, 이는 각각 나무의 상황에 대한 안타까움과 나무의 의지에 대한 감탄을 드러내고 있을 뿐 대상에게 느낀 아쉬움을 나타낸 것은 아니다.
❸ 이 작품에서 시적 대상인 나무가 이동하는 모습은 나타나 있지 않으며 따라서 이동하는 공간 또한 제시되어 있지 않다.
❹ 이 작품에는 소리를 흉내 내는 의성어나 모양을 흉내 내는 의태어는 사용되지 않았다.
❺ 이 작품에서는 시적 대상인 나무에게 말을 건네는 방식을 사용하고 있지 않다.

알아두기 유사한 시구의 반복 효과

이 작품에서는 동일하거나 유사한 시구를 반복함으로써 나무의 상황과 태도를 강조하여 드러내고 있다.

• '나무는 자기 몸으로 / 나무이다 / 자기 온몸으로 나무는 나무가 된다.' • '꽃 피는 나무는 자기 몸으로 / 꽃 피는 나무이다.'	나무의 자립성과 생명력을 강조함
'벌받는 자세로 서서 / 아 벌받은 몸으로, 벌받는 목숨으로 기립하여'	나무가 처한 부정적 상황을 강조함
• '밀고 간다, 막 밀고 올라간다' • '온 몸이 으스러지도록 / 으스러지도록 부르터지면서'	부정적 상황을 극복하려는 나무의 의지를 강조함

09 시어(구)
'마침내, 끝끝내'에는 겨울-나무가 의지를 갖고 시련을 이겨 낸 끝에 결국 봄-나무가 되어 꽃을 피워 낸 것에 대한 화자의 감탄이 담겨 있다. 겨울-나무가 경험하는 절망감과는 관련이 없다.

오답 풀이 ❶ '대가리 쳐들고'는 나뭇가지를 위로 뻗고 있는 겨울-나무의 모습을 비유적으로 표현한 것으로, 시련에 굴하지 않고 꼿꼿하게 서 있는 모습을 드러낸다.
❷ 앙상한 나뭇가지가 위로 향한 모습을 '두 손 올리고'라고 표현하고 이를 '벌받는 자세'라 한 것은 나무를 의인화하여 겨울의 추위라는 고난이 가해지는 상황을 표현한 것이다.
❸ '뜨거운 혀로 싹을 내밀고'는 앙상하던 나뭇가지에서 싹이 나기 시작하는 봄-나무의 모습을 비유한 것으로, 나무가 생명력과 열정, 강렬한 의지를 지니고 있음을 표현한다.
❹ '하늘 들이받으면서'는 나무가 위로 자라며 가지를 뻗어 가는 모습을 상승적 이미지로 표현한 것이다.

알아두기 '겨울-나무'와 '봄-나무'의 모습

겨울-나무	봄-나무
• '영하 13도 / 영하 20도': 가혹한 상황에 놓임 • '무방비의 나목': 헐벗은 모습임 • '온몸을 뿌리 박고', '두 손 올리고 벌받는 자세로 서서': 고난과 시련을 겪음	• '버티면서 거부하면서', '밀고 간다, 막 밀고 올라간다', '하늘 들이받으면서': 저항적 태도와 상황 변화 의지를 보임 • '싹을 내밀고', '푸른 잎이 되고', '꽃 피는 나무': 강인한 생명력과 의지로 고통을 극복하고 자기완성을 이룸

10 [화자·대상] + [시어(구)]

㉠은 나무가 '뜨거운 혀로 싹을 내밀고' 난 뒤 '푸른 잎'이 되는 과정이 '천천히, 서서히, 문득' 이루어짐을 의미한다. 즉, 이는 겨울-나무가 봄-나무로 변화하는 과정이 비록 느리지만 지속적으로 이어짐을 드러내고 있는 것이다.

[오답 풀이] ❶ ㉠은 화자의 감정 변화가 아니라 대상에게 일어나는 변화 과정을 드러내는 표현이다.

❸ 이 작품의 화자는 대상인 나무에 대해 이야기하고 있으며, 자신의 내면을 고요히 들여다보는 모습은 나타나지 않는다.

❹ ㉠은 대상에게 느리지만 꾸준한 변화가 일어나고 있음을 의미하므로, 화자의 기대가 헛된 것이었음을 드러낸다고 볼 수 없다.

❺ ㉠은 화자의 태도를 드러내는 표현이라 보기 어려우며, 대상에 대한 화자의 태도가 부정적으로 변하고 있지도 않다.

11 [화자·대상] + [시어(구)] + [주제]

ⓑ에서 나무가 버티고 거부하는 모습은 자신에게 일어나는 변화에 대한 저항이 아니라, 자신을 둘러싼 부정적이고 가혹한 현실에 대한 저항을 보여 준다.

[오답 풀이] ❶ ⓐ는 벌받는 모습으로 굴욕적인 상태에 있던 나무가 자신의 상황에 대해 문제의식을 드러내는 부분으로, 이는 이후 강한 의지로 시련을 극복하는 계기가 된다.

❸ ⓒ는 고통스러운 현실과 맞서면서 이를 이겨 내려는 나무의 적극적인 노력을 보여 준다.

❹ ⓓ는 겨울-나무에서 봄-나무로 변화하는 과정에서 나무가 겪어야 하는 고통을 의미한다.

❺ ⓔ는 나무가 '자기의 온몸으로' 겨울-나무에서 봄-나무로 변화한 것을 강조하므로, 나무의 주체성과 자발성에 주목한 표현이라고 할 수 있다.

배경지식 ➕ 황지우의 작품 세계

작가 황지우(1952~)는 냉철한 현실 인식과 섬세한 서정성을 바탕으로 다양한 실험적 기법을 사용하였으며, 1980년대라는 억압적이고 부정적인 현실을 살아가는 민중의 모습을 지적인 언어로 표현한 작품들을 발표하였다.

➕ 독해 체크

본문 042쪽

❶ 겨울 ❷ 거부 ❸ 생명력 ❹ 극복 ❺ 감탄
❻ 의인화 ❼ 의지 ❽ 꽃 ❾ 그러나

➕ 어휘 체크

본문 043쪽

1 (1) 기립 (2) 나목 (3) 거부
2 〈가로〉 ❶ 의인화 ❸ 상징적
  〈세로〉 ❶ 의지 ❷ 영상 ❹ 역동적

실전 08 도산십이곡 _이황

갈래 평시조, 연시조(전12수)
성격 관조적, 예찬적, 교훈적
주제 자연에 대한 감흥과 학문 수양의 의지
특징 • 자연물의 속성을 통해 주제 의식을 나타냄
     • 대구법, 설의법 등 다양한 표현 방법을 활용하여 시상을 전개함

확인 문제

01 ✕   02 ◯   03 ✕   04 ◯   05 자연
06 가던 길   07 청산

실력 문제

08 ⑤   09 ④   10 ②   11 ②

---

01 〈제1수〉~〈제6수〉는 자연 속에 은거하는 감흥을, 〈제9수〉와 〈제11수〉는 학문 수양의 태도를 드러내고 있으므로, 전체적으로 시간의 흐름에 따라 시상이 전개된다고 볼 수 없다.

02 〈제1수〉의 '초야우생(草野愚生)이 이렇다 어떠하리'에서 '초야우생'은 '시골에 묻혀 사는 어리석은 사람'이라는 의미로, 화자가 자신을 겸손하게 가리킨 말이다.

03 〈제3수〉의 '순풍(淳風)'은 사라지지 않은 순박한 풍속이고, '인성(人性)'은 어진 인간의 본성이다. 따라서 둘의 의미가 상반된다고 할 수 없다.

04 〈제4수〉의 종장에서 '피미일인(彼美一人)', 즉 임금을 '더욱 잊지 못하리'라며 임금을 그리워하는 마음을 드러내고 있다.

05 〈제6수〉에서는 봄바람에 꽃이 산을 가득 채우고, 가을밤에 달빛이 누대를 가득 채운 풍광, 즉 자연의 모습에 대한 감흥을 드러내고 있다.

06 〈제9수〉에서 화자는 고인, 즉 옛 성현이 '가던 길'이 앞에 있다고 하며 그 길을 따라가고자 한다. 따라서 '가던 길'은 옛 성현들이 추구했던 삶을 의미한다.

07 〈제11수〉에서 화자는 '청산(靑山)'과 '유수(流水)'의 한결같음을 본받아 그치지 말고 '만고상청(萬古常靑)'하겠다고 말하고 있다.

08 [표현]

〈제6수〉의 종장에서는 자연의 오묘한 조화와 이치가 끝도 없다는 감탄의 정서를 '어찌 끝이 있으리'라는 설의적 표현을 활용하여 부각하고 있다.

[오답 풀이] ❶ 〈제1수〉에서 '어떠하며', '어떠하리'와 같은 유사한 시어를 반복하였으나, 이를 통해 화자의 심리적 갈등을 드러내고 있지는 않다.

❷ 〈제2수〉는 초장 '연하(煙霞)로 집을 삼고 풍월(風月)로 벗을 삼아'에서 대구법을 활용하였으나, 이를 통해 화자가 대상에게 바라는 바를 나타내고 있지는 않다.

❸ 〈제3수〉에서 '거짓말'과 '옳은 말'이 대조를 이루었으나, 이를 통해 부정적인 세태에 대한 화자의 비판적 관점을 드러내고 있지 않다. 즉 순박한 풍속이 죽었다는 것은 거짓말이고, 인성이 어질다고 하는 것은 옳은 말이라고 하며 인간의 어질고 착한 성품에 대해 말하고 있다.

❹ 〈제4수〉에서는 대구법을 활용하여 아름다운 자연에 대한 감흥을 드러낸 뒤 임금에 대한 그리움을 표현하고 있을 뿐, 연쇄법을 활용한 부분은 찾을 수 없으며 교훈 또한 제시하고 있지 않다.

09 [화자·대상] ✚ [시어(구)]

'갈매기'와 달리 ㉣ '교교백구(皎皎白駒)'는 자연을 멀리하는 어진 이들을 가리킨다. 따라서 ㉣은 화자의 욕심 없는 마음 상태를 나타내는 대상이라고 볼 수 없다.

[오답 풀이] ❶ ㉠ '천석고황(泉石膏肓)'은 자연을 몹시 사랑하는 병을 가리키는 말로, 자연에 대한 화자의 친화적 태도를 병에 빗댄 표현이다.

❷ 화자는 ㉡ '인성(人性)'이 어질다는 말이 옳은 말이라고 하고 있으므로, 화자가 ㉡을 긍정적으로 인식함을 알 수 있다.

❸ 화자는 ㉢ '유란(幽蘭)'이 골짜기에 피어 있어 자연이 듣기 좋다며 감흥을 드러내고 있으므로, ㉢은 화자가 감상하는 아름다운 자연의 일부임을 알 수 있다.

❺ ㉤ '화만산(花滿山)'은 꽃이 산을 가득 채운 경치로, 화자가 만족감을 느끼는 아름다운 자연의 모습이다.

알아두기 | 아름다운 자연을 표현한 구절

〈제2수〉 연하(煙霞)로 집을 삼고 / 풍월(風月)로 벗을 삼아(안개와 노을로 집을 삼고 바람과 달로 벗을 삼아)	➡ 자연과 동화된 모습이 드러남
〈제4수〉 유란(幽蘭)이 재곡(在谷)하니 자연이 듣기 좋구나 / 백운(白雲)이 재산(在山)하니 자연이 보기 좋구나(향기 그윽한 난초가 골짜기에 피었으니 자연이 듣기 좋고 흰 구름이 산에 걸려 있으니 자연이 보기 좋다)	➡ 아름다운 자연과 그에 대한 감흥이 드러남
〈제6수〉 춘풍(春風)에 화만산(花滿山)하고 추야(秋夜)에 월만대(月滿臺)라(봄바람에 꽃이 산 가득 피었고 가을밤에 달빛이 누대를 가득 채웠도다)	

10 [주제]

〈제9수〉에는 '고인', 즉 옛 성현이 가던 길을 따라 학문 수양을 하겠다는 다짐이, 〈제11수〉에는 '청산'과 '유수'처럼 쉼 없는 태도로 학문에 정진하겠다는 의지가 드러나 있다. 즉 [A]에서 화자는 학문을 수양하는 삶에 대한 지향을 말하고 있다.

[오답 풀이] ❶ 〈제11수〉에 '청산', '유수'라는 변함없는 자연이 제시되어 있다. 그러나 이를 통해 학문 수양의 의지를 드러내고 있을 뿐, 자연의 아름다움을 말하고 있지는 않다.

❸ 〈제9수〉에서 '고인'이 가던 길이 앞에 있으니 그것을 따라 학문 수양의 길을 가겠다는 다짐을 드러내고 있을 뿐, 성현의 책에서 얻을 수 있는 기쁨을 드러내고 있지는 않다.

---

❹ 〈제11수〉에 '청산', '유수'라는 변함없는 자연이 제시되어 있으나, 이를 인간의 유한성과 대비하고 있지는 않다.

❺ 〈제9수〉에는 과거와 현재의 시간의 흐름이, 〈제11수〉에는 '만고'나 '주야'의 시간의 흐름이 드러나 있다고 볼 수 있다. 그러나 이에 대해 안타까움을 드러내고 있지는 않다.

알아두기 | 화자의 학문 수양의 의지

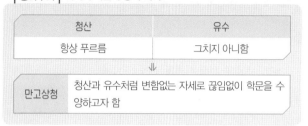

청산	유수
항상 푸르름	그치지 아니함

⇓

만고상청	청산과 유수처럼 변함없는 자세로 끊임없이 학문을 수양하고자 함

11 [화자·대상] ✚ [주제]

ⓑ에서는 순박한 풍속이 사라졌다는 것이 거짓말이라고 하고 있다. 이는 순박한 풍속에 대한 긍정을 담고 있으므로, 작가가 안동 지역의 풍속을 바로잡으려 했을 것이라는 내용은 적절하지 않다.

[오답 풀이] ❶ ⓐ는 태평성대에서 늙어 가는 화자가 바라는 일은 오로지 허물이나 없는 것이라는 내용이다. 따라서 이를 통해 작가가 안동에서 추구했던 삶의 모습은 세속적 욕망과는 거리가 먼 소박한 것이었으리라고 추측할 수 있다.

❸ ⓒ에서는 '피미일인(彼美一人)', 즉 임금에 대한 그리움을 표현하고 있으므로, 이를 통해 작가가 임금에 대한 충심을 잃지 않고 있음을 알 수 있다.

❹ ⓓ가 포함된 〈제9수〉는 작품의 후반부로, 학문 수양을 하는 심경을 노래한 부분이다. ⓓ에서는 '고인'들이 가시던 길이 자신의 앞에 놓여 있는데 그것을 따라가지 않고 어찌하겠느냐고 말하고 있으므로, 이는 옛 성현들의 가르침을 따르는 것이 학문의 도리라는 생각을 드러낸 것이라고 볼 수 있다.

❺ ⓔ가 포함된 〈제11수〉는 작품의 후반부로, 학문 수양을 하는 심경을 노래한 부분이다. ⓔ는 '청산'과 '유수'의 한결같음을 본받아 우리도 그치지 말고 정진하자고 다짐하는 내용이므로, 이는 작가가 은거하던 곳의 자연의 모습에서 학문 추구의 자세에 대한 영감을 얻은 것이라고 볼 수 있다.

✚ 독해 체크   본문 046쪽

❶ 자연   ❷ 학문   ❸ 천석고황   ❹ 유수   ❺ 대구
❻ 고인   ❼ 감흥   ❽ 수양

✚ 어휘 체크   본문 047쪽

1 (1) 유수 (2) 연하 (3) 태평성대
2 〈가로〉 ❶ 백운 ❸ 천석고황
〈세로〉 ❷ 운영천광 ❹ 만고상청

2. 산문 문학

실전 01 상대 ❶ _염상섭

갈래 장편 소설, 세태 소설, 가족사 소설
성격 사실적, 현실 비판적
주제 일제 강점기 중산층 가정의 재산 상속을 둘러싼 분쟁과 세대 간 갈등
특징 • 당시의 세태와 풍속을 사실적으로 묘사함
　　　• 중산층의 서울말을 구사하여 현실성을 부여함
　　　• 각 세대의 가치관을 대표하는 전형적인 인물이 등장함

확인 문제

01 ✕　　02 ○　　03 족보　　04 돈

실력 문제

05 ④　　06 ①　　07 ⑤

---

01 (가)~(나)에서 조 의관은 영악하고 셈이 빠른 모습을 보인다. 가문을 중시해 족보 꾸미기와 치산에 큰돈을 쓰고는 있지만, 자신의 셈속을 따지지 않고 어수룩하게 돈을 내놓는 사람은 아니다.

02 상훈은 '꾸어 온 조상'이라는 말로 족보 꾸미기와 치산에 반감을 드러낸다. 새로 모셔 온 조상은 돈을 주고 족보에 이름을 넣어 생긴 조상이지 자신의 진짜 조상이 아니라는 입장이다.

03 앞부분 줄거리에서 조 의관은 돈을 주고 의관이라는 벼슬을 샀으며, '족보'인 대동보를 엮는 데 큰돈을 썼다고 하였다.

04 창훈은 다른 조가의 떨거지들과 마찬가지로 조 의관의 돈(재산)을 빼내려고 치산 사업을 벌이려 하는 것이다.

05 인물·사건
(가)에서 조 의관은 치산에 드는 비용을 내는 것을 일종의 기념사업이라고 생각하고 있다. 따라서 조 의관이 문중의 신뢰를 얻기 위해 투자하는 것은 아니며, 치산을 위한 금액도 머릿속으로 계산해 생색을 낼 만큼만 내려고 하는 모습을 보인다.

오답 풀이 ❶ 조 의관은 가문을 중시해 족보를 사서 꾸미는 데 큰돈을 쓰는 봉건적 인물이다.
❷ 조 의관은 명분과 형식에 얽매여 가짜 조상의 묘막 짓기, 석물 세우기 등에 관심을 갖는 구시대적 인물이다.
❸ (나)에서 조 의관은 치산에 드는 비용을 한꺼번에 내놓는 것이 아니라, 생색을 낼 만큼 내어 놓을 돈을 계산하는 모습을 보인다.
❺ (나)에서 조 의관은 조씨들도 돈이나 힘을 보태는 등 묘막 짓기에 참여하라고 말한다.

06 서술
이 작품은 서술자가 모든 것을 아는 입장에서 사건의 속사정과 인물의 속마음까지 꿰뚫어 보고 서술하는 전지적 작가 시점을 취한다.

오답 풀이 ❷ (가)~(다)에 현재와 과거가 교차되어 서술된 부분은 나타나 있지 않으며, 치산을 둘러싼 인물들의 서로 다른 속셈이 드러나 있을 뿐 긴장감을 조성하고 있지도 않다.
❸ (가)~(다)에는 인물의 말과 행동을 우스꽝스럽게 묘사하는 희화화의 표현이 나타나 있지 않다.
❹ 작품 속 주인공이 자신의 이야기를 직접 서술하는 것은 1인칭 주인공 시점에 대한 설명이다. 이 작품의 서술자는 작품 밖에 위치해 있다.
❺ 이 작품은 서술자가 인물의 행동을 관찰만 하는 것이 아니라, 인물의 속마음까지 아는 입장에서 인물과 사건에 대해 서술하고 있다.

07 인물·사건
상훈은 '치산'을 '꾸어 온 조상'을 받드는 쓸데없는 일이라 여기고, '장한 사업'이라는 반어적 표현으로 이를 비아냥거린다.

오답 풀이 ❶ 조 의관은 치산을 자신이 이 세상에 남겨 놓고 가는 기념사업 정도로 생각한다.
❷ 조가의 떨거지들은 족보 꾸미기에 이어 치산을 통해 조 의관을 돈을 빼내려고 한다.
❸ '○○당 할아버지가 묘막 지어 달라고, 제절 앞에 석물이 없어서 호젓하다고 하십디까?', '꾸어 온 조상은 자기네 자손부터 돕는답디다.' 등의 말에서 치산에 대한 상훈의 부정적인 태도가 드러난다.
❹ 창훈은 치산에 필요한 복잡한 일을 처리해야 한다고 생색을 내지만, 사실은 조 의관의 돈을 뜯어내려는 속셈을 가지고 있다.

알아두기 등장인물들의 특징

조 의관	구한말 세대(1세대). 유교적, 전통적, 보수적 인물. 가문과 명예를 중시해 족보와 치산 등에 관심을 가짐
상훈	개화기 세대(2세대). 기독교적, 개화적, 과도기적 지식인. 족보와 치산에 부정적인 태도를 지님
창훈	조상훈의 사촌 형. 조 의관에게서 돈을 뜯어내려는 속물 근성을 지님

01 상대 ❷

확인 문제

01 ✕　　02 ○　　03 가치관　　04 예배당　　05 새산

실력 문제

06 ⑤　　07 ④　　08 ②

01 조 의관은 가짜 족보를 사서 꾸미는 과정에서 뇌물을 쓴 일 등이 떳떳하지 않았기 때문에 삼사천 원을 쓰고도 한 천 원 썼다고 변명하는 것이다.

02 '조선어 사업 편찬회'는 일제 강점기에 조직된 모임으로, 이를 통해 이 작품의 시대적 배경이 1930년대 전후라는 것을 알 수 있다.

03 조 의관은 가문과 제사를 중시하는 봉건적 가치관을 지닌 사람이고, 상훈은 이런 전통적 가치관을 무시하고 교육 사업, 도서관 사업, 조선어 자전 편찬에 관심을 갖는 등 개화기 지식인으로서 근대적 가치관을 지닌 사람이다. 따라서 조 의관과 상훈은 돈의 쓰임새에 대한 가치관의 차이 때문에 갈등하고 있다.

04 '예배당'이란 단어에 나타나듯 상훈은 기독교인으로, 제사를 지내는 것을 반대한다. 유교적 가치관을 지니고 제사를 중시하는 조 의관은 이러한 아들이 몹시 못마땅한 것이다.

05 기독교인인 상훈이 제사를 배척하고 족보 문제로 조 의관과 갈등을 벌인 끝에, 조 의관은 아들이 아니라 손자인 덕기에게 자신의 '재산'을 물려주겠다고 선언하였다.

06 인물·사건

[A]와 [B] 모두 상대방에 대한 비판적 시각을 드러내고 있다.

오답 풀이 ❶ 상훈은 족보와 치산에 돈을 쓰는 것을 부정적으로 보고 있다.
❷ 상훈은 아버지가 돈을 쓰는 용도가 마음에 들지 않지만 겉으로는 공손하게 말하고 있다.
❸ 조 의관은 기독교인인 아들이 자신이 죽은 후에 유교적 장례 절차도 무시할 것이라고 반감을 드러내며 부자간의 연을 끊겠다고 말하고 있다.
❹ 조 의관은 아들의 지적에 화를 내며 재산 상속 명단에서 빼겠다고 소리치고 있다.

07 인물·사건 + 어휘

'말 한마디에 천 냥 빚도 갚는다'는 '말만 잘하면 어려운 일이나 불가능한 일도 해결할 수 있다는 말'이므로, 공손하게 말하지만 상대방의 입장에 반대하는 상훈의 상황과는 거리가 멀다.

오답 풀이 ❶ 조 의관은 족보 꾸미기에 생각보다 많은 돈이 든 데다 앞으로 돈이 더 들어갈 상황이 갑갑하면서도 어디다 말도 못하는 처지이다. 따라서 조의관의 심정을 표현할 말로는 '벙어리가 안타까운 마음을 하소연할 길이 없어 속만 썩이듯 한다는 뜻으로, 답답한 사정이 있어도 남에게 말하지 못하고 혼자만 괴로워하며 걱정하는 경우를 비유적으로 이르는 말'인 '벙어리 냉가슴 앓듯'이 적절하다.
❷ 족보 꾸미기에 돈이 많이 들어가서 속이 쓰린 상황에서 '꾸어 온 조상은 자기네 자손부터 돕는다'는 상훈의 말은 조 의관을 더 화나게 한다. 따라서 조 의관의 심정을 표현할 말로는 '남의 재앙을 점점 더 커지도록 만들거나 성난 사람을 더욱 성나게 함을 비유적으로 이르는 말'인 '불난 집에 부채질한다'는 것이 적절하다.

❸ 조 의관 일가가 족보에 이름 올리는 것을 반대하는 이들에게 뇌물을 쓰느라 큰돈을 어쩔 수 없이 내어놓을 수밖에 없었던 조 의관은 '싫은 일을 억지로 마지못하여 함을 비유적으로 이르는 말'인 '울며 겨자 먹기'의 심정이었을 것이다.
❺ 조 의관은 상훈의 말로 머리끝까지 화가 난 상황이므로 상훈은 '일촉즉발(一觸卽發)'의 상황에 놓여 있다고 볼 수 있다. 따라서 이러한 상황을 표현할 말로는 '매우 위태로운 처지에 놓여 있다'는 뜻의 '바람 앞의 등불'이 적절하다.

08 인물·사건 + 배경·소재

(라)~(바)에 족보인 대동보를 만드는 비용을 줄이기 위해 애쓰는 상훈의 모습이 나타나 있지 않다. 상훈은 조 의관에게 족보를 만드는 데 큰돈이 들어간 것을 문제 삼으며, 교육 사업이나 도서관 사업과 같은 데에 돈을 쓸 것을 조언하고 있다.

오답 풀이 ❶ 조 의관은 가문과 제사를 중시하는 봉건적 가치관을 지닌 인물이다.
❸ 조 의관은 큰돈을 들여 학교 사업을 하는 개화적 지식인이면서 남의 딸을 유인하는 모습을 보이는 상훈의 위선적인 면모를 비난하고 있다.
❹ 상훈은 교육 사업, 도서관 사업 등에 관심을 갖는 근대적, 개화적 인물이다.
❺ 조 의관은 자신과 다른 가치관을 지닌 아들 대를 건너뛰고 손자인 덕기에게 재산을 상속하려고 한다.

알아두기 '조 의관'과 '상훈' 간의 갈등 양상

	조 의관	상훈
가치관	가문의 명예를 위해 양반 집안의 족보를 사서 꾸미고 치산을 하려는 등 봉건적이고 전통적인 가치관을 중시함	제사와 족보 만드는 것을 반대하고, 교육과 문화 사업에 관심을 갖는 등 근대적이고 개화적인 가치관을 중시함
	⇓	⇓
재산 상속	아들인 상훈 대신 손자인 덕기에게 재산을 물려주려고 함	돈에 대한 집착이 있어 자신이 재산을 물려받고자 함

01 상대 ❸

본문 054~055쪽

확인 문제

01 ×   02 ○   03 이해타산   04 변호사

실력 문제

05 ②   06 ④   07 ①

01 상훈은 자신에게 이득이 되도록 덕기를 조종할 마음으로 덕기의 진로에 개입하려 한다. 즉, 덕기를 자신의 곁에 두기 위해 덕기의 진로에 대해 물으며 경성 제대를 권하는 것이다.

02 (사)에서는 '부친'으로 서술되다가 (아)에서는 '상훈'으로 서술되는데, 상훈으로 서술되는 부분부터 조 의관의 재산에 대한 상훈의 계획이 자세하게 드러난다. 따라서 아들 덕기와의 관계를 드러내는 '부친'이라는 호칭 대신 '상훈'이라는 호칭을 사용함으로써 상훈의 생각을 상세하게 나타내고 있음을 알 수 있다.

03 상훈은 자기 대를 걸러서 덕기가 재산을 상속받을 것을 고려하여 덕기를 자기 손에 쥐고 이용할 방법을 고민하는 '이해타산'적인 모습을 보인다.

04 병화는 장래에 '변호사'가 되겠다는 덕기의 말에 "흥, 자네는 전선(戰線)의 후부에 있어서 적십자기(旗) 뒤에 숨어 있겠다는 말일세그려?"라는 말로 전면에 나서기를 꺼려하는 덕기의 태도를 비판한다.

05 〔인물·사건〕
상훈은 체면과 위신을 중시하는 인물로, 자신이 재산 문제에 직접 나설 형편이 안 되자 덕기를 꼭 붙들어 앉혀서라도 자신의 이익을 챙기고자 한다.

〔오답 풀이〕 ❶ (사)에서 덕기는 서울에서 벗어나고 싶어 경도 제대에 갈 생각을 했었으나, 부친의 말대로 경성으로 오게 되면 와도 그리 싫을 것도 없다고 하였다.
❸ (사)~(자)에서는 덕기를 이용해 경제적 이득을 취하려는 상훈의 속셈만 제시될 뿐, 덕기가 이러한 상훈의 속셈을 이미 알고 있다는 내용은 제시되지 않았다. 또한 (자)를 통해 덕기가 법과에 진학하려고 다짐한 것은 조선의 형편과 자기 분수를 고려하여 변호사가 되겠다는 생각을 가지고 있었기 때문임을 알 수 있다.
❹ (아)에서 상훈은 부친의 재산을 상속받지 못할 것을 염려하여 부친의 재산을 상속받을 덕기의 비위를 맞추고 달래고자 한다.
❺ (자)에서 병화는 사회 문제 전면에 나서지 않고 소극적으로 현실에 참여하려는 덕기의 태도를 비웃고 있다. 사회주의 운동에 대해 중도적인 입장을 보이는 덕기가 '무산 운동에 대하여 무관심으로 냉담히 방관할 수 없다'는 내용만 제시될 뿐, 병화가 무산 운동에 참여해야 한다고 덕기를 설득하는 내용은 제시되지 않았다.

06 〔인물·사건〕
[A]에서는 조부와 부친의 방임 아래 덕기가 자신의 문제를 스스로 해결해 나갔던 점을 들어 덕기가 재주도 있거니와 철도 일찍 들었다고 말하고 있다. 부친이 ⓒ과 같이 말한 것은 덕기를 옆에 두고 이용하기 위해서이지 덕기의 능력을 확인해 보고자 한 것이 아니다.

〔오답 풀이〕 ❶ 덕기의 학업에 무관심했던 평소 모습과 다르게 덕기의 학업과 진로에 관심을 보이는 상훈의 물음은 덕기에게 뜻밖으로 느껴졌을 것이다.
❷ 지금까지 덕기 스스로 자신의 앞날을 결정했기에 경도 제대에 들어가겠다는 것도 덕기가 혼자 생각하여 결정한 것임을 알 수 있다.
❸ 경도 제대에 들어갈까 한다고 말한 것으로 보아, 덕기가 그만한 재주가 있음을 알 수 있다.
❺ 덕기의 진로에 관해 방임으로 일관해 왔던 상훈이 조언을 하는 것은 이전과는 다른 모습임을 알 수 있다.

07 〔배경·소재〕
(자)에서 덕기가 '간호졸(ⓒ) 격으로 변호사(ⓐ)'가 되겠다고 한 것은 덕기가 '제 분수'와 '조선 형편' 등을 모두 고려하여 불가피하게 선택한 길이라고 볼 수 있다. 덕기는 무산 운동이라는 사상적 운동에 대해 적극적으로 나설 성격과 처지도 아니고, '책상물림의 뒷방 서방님'으로 일생을 마치기도 싫다고 하였다.

〔오답 풀이〕 ⓑ '군의총감'은 병화가 무산 운동에 직접적으로 나서지 않고 소극적으로 대응하는 덕기를 비아냥거리며 한 말이다.
ⓓ 덕기는 스스로 '제일선에 나서서 싸울' 성격도 처지도 아니라고 생각한다.
ⓔ '책상물림의 뒷방 서방님'은 아무것도 하지 않는 무기력한 삶을 말하며, 덕기는 이러한 삶을 살고 싶어 하지 않는다.

〔알아두기〕 '병화'와 '덕기'의 현실 대응 방식

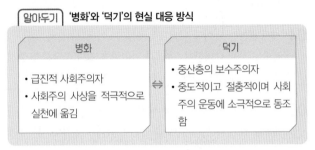

병화	덕기
• 급진적 사회주의자 • 사회주의 사상을 적극적으로 실천에 옮김	• 중산층의 보수주의자 • 중도적이고 절충적이며 사회주의 운동에 소극적으로 동조함

01 상대 ❹

〔확인 문제〕
01 ×　　02 ○　　03 ○　　04 정미소　　05 위선자

〔실력 문제〕
06 ⑤　　07 ②　　08 ④

01 이 작품은 1930년대 중산층의 서울 말씨를 구사하여 현실성을 부여하고 있다.

02 '입을 막다'는 '시끄러운 소리나 자기에게 불리한 말을 하지 못하게 하다.'라는 뜻으로, (차)에서 상훈이 아들의 입을 미리 막으려고 한 것은, 세간 값을 많이 쓴 것에 대해 아들이 탓하는 말을 하지 못하도록 하려는 것이다.

03 (차)에서 상훈은 아들인 덕기가 정미소 장부를 내어놓지 않고 자신이 하려는 일에 간섭하는 것을 못마땅하게 여기고 있다. 그리고 덕기는 세간에 돈을 치르는 것은 낭비라고 생각하여 아버지의 행동을 문제 삼고 있다.

04 (차)에서 상훈은 덕기에게 '정미소' 장부를 내어놓으라고 행패를 부린다.

05 (카)의 내용으로 보아 상훈은 남의 눈을 꺼리고 소문을 무서워하는 '위선자'였으나, 부친의 재산을 차지하기 위해서는 체면도 벗어던지는 모습을 보인다.

06 인물·사건

(차)에서 덕기는 '할아버지께서 산소에 돈 쓰는 걸 반대'했으면서 세간 값을 과하게 쓰고서 자기에게 이를 치르라고 하는 부친을 이해하지 못하고 있을 뿐, 상훈(부친)이 산소에 돈을 쓴 아버지의 마음을 이해했다는 내용은 드러나 있지 않다. 상훈(부친)은 자신의 부친이 쓸데없이 산소에 돈을 쓰는 것에 반대했으면서도 덕기에게 세간 값을 치르라는 억지를 부리고 있는데, 이는 부친인 조 의관의 전통적 가치관을 이해하게 되어서가 아니라 물욕에 눈이 어두워서라고 보는 것이 적절하다.

오답 풀이 ❶ 덕기는 세간 값으로 치러야 하는 돈을 낭비라고 여기기 때문에 상훈의 요구에 응하지 않는 것이다.

❷ 덕기는 상훈이 재산을 낭비할 것을 염려하기 때문에 정미소 장부를 상훈에게 넘기지 않는다.

❸ 덕기는 위선자이기는 하나 이전에 상식적인 보통 사회의 사람처럼 행동했던 아버지가 체면을 벗어던지고 행패를 부리는 것을 보면서 실망하여 탄식한다.

❹ 상훈은 정미소를 차지하기 위해 자식 앞에서 체면도 벗어던지고 행패를 부리고 있다.

알아두기 '상훈'과 '덕기' 간의 갈등 양상

상훈(부친)		덕기(아들)
• 세간을 과하게 사들여 아들에게 값을 치르라 함 • 조 의관의 유산 목록에 없는 정미소를 차지하려 함	⇔	• 세간 값으로 치러야 할 돈은 낭비라고 생각함 • 집안의 재산이 낭비되지 않게 하기 위해 정미소 장부를 내놓지 않음

07 주제

이 작품은 각 세대를 대표하는 삼대가 겪는 갈등을 통해 일제 강점기의 사회상과 그에 따른 인물의 현실 대응을 사실적으로 드러내고 있다.

오답 풀이 ❶ 이 작품의 작가는 전통적인 가족 제도의 문제점을 비판하거나 근대적 사회를 지향하기 위한 의도로 이 작품을 쓴 것이 아니라, 전통적 사회에서 근대적 사회로 이행하는 과정을 사실적으로 그려낸 것이다.

❸ 이 작품의 작가는 물질 만능주의 사회의 문제점을 고발하려는 의도가 아니라, 자본주의 사회로 편입되는 시대의 사회상을 드러내려고 한 것이다.

❹ 이 작품에서 조 의관의 가족은 식민지 현실에 적응하지 못해 몰락한 것이 아니라, 세대 간의 가치관 차이, 물질에 대한 욕심 등으로 몰락한 것이다.

❺ 이 작품에 세대 간의 갈등을 해결하고 화합하는 모습은 나타나지 않는다.

알아두기 작가의 창작 의도

삼대
• 조 의관: 구한말 1세대, 봉건주의자 • 조상훈: 개화기 2세대, 개화주의자 • 조덕기: 식민지 3세대, 중도주의자

↓

창작 의도
가족 간 벌어지는 재산을 둘러싼 갈등과 가치관 차이로 인한 세대 간의 갈등 등을 통해 1930년대 식민지 현실을 사실적으로 드러내려고 함

08 서술

(카)에서는 장면이 바뀌지 않는다. 따라서 서술자가 선택한 특정 인물은 덕기로, 서술 대상은 부친(상훈)으로 고정되어 있다.

오답 풀이 ❶. ❸ 서술자가 선택한 특정 인물인 덕기의 시각에서 부친이 종교고 가면이고 다 집어던지고 홀가분해졌을지도 모르겠다고 서술하고 있다.

❷ 덕기는 부친을 위선자이기는 하여도 상식적 보통 사회의 한 사람이었다는 평가를 내리는 한편, 지금은 돈 앞에서 체면마저도 버리고 타락했다고 평가하고 있다.

❺ 흥분한 부친과의 갈등을 마주하지 않고 피하는 덕기의 모습에서 그가 온건한 성격의 인물임을 알 수 있다. 그런 덕기의 시각에서 포착된 부친은 체면을 중시하는 위선자에서 돈 때문에 타락해 버린 인물로 드러나 있다.

배경지식 사실주의 소설

사실주의 문학은 있는 그대로의 현실. 즉 처해 있는 현실을 정확하게 모방하려는 태도를 지닌다. 사실주의 소설의 대표적인 특징 중 한 가지가 바로 사실성을 추구한다는 것이다. 사실성은 현실을 있는 그대로 그리고자 하는 것으로 서술의 객관성을 중시한다. 사실주의 소설에 나타난 또 다른 특징은 인물의 전형성이다. 전형적인 인물을 통해 그 사회의 모습을 사실적으로 드러내고, 현실의 모순을 전달하는 효과가 있기 때문이다. 사실주의 소설은 문학을 통해 현실 세태를 여실히 보여 주며, 당대의 문제점 등을 드러낸다는 점에서 의의가 있다.

우리나라에서 사실주의 소설은 1920~30년대에 등장했는데, 이 시기의 사실주의 소설은 일제 강점기 우리 민족의 생활상을 사실적으로 드러내는 데 주력했다. 이 시기의 대표적인 사실주의 소설로는 염상섭의 「만세전」, 「삼대」, 현진건의 「빈처」, 「운수 좋은 날」 등이 있다.

독해 체크 본문 058쪽

❶ 갈등 ❷ 재산 ❸ 전통적 ❹ 족보 ❺ 근대적
❻ 돈 ❼ 사실적 ❽ 세대

어휘 체크 본문 059쪽

1 (1) 농간 (2) 위선자 (3) 이해타산 (4) 대거리
2 〈가로〉 ❷ 주력 ❸ 난봉
〈세로〉 ❶ 방임주의 ❹ 수봉

소설가 구보 씨의 일일 ❶ _박태원

갈래 현대 소설, 심리 소설, 모더니즘 소설, 세태 소설
성격 심리적, 관찰적
주제 한 소설가의 눈에 비친 1930년대 서울의 일상과 그의 내면 의식
특징 • 한 인물의 의식의 흐름에 따라 서사가 진행됨
　　 • 당대 서울의 풍경과 세태를 구체적으로 보여 줌
　　 • 하루에 걸쳐 여정이 시작된 원점으로 회귀하는 여로형 구조를 보임

 확인 문제
01 ◯　　02 ◯　　03 치마　　04 동경

실력 문제
05 ③　　06 ④　　07 ③

01 (가)에서 아들이 책상 앞에 앉아 원고지를 펴 놓는다고 한 것과, (나)에서 글을 팔아 몇 푼의 돈을 구할 수 있다고 한 것으로 보아, 아들은 글을 쓰는 일을 직업으로 삼고 있음을 알 수 있다.

02 '동경엘 건너가 공불 하고 온 내 아들이, 구하여도 일자리가 없다는 것이 도무지 믿어지지가 않았다.'라는 부분을 보면 어머니는 아들이 취직을 못 하는 것을 납득하지 못하고 있음을 알 수 있다.

03 아들은 글을 팔아 구한 몇 푼의 돈으로 어머니께 치마를 해 드리는데, 이때 '치마'는 어머니에 대한 아들의 사랑을 표현하는 것으로 볼 수 있다.

04 (다)를 통해 아들은 고등학교를 졸업하고 '동경'에 건너가 공부를 하고 왔음을 알 수 있다.

05 서술

(가)~(다)에서 서술자는 어머니의 내면 심리만 직접 서술하고 있을 뿐, 아들 등 다른 사람의 내면 심리는 직접 설명하고 있지 않다.

오답 풀이 ❶ '어머니의 사랑은 보수를 원하지 않지만, 그래도 자식이 자기에게 대한 사랑을 보여 줄 때, 그것은 어머니를 기쁘게 해 준다.'와 '자식을 사랑할 때, 어머니는 얼마든지 뻔뻔스러울 수 있다.' 등에 서술자의 주관적인 견해가 드러나 있다.
❷ 거의 모든 문장에 쉼표를 빈번하게 사용하여 문장의 끊어 읽기를 유도하고 있다.
❹ '대체 무얼 사 줄 테냐. 무어든 어머니 마음대루. 먹는 게 아니래두 좋으냐. 네.'와 같이 큰따옴표 없이 인물 간의 대화를 그대로 인용하고 있다.
❺ (가)의 시작 부분에 '아들은'을 소제목처럼 제시하여 독자의 주의를 집중시키고 있다.

알아두기 이 작품의 서술상 특징

소제목 설정	독자의 관심을 유도함
현재형 어미	독자에게 현장감을 줌
만연체 문장	정돈되지 않은 생각을 그대로 드러냄
쉼표의 빈번한 사용	긴 문장을 끊어 리듬감을 주고, 심리를 섬세하게 드러냄

06 인물·사건

(다)에서 어머니는 다른 사람들은 보통학교나 고등학교만 나오고도 회사나 관청 등에서 일만 잘하는데, 동경에 유학까지 다녀온 자기 아들이 취직이 안 되는 것을 납득하지 못하고 있다.

오답 풀이 ❶ (나)에서 어머니는 아들이 글을 팔아 돈을 구한 것을 두고 '직업을 가지지 못한 아들이, 그래도 어떻게 몇 푼의 돈을 만들어'냈다고 생각한다. 또한 (다)에서도 어머니는 동경에 유학을 가서 공부를 하고 온 아들이 '구하여도 일자리가 없다는 것'을 믿지 못하고 있다.
❷ (나)에서 아들은 치마 두 감의 가격을 듣고 갑자기 엄숙한 얼굴을 하지만, 어머니가 형수에게 치마를 양보하자 이내 넉넉하다며 옷감을 갖다 끊으라고 어머니에게 돈을 내놓았다.
❸ (다)의 '아들은 지금 세상에서 월급자리 얻기가 얼마나 힘든 것인가를 말한다.'를 통해 알 수 있다.
❺ (가)에서 아들은 책상 앞에 앉아 원고지를 펴 놓고 있을 때 옆에서 무슨 말이든 하면 언제든 불쾌한 표정을 지었다고 하였다.

알아두기 발단 부분에서 알 수 있는 '어머니'의 특징

어머니	발단 부분에서 서술의 초점이 어머니에게 있음

⇩

• 중심인물인 아들 구보 씨의 현재 상태를 어머니의 시점에서 소개함
• 어머니는 아들을 사랑으로 보살피지만, 장가도 못 간 아들이 남들보다 많이 배우고도 월급이 나오는 직장조차 잡지 못하는 것을 답답해하면서도 안쓰럽게 여김

07 인물·사건

ⓒ은 어머니가 아들의 벌이가 신통치 않은 것을 서운해하는 것이 아니라, 자신의 치마와 맏며느리의 치마를 같이 해 주는 것에 아들이 부담을 느끼는 듯하자 맏며느리의 치마만 해 주라고 양보하려는 것이다.

오답 풀이 ❶ 어머니는 뭐 잡수시고 싶은 것이라도 있느냐는 아들의 말에 고마움을 느끼면서도 아들을 생각해서 ㉠과 같이 선물을 사양하려는 태도를 보이고 있다.
❷ ㉡에서 아들이 갑자기 엄숙한 얼굴을 하는 것은 치마 두 감의 가격이 생각보다 비싸기 때문에 많은 돈을 번 것도 아닌 자기 처지에서 부담이 되어서임을 짐작할 수 있다.
❹ 아들은 걱정하지 말고 옷감을 끊으라며 돈을 내놓지만, 어머니는 그 돈을 아들이 어렵게 번 것을 알기에 ㉢과 같이 선뜻 받기를 망설이고 있다.
❺ ㉣은 어머니가 아들이 해 준 치마를 자랑하는 일이 자주 있을 수 없는 일임을 말하는 것이다. 그 이유는 글을 팔아 돈을 버는 아들이 어머니에게 선물을 해 줄 만큼 돈을 버는 일이 흔하지 않기 때문이다.

02 소설가 구보 씨의 일일 ②

본문 062~063쪽

확인 문제

01 ○   02 ×   03 ○   04 무의미   05 외로움

실력 문제

06 ③   07 ③   08 ⑤

01 구보는 대낮에도 제대로 볼 수 없는 자신의 시력을 저주하며, 열병으로 갑자기 쇠약해진 시력 때문에 안과에 갔던 일을 떠올리고 있다.

02 구보는 전차 선로를 두 번 횡단하여 화신상회 앞으로 간다. 즉, 전차를 타고 간 것이 아니라 걸어서 간 것이다. 구보가 전차를 탄 것은 백화점에서 다시 밖으로 나와 발 가는 대로 가다 도착한 안전지대에서이다.

03 이 작품의 서술자는 겉으로 드러나는 구보의 행동뿐만 아니라 구보의 내면 심리까지 자세하게 설명하고 있다.

04 (라)에서 구보는 다리 곁에 가 서 있다가 갑자기 걸음을 걷기로 하는데, 이는 그렇게 우두커니 서 있는 것이 '무의미'함을 새삼스럽게 깨달았기 때문이다.

05 (바)에서 구보는 전차가 오자 자기와 더불어 안전지대에 있던 사람들이 모두 전차에 오르는 것을 보고, 자신만 안전지대에 남아 있는 것에 '외로움'과 애달픔을 느꼈기 때문에 움직이는 전차에 뛰어올랐다.

06 인물·사건

갑자기 나타나 자신의 앞을 가로질러 지나간 사나이의 얼굴에서 구보가 행복을 엿보았다는 내용은 나타나지 않는다. 구보는 그저 그 사나이와 마주칠 것 같은 착각을 느끼고 위태롭게 걸음을 멈춘 뒤에 자신의 나쁜 시력을 저주하였다.

오답 풀이 ❶ (바)에서 구보는 자기의 두 손을 내려다보며, 손에 든 단장과 공책에서 행복을 찾을 수는 없다고 느낀다.

❷ (마)에서 구보는 백화점에서 본 가족의 눈에 '자기네들의 행복을 자랑하고 싶어 하는 마음'이 엿보였는지도 모른다고 생각한다. 또 그들이 가정에서 '당연히 그들의 행복을 찾을' 것이라고 생각한다.

❹ (바)의 '구보는 다시 밖으로 나오며, 자기는 어디 가 행복을 찾을까 생각한다.'로 보아 구보는 자신의 여정이 행복을 찾을 수 있는 곳을 향하기를 바란다는 것을 알 수 있다.

❺ (바)에서 구보는 전차를 기다리는 사람들을 보며 '그들에게, 행복은 알 수 없다.'라고 하였다.

07 배경·소재

㉠은 '분명히 가정을 가졌고, 그리고 그들은 그곳에서 당연히 그들의 행복을 찾을' 것이라는 점에서 구보로 하여금 '부러움을 느끼게' 하는 대상이고, ㉡은 갈 곳 없이 배회하는 구보와 달리 '분명히 갈 곳만은 가지고 있'는 대상이다. 따라서 ㉠과 ㉡은 모두 구보가 자신의 처지와 대비되는 존재로 인식하는 대상이다.

오답 풀이 ❶ ㉠과 ㉡은 구보와 인연이 있는 대상들이 아니다.

❷ 구보는 기쁨을 느끼고 있는 상태가 아니다.

❹ (마)~(바)에서 구보가 미래에 대한 희망을 갖게 되었다는 내용은 확인할 수 없다.

❺ (마)~(바)에서 ㉠과 ㉡을 통해 구보가 어린 시절을 회상하는 내용은 나타나지 않는다.

알아두기 '구보'가 관찰한 인물들의 특징

구보가 백화점에서 본 가족	단란한 행복을 맛본다는 점에서 구보와 대비됨
구보가 전차 정류장에서 본 사람들	행복한지는 알 수 없으나, 구보와 달리 다들 목적지가 있음

08 인물·사건 + 배경·소재

ⓔ '안전지대'는 사람들이 전차를 기다리는 장소이다. 구보는 발 가는 대로 가다가 안전지대에 도착한 것이지, 전차를 타려다가 안전지대로 피신한 것이 아니다. 또한 이 행동을 일제 강점기의 암울한 사회상으로부터 상처를 받지 않으려는 본능에 의한 것으로 보기도 어렵다.

오답 풀이 ❶ 구보는 대낮에도 자신을 가질 수 없는 자기의 ⓐ '시력'을 저주하는데, 이는 〈보기〉에서 제시한 '건강과 자신감을 잃은 무기력한 자의식'과 관련된 것으로 볼 수 있다.

❷ ⓑ '총독부 병원 시대'에서 '총독부'는 일제가 우리나라를 강제로 점령하고 다스리기 위해 설치한 기관이다.

❸, ❹ ⓒ '백화점'은 일제 강점기에 쏟아져 들어온 근대 문물을 집약적으로 보여 주는 공간이고, 그 안에 있는 ⓓ '승강기'는 이전에 없던 새로운 문물이라고 할 수 있다.

알아두기 '구보'의 특징

구보	· 동경 유학까지 다녀왔으나 글 쓰는 것 외에는 직업이 없음 · 무기력하지만 지적 우월감을 가지고 다른 사람을 속물로 치부함

⇓

허무주의와 냉소주의에 빠져 살아가는 1930년대 지식인의 모습을 드러냄

02 소설가 구보 씨의 일일 ③

본문 064~065쪽

확인 문제

01 ×   02 ○   03 ○   04 고독   05 병자

실력 문제

06 ①   07 ③   08 ②

01 구보가 남대문을 안에서 밖으로 나가 보니 양옆에 웅숭그리고 앉아 있는 서너 명의 지게꾼들의 모양이 맥없다고 하였다. '맥없다'라는 말은 기운이 없다는 뜻이다.

02 '남을 결코 믿지 않는 그네들의 눈은 보기에 딱하고 또 가엾었다.'를 통해 구보가 남을 믿지 않는 사람들에 대해 연민을 느끼고 있음을 알 수 있다.

03 경성역에 모여 있는 사람들은 하나같이 타인에게 무관심하고 개인주의적이며 서로를 믿지 못한다. 이를 통해 각박한 도시 사회의 단면을 엿볼 수 있다.

04 (사)에서 구보는 경성역에서 자신이 고독을 피할 수 있으리라고 기대했지만, 오히려 경성역의 군중 사이에 '고독'이 있다고 하였다.

05 (아)에서 아이 업은 아낙네는 바스켓 속에서 꺼내다 잘못하여 떨어뜨린 복숭아가 '병자'의 발 앞에까지 굴러가자 그것을 쫓아와 집기를 단념해 버린다. 이러한 모습에서 병자를 가까이 하지 않으려는 도시인의 비인간적인 모습과 차가운 태도가 드러난다.

06 인물·사건

(아)에서 '분명한 바세도우씨병. ~ 그의 좌우에 좌석이 비어 있어도 사람들은 그곳에 앉으려 들지 않는다.'고 언급하고 있다. 즉, 구보의 옆자리가 비어 있는 것이 아니라 바세도우씨병 환자의 좌우 좌석이 비어 있었다.

오답풀이 ②, ③ (아)에서 구보는 중년의 시골 신사의 얼굴에 부종을 발견하고, 자신의 만성 위확장을 새삼스럽게 떠올렸다. 그 후에 매점 옆으로 가 40여 세의 노동자를 보게 된다.

④ (사)에서 구보는 '약동하는 무리들이 있는' 경성역으로 가서 자신의 '고독을 삼등 대합실 군중 속에서 피할 수 있'으리라고 기대하였다.

⑤ (아)의 '문 옆에 기대어 섰는, 캡 쓰고 린네르 쓰메에리 양복 입은 사나이의, 그 온갖 사람에게 의혹을 갖는 두 눈'을 통해 알 수 있다.

07 서술

구보는 늙고 쇠잔해진 모습의 노파에 대해 '딸네 집이라도 찾아가는지 모른다.', '이미 굳어 버린 그의 안면 근육은 ~ 감동시킬 수 없을지 모른다.'와 같이 추측하는 표현을 사용하여 자신이 짐작한 내용을 드러내고 있다. 마찬가지로 중년의 시골 신사에 대해서도 '시골서 조그만 백화점을 경영하고 있을 게다.', '그의 점포에는 ~ 약품도 갖추어 있을 게다' 등과 같이 자신이 짐작한 내용을 제시하고 있다. 따라서 [A]는 경성역 대합실에서 관찰한 노파와 중년의 시골 신사에 대해 구보가 짐작한 내용을 중심으로 서술하고 있다.

오답풀이 ① [A]에는 과거를 회상하는 부분이 제시되어 있지 않다.

② [A]에는 다른 사람에게 들은 내용을 인용한 부분이 제시되어 있지 않다.

④ [A]에는 인물들 간의 갈등이나 그 원인을 분석한 내용이 제시되어 있지 않다.

⑤ [A]에서 노파의 외모는 묘사했으나, 이를 통해 노파에 대한 비판적 태도를 드러내고 있지는 않다. 오히려 노파에 대한 연민의 태도가 드러난다. 상대적으로 비판적 태도를 드러내고 있는 중년의 시골 신사의 경우 외모를 묘사한 부분이 제시되어 있지 않다.

08 인물·사건 + 서술

〈보기〉에서 이 작품은 도시인들의 일상을 관찰하는 '산책자'를 주인공으로 내세워 도시를 배회하는 그의 여로를 따라 진행된다고 하였다. 여기서 도시를 배회하는 '산책자'는 경성역 대합실에 모여 있는 군중이 아니라 주인공 구보이다.

오답풀이 ① 구보는 남대문을 안에서 밖으로 나간 뒤 경성역으로 갔고, 그곳에서 사람들을 관찰하다가 다시 경성역을 떠난다. 이 작품은 이러한 구보의 여로를 따라 진행되고 있다.

③ 구보는 중년의 시골 신사가 늙고 쇠잔한 노파와 되도록 떨어져 앉으려 노력하는 모습에서 현대인들의 속물근성을 발견하고 그를 업신여긴다.

④ 구보는 남대문을 나와 맥없이 앉아 있는 지게꾼들을 보고, 경성역 삼등 대합실에서 병에 걸린 40여 세의 노동자를 비롯하여 여러 사람을 관찰한다. 이들은 구보의 눈에 비친 도시인들의 모습이라고 할 수 있다.

⑤ 주인공 구보는 소설가이다. 구보는 대합실에서 목격한, 현대의 각박한 세태를 단적으로 보여 주는 사건에 흥미를 느끼고 그 내용을 기록하려 대학 노트를 펴들었다. 이처럼 세태에 관해 노트에 기록하려는 것은 현대의 풍속과 세태를 조사하고 기록하려는 것이므로, 〈보기〉에서 설명한 고현학의 기법과 관련이 있다고 볼 수 있다.

알아두기 | 이 작품의 표현 기법

고현학	일상생활의 풍속을 자세히 관찰하고 조사하는 고현학적 기법을 활용하여 당대 서울의 풍경과 세태를 묘사함
의식의 흐름	당대 서울의 여러 풍경을 관찰하면서 떠올린 구보의 생각들은 의식의 흐름에 따라 서술되고 있으며, 이러한 의식의 흐름은 구보의 무기력함과 고독에 초점이 맞춰져 있음

02 소설가 구보 씨의 일일 ④   본문 066~067쪽

확인 문제

01 ✕   02 ○   03 ○   04 황금광   05 벗

실력 문제

06 ①   07 ④   08 ④   09 ⑤

01 구보는 자기와 같은 작가들까지 금광 브로커가 되는 현실을 비판적으로 인식하고 있다. 구보는 금광 브로커가 되고 싶다는 생각을 하지도 않았으며, 자신의 벗의 광산에 가 보고 싶다 생각한 이유는 모든 사람이 황금에 열광하는 심리를 직접 보고 느끼며 이를 자신의 소설 창작에 활용하기 위해서이다.

02 (자)의 '시시각각으로 사람들은 졸부가 되고 또 몰락하여 갔다.'를 통해 금광에서 큰돈을 버는 사람도 종종 있었음을 알 수 있다.

03 구보는 대합실 안팎에 있는 금광 브로커들을 보고 저도 모르게 무거운 한숨이 새어 나왔는데, 이는 너도나도 황금을 좇는 세태가 씁쓸하고 안타깝게 생각되었기 때문이라고 볼 수 있다.

04 (자)의 '황금광 시대. / 저도 모를 사이에 구보의 입술엔 무거운 한숨이 새어 나왔다.'와 '황금광 시대. 그들 중에는 평론가와 시인, 이러한 문인들조차 끼어 있었다.'를 통해 구보는 당시를 '황금광' 시대라고 생각했음을 알 수 있다.

05 (차)에서 구보는 우연히 '벗이라면 벗'일 수 있는, 중학 시대의 열등생이었던 사나이를 만났다. 그 사나이가 구보에게 차라도 먹자고 권하자 구보는 거절할 용기를 내지 못해 함께 차를 마시러 갔다.

06 서술

이 작품은 전지적 작가 시점으로, 작품 밖에 있는 서술자가 주인공인 구보의 시선에서 그의 심리를 서술하고 있다. 구보의 의식의 흐름에 따라 이야기가 진행되기는 하지만 구보가 서술자는 아니다. 서술자가 작품 속에 위치해 있다는 것은 1인칭 시점에 대한 설명이다.

오답 풀이 ❷ 너도나도 황금을 좇는 세태에 대한 비판적 시선이 드러난다.
❸ 현재형 어미 '-ㄴ-/-는-'과 과거형 어미 '-았-/-었-'을 섞어서 사용하고 있다.
❹ (자)에는 개찰구 앞의 두 명의 사나이의 외양에 대한 묘사가, (차)에는 우연히 만난 중학 시대의 동창의 외양에 대한 묘사가 나타나 있다. 또한 (자)에서 황금을 좇는 사람들과 그 세태를 묘사하여 1930년대 황금만능주의에 사로잡혀 있던 당시의 시대를 '황금광 시대'라고 표현하고 있다.
❺ 사건 간에 특별한 인과 관계 없이 구보의 의식의 흐름에 따라 이야기가 전개되고 있다.

배경지식 ➕ 의식의 흐름 기법

'의식의 흐름'은 소설 속 인물의 의식이 끊어지지 않은 상태로 외부로부터 자극을 계속 받아들이고 반응하며 연속된다. '의식의 흐름'을 소재로 하는 작품은 외부로 나타난 사건보다는 등장인물의 정신과 정서의 연속적인 전개 과정에서 나타난 의식을 중심으로 전개된다. 그리고 인간을 심리주의적 기준에서 바라보기 때문에 자연히 인상, 회상, 기억, 반성, 사색과 같은 심적 경험이 소설의 주요 제재가 된다.

07 인물·사건

ㄹ은 '해라'라는 반말의 말투가 차라리 덜 불쾌할 만큼 친하지 않은 사람에게 듣는 '자네'라는 말이 몹시 불쾌하다는 심리를 드러낸 것이다.

오답 풀이 ❶ ㄱ은 금광에 미쳐 있는 사람들의 심리를 연구하여 소설 창작에 활용하고 싶은 구보의 마음에 대한 서술이다.
❷ ㄴ은 굳이 벗이라고 한다면 벗으로 부를 수 있을 것이라는 정도의 뜻으로, 우연히 만난 동창에게 별로 친근감을 느끼지 않는 구보의 심리를 드러내는 서술이다.
❸ ㄷ은 마지못해 반가운 척하며 최소한의 예의를 보이려는 구보의 심리를 드러내는 서술이다.

❺ ㅁ은 차를 마시자는 호의를 거절할 만큼 용기가 없어서 어쩔 수 없이 따라가게 되는 구보의 성격을 드러내는 서술이다.

08 서술

ⓓ는 중학 동창이 한 말을 그대로 인용한 것으로, 서술자가 자신의 시각에서 관찰한 사실을 서술한 것이라고 할 수 있다.

오답 풀이 ❶ ⓐ는 두 명의 사나이를 무직자라고 판단해 버리는 구보의 인식을 반영한 서술이므로, 인물의 시각에서 서술한 것이라고 할 수 있다.
❷ ⓑ는 구보가 대합실 안팎을 둘러본 결과 '그러한 인물들'이 곳곳에서 구보의 눈에 띄었다는 내용이므로, 인물의 시각에서 서술한 것이라고 할 수 있다.
❸ ⓒ는 황금을 찾아 나서는 인생이 자신의 인생에 비해 진실할 수도 있다는 구보의 인식을 반영한 서술이므로, 인물의 시각에서 서술한 것이라고 할 수 있다.
❺ ⓔ는 구보가 '자기 뒤를 따라오는 한 여성'을 보고 느낀 바에 대한 서술이므로, 인물의 시각에서 서술한 것이라고 할 수 있다.

09 인물·사건

Ⓐ에서 '서정 시인조차 황금광으로 나서는 때'라는 것은 순수해야 할 시인들마저 금광을 좇을 정도로 물질 만능주의가 팽배함을 의미한다. 따라서 구보는 이런 세상에서 돈만 있으면 천한 인물이라도 연애를 하는 것이 이상하지 않다고 생각한 것이다.

오답 풀이 ❶ 중학 동창이 세상 물정에 어두운지는 이 작품을 통해 알 수 없다.
❷ 구보가 순수한 열정을 바쳐야만 인생의 처지를 바꿀 수 있다고 생각하는지는 이 작품을 통해 알 수 없다.
❸ 중학 동창이 황금광으로 나섰는지는 이 작품을 통해 알 수 없다.
❹ 구보는 중학 동창이 여전히 천하다고 생각하고 있다.

배경지식 ➕ '구보'의 캐릭터를 물려받은 작품

산책자로서의 '구보'가 지식인의 내면에 비친 1930년대 경성의 세태를 드러내는 데에 효과적이었기에, 이후의 작가들이 이 매력적인 캐릭터를 빌린 작품을 창작하였다. 최인훈은 「소설가 구보 씨의 일일」이라는 연작 소설을 통해 1970년대 사회를 바라보는 작가의 의식을 드러냈고, 오규원은 「시인 구보 씨의 일일」이라는 시를 통해 시인이 생활인으로서 갖는 인식을 표현하였다.

➕ **독해 체크**   본문 068쪽

❶ 관찰   ❷ 직업   ❸ 지식인   ❹ 병   ❺ 물질
❻ 소제목   ❼ 쉼표   ❽ 산책   ❾ 의식의 흐름

➕ **어휘 체크**   본문 069쪽

1 (1) 졸부 (2) 에누리 (3) 드난
2 (1) ㉠ (2) ㉢ (3) ㉡

실전 03 사평역 ① _임철우

갈래 현대 소설, 단편 소설

성격 서정적, 성찰적, 회상적

주제 가난하고 소외된 사람들의 삶의 애환

특징 • 곽재구의 시 「사평역에서」에 서사적 상상력을 가미
하여 소설로 재구성함
• 중심인물 없이, 다양한 인물들의 삶의 이력과 내면
을 서정적으로 그려 냄
• 회상과 성찰의 구조를 지님

 확인 문제

01 ○   02 ×   03 완행   04 벽돌담

 실력 문제

05 ⑤   06 ②   07 ④   08 ④

01 이 작품은 곽재구의 시 「사평역에서」를 모티프로 한 소설로, 원작 시의 시구와 시의 주제, 이미지, 정서 등을 가져온 뒤, 여기에 작가의 서사적 상상력을 구체적으로 더하여 재구성한 작품이다.

02 이 작품은 특정한 중심인물(주인공) 없이, 사평역 대합실에서 막차를 기다리는 아홉 명의 인물들의 삶의 이력과 내면 심리를 다루고 있다. 따라서 중년 사내와 청년은 대합실에 모인 인물들 중 하나이지, 중심인물은 아니다.

알아두기 **초점 인물의 변화로 인한 효과**

초점 인물의 변화	이 작품에서는 서술의 초점이 맞추어지는 인물이 계속 바뀌고 있음

⇩

• 특정한 중심인물을 내세우지 않고 당시 사회의 주변인들, 즉 소외된 인물들의 삶과 그들의 내면세계를 다양하게 보여 줄 수 있음
• 한 인간의 개별적이고 특수한 삶이 아닌, 당시 사회를 포괄적으로 이해할 수 있는 집단의 삶을 드러낼 수 있음

03 가상의 시골 간이역인 사평역은 특급 열차가 서지 않고, 완행 열차만 가끔 정차하는 소외되고 외진 공간이다. 따라서 대합실에 모인 사람들이 기다리는 열차는 '완행열차'이다.

04 (다)의 내용으로 보아, '벽돌담 저쪽의 세상'은 중년 사내가 오랜 시간을 보냈던 교도소임을 알 수 있다.

05 인물·사건

대합실에 모인 사람들이 타려고 기다리는 열차는 연착 중인 완행열차이다. 사평역은 시골 간이역이므로 특급 열차는 서지 않는다.

22 정답과 해설

오답 풀이 ❶ (가)에서 여자들은 불기를 쬘 수 있게 되었다는 사실에 감격해서 한마디씩 호들갑을 떨기 시작하였고, 덕분에 푹 가라앉아 있던 대합실이 부쩍 활기를 띠는 것 같다고 하였다.

❷ (가)에서 난로를 에워싸고 있는 사람은 어느덧 일곱으로 불어났다고 한 것으로 보아, 사람들은 열차를 기다리며 난로 주위에 모여 있음을 알 수 있다.

❸ (나)에서 역장은 난롯불에 몸을 녹이는 승객들을 위해 톱밥을 가득 채운 바께스를 들고 왔으며, 이에 농부가 역장에게 추위에 고생한다며 얼른 인사를 차렸다고 하였다.

❹ (다)에서 역장은 사내가 뭔가 말하기를 꺼려한다는 느낌을 받았으므로 더 캐묻지 않았다고 하였다.

06 인물·사건

이 작품의 등장인물 중 농부와 농부의 아버지, 중년 사내, 청년, 미친 여자, 서울 여자, 춘심, 행상 아낙네 둘은 완행열차를 기다리는 승객들로, 저마다 삶의 애환을 지닌 가난하고 소외된 인물들이다. 반면에 역장은 이런 인물들에게 온기를 나눠 주며 이들의 모습을 전체적으로 조망하여 독자에게 드러내는 역할을 하는 인물이다.

오답 풀이 ❶ 농부는 아버지를 모시고 읍내 병원에 가기 위해 열차를 기다리는 인물로, 가난하고 소외된 인물이다.

❸ 청년은 대학생이었으나 학생 운동을 하다가 제적당한 처지로, 가난하고 소외된 인물이다.

❹ 미친 여자는 비정상적인 삶을 살고 있는 인물로, 가난하고 소외된 인물이다.

❺ 중년 사내는 교도소에서 출소한 지 얼마 안 된 인물로, 가난하고 소외된 인물이다.

07 배경·소재

대합실 안의 사람들을 일상으로 돌아가게 해 주는 것은 ㉠ '특급 열차'가 아니라 '완행열차'이다.

오답 풀이 ❶, ❺ ㉠ '특급 열차'는 완행열차와는 대조되는 소재이자 산업화의 산물로, 산업화와 도시화의 과정 속에서 소외된 인물의 삶을 부각한다.

❷, ❸ ㉠ '특급 열차'는 정확하고 빠르지만, 역에 정차하지 않고 지나친다.

08 서술

이 작품은 〈보기〉에 서사적 상상력을 가미하여 재구성한 소설로, 이 작품과 〈보기〉 모두 막차를 기다리는 인물들에 대한 따뜻한 시선과 연민의 정서를 드러내고 있다.

오답 풀이 ❶ 〈보기〉의 화자는 작품 안에서 '나'로 등장하지만, 이 작품은 작품 밖의 서술자가 전지적인 위치에서 인물의 내면 심리까지 제시하는 전지적 작가 시점을 취한다.

❷ 〈보기〉에서는 대합실에 모인 인물들에 대한 정보를 단편적으로 제시하지만, 이 작품에서는 인물들의 말과 행동, 내면 심리까지 생생하게 제시한다.

❸ 〈보기〉와 달리 이 작품의 인물들이 사투리를 사용함으로써 내용 전개에 현장감과 사실성을 높인다.

❺ 〈보기〉에서는 화자의 정서가 주로 형상화되어 있지만, 이 작품에서는 인물들의 성격과 삶의 내력 등이 구체적으로 서술되어 있다.

막차는 좀처럼 오지 않았다
대합실 밖에는 밤새 송이눈이 쌓이고
흰 보라 수수꽃 눈 시린 유리창마다
톱밥 난로가 지펴지고 있었다
그믐처럼 몇은 졸고
몇은 감기에 쿨럭이고
그리웠던 순간들을 생각하며 나는
한 줌의 톱밥을 불빛 속에 던져 주었다
내면 깊숙이 할 말들은 가득해도
청색의 손바닥을 불빛 속에 적셔 두고
모두들 아무 말도 하지 않았다
산다는 것이 때론 술에 취한 듯
한 두름의 굴비 한 광주리의 사과를
만지작거리며 귀향하는 기분으로
침묵해야 한다는 것을
모두들 알고 있었다
오래 앓은 기침 소리와
쓴 약 같은 입술 담배 연기 속에서
싸륵싸륵 눈꽃은 쌓이고
그래 지금은 모두들
눈꽃의 화음에 귀를 적신다
자정 넘으면
낯설음도 뼈아픔도 다 설원인데
단풍잎 같은 몇 잎의 차창을 달고
밤 열차는 또 어디로 흘러가는지
그리웠던 순간들을 호명하며 나는
한 줌의 눈물을 불빛 속에 던져 주었다.

갈래	자유시, 서정시
성격	서정적, 애상적, 감각적
주제	막차를 기다리는 사람들의 회한과 그들에 대한 연민
특징	• 다양한 감각적 심상을 사용함 • 차가운 이미지와 따뜻한 이미지가 대조를 이룸 • 간결하고 절제된 어조로 대상을 표현함

03 사평역 ②

본문 072~073쪽

확인 문제

01 ○　　02 ✕　　03 시계　　04 퇴학

실력 문제

05 ③　　06 ①　　07 ④　　08 ③

01 이 작품은 대합실 안의 인물들이 각자 자신의 삶을 되돌아보고 성찰하는 과정이 내용 전개의 중심을 이룬다. 따라서 대합실 안에서 막차를 기다리는 현재의 시점과 각 인물의 과거 회상의 시점이 교차하며 서술된다.

02 (라)에서 중년 사내는 감방 동료였던 무기수 허 씨의 부탁으로 그의 노모를 만나기 위해 굴비 한 두름을 사 들고 산골 마을을 찾아왔다. 하지만 이미 오 년 전에 세상을 떠난 허 씨의 칠순 노모를 만나지 못하고 발길을 돌리게 된다.

03 (마)에서 역장이 '시계'를 보는 부분에서 현재 시점이 제시된다. 즉, '역장은 시계를 본다.'라며 역장의 시선으로 돌아오면서 중년 사내의 과거 회상을 다루던 시점에서 다시 대합실 안의 현재 시점으로 되돌아온다. 이후 역장은 청년에게로 시선을 돌리고, 이어서 청년의 과거 회상이 전개된다. 이 작품에서 역장은 이처럼 각 인물의 개별적인 사연을 자연스럽게 연결하는 역할을 한다.

04 (바)를 통해 청년은 동생이 다섯이나 있는 가난한 집의 유일한 희망이었기에 가족들이 모두 청년 하나만을 바라보고 살아왔음을 알 수 있다. 청년은 자신만을 믿고 희생하며 힘겹게 살아온 가족들을 실망시킬 수 없었기 때문에 대학에서 '퇴학' 당한 사실을 끝내 말하지 못한 것이다.

05 배경·소재 ➕ 서술

이 작품은 시골 간이역 대합실에 모인 인물들의 삶의 이력과 내면을, 회상과 성찰의 방식을 통해 서정적으로 그려 내고 있다. 따라서 인물 간의 갈등과 그 해결 과정이 내용 전개의 중심이 되지 않는다.

오답 풀이 ❶ 이 작품은 전지적 작가 시점을 통해 인물들의 다양한 삶의 모습을 서술하고 있다.

❷ 대합실에서 열차를 기다리는 현재와 각 인물들의 과거 회상을 교차하며 서술하고 있다.

❹ 1970~80년대를 시간적 배경으로, 가상의 공간인 사평역 대합실을 공간적 배경으로 한다.

❺ '춘심(전형성을 지닌 이름)'을 제외하고는 '사내', '청년'과 같이 등장인물의 이름이 드러나지 않는다.

알아두기 **작품의 서술상 특징**

• 과거와 현재를 교차하며 서술한다.
• 회상과 성찰의 구조를 보인다.
• 인물들이 사투리를 사용하여 현장감과 사실성을 높인다.
• 원작 시 「사평역에서」의 시구와 정서, 이미지 등을 인용하거나 재구성하여 사용한다.
• 1인칭 시점의 화자가 나타나는 원작 시와 달리, 전지적 작가 시점을 취한다.

06 인물·사건

(라)에서 중년 사내는 허 씨를 대신하여 허 씨의 노모를 찾아갔지만, 노모는 이미 세상을 떠났고 가족들도 마을을 떠나 소식이 영영 끊어졌음을 알게 되었다. 이에 중년 사내는 어머니의 죽음도 모른 채 감방 안에서 죽게 될 허 씨를 생각하며 연민(불쌍하고 가련함)을 느낀다.

오답 풀이 ❷, ❹ 중년 사내는 허 씨의 노모가 이미 죽어 만날 수 없다는 것을 알고 허탈해할 뿐, 허 씨를 원망하거나 허 씨에게 미안해하고 있지 않다.

❸, ❺ 중년 사내는 찾아갈 가족이 없는 허 씨에게 동병상련(同病相憐)을 느낄 뿐, 허 씨를 그리워하거나 부끄러워하고 있지 않다.

07 어휘

〈보기〉를 고려할 때 중년 사내와 허 씨는 모두 돌아갈 고향도 찾아갈 가족도 없는 처지임을 알 수 있다. 따라서 ㉠과 의미가 통하는 한자 성어로는 '의지할 만한 사람이 아무도 없음'을 뜻하는 '사고무친(四顧無親)'이 적절하다.

오답 풀이 ❶ 금의환향(錦衣還鄕)은 비단옷을 입고 고향에 돌아온다는 뜻으로, 출세를 하여 고향에 돌아가거나 돌아옴을 비유적으로 이르는 말이다.
❷ 관포지교(管鮑之交)는 관중과 포숙의 사귐이란 뜻으로, 우정이 아주 돈독한 친구 관계를 이르는 말이다.
❸ 망운지정(望雲之情)은 구름을 바라보며 그리워한다는 뜻으로, 자식이 객지에서 고향에 계신 어버이를 생각하는 마음을 이르는 말이다.
❺ 수구초심(首丘初心)은 여우가 죽을 때에 머리를 자기가 살던 굴 쪽으로 둔다는 뜻으로, 고향을 그리워하는 마음을 이르는 말이다.

08 인물·사건

(바)에서 청년은 시국 사건으로 인해 대학에서 제적당한 처지이지만, 자신에게 기대를 걸고 있는 가족들에게 차마 퇴학당했다는 말을 하지 못하고 서울로 되돌아가는 길이다. 따라서 집을 나선 청년은 부모님과 가족들의 기대를 저버렸다는 죄책감과 앞날에 대한 막막함 때문에 울음을 터뜨릴 뻔했을 것이다.

오답 풀이 ❶ 어머니가 청년을 배웅해 주면서 꾸깃꾸깃 때에 전 돈을 손에 쥐어 주는 것으로 보아, 어머니는 청년이 퇴학당한 사실을 모르고 있다.
❷ 청년의 부모님이 가난하고 힘겹게 살고 있으나, 청년은 이를 부끄럽게 생각하고 있지 않다.
❹ 어머니와 동생들이 동구 밖까지 청년을 배웅해 주었는데, 청년은 어머니와 동생을 두고 떠나는 것을 속상해하기보다 자신에 대한 가족들의 사랑과 희생이 느껴져 마음이 아프고 괴로웠을 것이다.
❺ 청년이 과거에 집에 내려와 농사나 짓겠다고 했다가 노발대발한 아버지에게 용서를 빈 적이 있기는 하나, 청년은 이를 창피하게 생각하고 있지 않다.

03 사평역 ❸

본문 074～075쪽

확인 문제
01 ○   02 ×   03 폐쇄   04 내력

실력 문제
05 ④   06 ⑤   07 ④

01 중략 부분 줄거리를 통해 서울 여자는 자신의 음식점에서 일하다가 돈을 가지고 도망친 사평댁을 잡으러 사평에 내려왔음을 알 수 있다.

02 (사)에서 서울 여자는 사평댁을 만나면 머리채를 박박 쥐어뜯어 놓겠다던 자신의 처음 생각과는 달리, 사평댁의 병색이 짙은 모습을 보자 안타까움과 연민의 감정을 느꼈다. 사평댁에 대한 분노와 배신감은 서울 여자가 사평댁을 만나기 전에 가졌던 감정이다.

03 (자)로 보아, 중년 사내에게 있어서 삶이란 햇볕도 바람도 흘러들지 않는 '폐쇄'된 공간인 벽돌담 같은 것이다. 즉, 오랜 교도소 생활로부터 분리될 수 없는 것임을 알 수 있다.

04 (카)에서 대학생에게는 '세상 돌아가는 내력을 모르고, 아니 모른 척하고 산다는 것은 절대로 용서할 수 없다.'라고 서술하고 있다. '내력'이란 곧 '까닭'을 의미한다. 즉, 대학생은 세상을 올바르게 변화시키는 데 참여하고 행동하는 것이 가치 있는 삶이라고 생각하고 있다.

05 서술

㉠은 인물들의 삶이 고달픔을 짐작하게 하는 탄식의 말이다. 절정 부분에서는 ㉠의 말을 계기로 대합실에서 막차를 기다리던 사람들이 각자 자신의 삶을 성찰해 보게 된다.

오답 풀이 ❶ 사람들이 논쟁하는 모습은 나타나지 않는다.
❷ 사람들은 각자 생각할 뿐, 삶의 어려움을 토로하지 않는다.
❸ 사람들이 서로 말꼬리를 잡고 다투는 모습은 나타나지 않는다.
❺ 사람들은 각자 자신의 삶을 성찰할 뿐, 대합실 안의 다른 사람들을 살피지 않는다.

06 인물·사건

(카)의 대학생은 현실의 안위와 쾌락을 추구하고 싶어서 고민하는 것이 아니라, 세상을 올바르게 변화시키는 데 참여하는 삶이 가치 있다고 믿었던 자신의 신념과는 반대로 돌아가는 사회의 모습 때문에 혼란을 느끼고 고민하는 것이다.

오답 풀이 ❶ 중년 사내는 교도소에서의 삶에 대해, 서울 여자는 돈이라는 세속적 가치를 추구하는 삶에 대해, 대학생은 세상을 올바르게 변화시키는 데 참여하는 삶에 대해 고민하고 있다.
❷ 산다는 일이 그저 벽돌담(교도소) 같은 것이라고 여길 만큼, 중년 사내의 삶에는 교도소에서의 체험이 크게 자리 잡고 있다.
❸, ❹ 서울 여자는 돈이라는 세속적 가치를 추구하는 삶을 살고 있다. 그런 모습은 손님들에게 '또 오세요.'라고 인사하는 모습에서도 명확하게 나타난다.

07 인물·사건 + 배경·소재

(자)에서 '특급 열차'는 작은 산골 간이역을 빠른 속도로 무심히 지나쳐 가 버리는 대상으로, 중년 사내와 같이 가난하고 소외된 사람들과는 동떨어져 있으며 도달할 수 없는 대상이다. 따라서 '특급 열차'는 '벽돌담' 같은 세상으로부터 중년 사내를 벗어나게 해 줄 희망이라고 보기 어렵다.

오답 풀이 ❶, ❷, ❸ 중년 사내의 삶을 고려할 때 '벽돌담'은 교도소를 빗댄 표현으로, '햇볕도 바람도 흘러들지 않는 폐쇄된 공간'이며 '시간마저 아무런 흔적을 남기지 않는' 공간이다.
❺ (자)에서 중년 사내는 여전히 기다릴 도리밖에 없다는 것, 그것이 바로 앞으로 '남겨진 자기 몫의 삶'이라고 생각한다고 하였다.

03 사평역 ④

본문 076~077쪽

확인 문제
01 ✕ 02 ✕ 03 완행열차 04 톱밥

실력 문제
05 ② 06 ② 07 ③

01 사람들이 기다리던 야간 완행열차가 도착했지만 대합실에 있던 모든 사람이 열차에 탄 것은 아니다. 미친 여자는 열차에 타지 않고 역장과 함께 역에 남았다.

02 난로의 불빛 속에서 어머니의 주름진 얼굴을 본 사람은 청년이다.

03 사람들이 기다리던 막차, 즉 '야간 완행열차'는 두 시간을 연착한 후에 역에 도착했다.

04 역장이 사람들이 떠난 뒤에도 대합실에 남아 있는 미친 여자를 위해 '톱밥'을 더 가져다 난로에 뿌려 주려고 하는 모습을 통해 소외된 이웃에 대한 따뜻한 배려와 사랑의 마음을 엿볼 수 있다.

05 배경·소재 + 주제

완행열차만 가끔 서는, 가상의 시골 간이역인 '사평역'에서 사람들은 두 시간이나 연착하는 열차를 기다리며 자신의 삶을 회상한다. 하지만 현실의 고단한 삶을 잊을 수 있는 완전한 세계는 사평역의 의미로 적절하지 않다.

오답 풀이 ①, ④ 사평역은 시골 간이역이므로 사회의 중심에서 벗어나 있는 외진 공간이며, 산업화·도시화의 과정에서 소외된 서민들의 삶의 애환을 담고 있는 공간이라고 할 수 있다.
③, ⑤ 사평역은 고단한 삶을 살아가는 이들이 잠시 쉬어 가는 공간이자, 인물들이 자신의 삶을 회상하고 성찰하는 계기를 마련해 주는 공간이다.

알아두기 '사평역'의 의미

사평역	완행열차만 가끔 서는, 가상의 시골 간이역

⇩

의미	• 중심으로부터 벗어난 외진 공간 • 삶의 긴 여정 속에서 잠시 쉬어 가는 공간 • 산업화·도시화의 과정에서 소외된 서민들의 삶의 애환을 담고 있는 공간 • 작품 속 인물들이 자신의 삶을 회상하고 성찰하는 계기를 마련해 주는 공간

06 배경·소재

이 작품에서 ㉠ '야간 완행열차'는 인물들이 기다리는 대상으로, 그들을 일상의 삶으로 복귀시켜 주는 소재이다. 인물들은 '완행열차'에 올라탐으로써 다시 그들의 삶을 이어 나간다. 그러나 '완행열차'가 그들이 염원하는 이상적인 삶을 상징하는 것은 아니다.

오답 풀이 ① ㉠ '야간 완행열차'는 쉬어야 할 밤에 빠르지 않은 속도로 각 역마다 정차하며 간다는 점에서, 고달픈 삶을 살아가는 인물들의 처지를 드러낸다고 볼 수 있다.
③ ㉠ '야간 완행열차'가 출발한 뒤 서술의 초점이 사평역 대합실에 남아 있는 역장과 미친 여자에게로 옮겨지고 있다.
④ ㉠ '야간 완행열차'는 열차를 기다리던 사람들을 일상으로 돌아갈 수 있게 해 주는 대상이므로, 인물들이 열차에 오르는 것은 이들이 자신의 삶을 이어 갈 것임을 보여 준다고 볼 수 있다.
⑤ 이 작품은 사람들이 열차를 기다리는 동안의 이야기이므로, ㉠ '야간 완행열차'가 두 시간 연착하게 설정함으로써 이야기가 전개될 수 있는 시간을 확보한 것으로 볼 수 있다.

07 인물·사건 + 주제

ⓐ '청년'이 난로에 톱밥을 넣는 것을 보고 ⓑ '중년 사내'가 ⓐ '청년'을 따라 난로에 톱밥을 넣는다는 점에서 두 사람 사이에 정서적 교감이 이루어졌다고 볼 수 있다. 하지만 두 사람이 서로의 아픔을 이해하며 소통하고 있다고 보기는 어렵다.

오답 풀이 ①, ② ⓐ '청년'은 난로에 톱밥 한 줌을 넣으며 어머니의 주름진 얼굴을 떠올리고 있고, 이 모습을 지켜보던 ⓑ '중년 사내' 역시 톱밥 한 줌을 난로에 뿌리며 허 씨 같기도 하고 전혀 모르는 다른 사람인 것도 같은 확실하지 않은 얼굴을 떠올리고 있다.
④ ⓓ '미친 여자'가 사람들이 기차를 타고 떠난 후 난로 곁에 다가오는 것을 통해 그녀가 대합실에서 막차를 기다리던 다른 사람들보다 더 소외된 존재이며 열차를 타고 복귀할 일상이 없는 존재임을 짐작할 수 있다.
⑤ 대합실에 홀로 남은 ⓓ '미친 여자'를 위해 톱밥을 더 가져다가 난로에 넣으려는 ⓒ '역장'의 모습에서 소외된 인간에 대한 동정과 연민, 따뜻한 배려와 사랑의 마음을 느낄 수 있다.

알아두기 '눈'과 '난로'의 상징적 의미와 역할

눈	• 낭만적이고 서정적 분위기를 조성함 • 막차를 연착하게 하는 장애물의 역할을 함
난로	• 인물들이 자신의 과거나 내면을 들여다보게 하는 회상의 매개물임 • 막차를 기다리는 사람들의 심정을 한곳으로 모으는 역할을 함 • 대합실 밖의 추위와 대비되어 따뜻한 열기를 제공하는 피난처와 같은 역할을 함

+ 독해 체크 **본문 078쪽**
❶ 연착 ❷ 난로 ❸ 역장 ❹ 간이역 ❺ 사평역
❻ 소외 ❼ 완행열차 ❽ 회상

+ 어휘 체크 **본문 079쪽**
1 (1) 얼추 (2) 으레 (3) 뇌리
2 (1) ⓛ (2) ⓒ (3) ㉠

04 흐르는 북 ❶_최일남

갈래	단편 소설, 세태 소설, 가족사 소설
성격	사실적, 비판적
주제	예술혼과 인간의 본원적 삶에 대한 세대 간의 가치관 차이
특징	• 중심 소재를 통해 세대 간의 갈등 양상을 보여 줌 • 갈등의 해소를 제시하지 않음으로써 여운을 줌

확인 문제

01 ○   02 ×   03 체면   04 북장단

실력 문제

05 ④   06 ③   07 ④

01 '손자와의 이런 자잘고롬한 티격태격이 괜찮아', '신바람이라는 말이 민 노인의 가슴 복판을 쿡 찌르고 달아났다.' 등에서 서술자가 인물의 심리를 직접 제시하고 있다. 또한 '꽤 능글맞은 녀석은 ~ 나이에 걸맞지 않은 지혜도 갖고 있었다.'에 성규의 성격이 직접적으로 드러나 있다.

02 (가)에서 성규는 아버지와 할아버지의 갈등을 속속들이 알고 있다고 하였다.

03 앞부분 줄거리에서 아들이 친구들 앞에서 북을 친 민 노인 때문에 자신의 '체면'이 깎였다고 한 부분과, (나)에서 민 노인이 '애비는 애비대로 내 북 때문에 제 체면이 깎인다는 판'이라고 말한 것을 통해 알 수 있다.

04 (가)에서 성규는 학교 축제에서 자신의 서클이 봉산 탈춤 발표회를 한다며, 민 노인에게 '북장단'을 맡아 달라고 부탁하였다.

05 인물·사건

민 노인은 학교 축제의 탈춤 공연에서 북장단을 맡아 달라는 성규의 부탁을 듣고 처음에는 거절하지만, 신바람이라는 말에 마음의 동요를 느낀다. (가)와 (나)에 민 노인이 성규에게 화를 내는 모습은 나타나 있지 않다.

오답 풀이 ❶ 민 노인은 성규와 장난으로 티격태격할 정도로 친밀한 관계이다.

❷ 성규가 민 노인에게 탈춤 공연에서 북장단을 맡아 달라고 하면서 "할아버지께서 신바람 내실 기회를 드리자는 의미도 있습니다."라고 하고, 이에 민 노인은 '신바람이라는 말'이 '가슴 복판을 쿡 찌르고 달아났다'고 한 것으로 보아 민 노인은 북을 치는 일에 신바람을 느낌을 알 수 있다.

❸ 탈춤 공연에서 북장단을 맡아 달라는 성규의 부탁에 민 노인이 "늬 애비가 알면 큰일 난다."라고 한 것이나, 민 노인의 아들이 민 노인의 북 때문에 자신의 체면이 깎인다고 말한 것으로 보아 민 노인은 북을 치는 문제로 아들과 갈등하고 있음을 알 수 있다.

❺ 민 노인은 아들의 고향 친구들 앞에서 북을 친 일로 아들이 따진 날 이후 집에 손님이 오는 날이면 외출하는 습관이 생겼다고 한 것을 통해 알 수 있다.

06 어휘

㉠은 문맥상 '감정이나 기색 따위를 생겨나게 하는'이라는 뜻이다. 이와 의미가 가장 유사한 것은 '신바람'이 생겨나게 했다는 의미로 쓰인 ③의 '돋우었다'이다.

오답 풀이 ❶ '입맛을 당기게 하다.'라는 의미로 쓰였다.

❷ '위로 끌어 올려 도드라지거나 높아지게 하다.'라는 의미로 쓰였다.

❹ '정도를 더 높이다.'라는 의미로 쓰였다.

❺ '밑을 괴거나 쌓아 올려 도드라지거나 높아지게 하다.'라는 의미로 쓰였다.

07 인물·사건 + 배경·소재

(나)에서 성규의 아버지가 알면 큰일 난다며 ㉡ '봉산 탈춤 발표회'의 북장단을 거절하는 민 노인에게 성규는 자신과 비밀만 지키면 된다고 말하고 있다. 성규가 아버지 몰래 민 노인을 ㉡에 참여시키려고 하는 것으로 볼 때, ㉡을 민 노인과 성규의 아버지를 소통시키기 위한 계획이 실현된 것이라고 보기 어렵다.

오답 풀이 ❶, ❺ 〈보기〉에서 성규는 평생 북을 치며 방랑하던 할아버지의 삶을 이해하는 인물이라고 하였다. 또한 성규가 민 노인에게 ㉡에서 북장단을 맡아 달라고 부탁하며 신바람 내실 기회를 드리자는 의미도 있다고 하는 것을 통해 민 노인에게 북이 지닌 의미를 이해하는 성규의 태도를 엿볼 수 있다.

❷ 성규의 아버지는 민 노인이 북을 치는 것을 반대하므로, 성규의 부탁으로 민 노인이 ㉡에서 북을 친 일이 밝혀지면 성규의 아버지와 성규 사이의 갈등이 발생할 것이다.

❸ ㉡은 학교 축제의 하나로, 민 노인이 대학생들과 함께 공연하게 되면 할아버지 세대와 손자 세대가 화합하는 자리가 될 수 있다.

04 흐르는 북 ❷

본문 082~083쪽

확인 문제

01 ×   02 ×   03 ○   04 ×   05 막걸릿집
06 아들   07 춤판

실력 문제

08 ①   09 ①   10 ②   11 ③   12 ②

01 이 작품은 전지적 작가 시점으로 이야기를 서술하고 있다.

02 (다)~(라)에서 민 노인은 무색함이나 어색함을 느끼다가도 북을 치며 그러한 감정을 잊고 신명마저 느끼고 있다. 따라서 민 노인의 내적 갈등이 고조되고 있다는 것은 적절하지 않다.

03 (다)에서 성규네 탈춤반 아이들은 민 노인의 북소리에 대해 명인의 경지라고 추켜올리며 높게 평가하였다.

04 (다)에서 민 노인은 연습 후 막걸릿집에서 성규네 탈춤반 아이들과 어울리면서 '자신의 마음이 외견과는 달리 퍽 편안하다'고 느꼈다.

05 연습 후 민 노인이 성규네 탈춤반 아이들과 어울린 '막걸릿집'은 전통 세대인 민 노인이 신세대와 인간적인 소통을 하는 공간이다.

06 (라)의 '아직은 눈치를 채지 못한 아들 내외에 대한 심리적 부담보다는 자기가 맡은 일 때문이었다.'로 보아, 민 노인은 '아들' 내외 몰래 성규네 학교 탈춤 공연에 참여하였음을 알 수 있다.

07 (라)에서 '춤판'은 수십 명의 아이들이 함께 어우러지며 유대감을 확인하는 공간이자, 민 노인이 북을 치는 일에 몰입하며 자신감을 회복하는 공간이다.

08 서술
이 작품은 전지적 작가 시점이지만 민 노인을 초점화하여 그의 심리를 세세하게 서술하는 등 민 노인의 입장에서 사건을 서술하고 있다. 이에 따라 독자는 민 노인의 처지나 심리에 공감하게 된다.

오답 풀이 **②** 이 작품은 자연적인 시간의 흐름에 따라 사건을 서술하고 있다. 현재에서 과거로 거슬러 가는 역순행적 구성은 나타나지 않는다.
③ 이 작품에 인물의 외모나 성격 등이 의도적으로 우스꽝스럽게 묘사되는 희화화는 나타나지 않는다.
④ 이 작품에 서술자가 개입하여 사건을 직접적으로 평가하는 편집자적 논평은 나타나지 않는다.
⑤ 이 작품에 시대적 배경에 대한 상세한 묘사는 나타나지 않는다.

알아두기 **이 작품의 시점과 서술 초점**

전지적 작가 시점	작품 바깥의 서술자

⇩

민 노인을 초점화한 서술
• 낯선 장면과 마주쳐 다소 어리벙벙하지 않은 건 아니었으나 ~ 북을 두드리는 동안 그런 무색함은 서서히 사라져 갔다.
• 그것이 입에 발린 칭찬일지라도, 민 노인으로서는 듣기 싫지가 않았다.

⇩

민 노인의 입장에서 이야기를 전개하여, 독자로 하여금 민 노인의 심리에 공감하도록 함

09 인물·사건
(다)에서 아이들이 민 노인의 북소리를 명인의 경지라고 추켜올리기는 하였으나, 민 노인이 아이들의 탈춤 실력에 대하여 평가한 내용은 나타나지 않는다.

오답 풀이 **②** (라)에서 민 노인은 탈춤 공연이 시작되자 자신이 맡은, 북을 치는 일에 몰입하였다.
③ (다)에서 민 노인은 탈춤반 아이들과 연습하며 처음에는 낯선 장면과 마주쳐 다소 어리벙벙하였지만, 연습을 하면서 그런 무색함은 서서히 사라졌다.
④ (라)에서 민 노인은 탈춤 공연이 시작되자 자신에게 쏠리는 구경꾼들의 시선도 자신이 거쳐 온 어느 날의 한 대목으로 치면 그만이라며 대수롭지 않게 여겼다.
⑤ (다)에서 탈춤반 아이들은 민 노인이 며칠 더 연습에 나오겠다고 하자 환영의 박수를 쳤고, 연습 후 막걸릿집에서는 민 노인의 북소리가 명인의 경지라고 추켜올렸다. 이를 통해 탈춤반 아이들은 민 노인이 탈춤 공연에 참여하는 것을 긍정적으로 받아들였음을 알 수 있다.

10 인물·사건
(라)에서 민 노인은 집을 나서며 나이에 어울리지 않는 '설렘'으로 흔들렸으며, 탈춤 공연 전에는 아이들 춤판에 자신이 낀다는 사실에 대한 '어색함'과 모처럼의 북가락이 그런 모양으로밖에 선보일 수 없다는 데 대한 '적막감'을 느꼈다. 하지만 탈춤 공연이 시작되자 아무 생각 없이 북을 치며 '신명'을 느꼈다.

오답 풀이 **①**, **③** (라)에서 민 노인이 체념하는 모습은 나타나지 않는다.
④, **⑤** (라)에서 민 노인이 두려움을 느끼는 모습은 나타나지 않는다.

11 배경·소재
이 작품에서 ⊙ '북'은 민 노인의 분신이자 예술혼을 상징하는 소재이다(ㄴ). 민 노인이 북을 통해 탈춤반 아이들과 소통하는 것으로 보아, '북'은 전통 세대와 신세대의 소통을 이끄는 매개체(ㄷ)라고 볼 수 있다.

오답 풀이 ㄱ. '북'이 성규의 가족애를 상징한다고 볼 수 있는 근거는 제시되어 있지 않다.
ㄹ. '북'이 아버지와 아들의 갈등을 해소하는 매개체라고 볼 수 있는 근거는 제시되어 있지 않다. 작품 전체에서 성규의 아버지는 자기 아버지인 민 노인이 평생을 바친 '북'에 부정적인 입장이고 성규는 '북'에 긍정적인 입장이므로, '북'은 오히려 아버지와 아들의 갈등의 원인이 된다고 볼 수 있다.

12 어휘
⊙은 탈춤 공연 중에 북을 치는 일에 몰입하여 북소리와 하나가 된 상태로, 이와 의미가 통하는 한자 성어는 '정신이 한곳에 온통 쏠려 스스로를 잊고 있는 경지'를 뜻하는 무아지경(無我之境)이다.

오답 풀이 **①** 고립무원(孤立無援)은 '고립되어 구원을 받을 데가 없음'을 뜻한다.
③ 백척간두(百尺竿頭)는 '백 자나 되는 높은 장대 위에 올라섰다는 뜻으로, 몹시 어렵고 위태로운 지경'을 이르는 말이다.
④ 불협화음(不協和音)은 '어떤 집단 내의 사람들 사이가 원만하지 않음을 비유적으로 이르는 말'이다.
⑤ 음풍농월(吟風弄月)은 '맑은 바람과 밝은 달을 대상으로 시를 짓고 흥취를 자아내어 즐겁게 놂'을 뜻한다.

확인 문제

01 ✕   02 ○   03 ○   04 ✕   05 몫   06 화해
07 갈등

실력 문제

08 ①   09 ⑤   10 ②   11 ④   12 ③

01 (마)에서 며느리가 민 노인에게 "아이들 노는 데 구경 가시는 것까지는 몰라도, 걔들과 같이 어울려서 북 치고 장구 치는 게 나이 자신 어른이 할 일인가요?"라고 말한 데서 민 노인이 성규의 탈춤 공연에서 북을 친 일을 두고 두 사람이 갈등하고 있음을 알 수 있다.

02 (마)에서 민 노인이 자신이 성규네 학교에서 북을 친 일이 아들 내외의 체면을 깎았냐고 묻자 며느리는 "아시니 다행이네요."라고 대답하였다.

03 (바)에서 성규는 아버지의 할아버지에 대한 처지를 이해한다고 하였다. 단 성규는 아버지의 논리와 생각을 그대로 받아들이지 않고 있을 뿐이다.

04 (바)에서는 성규의 아버지와 성규가 민 노인에 대한 입장과 태도를 두고 갈등하고 있는 것이지, 민 노인이 이들과 대립하고 있는 것은 아니다.

05 (마)에서 민 노인은 오랜만에 돌아온 자기 '몫'을 제대로 해냈다는 느긋함을 느끼는데, 이는 민 노인이 탈춤 공연에서 북을 치고 난 후에 느낀 감정이다.

06 (바)에서 성규의 아버지는 성규에게 "그러니까 너만이라도 할아버지에게 '화해'의 제스처를 보이겠다는 거냐 뭐냐."라고 말하며 못마땅해하는 기색을 보였다.

07 (바)에서 성규는 전 세대끼리의 '갈등'이 다음 세대에서 쾌적한 만남으로 이어진다면, 그건 환영할 만한 일이라고 하였다.

08 서술

(마)에서는 민 노인과 며느리의 대화를 통해, (바)에서는 성규의 아버지와 성규의 대화를 통해 인물 간의 갈등 상황을 제시하고 있다.

오답 풀이 ❷ (마)~(바)에는 인물의 외양 묘사가 나타나지 않는다.
❸ (마)~(바)에서는 장면이 빈번하게 바뀌고 있지 않다.
❹ (마)~(바)에는 배경의 변화가 나타나지 않는다.
❺ (마)~(바)에는 인물의 내적 갈등이 나타나지 않는다.

09 인물·사건

㉠에서 민 노인의 흐뭇함이 오래 가지 않은 이유는 외출에서 돌아온 며느리가 성규네 학교에서 북을 친 일로 자신을 책망하였기 때문이다.

오답 풀이 ❶ 민 노인은 성규를 찾지 않았으며, 다 저녁때가 되어 집에 돌아오자마자 성규를 찾은 사람은 며느리이다.
❷ 며느리의 외출은 민 노인의 흐뭇함이 오래 가지 않은 것과 관련없다.
❸ 민 노인은 전날 북을 친 피로감을 느끼지 않았으며, 오히려 북을 친 날의 노곤함은 민 노인이 깊은 잠을 잘 수 있게 하였다.
❹ 민 노인이 아이들 노는 데 끼어든 것을 부끄럽게 생각하는 사람은 며느리이다.

10 서술

㉡에는 본래의 뜻과는 반대되는 말을 하여 의미를 강화하는 반어법이 사용되었다. ②는 임과의 이별을 매우 슬퍼하는 화자의 마음을 반어적으로 표현한 것이다.

오답 풀이 ❶ 표면적으로는 모순되거나 부조리한 것 같지만 그 속에 담긴 진실을 드러내는 역설법이 사용되었다.
❸ 사람이 아닌 것을 사람에 비겨 사람이 행동하는 것처럼 표현하는 의인법이 사용되었다.
❹ 사물을 실상보다 지나치게 과도하게 혹은 작게 표현함으로써 문장의 효과를 높이는 과장법이 사용되었다.
❺ 내용적으로 연결되거나 비슷한 어구를 여러 개 늘어놓아 전체의 내용을 표현하는 열거법이 사용되었다.

11 인물·사건

(바)의 "아버지의 할아버지에 대한 처지를 ~ 필요도 없다고 생각하는 편이에요."라는 성규의 말로 보아, ㉢은 아버지의 생각을 따르라고 강요하지 말라는 의미로 볼 수 있다.

오답 풀이 ❶, ❷, ❸ (바)에서 성규의 아버지가 성규나 민 노인을 챙기는 내용은 나타나지 않는다.
❺ (바)에서 성규가 성규의 아버지에게 자신을 챙겨 달라고 요구하는 내용은 나타나지 않는다.

12 어휘

문맥으로 보아 ⓒ의 사전적 의미는 '지극한 정성'이다.

오답 풀이 ❶ ⓐ '면전(面前)'은 '보고 있는 앞'을 의미한다.
❷ ⓑ '힐문(詰問)'은 '트집을 잡아 따져 물음'을 의미한다.
❹ ⓓ '제스처(gesture)'는 '말의 효과를 더하기 위하여 하는 몸짓이나 손짓'을 의미한다.
❺ ⓔ '훈계(訓戒)'는 '타일러서 잘못이 없도록 주의를 줌. 또는 그런 말'을 의미한다.

확인 문제

01 ✕   02 ✕   03 ✕   04 ○   05 북   06 데모
07 역마살

실력 문제

08 ③   09 ③   10 ④   11 ②

01 (아)에는 성규가 데모하다 잡혀간 새로운 사건이 제시되었을 뿐, 아버지와 성규의 갈등이 해소된 모습은 드러나지 않는다.

02 (사)에서 민 노인의 아들은 방에 있다가 응접실로 나온 민 노인 쪽엔 시선을 돌리지도 않은 채 성규에게만 소리를 꽥 지른다. 이는 민 노인의 아들이 민 노인과의 직접적인 갈등을 피하고자 한 것이지, 민 노인이 아들과의 갈등을 피하는 모습은 나타나지 않았다.

03 (사)에서 성규의 아버지가 "그래서? 할아버지가 나름대로의 예술을 완성했니?"라고 말한 것은, 민 노인의 삶에 대해 냉소적인 태도를 보이는 것으로 볼 수 있다.

04 (자)에서 수경이는 북소리에 푹 빠져 있는 오빠와 달리 북소리가 '잡음'으로만 들린다고 한 것으로 보아, 민 노인이 치는 북소리의 의미를 이해하지 못하고 있다.

05 성규는 아버지에게 "할아버지에게서 북을 뺏는 건 할아버지의 한(恨)을 배가시키고, 생의 마지막 의지를 짓밟는 것에 다름 아니라는 생각만은 갖고 있습니다."라고 하였다.

06 (아)에서 성규가 '데모'하다 잡혀갔다는 소식을 들은 가족들은 신경이 예민해지는 등 심란한 모습을 보인다.

07 민 노인은 성규가 붙들려 간 게 자신이나 북과도 관련이 있다며 자신의 '역마살'과 성규의 데모가 닮은 것 같다고 생각한다.

08 인물·사건
(아)에서 민 노인은 며느리가 자기를 쳐다보는 눈이 사뭇 비뚤어져 있다고 느낀다. 이는 며느리가 성규가 데모하다 잡혀간 것을 자기 탓이라고 여기며 자신을 원망하고 있다고 생각했기 때문이다.

오답 풀이 ❶ (사)에서 성규는 민 노인의 예술혼을 이해하고 있지만, 민 노인의 아들은 민 노인의 예술혼을 이해하고 있지 않다.

❷ (사)에서 민 노인의 아들과 성규의 갈등은 해소되지 않았다.

❹ (아)에서 민 노인은 데모하다 잡혀간 성규를 걱정하기는 하지만, 성규가 현실적 가치의 중요성을 이해해야 한다고 생각하지는 않는다.

❺ (자)에서 민 노인은 수경이에게 들려주기 위해서가 아니라, 자신의 역마살과 성규의 데모가 닮았다고 생각하며 북을 친다.

09 인물·사건 + 서술
ⓒ에서 성규의 아버지는 민 노인 쪽에 시선을 돌리지 않는다. 이는 민 노인과의 직접적인 갈등을 피하려는 태도이지, 민 노인과의 갈등을 해소하고자 하는 의도로 보기 어렵다.

오답 풀이 ❶ 아버지의 입가에 냉소가 머문 것으로 보아, ㉠은 민 노인의 삶에 대해 냉소적인 태도를 보이는 것으로 볼 수 있다.

❷ ㉡에서 민 노인이 응접실로 나온 이유는 자기 때문에 성규가 궁지에 몰려 있는 걸 보고만 있을 수 없어서였으므로, 성규를 궁지에서 빠져나오게 하기 위한 것으로 볼 수 있다.

❹ ㉣에서 송 여사가 의미 불명의 소리를 지르더니 펄쩍펄쩍 뛴 것으로 보아, 무언가 심각한 일이 벌어졌음을 알 수 있다.

❺ ㉤에서 송 여사가 민 노인과 수경에게 신경질적으로 반응한 것으로 보아, 성규가 데모하다 잡혀간 일로 예민해져 있음을 알 수 있다.

10 배경·소재
(사)에서 민규가 '할아버지에게서 북을 뺏는 건 ~ 생의 마지막 의지를 짓밟는 것'이라고 말한 것을 고려할 때 ⓐ는 자유로운 예술혼을 추구하며 살아온 민 노인의 삶을 보여 준다. 따라서 ⓐ는 ⓑ와 마찬가지로 주체적인 삶을 의미한다.

오답 풀이 ❶ ⓐ는 자유로운 예술혼을 추구하며 방랑하던 민 노인의 삶을 상징한다.

❷, ❸ ⓑ는 자신이 추구하는 가치와 이상을 향한 행위로, 진보와 화합을 중시하며 새로운 세계를 이루기 위해 행동하는 성규의 삶을 상징한다.

❺ ⓐ와 ⓑ에 담긴 삶의 태도는 각각 성규의 아버지와 갈등하게 되는 요인으로 볼 수 있다.

알아두기 '역마살'과 '데모'의 공통점

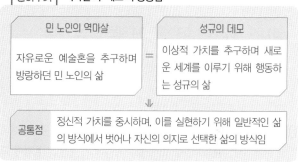

민 노인의 역마살		성규의 데모
자유로운 예술혼을 추구하며 방랑하던 민 노인의 삶	=	이상적 가치를 추구하며 새로운 세계를 이루기 위해 행동하는 성규의 삶

공통점	정신적 가치를 중시하며, 이를 실현하기 위해 일반적인 삶의 방식에서 벗어나 자신의 의지로 선택한 삶의 방식임

11 주제
이 작품에서 민 노인과 성규의 갈등은 드러나지 않는다. 〈보기〉에서도 성규로 대표되는 신세대는 민 노인으로 대표되는 전통 세대를 이해하고 연대하려 노력한다고 하였다.

오답 풀이 ❶ 이 작품에서 현실적인 삶을 추구하는 민대찬과 이상적인 삶을 추구하는 성규가 갈등하고 있다. 이는 곧 기성세대와 신세대의 대립을 의미한다고 볼 수 있다.

❸, ❹ 이 작품에서 가족 중 민 노인의 예술혼을 이해하는 사람은 성규가 유일하며, 성규는 민 노인이 다시 북을 칠 수 있도록 돕는다. 이러한 민 노인과 성규의 연대와 소통은 전통 세대와 신세대의 화합을 의미하며, 세대 간 갈등의 극복 가능성을 암시한다고 볼 수 있다.

❺ 이 작품에서 예술혼을 추구하는 민 노인과 현실적인 삶을 추구하는 민대찬이 갈등하고 있다. 이는 곧 정신적 가치와 현실적 가치의 대립을 의미한다고 볼 수 있다.

+ 독해 체크   본문 088쪽
❶ 북   ❷ 데모   ❸ 갈등   ❹ 이해   ❺ 예술혼
❻ 민 노인   ❼ 화합

+ 어휘 체크   본문 089쪽
1 (1) ㉠ (2) ㉢ (3) ㉡
2 〈가로〉 ❶ 국외자 ❹ 부아 ❺ 경지
〈세로〉 ❷ 자청 ❸ 치부 ❻ 지성

실전 05 황만근은 이렇게 말했다 _성석제

갈래 단편 소설, 농촌 소설

성격 향토적, 해학적, 풍자적

주제 ① 황만근의 덕성과 이타적인 삶에 대한 예찬
② 부채로 얼룩진 농촌 현실에 대한 고발과 각박한 인심에 대한 비판

특징 • '전(傳)'의 형식과 유사한 방식으로 구성됨
• 1990년대 농촌 현실의 문제점을 고발함
• 이기적인 현대인에 대한 비판 의식이 드러남

확인 문제

01 ○ 02 × 03 × 04 경운기 05 바보

실력 문제

06 ⑤ 07 ⑤ 08 ④ 09 ④

01 이 작품은 1990년대 농촌을 배경으로 한 소설로, 등장인물의 사투리와 비속어 등을 통해 향토적이고 해학적인 성격이 드러난다.

02 이 작품에서 민 씨는 주인공인 황만근의 말과 행동을 관찰하여 전함으로써 황만근을 바보 취급하는 마을 사람들의 이기적인 모습을 드러나게 하는 인물이다.

03 이장은 황만근을 대수롭지 않게 생각하는 인물로, 황만근이 실종된 상황에서 염려하기보다 소여물을 주지 못하는 것을 불평하고 있다. 따라서 이장이 평소 황만근을 신뢰하고 있었기 때문에 그의 안위를 염려하지 않는 것이라고 보기 어렵다.

04 민 씨는 방침대로 '경운기'를 타고 시위에 참여한 황만근만 돌아오지 않은 것을 문제 삼고 있다.

05 이장이 '만그인지 반그인지 그 바보 자석 하나 따문에'라고 하는 부분에서 평소 황만근을 '바보'라고 생각하고 있다는 것을 알 수 있다.

06 서술

시간상 황만근이 궐기 대회에 갔다가 사라진 것이 먼저 일어난 일인데, 황만근이 실종된 후 마을 사람들이 모인 장면으로 이야기를 시작하여 황만근의 실종되기까지의 행적에 대한 독자의 궁금증을 유발하고 있다.

오답 풀이 ❶ 이 작품은 시점의 변화가 나타나 있지 않다.
❷ (나), (다)에서는 서술보다 민 씨와 이장 간의 대화를 중심으로 황만근의 실종이라는 사건의 정황을 제시하고 있다.
❸ 이 작품은 전지적 작가 시점으로 서술자가 작품 밖에 위치하고 있다.
❹ 이 작품은 외부 이야기 속에 내부 이야기가 삽입된 액자식 구성을 취하고 있지 않다.

알아두기 역순행적 구성의 효과

역순행적 구성	황만근이 사라진 것이 먼저 일어난 사건인데, 황만근이 실종된 후 마을 사람들이 모인 장면으로 이야기를 시작함

⇓

효과	• 독자가 이야기에 관심을 갖도록 하고 흥미를 유발함 • 황만근의 삶을 추적하는 내용으로 자연스럽게 이어짐 • 작품의 마지막 부분에서 황만근의 죽음을 극적으로 제시함

07 인물·사건

도시에서 귀농한 민 씨는 이장과 달리 황만근을 바보로 생각하지 않으며, 황만근의 실종에 관심을 갖고 이장에게 그 경위를 묻고 있다. 하지만 민 씨가 궐기 대회에 동참하지 않은 것에 대해 죄책감을 느끼는 모습은 나타나지 않는다.

오답 풀이 ❶ 이장과의 대화에서 민 씨가 황만근을 바보로 생각하지 않고 있음을 알 수 있다.
❷ 이장의 말에서 민 씨가 도시에서 살다가 망하여 귀농한 외지 사람임을 알 수 있다.
❸, ❹ 민 씨는 황만근이 없어진 경위에 대해 책임을 추궁하듯 이장에게 묻고, 이장은 계속 빈정거리듯 말하며 민 씨를 모욕한다. 이 과정에서 민 씨와 이장의 갈등이 점점 고조된다.

08 배경·소재

이장과 민 씨의 대화를 통해 황만근은 농가 부채 탕감을 촉구하기 위한 전국 농민 총궐기 대회에 참가하러 갔다가 돌아오지 않았다는 것을 알 수 있다. 궐기 대회는 농가 부채 문제가 심각했던 당시 농촌의 어려운 현실을 보여 주는 소재로, 황만근은 이 궐기 대회에 방침대로 경운기를 타고 참석했다가 돌아오지 않았다. 따라서 궐기 대회는 황만근의 우직한 성품을 드러내는 동시에 황만근의 실종을 불러일으킨 계기에 해당한다.

오답 풀이 ❶ 군청은 농가 부채 탕감 촉구 전국 농민 총궐기 대회가 열리기로 한 장소이다.
❷ 트럭은 이장이 궐기 대회의 방침을 어기고 대회에 참여할 때 이용한 교통수단이다.
❸ 경운기는 궐기 대회에 방침대로 참여한 황만근의 우직한 성격을 보여 주는 동시에, 혼자 경운기를 타고 갔다가 돌아오지 않았다는 점에서 황만근의 실종과 관련된 소재이다. 그러나 당시 농촌이 경제적으로 어려웠음을 보여 주는 소재로 볼 수 없다.
❺ 마을 회관은 이 소설의 배경이자, 발단 부분에서 황만근의 실종을 알리는 장소이다.

09 인물·사건 + 서술

ⓔ에서 이장은 다른 동네 사람들은 자가용을 타고 궐기 대회에 참가했다고 하며 다른 사람의 잘못된 행동을 핑계 삼아 자신의 책임을 회피하고 있다.

오답 풀이 ❶ 돌아오지 않은 황만근의 안위보다 소여물을 주지 못하는 것을 더 걱정하는 이장의 모습에서 이장의 자기중심적이고 이기적인 면모를 알 수 있다.

❷ 이장은 자신은 이장의 직무 때문에 바쁘다는 핑계로 궐기 대회 방침을 지키지 않은 자신의 행동을 합리화하고 있다.

❸ 진짜로 경운기를 타고 가면 군 대회에는 늦었을 것이라는 말을 통해 경운기를 타고 가는 것이 실제로는 실천하기 어려운 방침이었음이 드러나고 있다.

❺ 민 씨는 원칙을 지킨 사람은 손해를 보고, 약삭빠르게 행동한 사람은 손해를 보지 않은 것을 꼬집으며 이장의 모순된 행동을 추궁하고 있다.

05 황만근은 이렇게 말했다 ❷

본문 092~093쪽

확인 문제

01 ○ 02 × 03 ○ 04 부재 05 공평무사
06 공치사

실력 문제

07 ④ 08 ③ 09 ②

01 (라)와 (바)에서 황만근은 마을의 온갖 궂은일들을 대가 없이 성실하게 해 왔음을 알 수 있다. 이에 대해 마을 사람들은 황만근에게 제대로 대가를 치르지 않았고 이해타산적인 면모를 보이기도 했다. 이러한 대비는 황만근의 이타적이고 성실한 성품을 부각하고 있다.

02 (마)~(바)에서는 황만근의 성실하고 이타적인 모습이 드러날 뿐, 황만근의 우스꽝스러운 행동을 묘사하여 해학성을 극대화하고 있지 않다.

03 마흔다섯 살의 황영석이 마을에서 젊은 축에 든다는 것을 통해 노인 인구의 비율이 높은 농촌의 현실을 알 수 있다.

04 (라)에서 황영석은 마을 회관 변소에서 분뇨를 퍼내다가 황만근의 '부재'를 알게 되었다고 하였고, 아이들은 아이들은 소꿉장난을 하던 중 시비를 물으러 가려다가 황만근의 '부재'를 알게 되었다고 하였다.

05 (라)에서 '공평무사한 것이 황만근의 평생의 처사였다.'라고 하였다.

06 (바)에서 황만근이 동네의 일을 한 경우에는 대가가 없었고, 다른 사람의 농사일을 하는 경우에는 반값을 받았으며, 경운기를 이용하여 일을 하는 경우에는 제값을 받았는데 이때는 '공치사'가 따랐다고 하였다.

07 서술

(라)~(바)에서는 황만근이라는 인물의 됨됨이를 여러 가지 일화를 통해 보여 줄 뿐, 중심인물인 황만근의 심리 변화가 드러나 있지는 않다.

오답 풀이 ❶ 등장인물의 말이 구어체의 사투리로 제시되어 현장감과 향토성이 잘 드러나고 있다.

❷ 황만근의 행적에 초점을 맞추어 내용을 전개하고 있다.

❸ 황만근의 성실하고 이타적인 삶을 보여 주는 여러 가지 일화를 제시하고 있다.

❺ 이 작품에서는 이타적인 황만근과 달리 이해타산적인 마을 사람들을 그려 냄으로써 황만근의 덕성을 예찬함과 동시에 각박한 인심을 비판하고 있다.

08 인물·사건

(라)에서 황만근은 여씨 노인처럼 일찍 남편을 잃고 혼잣몸이 된 노인들에게는 더 자주 거름을 가져다주며 그들을 알게 모르게 보살폈음을 알 수 있다.

오답 풀이 ❶ (라)에서 마을 사람들은 '황만근가'를 자신도 모르게 중얼거리게 되면서 황만근이 없다는 사실을 알게 되었다고 하였다. 마을 사람들이 황만근을 그리워하며 '황만근가'를 부른 것은 아니다.

❷ (라)에서 황만근은 남들이 꺼리는 분뇨를 퍼내는 일을 군말 없이 하면서도 공평하게 분뇨를 나누어 주었다고 하였을 뿐, 황영석이 공평하게 분뇨를 나누는 황만근에게 불만을 표했다는 내용은 제시되어 있지 않다.

❹ (마)에서 황만근은 어머니와 아들을 지극정성으로 챙기면서도 정작 자신은 상 없이 밥을 먹었다고 하였다.

❺ (마)에서 황만근이 만든 음식을 맛본 마을 사람들은 이구동성으로 감탄을 하게 마련이었다고 하였다. "희한할세, 바보가."라고 한 것은 바보가 만들었음에도 음식이 맛있다는 감탄의 표현이다.

09 인물·사건 + 주제

황만근이 마을 회관 변소에서 분뇨를 퍼내는 일과 같이 마을의 궂은일을 군말 없이 벙글벙글 웃으면서 했던 것은 그가 성실하고 낙천적인 성격임을 보여 준다. 황만근의 이타적이고 성실한 면이 그가 평균치에 못 미치는 인간임을 보여 준다고 볼 수는 없다.

오답 풀이 ❶ (바)에서 황만근이 염습과 산역같이 다들 기피하는 마을의 일을 도맡아 했다고 하였는데, 이를 통해 황만근의 희생정신을 엿볼 수 있다.

❸ (라)에서 황만근은 마을 공통의 분뇨를 퍼냈을 때 마을 공통의 분뇨장으로 가져가 충분히 익힌 후에 공평하게 나누어 주는 데 반해 황영석은 분뇨를 자기가 펐다는 이유로 자기 밭에 가져다 뿌렸다고 하였다. 이처럼 황영석이 황만근과 달리 자신의 이익을 우선으로 여기며 행동하는 것에서 이기적이고 이해타산적인 현대인의 모습을 엿볼 수 있다.

❹ (바)에서 황재석은 마을 일에 대한 황만근의 수고에 고마워하지 않고 그를 '반근이'라고 부르며 오히려 자신들이 일을 시켜 주는 것에 고마워하라는 태도를 보인다. 이를 통해 황재석이 황만근을 하대와 조롱의 대상으로 여기고 있음을 알 수 있다.

❺ (라)에서 일찍 남편을 잃고 혼잣몸이 된 여씨 노인은 거름이 오지 않자 자신에게 거름을 더 가져다주었던 황만근의 부재를 알게 되었다. 또한 아이들은 소꿉장난을 하다가 시비를 따질 일이 생겨 황만근에게 물어보려다가 황만근의 부재를 느끼게 되었다. 이처럼 마을 사람들이 황만근의 부재를 느끼는 데서 모자란 듯한 황만근이 정작 마을에서 가장 필요한 인물이었음이 드러나고 있다.

'황만근'과 '마을 사람들'의 대비

황만근		마을 사람들
• 마을의 궂은일을 도맡아서 함	대비	• 황만근에게 일을 시키고 제 값을 주지 않거나 제값을 줄 때는 공치사를 함
• 보살핌이 필요한 이웃을 더 챙김		
• 공평무사함		• 이해타산적임

⇓

황만근의 성실하고 이타적인 성품을 부각함

05 황만근은 이렇게 말했다 ③

본문 094~095쪽

확인 문제

01 ✕ 02 ○ 03 ✕ 04 빚 05 소

실력 문제

06 ④ 07 ④ 08 ②

01 이 작품은 농촌을 공간적 배경으로 하고 있으나 농촌 공동체의 인정을 부각하고 있는 것은 아니다. 농가 부채로 어려운 농촌 현실과 농촌의 각박한 인심을 드러내고 있다.

02 이 작품은 '농가 부채 해결을 위한 전국 농민 총궐기 대회'가 열릴 정도로 부채에 허덕이던 당시 농촌의 어려운 상황을 보여 주고 있다.

03 황만근은 이장에게서 농민 궐기 대회에 참가할 것을 권유받아 간 것일뿐, 자신의 권리와 이익을 되찾기 위해 농민 궐기 대회에 적극적으로 앞장선 것은 아니다.

04 (자)에서 황만근은 "농사꾼은 빚을 지면 안 된다 카이."라고 말하며 '빚'으로 집집마다 기계를 들여놓는 것에 비판적인 입장을 보이고 있다.

05 (자)에서 옛날에는 '소'를 다른 집에 빌려주고 서로 도와 가며 농사를 지었는데, 지금은 그런 모습이 사라졌다고 하였다.

06 인물·사건

(사)에 궐기 대회가 열리기 전날 마을 사람들이 모여 부채 문제를 언급하는 모습이 나타나는데, 이때 마을 사람끼리 대립하지는 않았다. '부채 말고 선풍기를 해도 되겠네.'라고 말장난을 할 정도로 분위기가 그렇게 무겁지는 않았다.

오답 풀이 ❶ (자)에서 황만근은 "저도 남도 해로운 농약 뿌리고 비싸고 나쁜 비료 쳐서 보기만 좋은 열매 뺏으마 그마이가?"라고 하였다.
❷ (아)에서 이장은 황만근에게 농민 궐기 대회에 자네같이 똑부러지게 농사짓는 사람이 앞장서야 한다며 경운기를 끌고 가는 일에 황만근을 앞세우려 했음을 알 수 있다.
❸ (자)에서 황만근은 자신이 빚을 지지 않은 이유가 사람들이 자신을 바보로 봐서 빚을 준다고도, 보증을 서라고도 하지 않아서라고 하였다. 하지만 (자)에서 황만근이 한 말들을 통해 황만근은 농사에 대해

확고한 소신을 지니고 있음을 알 수 있다.
❺ (아)에서 민 씨는 우연히 이장이 황만근을 붙들고 궐기 대회에 참가해 달라는 이야기를 하는 것을 보게 되었다고 하였다.

07 서술

(자)는 민 씨가 전날 밤 들은 황만근의 말을 민 씨의 입장에서 제시한 부분이다. 즉 당시 농가의 부채 문제와 기계화 영농, 수매 정책 등 농업 정책의 문제점에 대해 황만근이 한 말을 제시하고, 민 씨가 이에 동조하는 입장에서 자신의 해석을 덧붙인 것을 괄호 안에 제시하고 있다.

오답 풀이 ❶ 주인공 황만근의 말을 직접 인용 형태로 제시하고 있으나, 이를 통해 인물의 내적 갈등을 보여 준 것은 아니다.
❷ 작중 인물인 민 씨의 시각에서 주인공 황만근이 한 말을 제시하고 있다.
❸ 주인공 황만근의 말에 작중 인물 민 씨의 생각을 덧붙이고 있는데, 민 씨는 황만근의 시각에 동조하고 있으므로 이를 통해 가치관의 차이가 드러나고 있지는 않다.
❺ 황만근의 말을 통해 당시 농촌 사회의 문제점들이 제시되고 있을 뿐, 서로 다른 장소에 동시에 일어난 사건을 제시하고 있지는 않다.

08 인물·사건 + 배경·소재

㉡에는 기계화 영농 정책에 따라 부채로 마련한 기계들이 제시되어 있다. 이는 기계화 영농이 농민에게 도움이 되기보다 오히려 빚을 지게 하는 농촌의 현실을 보여 준다.

오답 풀이 ❶ ㉠은 융자금으로 과도하게 시설에 투자한 사례들이다. ㉠ 앞에서 '한번 빚을 지면 그 빚을 갚으려고 무리하게 일을 벌인다'라고 한 것으로 보아, 이는 빚이 또 빚을 부르는 악순환의 현실을 보여 주는 것으로 볼 수 있다.
❸ ㉢에서는 과거와 달리 서로 도와 가면서 농사를 짓지 않는 농촌의 현실이 나타나는데, 이는 〈보기〉에서 언급한 개인주의의 팽배로 공동체 의식이 상실된 모습이라 볼 수 있다.
❹ ㉣에서는 융자를 쉽게 제공하여 농촌 문제를 해결하려고 한 정책이 오히려 사람들을 파산 지경으로 몰아넣고 있음을 지적하고 있다.
❺ ㉤ 앞에서 황만근은 바보라는 이유로 융자나 보증 대상에서 제외되어 빚을 지지 않고 농사를 지을 수 있었음을 알 수 있다. 이에 대해 자기 짓고 싶은 대로 농사지으면서 망하지 않고 살 것이라는 ㉤에 나타난 황만근의 말은, 부채 없이 성실하게 노동하는 삶의 가치를 보여 주고 있다.

알아두기 '황만근'의 말에 나타난 당시의 농가 부채 현실

어수룩한 줄만 알았던 황만근의 말을 통해 작가가 비판하고자 한 농촌 사회의 문제가 드러나고 있다.

황만근의 말

"농사꾼은 빚을 지마 안 된다 카이."

⇓

당시의 농가 부채 현실

• 기계화 영농 정책이 농가 부채 문제를 심화시킴
• 부채가 결국 쌀값을 인상시키는데, 실제로는 수매가가 낮게 책정되어 빚이 늘어남
• 정부의 각종 자금 지원이 농민들의 삶을 더욱 어렵게 함

05 황만근은 이렇게 말했다 ❹

확인 문제

01 ○ 02 × 03 × 04 유골 05 경운기
06 선생

실력 문제

07 ④ 08 ⑤ 09 ⑤ 10 ③

01 '전(傳)'은 한문 문학 양식의 글로, '인물의 행적 – 인물에 대한 평가' 순으로 내용이 구성된다. 이 작품은 황만근의 행적이 먼저 제시된 후, 결말에서 황만근에 대한 민 씨의 평가가 제시되고 있다.

02 이 작품은 결말에서 인물 간의 화해 장면을 제시하고 있지 않다. 결말 부분에서는 묘비명의 양식을 차용해 황만근의 일생을 총정리하며 평가하는 내용을 제시하고 있다.

03 (타)에서는 궐기 대회에 갔던 황만근의 실종된 이유와 그가 죽음에 이르게 된 과정이 드러나 있는데, 이는 민 씨의 시각에서 추측한 내용일 뿐 황만근의 말을 통해 제시되고 있는 것은 아니다.

04 (차)에서 황만근의 아들이 '한 항아리밖에 안 되는 그의 **뼈**'를 담고 돌아왔다고 한 것을 통해 그가 실종 후 일주일 만에 '유골'이 되어 돌아왔음을 알 수 있다.

05 (타)에서 황만근이 대회에 참가하기 위해 '경운기'를 끌고 면 소재지로 갔을 때 경운기를 끌고 온 사람이 없었다고 한 것을 통해 황만근만이 방침대로 행동했음을 알 수 있다.

06 민 씨는 황만근을 '황 선생'이라고 높여 이르며 그의 삶을 긍정적으로 평가하고 있다.

07 인물·사건

(카)에서 황만근은 공에는 자신보다 남을 내세워 뒷사람을 놀라게 하는 사람이었다고 하였으므로, 자신의 공을 적절히 내세울 줄 알았다는 것은 적절하지 않다.

오답 풀이 ❶ (카)에서 '황 선생은 어리석게 태어났는지는 모르지만' '후년에는 그 누구보다 지혜로웠다'고 한 것으로 보아 적절하다.
❷ (카)에서 황만근은 '늘 부지런하고 근면하였'고, '사람 사이에 어려움이 있으면 언제나 함께하였'다고 한 것으로 보아 적절하다.
❸ (카)에서 '그는 누구에게도 해를 끼치지 않았듯 그 지혜로 어떤 수고로운 가르침도 함부로 남기지 않았다'고 한 것으로 보아 적절하다.
❺ (파)에서 '어느 누구도 알아주지 아니하고 감탄하지 않는 삶이었지만 선생은 깊고 그윽한 경지를 이루었다'고 한 것으로 보아 적절하다.

08 인물·사건

황만근이 모는 경운기는 빠르게 달리는 차들과 여러 번 부딪힐 뻔했지만 사고가 나지는 않았는데, 날이 어두워지면서 경운기가 길옆의 논으로 떨어지는 사고가 난 것이다.

오답 풀이 ❶ 황만근은 마른 봄바람에 섞인 먼지가 눈을 괴롭히고, 흐리고 추운 날씨에 비가 오는 것을 피할 수도 없었지만, 끝까지 방침대로 경운기를 타고 군청으로 갔다.
❷ 황만근이 궐기 대회에 참석하기 위해 경운기를 타고 면 소재지로 갔지만 경운기를 끌고 온 사람은 황만근뿐이었기에, 그는 홀로 경운기를 끌고 군청까지 갔다.
❸ 황만근이 군청 앞까지 갔을 때 이미 대회는 끝나고 아무도 없었다고 하였다.
❹ 황만근은 군청까지 갔다가 돌아오는 길에 사고가 나 길옆의 논으로 떨어졌고, 경운기 옆에서 술을 마시며 밤을 새우다가 죽음에 이르렀다.

09 인물·사건 + 배경·소재 + 서술

㉤은 황만근의 죽음 이후, 그의 죽음을 기리는 글을 남긴 민 씨가 귀농했던 새터 말을 떠나 다시 도시로 돌아갔음을 의미한다.

오답 풀이 ❶ ㉠에서 아들이 항아리에 '그의 뼈'를 담고 돌아왔다는 것은 황만근의 죽음을 맞이했음을 의미한다.
❷ 열심히 농사를 지어도 부채를 갚기 어렵기에 ㉡과 같이 '빚만 남는 농사에 공연히 뼈를 상한다'고 한 것이다.
❸ ㉢은 더위를 식혀 주는 나무 그늘에 황만근의 덕을 비유한 것이다.
❹ ㉣에서 '이 어찌 하늘이 ~ 사람이라 아니할 수 있겠는가/사람이 아니랴'와 같이 유사한 구절을 반복하여 황만근의 뛰어난 인품을 강조하고 있다.

10 인물·사건 + 서술

묘비명의 형식을 빌려 황만근에 대한 민 씨의 예찬적인 태도를 드러내고 있으므로, 황만근의 행적과 면모를 객관적으로 드러낸다고 볼 수 없다.

오답 풀이 ❶ 묘비명은 묘비에 죽은 사람의 이름과 경력 등을 새긴 글로, 묘비명 형식으로 황만근의 삶을 정리하여 제시함으로써 그의 죽음을 기리고 있다.
❷, ❺ (카)에서 황만근이 살아온 삶의 내력을 제시함으로써 그의 성실하고 이타적인 삶을 보여 주고, 이를 통해 얻을 수 있는 교훈을 강조하고 있다.
❹ (타)에서 황만근의 행적을 요약적으로 밝혀 그의 실종 및 죽음에 이른 과정 등에 대한 독자의 궁금증을 해소해 주고 있다.

❶ 이장 ❷ 부채 ❸ 유골 ❹ 반근 ❺ 어머니
❻ 관찰 ❼ 흥미 ❽ 역순행적 ❾ 농촌

1 (1) 탐감 (2) 종식 (3) 상환
2 〈가로〉 ❶ 공치사 ❸ 대처
〈세로〉 ❶ 공평무사 ❷ 사설 ❹ 자처

중요한 일이라고 하며 이생에 대한 사랑을 적극적으로 표현한다. 이를 통해 최 여인은 당대의 질서나 운명에 순응하지 않고 그에 맞서 자신의 사랑을 성취하고자 하는 능동적인 인물임을 알 수 있다.

오답 풀이 ❶ 최 여인이 "시경"과 "역경"의 구절을 근거로 하여 말하는 데서 그녀가 학식을 갖춘 인물임을 알 수 있다.
❷ 최 여인이 절개를 지키지 못하여 옆 사람의 비웃음을 받게 되었다고 말하는 데서 당시 사회는 절개를 지키는 것을 중시하였음을 알 수 있다.
❹ 최 여인은 부모에게 자신의 간곡한 청을 거절할 경우 죽음만이 있다고 하며 이생과의 사랑을 허락해 줄 것을 단호하게 요구한다.
❺ 최 여인의 말을 듣고 바로 딸을 달래며 이생과의 혼인을 허락하는 데서 최 여인의 부모가 딸을 금지옥엽처럼 아끼고 있음을 알 수 있다.

07 인물·사건 + 서술
ⓑ와 ⓓ는 최 여인의 아버지가 이생의 아버지에게 보내는 전언으로, 둘 다 자기 딸인 최 여인의 병을 낫게 하기 위한 아버지의 노력으로 볼 수 있다. 따라서 ⓑ와 ⓓ 모두 문제 해결을 위한 말하기라고 볼 수 있다.

오답 풀이 ❶ ⓐ에서 이생의 아버지는 아들의 창창한 미래를 근거로 들어 청혼을 거절하고 있을 뿐, 최 여인의 아버지에게 원하는 바를 부탁하고 있지 않다.
❷ ⓑ에서 최 여인의 아버지는 이생의 능력을 높이 사며 자신의 딸 또한 남에게 뒤지지 않는다는 이유로 이생의 아버지에게 혼인을 허락해 달라고 말하고 있다. 하지만 혼인을 성사시키기 위한 거래를 제안하고 있지는 않다.
❹ ⓒ에서 이생의 아버지는 권세 있는 최 씨 가문에서 빈한한 자신의 가문에 대해 잘못 알고 있을 것이라며 혼인을 거절하였다. 그리고 이에 ⓓ에서 최 여인의 아버지는 이생 집안의 사정에 개의치 않고 자기 집에서 모든 혼인 준비를 하겠다며 이생의 아버지를 재차 설득하고 있다.
❺ ⓐ∼ⓓ에서 대화를 주고받은 결과 ⓔ의 혼인 성사가 이루어진 것이지, ⓔ가 원인이 되어 ⓐ∼ⓓ가 일어난 것은 아니다.

실전 06 이생규장전 ❶ _김시습

갈래 한문 소설, 전기 소설, 명혼(冥婚) 소설
성격 전기적, 낭만적, 비극적
주제 죽음을 초월한 남녀 간의 애절한 사랑
특징 • 만남과 이별을 반복하는 구조로 이루어짐
　　• 시를 삽입하여 인물의 심리를 효과적으로 드러냄
　　• 죽은 사람과의 사랑 이야기를 다루는 전기적 요소가 두드러짐

확인 문제
01 ○　　02 ×　　03 매자　　04 장원

실력 문제
05 ⑤　　06 ③　　07 ③

01 이 작품은 전체적으로 작품 밖의 서술자가 등장인물의 성격이나 가치관, 내면 심리까지 서술하는 전지적 작가 시점을 취하고 있다.

02 앞부분 줄거리를 통해 이생과 최 여인은 이생의 아버지의 반대로 이별하게 되었음을 알 수 있다. 이후 최 여인이 상심 때문에 병이 나자 최 여인의 아버지가 이생의 집에 매자를 보내 수차례 청혼한 끝에 이생과 최 여인의 혼인이 성사되었다.

03 (나)를 통해 최 여인과 이생의 혼담은 '매자(媒子)'를 통해 진행되었음을 알 수 있다.

04 (나)에서 이생의 아버지는 이생이 훗날 '장원'으로 급제하여 이름을 세상에 떨칠 것이라고 믿고 있으며, 그런 이유로 배필을 서둘러 구할 이유가 없다고 말하였다.

05 서술
앞부분 줄거리에서 이생이 '송도'의 '국학'에 다닌다고 한 것에서 알 수 있듯이 이 작품의 공간적 배경은 중국이 아닌 우리나라이다.

오답 풀이 ❶ (가)의 대화에서 최 여인의 적극적인 성격을 알 수 있고, (나)의 대화에서 최 여인의 아버지의 넉넉한 인품을 알 수 있다.
❷ (나)에서 매자가 최 여인의 아버지와 이생의 아버지 사이에서 말을 전하며 혼인을 주선하고 있다.
❸ (가)에서는 최 여인이 부모에게, (나)에서는 최 여인의 아버지와 이생의 아버지가 상대방에게 격조 있고 정중한 표현을 사용하여 말하고 있다.
❹ 이생의 아버지로 인해 최 여인과 이생이 이별을 맞이하였지만, 세 번에 걸친 청혼 끝에 최 여인과 이생의 혼인이 성사되며 갈등이 해소되는 국면에 접어들고 있다.

06 인물·사건 + 배경·소재
최 여인은 남녀가 사랑을 느끼는 것은 인간의 정리로서 가장

---

06 이생규장전 ❷

확인 문제
01 ○　　02 ×　　03 ○　　04 홍건적　　05 환신

실력 문제
06 ②　　07 ①　　08 ③　　09 ⑤

01 이 작품은 죽어서도 사랑하는 이를 잊지 못해 환신으로 나타난 최 여인과, 그녀가 죽은 줄 알면서도 사랑을 멈출 수 없는 이생의 죽음을 초월한 사랑을 그리고 있다.

02 최 여인은 살아서는 절개를 빼앗으려는 도적에게 맞서고, 죽어서도 환신으로 나타나 사랑을 실현하고자 하는 적극적인 모습을 보인다.

03 (라)에서 이생은 최 여인이 이미 이승에 없는 사람임을 알고 있지만 최 여인을 너무 사랑한 나머지 최 여인의 환신을 반기며 말을 걸고 있다.

04 이 작품은 실제 신축년에 일어난 '홍건적'의 난을 배경으로 하고 있는데, 이로 인해 최 여인이 죽음을 맞이하여 이생과 이별하게 된다.

05 죽은 최 여인의 '환신' 즉, 죽은 사람이 살아 돌아오는 것은 비현실적인 사건에 해당하며, 이는 고전 소설의 전기성이 두드러지는 부분이다.

06 인물·사건 + 배경·소재 + 서술

이 작품은 시간의 흐름에 따라 전개되고 있으며, 과거와 현재가 교차하는 구성은 나타나 있지 않다.

오답 풀이 ❶ 홍건적의 난이라는 역사적 사건을 배경으로 하여 최 여인이 죽음을 맞는 사건이 전개되어 비극성을 드러내고 있다.

❸ (마)의 최 여인의 말에서 두 사람이 인연을 맺게 된 계기, 서로 사랑하며 지냈던 행복한 시절, 최 여인이 도적에게 죽임을 당한 일, 이승에 되돌아온 이유 등이 요약적으로 제시되고 있다.

❹ (마)의 '낭군께서 붉은 살구꽃이 피어 있는 담 안을 엿보게 되자'라는 표현에 작품의 제목 '이생규장전'의 의미가 나타나 있다.

❺ 이 작품은 귀신과 사람의 사랑이라는 비현실적인 상황 즉, 전기적 요소를 사용해 이야기의 흥미를 더하고 죽음을 초월한 사랑이라는 주제를 드러내고 있다.

07 인물·사건 + 어휘

㉠에서 이생은 최 여인과 즐겁게 지냈던 날들을 돌아보며 한바탕 꿈만 같다고 생각하고 있다. 따라서 이러한 심정은 한바탕의 봄꿈이라는 뜻으로, 헛된 영화나 덧없는 일을 비유적으

로 이르는 말인 '일장춘몽(一場春夢)'으로 나타낼 수 있다.

오답 풀이 ❷ '인과응보(因果應報)'는 전생에 지은 선악에 따라 현재의 행과 불행이 있고, 현세에서의 선악의 결과에 따라 내세에서 행과 불행이 있는 일을 뜻한다.

❸ '고진감래(苦盡甘來)'는 쓴 것이 다하면 단 것이 온다는 뜻으로, 고생 끝에 즐거움이 옴을 이르는 말이다.

❹ '결초보은(結草報恩)'은 풀을 묶어서 은혜를 갚는다는 뜻으로, 죽은 뒤에라도 은혜를 잊지 않고 갚음을 이르는 말이다.

❺ '진퇴양난(進退兩難)'은 나아갈 수도 물러설 수도 없는 어려움이라는 뜻으로, 이러지도 저러지도 못하는 어려운 처지를 이르는 말이다.

08 인물·사건

최 여인은 자신의 사랑과 정조를 지키기 위해 도적에게 맞서다 비참한 죽음을 당했다. ⓒ에서 몸뚱이가 찢김을 당했다는 것은 이런 처참한 죽음을 의미할 뿐, 최 여인의 자책이 담겨 있다고 볼 수 없다.

오답 풀이 ❶ ⓐ에는 이생과 함께 백 년 동안 사이좋게 살아가고 싶었던 최 여인의 소망이 드러나 있다.

❷ 도적에게 죽임을 당한 사건이 ⓑ의 횡액에 해당하므로, 인물들의 사랑이 외부적 요인에 의해 좌절된 것으로 볼 수 있다.

❹ ⓓ의 '짝 잃은 새'는 최 여인 자신을 빗댄 표현이므로, 이를 통해 사랑을 잃은 최 여인의 슬픔을 알 수 있다.

❺ ⓔ에서 최 여인은 홍건적에게 정조를 잃지 않은 것은 다행이지만, 이생과의 사랑을 다하지 못해 한이 맺혔음을 토로하고 있다.

09 인물·사건 + 배경·소재

최 여인과 이생이 시를 주고받으며 사랑에 빠진 것은 부모님이 정해 준 사람과 결혼하는 당시의 유교 문화 즉, 가부장적 질서를 벗어나 자유연애를 한 것으로 볼 수 있다.

오답 풀이 ❶ 홍건적의 난으로 죽은 최 여인이 환신하여 이생과 재결합하는 것에서 죽음을 초월하고자 하는 도교 사상이 나타난다.

❷, ❹ 여자가 어릴 때부터 규중의 법도를 익히는 것이나 정절을 중시하는 것은 당시의 유교적 관습과 사상을 보여 준다.

❸ '삼세'는 불교의 '전세, 현세, 내세' 세 가지를 의미하는 것으로, 삼세의 인연을 언급한 것은 불교의 윤회 사상을 보여 준다.

06 이생규장전 ❸

본문 104~105쪽

확인 문제

01 ✕   02 ○   03 ✕   04 가산   05 이승
06 가약

실력 문제

07 ③   08 ①   09 ⑤   10 ⑤

01 이 작품에서는 이생과 최 여인에게 행복과 불행이 번갈아 닥치는데, 어떤 잘못 때문에 불행한 일이 일어났다고 볼 수 없으며 권선징악적 주제가 드러나는 것도 아니다.

02 최 여인과 이생이 부모님의 시신을 수습하여 제사를 지내는 장면은 효(孝)를 중요시하던 당시의 유교 문화를 보여 주는 것으로 볼 수 있다.

03 최 여인은 저승으로 돌아갈 때가 되어 이생에게 이별을 알리며 목메어 울고 있을 뿐, 이생에 대한 원망을 드러내고 있지는 않다.

04 (바)에서 최 여인은 이생과 재회하여 나누던 이야기가 가산에 미치자, '가산'을 조금도 잃지 않고 어떤 산골짜기에 묻어 두었다고 말하였다.

05 (아)에서 최 여인은 인간 세상에 오래 머물러 있으면서 산 사람을 미혹하게 할 수는 없다는 말로 이승과 저승의 경계를 분명하게 인식하고 있음을 드러낸다.

06 최 여인이 말한 세 번의 '가약' 중 첫 번째는 이생과 최 여인이 담장을 넘어 시를 주고받으며 사랑을 약속한 것이고, 두 번째는 이생 아버지의 반대를 극복하고 혼인한 것이다. 그리고 마지막 세 번째는 삶과 죽음의 경계를 뛰어넘어 만남을 가진 것을 의미한다.

07 인물·사건
'두문불출(杜門不出)'은 집에서 은거하면서 관직에 나가지 아니하거나 사회의 일을 하지 아니함을 비유적으로 이르는 말이다. 이생은 출세가 좌절되었기 때문이 아니라 재회한 최 여인의 환신과 함께하는 삶이 즐겁고 행복했기 때문에 외부 세계와 단절된 채 사는 삶을 택한 것이다.

오답 풀이 ❶ (바)에서 이생은 죽은 최 여인의 환신에게 기쁨과 고마움을 드러내며 즐겁게 대화를 나누었다.
❷ (사)에서 이생은 두문불출하며 늘 최 여인과 함께 시구를 지어 주고받으며 세월을 보냈다고 하였는데, (아)에서 '어느덧 몇 해가 지난 어느 날' 최 여인이 이별할 때가 되었다고 말하고 있다. 이를 통해 두 사람은 몇 해 동안 함께 세월을 보냈음을 알 수 있다.
❹ (아)에서 최 여인은 저승으로 돌아가야 할 때가 왔음을 알고 이승과 저승의 경계 앞에서 다시 이별해야 함을 슬퍼하고 있다.
❺ (아)에서 최 여인이 '세 번이나 가약을 맺었'는데 다시 슬픈 이별이 찾아왔다고 한 것에서 알 수 있다.

알아두기 **등장인물의 특성**

이생	• 시문에 능하고 수려한 외모를 지닌 선비 • 사별한 최 여인과 죽음을 초월하여 사랑을 이루려는 의지를 보임
최 여인	• 이생과의 신의와 절개를 지키는 양가의 규수 • 이생과의 사랑을 이루기 위해 적극적이고 능동적인 모습을 보임

08 인물·사건 + 배경·소재 + 서술
이생이 부모의 유골을 거두어 합장하고 제사를 지낸 사건은 기이하고 비현실적인 내용으로 볼 수 없으므로, 전기적 요소가 나타난 부분에 해당하지 않는다.

오답 풀이 ❷ 죽은 최 여인이 환신으로 나타나 이생과 부부의 연을 이어 가는 부분은 기이하고 비현실적인 내용이므로, 전기적 요소가 나타난 부분으로 볼 수 있다.
❸, ❹, ❺ 전기적 요소를 활용하면 작품 전체에 신비한 분위기를 줄 수 있고, 인물이 비현실적인 경험을 하게 함으로써 독자의 흥미를 높일 수 있다. 또한 죽음을 초월한 남녀 간의 애절한 사랑이라는 주제를 극적으로 드러내어 부각할 수 있다.

09 인물·사건
최 여인은 '전생에 아무런 죄악도 없었'기에 천제가 자신을 환신시킨 것이라고 하였으므로, 최 여인이 전생의 죄악을 갚기 위해 이승으로 돌아온 것은 아니다.

오답 풀이 ❶, ❸ [A]는 '슬픈 이별이 닥쳐왔다'는 최 여인의 말에 이생이 왜 그런 말을 하는지 물은 것에 대한 대답으로, 최 여인이 저승으로 돌아갈 때가 되었다는 사실과 '저승길은 피할 수가 없'다는 인식을 드러내고 있다.
❷ 최 여인은 '천제께서 저와 낭군의 연분이 끊어지지 않았고 또 전생에 아무런 죄악도 없었'기에 자신을 환신시켜 이생을 만나 시름을 풀게 해 준 것이라고 말하고 있다.
❹ 최 여인이 더 이상 인간 세상에 머무를 수 없다는 것을 통해 이승에서 최 여인과 이생은 이별할 수밖에 없음이 드러난다.

10 인물·사건
(사)에서 최 여인은 이생과 즐겁게 세월을 보내고 있으므로, 이와 같은 상황에서는 삼신산 같은 수명으로 백세 영화를 누리면서 원앙처럼 한평생을 보내겠다는 노래를 부르는 것이 적절하다.

오답 풀이 ❶ 묏버들이라는 자연물을 통해 화자와 떨어져 있는 임에 대한 사랑과 그리움을 노래한 시조이므로 ㉠의 상황과 어울리지 않는다.
❷ 기울어 가는 왕조에 대한 안타까움을 노래한 시조이므로 ㉠의 상황과 어울리지 않는다.
❸ 임과 이별하고 오면서 느낀 슬픔을 냇물에 비유하여 표현한 시조이므로 ㉠의 상황과 어울리지 않는다.
❹ 임과의 이별로 인한 비통함을 노래한 시가이므로 ㉠의 상황과 어울리지 않는다.

06 이생규장전 ④   본문 106~107쪽

확인 문제
01 ×   02 ×   03 ×   04 ○   05 비극적
06 거울   07 원앙, 무산 선녀

실력 문제
08 ⑤   09 ②   10 ①   11 ④

01 이 작품에서 죽은 최 여인이 환신으로 돌아왔다가 저승으로 되돌아가는 것으로 보아, 작가가 사후 세계를 부정했다고는 볼 수 없다.

02 이생은 최 여인의 부탁으로 그녀의 유골을 수습하는 것이지 그녀와의 재회를 위해 유골을 수습한 것은 아니다.

03 (차)에서 이생은 이별을 알리는 최 여인에게 함께 황천으로 가겠다고 했지만, 최 여인은 이생은 아직 수명이 남아 있다며 홀로 저승으로 돌아갔다. (카)에서 그 후 이생은 최 여인을 그리워하다가 병이 나서 두서너 달 만에 세상을 떠났다고 하였다.

04 (카)의 '이 사실을 들은 사람들은 모두 슬퍼하고 탄식하면서 그들의 절개를 사모하지 않는 이가 없었다고 한다.'에서 사람들이 이생과 최 여인의 지고지순한 사랑에 감동받았음을 알 수 있다.

05 이 작품에서 이생과 최 여인은 생사의 경계를 넘지 못하고 영원히 이별하는 비극적인 결말을 맞는다.

06 '깨진 거울 갈라지니 마음만 쓰라리네'에서는 이생과 다시 이별을 해야 하는 최 여인의 슬픔이 나타난다.

07 짝을 잃은 '원앙'은 이생과 최 여인을 상징하는 시어로, 최 여인의 처지를 대변한다. 반면에 임의 곁에 머무르는 '무산 선녀'는 이생의 곁을 떠나야 하는 최 여인의 처지와 대조된다.

08 주제

죽은 최 여인의 환신은 자신의 이름이 저승의 명부에 실려 있으니 저승으로 돌아가야 한다고 말하고 사라진다. 이를 통해 죽은 사람의 영혼이 이승에 잠시 머물 수는 있으나 결국 저승으로 가야만 한다는 작가의 생사관을 알 수 있다.

오답 풀이 ❶ 최 여인의 말에서 이승에서의 시간이 다하면 저승으로 돌아가야 한다는 것을 알 수 있을 뿐, 원한을 가진 사람이 저승으로 가려면 덕을 쌓아야 한다는 것은 알 수 없다.
❷ 죽은 최 여인의 환신이 나타난 것으로 보아, 죽음 이후 곧장 영혼과 육신이 분리되어 사라진다는 것은 적절하지 않다.
❸ 최 여인의 말에서 죽으면 결국 저승으로 떠나야 한다는 것을 알 수 있다.
❹ 이 작품에 사람이 살아온 삶에 따라 천국이나 지옥으로 간다는 인식은 드러나 있지 않다.

배경지식 ➕ 「이생규장전」이 실린 『금오신화』

조선 전기 김시습이 지은 한문 소설집으로 「만복사저포기」, 「이생규장전」, 「취유부벽정기」, 「용궁부연록」, 「남염부주지」가 수록되어 있다. 이 작품들은 주인공들이 한결같이 재자가인적(才子佳人的) 인물이고, 한문 문어체로 사물을 극히 미화시켜 표현했으며, 초현실적인 요소를 지녔다는 공통점이 있는데, 이는 전기 소설(傳奇小說)의 일반적인 성격에 해당한다. 또한 인간성을 긍정한 점, 현실 속에서 제도나 인습, 인간의 운명 등과 대결하려는 인간의 의지를 표현한 점도 특징적이다.

09 인물·사건 ➕ 서술

(자)는 이별의 상황과 그로 인한 슬픔을 노래한 것으로, (차)에서 노래를 부르던 최 여인은 눈물에 목이 메고, 이생 또한 슬픔을 걷잡지 못했다고 하였다. 즉 (자)의 노래는 인물 간의 갈등 상황에서 부른 것으로 보기 어려우며, 이를 통해 갈등이 해소되는 계기를 마련했다고 볼 수도 없다.

오답 풀이 ❶, ❺ (자)의 노래는 함축적인 표현으로 이별을 앞둔 최 여인의 슬픔을 절실하게 드러냄으로써 인물의 심리를 효과적으로 전달하고, 애상적인 분위기를 형성하고 있다.
❸, ❹ 1연에서는 앞서 일어났던 사건을 압축해서 보여 주며, 2연에서는 최 여인과 이생이 이별할 것임을 암시한다.

10 인물·사건 ➕ 어휘

ⓐ에는 즐거운 일이 다하면 슬픈 일이 닥쳐온다는 뜻으로, 세상일은 순환되는 것임을 이르는 말인 '흥진비래(興盡悲來)'가, ⓑ에는 만난 사람은 반드시 헤어진다는 뜻으로, 모든 것이 무상함을 나타내는 말인 '회자정리(會者定離)'가 들어가는 것이 적절하다.

오답 풀이 ❷ '설상가상(雪上加霜)'은 눈 위에 서리가 덮인다는 뜻으로, 난처한 일이나 불행한 일이 잇따라 일어남을 이르는 말이므로, 이생과 최 여인의 행복이 파국을 맞이하는 ⓐ에 적절하지 않다. '환골탈태(換骨奪胎)'는 사람이 보다 나은 방향으로 변하여 전혀 딴사람처럼 됨을 이르는 말이므로, 최 여인이 저승으로 돌아가는 ⓑ에 적절하지 않다.
❸ '회자정리(會者定離)'는 만난 사람은 반드시 헤어진다는 뜻이므로, 이생과 최 여인의 행복이 파국을 맞이하는 ⓐ에 적절하다. 하지만 '일편단심(一片丹心)'은 한 조각의 붉은 마음이라는 뜻으로, 진심에서 우러나오는 변치 아니하는 마음을 이르는 말이므로, 최 여인이 저승으로 돌아가는 ⓑ에 적절하지 않다.
❹ '일편단심(一片丹心)'은 이생과 최 여인의 행복이 파국을 맞이하는 ⓐ에 적절하지 않다. '환골탈태(換骨奪胎)'는 최 여인이 저승으로 돌아가는 ⓑ에 적절하지 않다.
❺ '흥진비래(興振悲來)'는 이생과 최 여인의 행복이 파국을 맞이하는 ⓐ에 적절하다. 하지만, '설상가상(雪上加霜)'은 최 여인이 저승으로 돌아가는 ⓑ에 적절하지 않다.

11 인물·사건

㉣에서 최 여인은 이생에게 부모의 장례가 아니라 자신의 장례를 지내 줄 것을 부탁하고 있다.

오답 풀이 ❶ 이생은 돌아가신 부모님의 장사를 지내 준 최 여인에게 고마움을 표현하고 있다.
❷ 이생은 가족을 지키지 못한 것에 대해 스스로 부끄러워하고 있다.
❸ 최 여인은 저승의 법을 어기면 이생에게까지 화가 미칠 것이라는 이유로 이승에 더 이상 머무를 수 없다고 말하고 있다.
❺ 이생이 아내가 떠난 후 병이 나서 두서너 달 만에 세상을 떠난 것에서 최 여인에 대한 사랑이 지극했음을 알 수 있다.

➕ 독해 체크   본문 108쪽

❶ 홍건적   ❷ 환신   ❸ 재회   ❹ 비극적   ❺ 저승
❻ 비현실적   ❼ 정서

➕ 어휘 체크   본문 109쪽

1 〈가로〉 ❶ 황천 ❹ 가약
〈세로〉 ❷ 천성 ❸ 양가
2 시비 – 비유 – 유혼 – 혼백 – 백년해로 – 노복

실전 07 구운몽 ❶ _김만중

갈래	국문 소설, 몽자류 소설, 염정 소설
성격	불교적, 전기적
주제	인생무상의 깨달음과 불법 귀의
특징	• '현실-꿈-현실'의 환몽 구조를 지님 • 고전 소설의 일반적 특징인 전기적(傳奇的)인 요소가 나타남 • 유교, 불교, 도교 사상이 나타남

확인 문제

01 ○   02 ×   03 적막   04 죄

실력 문제

05 ⑤   06 ①   07 ④   08 ③

01 (라)에서 성진이 대사에게 변명하며 '십이 세에 부모를 버리고 스승님을 좇아 머리를 깎으니'라고 말한 것에서 성진이 십이 세에 출가했음을 알 수 있다.

02 성진은 용궁에서 돌아오는 길에 팔선녀를 한 번 만났을 뿐, 스승을 속이고 팔선녀와 여러 번 만난 것은 아니다.

03 (가)에서 성진은 팔선녀를 만난 후 부처의 법문은 한 바리 밥과 한 병 물과 두어 권 경문과 일백 여덟 낱 염주뿐이며, 도덕이 비록 높고 아름다우나 '적막'하기 심하다고 생각하였다. 이를 통해 성진이 불교에 회의를 느끼고 있음을 알 수 있다.

04 (다)에서 대사는 성진의 '죄'로 술을 취한 것, 여자를 만나 희롱한 것, 미색을 권련하여 세상 부귀를 흠모하고 불가의 적막함을 싫게 여긴 것을 지적하고 있다.

05 서술

(다)와 (라)에서 성진의 죄를 물으며 꾸짖는 대사(육관 대사)와 자신의 죄를 알지 못한다고 하다가 스승의 지적에 변명하는 성진의 갈등이 두 인물의 대화를 통해 제시되고 있다.

오답 풀이 ❶ 시간의 흐름에 따라 사건이 전개되고 있으며 현재와 과거의 장면이 교차된 부분은 찾을 수 없다.

❷ 서술자가 인물의 내면을 서술할 수 있는 전지적 작가 시점으로 서술되어 있지만, 제시된 장면에서 서술자가 직접 인물에 대해 논평한 부분은 찾을 수 없다.

❸ 이 작품의 등장인물이나 사건은 역사적 사건과 관련이 없으며 오히려 '팔선녀', '용궁' 등에서 비현실성이 드러난다.

❹ 성진이나 육관 대사의 외양을 묘사한 부분은 찾을 수 없으며 따라서 외양 묘사로 인물의 성격이 드러나고 있다고 볼 수 없다.

06 인물·사건

성진은 ㉠ '여덟 선녀'를 본 뒤 세속적 욕망으로 인한 갈등을 겪고 있다. 이는 팔선녀가 성진에게 마음의 동요를 일으켜 부

처 공부에 집중하지 못하도록 하는 계기가 되었음을 보여 준다.

오답 풀이 ❷ 성진은 세속적 욕망으로 번뇌하다가 출가한 뜻을 되새기며 구차한 마음을 먹은 것을 뉘우치고 있을 뿐, 출가 전의 삶을 추억하고 있지는 않다.

❸ 성진은 자신을 꾸짖는 육관 대사 앞에서 연화도량이 곧 자신의 집인데 어디로 가라 하시는 것이냐고 묻고 있다. 따라서 성진이 연화 도량을 떠나기로 결심했다고 볼 수 없다.

❹ 대사는 성진이 지은 죄를 꾸짖고 있으며 용서하는 모습은 나타나지 않았다.

❺ 대사는 동자를 보내 성진을 불러오게 하였다.

알아두기 '팔선녀'의 역할

팔선녀	남악 위 부인을 모시는 여덟 선녀
성진	• 용궁에서 돌아오는 길에 팔선녀를 만나 수작을 부림 • 팔선녀를 만난 후 세속적 욕망으로 불교에 회의를 느낌
육관 대사	성진의 죄를 지적하고 질책함

⇓

팔선녀는 성진으로 하여금 세속적 욕망을 갖게 하여 육관 대사에게 질책당하고, 속세로 추방되어 양소유로 환생하게 함

07 인물·사건

성진은 섬돌에 꿇은 뒤 '죄를 알지 못하나이다.'라고 하였으므로 ⓓ에서는 대사가 묻는 자신의 죄를 알지 못하는 상태임을 알 수 있다.

오답 풀이 ❶ ⓐ 앞에서 성진은 팔선녀를 만난 뒤 세속적 욕망으로 불교에 회의를 느꼈고, 생각을 이리저리하고 뒤척이다 '문득 눈앞에 팔선녀'를 떠올리기도 한다. 따라서 ⓐ는 성진이 팔선녀를 만난 후 잡생각에 빠져 있음을 나타낸다고 볼 수 있다.

❷ (나)에서 세속적 욕망에 빠졌던 마음을 뉘우친 성진은 (다)에서 향로에 불을 피우고 정신을 가다듬으며 염주를 고르고 있다. 따라서 ⓑ는 잠시 세속적 욕망에 빠졌던 자신의 마음을 다잡으려는 행위로 볼 수 있다.

❸ 육관 대사는 깊은 밤에 성진을 부르고 모든 제자를 다 모은 뒤 등촉을 낮같이 켠 채 성진의 잘못을 큰소리로 꾸짖는다. 따라서 ⓒ는 성진의 잘못이 쉽게 넘어갈 수 없는 큰일임을 암시한다고 볼 수 있다.

❺ 성진은 육관 대사가 자신이 저지른 잘못을 알고 꾸짖자 머리를 땅에 조아린 채 울며 변명한다. 즉 ⓔ는 자신의 잘못에 대해 대사의 용서를 구하려는 모습이라고 볼 수 있다.

08 인물·사건 + 배경·소재 + 주제

'도덕이 비록 높고 아름다우나 적막하기 심하도다.'는 성진이 불교에 회의를 품으며 한 생각이므로, 유교적 이상이 고통의 근원이라는 인식과 거리가 멀다. 〈보기〉에서도 인간의 세속적 욕망이 고통의 근원이라고 보는 것은 불교적 관점임을 알 수 있다.

오답 풀이 ❶ '비단 옷을 입고 옥대를 띠고 옥궐에 조회'하는 삶은 개인의 공로, 명예, 출세를 중시하는 유교적 공명주의에 따른 삶의 모습으로 볼 수 있다.

❷ '한 바리 밥과 한 병 물과 두어 권 경문'은 불교적 삶의 모습으로, 입신양명이나 부귀영화를 따르는 삶과 대조된다.

❹ 대사는 부처 공부에 필요한 세 가지 행실을 강조하고 있는데, 이는 세속적 욕망을 멀리하는 불가의 적막함에 해당한다.

❺ '용궁'이라는 배경과 '팔선녀'는 도교의 신선 사상을 반영한 작품의 상상적 요소로, 이를 바탕으로 성진이 팔선녀를 만났다는 사건을 설정하고 있다.

07 구운몽 ❷

본문 112~113쪽

확인 문제

01 ✕   02 ✕   03 인생   04 유도

실력 문제

05 ⑤   06 ③   07 ③   08 ⑤

01 양 승상은 진시황, 한 무제, 현종 황제를 언급하면서 이들이 온 천하를 다스리고 세상 사람들을 부리는 삶을 살았음에도 불구하고 이제는 쓸쓸한 흔적만 남았다며 인생무상을 느끼고 있다.

02 양 승상은 여덟 낭자에게 불교에 귀의하기로 한 결심을 전하고 있을 뿐, 그들에게 불교에 귀의할 것을 권유하지는 않았다.

03 '진시황의 아방궁, 한 무제의 무릉, 현종 황제의 화청궁, 승상의 부귀 풍류, 여러 낭자의 옥용화태'는 모두 '인생'의 덧없음을 보여 주는 소재이다.

04 양 승상은 천하에 유도와 선도와 불도가 가장 높다고 생각하지만, 그중 '유도'와 선도는 한계를 지니고 있다고 말하고 있다.

05 인물·사건

양 승상은 부귀영화를 누렸으나 결국 흔적만 남기고 사라진 진시황, 한 무제, 현종 황제의 삶을 통해 인생무상을 느끼고 있다.

오답 풀이 ❶ 양 승상은 공을 이미 이루고 부귀가 극하여 만인이 부러워하는 삶을 이루었지만, 인생의 덧없음을 느끼고 부귀영화에 회의를 드러내고 있다.

❷ 양 승상은 여러 낭자들과 반평생을 함께 살았으나, 불교 귀의를 위해 낭자들과 이별할 것을 준비하고 있다.

❸ 양 승상은 불교에 귀의하기로 한 자신의 결심을 여러 낭자에게 전하고 있으며, 낭자들은 그 결심을 받아들이고 있다.

❹ (마)에서 두 명의 부인은 양 승상에게 통소 소리가 구슬픈 이유를 묻고 있는데, 이는 낭자들이 양 승상의 결심을 모르고 있었음을 보여 준다.

06 인물·사건

유교와 도교의 한계를 느낀 양 승상은 자신이 포단 위에서 참선하는 꿈을 자주 꾼다는 것을 근거로 자신이 불가와 인연이 있다고 생각하고 결국 불도에 귀의하겠다는 결심을 한다.

오답 풀이 ❶ 초부와 목동의 탄식은 인생의 덧없음을 드러낼 뿐, 불가와의 인연을 나타낸 것은 아니다.

❷ 양 승상이 자신을 하남 땅 베옷을 입은 선비라고 칭한 것은 자신이 예전에 벼슬이 없는 평범한 선비였음을 표현한 것일 뿐, 불가와의 인연을 나타낸 것은 아니다.

❹ 양 승상은 자신이 불가와 인연이 있다고 판단하여 불도에 귀의하겠다고 결심한다. 집을 버리고 스승을 구하기 위해 남해를 건너는 것은 불도에 귀의하는 과정에 해당한다.

❺ 낭자들이 다 전생에 근본이 있는 사람이라는 것은 낭자들이 전생에 위 부인을 모시던 팔선녀였음을 드러내는 표현일 뿐, 양 승상이 불가와 인연이 있다는 사실과는 직접적 관련이 없다.

07 인물·사건 + 배경·소재

(마)에서 양 부인은 오늘 통소는 옛날 통소가 아니라며 통소 소리가 슬픈 이유를 묻고 있다. 따라서 구슬픈 ㉠'오늘 통소'는 속세에 대한 염증과 회의가 반영된 소리라고 볼 수 있으며, 이와 대비되는 ㉡'옛날 통소'는 부귀공명을 누리는 삶의 즐거움이 반영된 소리라고 볼 수 있다.

오답 풀이 ❶ ㉡은 승상으로서의 삶에 대한 만족감이 담긴 것으로 볼 수 있으나, ㉠은 속세의 삶에 대한 회의를 나타낸 것이다.

❷ ㉡에는 여덟 낭자를 곁에 둔 삶의 즐거움이 반영되어 있으나, ㉠은 그런 삶에 대한 회의가 반영되어 있다.

❹ ㉠에는 현재의 삶에 대한 회의가 나타나고 있으나, ㉡은 과거의 삶에 대한 그리움과는 관련이 없다.

❺ ㉠은 꿈을 다 이루었음에도 허무함을 느끼는 심리를 반영하고 있을 뿐, 꿈을 다 이루지 못한 미련을 나타낸 것은 아니다. ㉡ 또한 꿈을 이룰 수 있다는 믿음과는 거리가 멀다.

알아두기 '통소 소리'의 의미와 역할

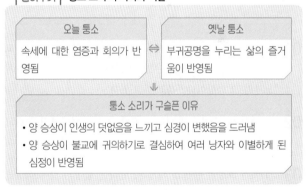

오늘 통소	옛날 통소
속세에 대한 염증과 회의가 반영됨	부귀공명을 누리는 삶의 즐거움이 반영됨

⇩

통소 소리가 구슬픈 이유
• 양 승상이 인생의 덧없음을 느끼고 심경이 변했음을 드러냄 • 양 승상이 불교에 귀의하기로 결심하여 여러 낭자와 이별하게 된 심정이 반영됨

08 인물·사건 + 주제

낭자들이 '분향 예불하여 상공 돌아오시기를 기다릴 것'이라고 한 것은 불도에 귀의하겠다는 양 승상의 결심을 받아들이는 태도로, 이에 더해 낭자들은 '득도한 후에 부디 첩 등을 먼저 제도하소서'라며 양 승상에게 득도한 후에 자신들도 구제해 달라고 청한다. 따라서 낭자들의 말이 소유가 불도를 닦은 뒤 인간 세상으로 돌아올 것임을 예고하는 것이라고 볼 수는 없다.

오답 풀이 ❶ 진시황의 아방궁, 한 무제의 무릉, 현종 황제의 화청궁은 천고 영웅이던 세 임금의 부귀영화가 다 한때였으며 이제는 사라졌음을 보여 주는 소재로, 인생의 덧없음을 드러낸다.

❷ 승상은 '승상의 부귀 풍류'와 '여러 낭자의 옥용화태' 또한 시간이 흐르면 쓸쓸하게 사라질 대상이라고 보고 부질없다는 인식을 드러내고 있다.

❸ 승상은 진시황의 아방궁, 한 무제의 무릉, 현종 황제의 화청궁에서 세속적 욕망의 허망함을 깨닫고 '어이 인생이 덧없지 않으리오?'라며 깨달음을 드러내고 있다.

❹ '불생불멸할 도를 얻어 세상 고락을 초월'하는 삶은 불도를 닦는 삶으로, 소유가 이런 삶에 귀의한다는 것은 그가 진정으로 깨달은 자로 돌아갈 것임을 암시한다.

알아두기 인생무상의 깨달음을 드러내는 소재

| • 진시황의 아방궁
• 한 무제의 무릉
• 현종 황제 태진비로 더불어 노시던 화청궁 | ···· | '이 세 임금은 천고 영웅이라 ~ 호화 부귀 백 년을 짧게 여기더니 이제 다 어디 있느뇨?' |

⇩

부귀영화를 누리다 사라진 영웅들의 삶을 통해 인생의 유한함과 덧없음을 보여 줌

---

07 구운몽 ❸

본문 114~115쪽

확인 문제

01 ○   02 ×   03 춘몽   04 암자

실력 문제

05 ①   06 ③   07 ①   08 ③

---

01 양 승상은 토번을 정벌할 때 꿈에서 동정 용궁에 가 잔치하고 돌아오는 길에 한 화상을 보았던 기억을 떠올리며 호승에게 "노부가 그 화상이냐?"라고 묻고 있다.

02 (아)에서 양 승상은 홀연히 나타난 호승을 알아보지 못하고 있다.

03 (자)에서 호승은 춘몽을 깨게 해 달라는 승상의 말에 석장을 들어 석난간을 두어 번 두드리면서 도술을 부리는데, 이는 승상의 '춘몽'을 깨우기 위한 행위이다.

04 (차)에서 높은 대와 많은 집이 일시에 없어지고 제 몸이 작은 '암자' 중의 한 포단 위에 앉았다고 한 것을 통해 성진이 꿈에서 깨어나 현실 세계로 돌아왔음을 알 수 있다.

05 서술

호승은 상대방의 처지를 설명하거나 자신의 정체를 직접 밝히지 않고 양 소유가 스스로 깨닫도록 이끌어 가고 있다.

오답 풀이 ❷ 호승은 양 소유의 회상에 동의를 표하거나 '십 년을 동처'하였다는 정보를 제시할 뿐, 양 소유의 과거를 요약적으로 제시하지는 않았다.

❸ 호승은 '십 년을 동처'한 일이 있음을 언급하였을 뿐, 자신의 정체를 밝히지는 않았다. 또한 꿈에서 본 일만 기억하는 양 승상이 총명하지 못하다고 말하였다.

❹ 꿈에서 잠깐 만나 본 일이 있다고 언급한 것은 호승이 아니라 양 소유이며, 호승은 이에 동의만 표하였다.

❺ 호승은 양 승상이 춘몽에서 깨기를 촉구하고 있으나, 양 승상을 도와준 과거의 경험을 설명하지는 않았다.

---

06 인물·사건

㉠, ㉡, ㉣, ㉤은 호승을 가리키나, ㉢ '귀인'은 양소유(승상)를 가리킨다.

오답 풀이 ❶ ㉠ '산야 사람'은 호승이 자신을 일컫는 말이다.

❷ ㉡ '이인'은 호승이 재주가 신통하고 비상한 사람임을 승상이 알아보았음을 나타내는 말이다.

❹ ㉣ '화상'은 승상이 꿈속의 꿈(현실 세계)에서 본 호승을 일컫는 말이다.

❺ ㉤ '사부'는 승상이 호승을 일컫는 말이다.

---

07 인물·사건

(아)에서 호승은 양 승상 앞에 홀연히 등장함으로써 새로운 사건이 전개될 것임을 암시하고 있다(ㄱ). 또한 (자)에서 도술을 이용해 양 승상이 꿈에서 깨어나도록 함으로써 사건을 전환하고 있다(ㄴ).

오답 풀이 ㄷ. 호승은 양 승상이 꿈에서 깨도록 이끌어 주고 있을 뿐, 양 승상의 심리적 갈등을 심화하고 있지 않다. 또한 춘몽에서 깨지 못하였다는 호승의 말에 어찌하면 춘몽을 깨겠냐고 되묻는 것으로 보아, 양 승상은 꿈에서 깨기를 망설이고 있다고 보기 어렵다.

ㄹ. 호승이 도술을 사용하기는 하나, 이는 양 승상을 꿈에서 깨워 현실 세계로 돌려보내기 위한 것이다. 양 승상이 꿈에서 깨지 못한 상황을 위기 상황으로 보기 어렵다.

알아두기 '호승'의 정체와 역할

호승의 말과 행동		정체와 역할
• 양 승상에게 '평생 고인'을 몰라보고, '십 년을 동처하던 일'을 알지 못한다고 함 • 도술로 양 승상을 꿈에서 깨움	⇒	• 성진의 스승 육관 대사로, 성진의 세계와 양소유의 세계를 연결함 • 성진을 꿈에서 현실로 돌아오게 하여 사건을 전환시킴

---

08 인물·사건 + 서술

ⓒ '십육 세에 급제하여 계속 직명이 있었'다는 것은 성진의 꿈속 인물인 양 승상의 삶의 모습이므로, 득도하지 못한 성진의 세속적 욕망을 보여 주는 것이다.

오답 풀이 ❶ 양 승상이 꿈에서 경험한 일, 즉 동정 용궁에 가 잔치하고 돌아오는 길에 남악에 가 놀았던 일은 꿈꾸기 전인 현실 세계의 성진이 겪은 일로, 꿈속 인물인 양 승상은 또 다른 꿈을 통해 그 현실을 본 것이다.

❷ 호승이 양 승상과 십 년을 동처했다는 것은 성진이 꿈을 꾸기 전인 현실 세계에서 육관 대사와 성진이 스승과 제자로 함께 지낸 모습을 의미한다.

❹ 호승이 양 승상에게 춘몽을 깨지 못했다고 한 것은, 양 승상이 성진의 꿈속 인물임에도 불구하고 이를 스스로 인지하지 못하고 있음을 지적한 것이다.

❺ 호승이 도술을 부리자 높은 대와 많은 집이 일시에 사라지고 제 몸은 암자 중의 한 포단 위에 앉아 있었는데, 이는 성진이 꿈에서 깨어나 현실로 돌아왔음을 알려 준다.

07 구운몽 ❹
본문 116~117쪽

확인 문제
01 ○   02 ×   03 염주   04 나비

실력 문제
05 ②   06 ⑤   07 ③   08 ③

01 (타)에서 성진은 꿈에서 깬 뒤 육관 대사에게 하룻밤 꿈으로 제자의 마음을 깨닫게 하시니 사부의 은혜는 천만 겁이 지나도 갚기 어렵다고 말하고 있다.

02 (타)에서 육관 대사는 꿈과 인간 세상을 다르다고 한 성진의 말을 듣고 아직도 꿈을 깨지 못했다고 질책하고 있다.

03 (카)에서 성진이 꿈에서 깨어나 자신의 몸을 보니 백팔 '염주'가 걸려 있고 머리를 만져 보니 갓 깎은 머리털이 가칠가칠하였다고 하였는데, 이는 성진의 신분이 승려임을 보여 준다.

04 (타)에서 육관 대사는 꿈과 인간 세상이 다르다고 생각하는 성진의 깨달음이 부족하다고 여기고, 성진에게 깨달음을 주기 위해 장주가 꿈에서 '나비'가 된 옛말을 언급하고 있다.

05 인물·사건
성진은 꿈에서 깬 뒤 '두 공주와 여섯 낭자로 더불어 즐기던 것'도 다 하룻밤의 꿈이고 '남녀 정욕이 다 허무한 일'임을 깨닫고 있을 뿐, 여덟 낭자와 다시 만날 것을 믿고 있지는 않다.

오답 풀이 ❶ 성진은 육관 대사 앞에서 자신의 어리석음을 인정하고 설법을 베풀어 제자로 하여금 깨닫게 해 달라고 말하고 있다.

❸ 성진은 꿈에서 깨어나 양소유의 삶, 즉 장원 급제를 하여 한림학사를 한 후 부귀영화를 누린 삶을 되돌아보고 있다.

❹ 육관 대사가 성진에게 "인간 부귀를 겪어 보니 과연 어떠하더냐?"라고 물은 것은, 그가 성진이 속세를 경험한 꿈 내용을 이미 다 알고 있음을 보여 준다.

❺ 팔선녀는 육관 대사를 찾아가 하룻밤 꿈에 큰 깨달음을 얻었음을 말하며 불문에 귀의하여 가르침을 받게 해 달라고 말하고 있다.

06 주제
육관 대사는 인간 세상에 윤회할 것을 꿈을 꾸었다고 하는 성진에게 꿈과 인간 세상을 다르다고 하는 것은 아직도 깨달음을 얻지 못한 것이라고 말하고 있다. 따라서 ㉠은 꿈과 현실은 다르지 않으니 구별할 필요가 없다는 의도로 볼 수 있다.

오답 풀이 ❶ 육관 대사는 꿈과 현실이 다르지 않다고 했을 뿐, 꿈이 허망한 것에 불과하다고 하지는 않았다.

❷ 육관 대사는 꿈과 현실을 구분할 필요가 없다고 했을 뿐, 진리를 깨닫는 일이 어렵다고 하지는 않았다.

❸ 육관 대사는 꿈을 꾸고 깬 것은 모두 성진 스스로의 욕망에서 비롯된 것이라고 말했을 뿐, 스스로의 힘으로 진리를 얻어야 한다고 말하지는 않았다.

❹ 육관 대사는 꿈과 현실이 본질적으로 같다는 것을 강조했을 뿐, 꿈을 통해 참된 진리를 터득할 수 있다고 하지는 않았다.

07 서술
(카)에서는 성진이 꿈에서 깨어 꿈의 의미를 깨닫는 과정을 요약적으로 제시함으로써 독자의 이해를 돕고 있다(ㄱ). 또한 (카)의 마지막에 '인간 부귀와 남녀 정욕이 다 허무한 일'이라는 성진의 깨달음을 덧붙여 인생무상이라는 주제를 드러내고 있다(ㄹ).

오답 풀이 ㄴ. 서술자가 인물의 내면을 서술하고는 있으나, 이를 통해 새로운 갈등을 예고하지는 않았다.

ㄷ. 서술자가 인물의 처지에 대한 자신의 생각이나 논평을 제시한 부분은 찾을 수 없다.

08 인물·사건
ⓒ는 인간 세상에 환도하여 양 소유의 삶을 경험하게 만든 원인에 해당한다. 즉 불도의 가르침에 어긋나는 세속적 욕망을 품은 일을 이르는 것이므로, '첫 번째 회의와 부정'에 해당한다고 볼 수 있다.

오답 풀이 ❶ ⓐ는 꿈에서 양 승상이 되어 부귀영화를 누렸던 경험에 해당하므로 팔선녀를 만난 직후인 '첫 번째 회의와 부정'과 양 승상으로서 인생의 덧없음을 깨달은 '두 번째 회의와 부정' 사이에 일어난 것으로 볼 수 있다.

❷ ⓑ는 '두 번째 회의와 부정'을 경험한 후 호승의 도술로 꿈에서 깨어나 깨달음을 얻었음을 보여 준다.

❹ ⓓ는 참과 거짓, 꿈과 현실을 구별하는 것이 무의미하며 이들은 본질적으로 같음을 비유적으로 나타낸 말이다. 이는 육관 대사의 가르침에 의한 '세 번째 회의와 부정'의 핵심 내용으로 볼 수 있다.

❺ ⓔ는 자신의 어리석음을 깨닫고 불교에 정진하려는 성진의 태도를 나타낸 것이다. 이는 참과 거짓의 이분법적 구분을 부정하는 '세 번째 회의와 부정'으로 나아가고자 하는 태도를 보여 준다.

+ 독해 체크
본문 118쪽
❶ 세속   ❷ 잘못   ❸ 호승   ❹ 팔선녀   ❺ 부귀영화
❻ 인간   ❼ 꿈   ❽ 인생무상

+ 어휘 체크
본문 119쪽
1 (1) 연고 (2) 상종 (3) 지척
2 출가 – 가부 – 부귀영화 – 화석 – 석양 – 양심

실전 08 임경업전 ❶ _작자 미상

갈래 국문 소설, 역사 소설, 군담 소설
성격 민족적, 비판적
주제 임경업 장군의 비극적 생애와 병자호란의 패전에 대한 정신적 승리
특징 • 실존 인물인 임경업의 일생에 허구적인 요소를 가미하여 표현함
  • 일반적인 고전 소설의 결말과 달리 비극적으로 끝남
  • 무능한 지배층에 대한 민중의 비판 의식이 나타남

01 ✕   02 ○   03 의리   04 호왕

05 ④   06 ④   07 ②   08 ⑤

01 호왕은 임경업에게 항복을 요구하지만, 임경업은 당당하게 충절을 지킨다. 이러한 임경업의 강직함에 호왕은 탄복할 뿐, 동정심을 느끼고 있지는 않다.

02 호왕은 임경업의 강직함에 탄복하여 임경업의 원대로 하겠다고 하며 세자와 대군을 풀어 준다. 이로 보아 임경업이 호왕에게 세자와 대군을 풀어 달라고 요구했음을 알 수 있다.

03 앞부분 줄거리에 따르면 임경업은 호국으로 보내져 호군으로서 명군과 싸우지만 명나라와의 '의리'를 지켜 역으로 호국을 치려 하다가 실패하여 호군에게 잡힌다.

04 임경업은 죽음의 순간에서도 안색 하나 변하지 않고 당당한 태도로 호왕에게 대꾸하고 있다. 이러한 임경업의 강직함을 보고 탄복한 '호왕'은 임경업을 묶은 것을 풀어 주었다.

05 **인물·사건**
임경업은 호왕에게 세자와 대군을 풀어 줄 것을 청하기는 하였으나, 자신의 청을 들어준 호왕의 진심에 감동하지는 않았다.
오답 풀이 ❶ (나)에서 호왕은 금은을 청한 세자와 달리 조선에서 잡혀 온 사람을 청한 대군을 기특히 여겼다.
❷ (가)에서 호왕은 임경업의 목숨이 자신에게 달렸다고 알리며, 자신에게 항복할 것을 요구하였다.
❸ (나)에서 임경업은 세자와 대군을 모시고 가지 못하는 것을 가슴 아프게 생각하며 세자와 대군의 안위를 걱정하였다.
❺ (나)에서 세자와 대군은 임경업의 덕택으로 고국에 돌아가게 되었으나, 임경업과 함께 돌아가지 못하는 것을 슬퍼하였다.

06 **서술**
(가)는 임경업과 호왕 간의 대화, (나)는 임경업과 세자, 대군 간의 대화를 중심으로 사건을 전개하고 있다.

오답 풀이 ❶ 작품 전반적으로 전기적 요소가 드러난 부분이 있으나, (가)와 (나)에는 전기적 요소가 드러나지 않는다. 또한 낭만적 분위기도 나타나지 않는다.
❷ (가)와 (나)는 시간의 흐름에 따라 사건이 전개되고 있다.
❸ (가)와 (나)에는 앞으로 일어날 일을 암시하는 특정한 소재가 나타나지 않는다.
❺ (가)와 (나)에는 배경을 사실적으로 묘사한 부분이 없다. 인물이 처한 상황은 인물 간의 대화를 통해 드러나고 있다.

07 **인물·사건**
(가)에서 호왕이 권위를 내세워 임경업에게 항복을 요구했지만, 임경업은 죽음을 두려워하지 않고 절개를 지키고 있다. 호왕은 이러한 임경업의 충절에 감동하여 세자와 대군을 풀어 주었다.
오답 풀이 ❶ 호왕은 임경업의 강직함에 탄복했을 뿐, 임경업의 보복을 두려워한 것은 아니다.
❸ 임경업은 호왕에게 세자와 대군을 풀어 달라고 요구하기는 했으나, 그 대가로 자신의 항복을 약속하지는 않았다.
❹ 호왕은 임경업이 한결같이 충절을 지켰기 때문에 세자와 대군을 풀어 준 것일 뿐, 세자와 대군의 도움을 받아 임경업의 마음을 돌리려 한 것은 아니다.
❺ 호왕은 임경업의 강직함에 탄복하여 세자와 대군을 조선으로 돌려보내 준 것일 뿐, 세자와 대군이 조선에 돌아가 임경업을 처벌할 것이라고 믿은 것은 아니다.

알아두기 '임경업'과 '호왕'의 갈등 양상

갈등 내용	호왕이 권위를 내세워 임경업에게 항복을 요구함
해소 과정	죽음 앞에서도 변치 않는 임경업의 충의에 감복한 호왕이 임경업의 요구를 들어줌

⇩

임경업의 용맹과 충의가 강조됨

08 **인물·사건 + 배경·소재 + 주제**
임경업이 '가슴 아픔을 어찌 측량하오리까'라고 한 것은 고국에 돌아가는 세자, 대군에게 하직하면서 자신이 직접 모시고 가지 못하는 것을 안타까워하는 마음을 표현한 것이다. 한편 호왕이 세자와 대군에게 굴욕을 주는 모습은 나타나지는 않았다.
오답 풀이 ❶ 임경업은 호왕에게 조선의 왕이 나라를 위하여 호왕에게 항복하였다고 말하고 있는데, 이는 〈보기〉에서 언급한 병자호란 때 인조가 삼전도에서 항복한 일을 가리키는 것으로 볼 수 있다.
❷ 임경업은 죽음의 위기 순간에도 호왕에게 당당하게 맞서고 있는데, 이는 〈보기〉에서 언급한 청나라와 적극적으로 대결하려는 임경업의 태도로 볼 수 있다.
❸ 임경업은 자신이 죽을 수 있는 상황에서도 호왕에게 세자와 대군을 풀어 달라고 요구하였는데, 이는 임경업의 충성심을 보여 준다.
❹ 대군은 조선에서 잡혀 온 사람들과 함께 귀국하기를 청하는데, 이는 병자호란으로 인한 민중의 고난을 위로하고 보상해 주고자 한 것으로 볼 수 있다.

알아두기 | 작품에 반영된 시대상

병자호란을 배경으로 함	
'병자년에 우리 주상이 ~ 네게 항복하셨거니와'	인조가 삼전도에서 청나라에 항복한 사실이 반영되어 있음
'세자와 대군을 놓아 보내라.'	대군과 궁중 비빈이 청나라의 포로로 잡혀갔던 사실이 반영되어 있음

08 임경업전 ❷

본문 122~123쪽

확인 문제

01 ○   02 ×   03 조강지처   04 절개

실력 문제

05 ③   06 ⑤   07 ②   08 ②

01 (라)에서 김자점은 임경업이 돌아오는 통지문을 보고, 그가 돌아오면 역모를 실행하려는 자신의 계교를 이루지 못할까 봐 임금에게 임경업이 반역 죄인이라고 모함하고 있다.

02 (마)에서 의주 백성들은 임경업이 역적으로 잡혀가는 상황을 보며 남녀노소 없이 무슨 연고인 줄 모르고 슬퍼하였다.

03 (다)에서 임경업은 자신의 부마(사위)가 되어 부귀를 누리는 것이 어떻겠느냐는 호왕의 권유에 대해 '조강지처(아내)'가 있어서 그 권유를 받아들일 수 없다고 정중히 거절하였다.

04 (다)에서 호국의 신하들은 임경업이 '절개' 높고 충심이 깊은 사람이라 두어도 무익하고 보내도 해로움이 없다며 임경업을 조선에 보내자고 호왕을 설득하고 있다.

05 인물·사건

김자점은 임경업이 돌아오면 자신의 계교를 이루지 못할 것 같아 임경업을 해하려는 것일 뿐, 세자와 대군이 귀국하는 것을 못마땅해하지는 않았다.

오답 풀이 ❶ (다)에서 호국의 신하들은 임경업을 두어도 무익하고 조선에 보내도 해로움이 없으며, 의로써 보내면 조선이 또한 의로써 섬길 것이라며 임경업을 조선에 돌려보내는 것에 찬성하였다.
❷ (다)에서 호왕은 신하들의 말을 듣고 큰 잔치를 벌여 임경업을 대접하고 예물을 갖추어 보내면서 임경업을 의주까지 호송해 주었다.
❹ (라)에서 임금은 임경업이 반역 죄인이라는 김자점의 말에 크게 꾸짖으면서 임경업에 대한 높은 신의를 보였다.
❺ (다)에서 임경업은 숙모 공주의 관상 보기를 앞두고 부마에 뽑힐까 두려워하여 신발 속에 솜을 넣어 키가 커 보이도록 꾸몄다.

06 인물·사건 + 서술

임경업은 호왕의 권유를 거절하면 자신이 풀려나지 못할 수 있음을 알면서도 자신의 신념을 밝히며 호왕의 권유를 끝까지 거절하고 있다.

오답 풀이 ❶ 임경업은 '지극히 황공하며', '존명'이라는 표현을 사용하여 상대방인 호왕의 권위를 인정하는 태도를 드러내고 있다.
❷ 임경업은 조강지처가 있다고 말하면서 남편으로서의 도리를 지키려는 의도를 전하고 있다.
❸ ㉠은 자신의 부마가 되어 부귀를 누리는 것이 어떻겠느냐는 호왕의 권유에 대한 응답의 말이다.
❹ 임경업은 자신이 조강지처가 있는 처지임을 언급하며 호왕의 권유를 거절하고 있다.

07 인물·사건

임경업을 부마로 삼으려고 한 것은 호왕이 임경업을 마음에 들어 했기 때문이다. 그렇기 때문에 호왕은 공주의 관상 평가에도 불구하고 임경업을 부마로 삼으려는 마음을 쉽게 포기하지 못한다. 따라서 임경업에 대한 호왕의 호감이 사건 전개의 개연성을 높인다고 볼 수 있다.

오답 풀이 ❶ 임경업의 관상을 본 공주는 임경업의 영웅적 면모를 인정하나 키가 큰 것을 아쉬워하고 있다. 이후 이와 관련한 공주의 내적 갈등은 제시되지 않았다.
❸ 호왕은 결국 임경업을 부마로 삼으려는 마음을 포기하게 된다. 하지만 그로 인해 세자와 대군이 다시 호국으로 돌아오는 일은 일어나지 않았으며, 오히려 임경업이 조선으로 돌아가게 된다.
❹ 공주는 임경업의 영웅적 면모를 인정하고 있으며, 호왕 역시 임경업을 높이 평가하고 있다. 따라서 임경업의 비범한 능력에 대한 공주와 호왕의 갈등은 제시되지 않았다.
❺ 임경업은 공주가 천하절색임에도 불구하고 부마로 뽑힐 것을 두려워하여 키를 속이고 있다. 따라서 공주의 외모에 관심을 두었다는 설명은 적절하지 않다.

08 인물·사건 + 서술

호국의 신하들은 임경업의 절개와 충심을 높이 평가하면서 임경업을 조선으로 돌려보내자고 호왕을 설득하고 있다. 따라서 청나라가 임경업의 충성심을 조롱했다는 설명은 적절하지 않다.

오답 풀이 ❶ 임경업은 자신의 부마가 될 것을 권유하는 호왕 앞에서 자신의 의견을 끝까지 굽히지 않고 있다. 따라서 이 장면을 낭독할 때 임경업의 절개와 충성심이 청중에게 즉각 전달되었을 것이라는 반응은 적절하다.
❸ 김자점이 임경업을 모함하는 장면을 낭독할 때, 김자점이 아무 잘못이 없는 임경업을 해하려고 한다는 점에서 간신에 대한 청중의 반감이 커졌을 것이며, 이는 현실 문제에 대한 관심으로 이어졌을 것이라는 반응은 적절하다.
❹ 사자가 임경업에게 잡아가겠다고 말하는 장면을 낭독할 때, 이야기에 몰입한 청중은 임경업의 입장에서 그 말을 들으며 사건을 보다 생생하게 느꼈을 것이라는 반응은 적절하다.
❺ 죄 없는 임경업이 잡혀가는 장면에서 의주 백성들은 남녀노소 없이 슬프게 울고 있는데, 이 장면을 낭독할 때 임경업을 흠모하는 청중도 자신의 일처럼 슬퍼했을 것이라는 반응은 적절하다.

확인 문제

01 ×   **02** ○   **03** 옥졸   **04** 탈출

실력 문제

05 ①   **06** ①   **07** ②   **08** ⑤   **09** ⑤

01 (바)에서 임경업은 자신이 옥에 갇힌 이유를 모른 채 세자와 대군이 자신이 갇힌 일을 알고 있는지 궁금해하고 있다. 세자와 대군이 자신을 옥에 가두었다고 생각하지는 않았다.

02 (아)에서 김자점은 만고 충신인 임경업을 해하려 하지 말고 쉽게 하라는 임금의 명령을 따르지 않고, 심복 수십 명을 매복시켜 임경업을 해하였다.

03 (바)에서 임경업이 목이 말라 물을 구하나 '옥졸'이 물을 주지 않는데, 이는 김자점이 옥졸에게 분부를 내린 바, 즉 임경업에게 호의적인 행동을 하지 못하도록 미리 흉계를 꾸몄기 때문이다.

04 (사)에서 전옥 관원의 도움으로 자신이 옥에 갇힌 것이 김자점의 흉계임을 알게 된 임경업은 옥문을 깨치고 '탈출'하여 임금을 뵈러 간다.

05 서술

임경업과 김자점의 대립 구도를 통해 갈등이 고조되어 이야기의 흥미를 높이고 있다.

오답 풀이 ❷ 앞으로 일어날 일을 암시하는 서술자의 개입은 나타나지 않는다.
❸ 인물의 심리를 드러내는 구체적인 배경 묘사는 나타나지 않는다.
❹ 임경업과 적대자인 김자점의 갈등이 나타나지만, 도술 대결을 펼치는 장면은 나타나지 않는다.
❺ 임경업이 전옥 관원을 통해 자신이 옥에 갇힌 흉계의 정체를 알게 되었을 뿐 초월적 존재의 도움을 받는 내용은 나타나지 않는다.

06 인물·사건

㉠ '전옥 관원'은 임경업이 역적으로 몰려 옥에 갇힌 것이 김자점의 흉계임을 알려 주면서 임경업에게 누명을 벗으라고 조언하였다.

오답 풀이 ❷ 전옥 관원은 임경업의 불쌍한 처지를 알고 임경업이 갇힌 것이 김자점의 흉계임을 알려 주기는 하나, 자신이 직접 이 사실을 임금에게 보고하지는 않았다.
❸ 전옥 관원은 임경업에게 누명을 벗으라는 말은 하였지만, 임경업을 풀어 준 것은 아니다. 임경업은 스스로 옥문을 깨고 탈출하였다.
❹ 김자점의 지시를 받은 인물은 옥졸이며, 전옥 관원은 강직한 인물로 임경업의 처지를 불쌍히 여겼다.
❺ 전옥 관원은 임경업이 역적으로 몰려 옥에 갇힌 것이 김자점의 흉계임을 알려 줄 뿐, 김자점과 임경업의 갈등을 중재하지는 않았다.

07 서술

[A]에서 임경업은 북경에 잡혀가다가 중간에 도망한 일, 간인에게 속아 북경에 잡혀갔다가 살아 돌아온 일, 의주에서 아무 연고도 모르고 잡힌 일 등 자신이 겪은 지난 일을 요약적으로 제시한 뒤, 임금을 만난 심정을 드러내고 있다.

오답 풀이 ❶ [A]에서는 고사를 인용하고 있지 않다.
❸ [A]에서는 자연물에 자신의 감정을 의탁하고 있지 않다.
❹ [A]에서는 자신의 심정을 실제 느끼는 것과 반대로 표현하고 있지 않다.
❺ [A]에서는 대상을 의도적으로 우스꽝스럽게 묘사하고 있지 않다.

08 인물·사건

임경업이 김자점의 심복들에게 속수무책으로 당한 것은 수십 명이 매복하였다가 불시에 달려들었기 때문이다. 임경업은 이들에게 여러 번 맞아 심하게 다친 것이지, 심하게 다쳤기 때문에 속수무책으로 당한 것은 아니다.

오답 풀이 ❶, ❸ 심복 수십 명을 미리 준비시켜 놓았다가 무방비 상태인 임경업을 무차별적으로 해한 것으로 보아, 김자점은 비열하고 난폭한 성격임을 알 수 있다.
❷ 임경업은 매복한 김자점의 심복들에게 여러 번 맞아 거의 죽을 정도로 다쳤다고 하였다. 이로 보아 임경업은 김자점의 계략으로 죽을 위기에 처하였음을 알 수 있다.
❹ 임경업은 김자점의 심복들이 불시에 달려들어 때릴 때 손에 촌철, 즉 작은 쇠붙이나 무기가 없어 제대로 대응하지 못하고 크게 다쳤다.

배경지식 ➕ **실존 인물인 임경업과 김자점**

임경업	조선 인조 때의 명장(1594~1646). 이괄의 난에 공을 세우고, 병자호란 때 중국 명나라와 합세하여 청나라를 치고자 했으나 뜻을 이루지 못하고 김자점의 모함으로 죽음
김자점	조선 중기의 문신(1588~1651). 인조반정 때에 공을 세워 영의정에 이르렀음. 효종이 즉위한 후 파직당하자, 이에 앙심을 품고 조선이 북벌(北伐)을 계획하고 있음을 청나라에 밀고하여 역모죄로 처형됨

09 인물·사건

임금은 임경업에게 그간의 사정을 듣고 크게 노하여 충신인 임경업을 죽이려고 한 김자점을 꾸짖고 있다. 따라서 차분한 목소리와 타이르는 듯한 어조를 사용하는 것은 적절하지 않다.

오답 풀이 ❶ 임경업은 자신이 옥에 갇힌 이유를 모른 채 세자와 대군이 자신의 일을 알고 있는지 궁금해하고 있다. 따라서 이 장면에서 답답해하는 모습을 보여 달라는 말은 적절하다.
❷ 임금은 멀리 타국에서 돌아온 임경업을 반기는 한편 자신에게 청죄하는 임경업을 보면서 의아해하고 있다. 따라서 이 장면에서 어리둥절한 표정을 지어 달라는 말은 적절하다.
❸ 임경업은 여러 어려움을 거친 끝에 임금을 다시 만난 상황에서 죽어도 한이 없다는 소회를 밝히고 있다. 따라서 이 장면에서 감격스러워하는 표정을 보여 달라는 말은 적절하다.
❹ 자신이 옥에 갇힌 것이 김자점의 흉계임을 알게 된 임경업은 크게 노하여 김자점을 꾸짖고 있다. 따라서 이 장면에서 크게 분노한 표정과 큰 목소리로 호통치는 모습을 보여 달라는 말은 적절하다.

08 임경업전 ④

본문 126~127쪽

확인 문제

01 ✕   02 ○   03 죽음   04 꿈

실력 문제

05 ①   06 ①   07 ④   08 ⑤

01 (자)에서 대군은 김자점이 임경업을 해칠 것을 염려하고는 있으나, 임경업이 옥에 다시 갇힌 것을 모르고 있다. 따라서 임경업에게 옥에 갇힌 경위를 물었다는 것은 적절하지 않다.

02 (차)에서 우의정 이시백은 반심을 품고 있는 김자점의 일을 임금에게 알리고, 그로 인해 임금은 김자점을 국문한 후 옥에 가둔다.

03 (자)에서 임경업은 김자점에게 매를 많이 맞아 천명이 다하여 옥중에서 비극적인 '죽음'을 맞이하게 된다.

04 (차)에서 임금의 '꿈'에 임경업이 나와 김자점이 자신을 죽이고 반심을 품어 일을 준비해 왔다는 사실을 알려 준다.

05 서술

임금이 꿈을 꾸기는 하였으나, 과거의 일을 회상하는 부분은 없다. 또한 과거와 현재가 교차되는 장면도 제시되어 있지 않다.

오답 풀이 ❷ 충신이자 영웅인 임경업이 죽음을 맞이한 사건을 제시하여 작품의 비극성을 고조하고 있다.

❸ '기축 9월 26일이라.'에서 임경업이 죽은 구체적 날짜를 제시함으로써 소설 속 사건이 마치 사실인 것 같은 느낌을 주고 있다.

❹ 결말 부분에서 간신인 김자점을 처형함으로써 착한 일을 권장하고 악한 일을 징벌한다는 권선징악의 세계관을 드러내고 있다.

❺ 이 작품의 시점은 전지적 작가 시점으로, 이야기 밖에 있는 서술자가 작품 속의 상황과 사건의 내막을 세세하게 전달하고 있다.

06 배경·소재

임경업은 임금의 꿈에 나타나 김자점이 자신을 죽였다는 사실과 김자점이 역모를 꾸미고 있다는 사실을 알려 주었다.

오답 풀이 ❷ 꿈을 통해 임경업의 억울한 죽음이 드러날 뿐, 임금의 비극적 죽음이 암시된 것은 아니다.

❸ 임금과 임경업은 갈등 관계가 아니다. 한편 꿈을 통해 임금이 김자점의 실체를 알게 됨으로써 김자점과 그 삼족을 모두 처형하고 임경업이 억울함을 벗게 되므로, 이를 임경업과 김자점의 갈등이 해소된 것으로 볼 수도 있다.

❹ 꿈에 등장한 임경업은 자신이 죽은 이유와 김자점의 실체를 밝혔을 뿐, 임금에 대한 섭섭한 마음을 표현하지는 않았다.

❺ 임경업은 임금에게 진실을 알려 자신의 원한을 풀 수 있도록 하였을 뿐, 자신의 부활을 예고하지는 않았다.

07 인물·사건

우의정 이시백은 김자점이 반심을 품고 있음을 알고 임금에게 이를 알렸지만, 임경업이 임금의 꿈에 나타날 것을 미리 알고 있지는 않았다.

오답 풀이 ❶ (자)에서 대군은 김자점을 의심하여 임금에게 김자점이 만고 충신인 임경업을 해치려 한다고 아뢰고 있다.

❷ (차)에서 임금이 경업의 자식들에게 '너희 아비가 자결한 줄로 알았더니'라고 말한 것으로 보아, 임금은 이전에 임경업이 자결한 것으로 알고 승지를 보내 위문하였음을 알 수 있다.

❸ (차)에서 대군은 임경업이 죽은 후 친히 조문하고 예관을 보내 삼년 제사를 받들라고 명령하고 있는데, 이는 임경업의 공을 인정하였기에 그의 죽음을 예우한 것으로 볼 수 있다.

❺ (차)에서 임경업의 자손과 친척들은 임경업이 돌아온다는 소식을 듣고 크게 기뻐하여 급히 경성에 이르렀으나, 임경업이 이미 죽었음을 알고 통곡하였다.

08 주제

임금은 임경업이 죽은 이유를 알고 그 슬픔을 이기지 못할 만큼 임경업을 아끼는 인물이다. 이후 임금은 임경업을 모해한 김자점을 처형하여 임경업의 원한을 풀어 준다. 따라서 임금이 임경업의 자식들에게 원수를 갚으라고 한 것은 아버지를 잃은 자식들을 위로하기 위한 배려로 볼 수 있다.

오답 풀이 ❶ 아무 죄가 없는 임경업이 김자점의 흉계 때문에 죽음을 맞이했다는 설정은 민중의 소망이 좌절된 부정적 현실의 책임이 지배층에게 있음을 나타낸 것으로 볼 수 있다.

❷ 임경업의 죽음 앞에 모든 사람들이 눈물을 흘렸다는 것은 임경업이 민중의 지지를 받는 영웅이며, 민중이 자신들의 소망이 반영된 영웅을 잃은 슬픔을 표현한 것으로 볼 수 있다.

❸ 김자점이 역심을 품고 임경업을 해하였다는 것은 나라의 위기에도 자신의 욕심만 채우는 지배층의 모습을 보여 주는 것이라고 볼 수 있다.

❹ 임금은 김자점의 삼족을 처참하게 죽이라고 명령하는데, 이는 사리사욕만 채우던 지배층에 대한 민중의 분노를 반영한 것이라고 볼 수 있다.

알아두기 작품의 주제

호국에 대한 정신적 승리감	병자호란의 치욕으로부터 벗어나고자 하는 민중의 심리를 담음
영웅 임경업 장군의 비극적 일생	개인의 사리사욕만을 채우려 하는 간신 때문에 임경업과 같은 영웅이 희생된 현실을 반영함

+ 독해 체크

본문 128쪽

❶ 호왕   ❷ 꿈   ❸ 영웅   ❹ 부마   ❺ 간신   ❻ 항복
❼ 음모   ❽ 병자호란   ❾ 비극

+ 어휘 체크

본문 129쪽

1 (1) 계교 (2) 절개 (3) 기별
2 〈가로〉 ❶ 통곡 ❷ 승복하다 ❹ 하직
　〈세로〉 ❶ 통분 ❸ 탄복 ❺ 강직하다

실전 09 성난 기계 ❶ _차범석

갈래 희곡, 단막극, 사실주의 극
성격 사실적, 세태 고발적
주제 현대인의 인간성 상실과 회복의 가능성
특징 • 비정한 현대인의 모습을 냉소적으로 묘사함
• 전반부와 후반부가 대립되는 구조로 이루어짐
• 물질문명 속에서 현대인이 소외되고 비인간화되는 세태를 고발함

확인 문제

01 ○ 02 × 03 × 04 자신 05 공장

실력 문제

06 ⑤ 07 ③ 08 ④ 09 ④ 10 ④

01 이 작품은 희곡으로, 무대 상연을 전제로 하므로 공간적 배경과 등장인물 수에 제약이 있다.

02 이 작품은 병원이라는 현실적 공간에서 현대 사회의 문제점을 사실적으로 드러내고 있다.

03 (가)에서는 수술을 요구하는 인옥과 수술을 거절하는 회기의 외적 갈등이 중심을 이룬다. 즉 회기는 인옥의 수술을 두고 내적 갈등을 하고 있지 않다.

04 회기는 자신은 원래 '자신' 없는 일에 손을 안 대는 성질이라며 인옥의 수술을 거부하고 있다.

05 인옥은 담배 '공장'의 포장공으로 일하며 생계를 유지하는 인물로, 무거운 책임감을 갖고 가족을 위해 희생하는 삶을 살아왔다.

06 인물·사건

인옥의 '제 마음은 언제나 어린것들을 생각하고 나를 생각했어요…… 어떻게 하면 살 수 있을까 하고…….'라는 대사에서 비관적인 상황이지만 어떻게 해서든 살고자 하는 의지가 드러난다. 즉 인옥은 살기 위해 회기에게 수술을 해 달라고 부탁하고 있는 것이다.

오답 풀이 ❶ '이때 금숙의 표정이 크게 동요된다.'를 통해 금숙이 인옥의 말을 듣고 마음이 흔들렸음을 알 수 있다.
❷ 회기는 수술을 해 달라는 인옥의 요청을 냉정하게 거부하며 이기적이고 개인적인 태도를 보인다.
❸ 회기는 인옥의 수술을 거부하며 자신은 원래 자신 없는 일에는 손을 대지 않는다고 하는데, 이를 통해 회기가 인옥의 수술이 쉽지 않고 판단했음을 알 수 있다.
❹ '어두운 공장에서 담배 개비를 스무 개씩 집어넣는 것은 내 손이지만'이라는 인옥의 대사를 통해 인옥이 담배 포장공으로 일하고 있음을 알 수 있다.

알아두기 「성난 기계」의 등장인물

회기	폐 전문 외과 의사. 냉정하고 빈틈이 없으나 자신보다 비인간적인 상현을 만난 후 인간성을 회복함
금숙	간호사. 회기를 흠모하며 인옥을 딱하게 여김
인옥	담배 공장의 포장공. 가족을 위해 희생해 왔으며 삶에 대한 애착을 갖고 회기에게 수술을 부탁함
상현	인옥의 남편으로 경제적으로 무능력. 돈과 아내의 부정을 이유로 아내의 수술을 반대하는 비정함을 보임

07 주제

㉠은 인옥의 애원에도 회기가 수술을 거절하자 회기의 냉정하고 비인간적인 모습을 기계에 빗대어 비판한 표현이다.

오답 풀이 ❶, ❷ 인옥은 자신의 수술을 거절하는 회기에게 부정적인 태도를 보이고 있다. 따라서 회기가 합리적이라거나 객관적이라고 생각하며 긍정적으로 평가했다고 볼 수 없다.
❹ 회기의 능력을 인정하는 의미로 '기계' 같다고 한 것이 아니라 인간성이 상실된 비인간적인 태도를 비판하려는 의도이다.
❺ 회기가 수술비 때문에 수술을 거절하는 상황이 아니므로 경제적 이익만 추구한다고 보기 어렵다.

08 배경·소재

㉡ '알맹이'는 내면의 상태, 정신세계, 인간성 등을 의미하고 ㉢ '포장'은 겉모습, 육체 등을 의미한다.

오답 풀이 ❶, ❸ '손'과 '육체'는 ㉢ '포장'의 의미로 볼 수 있고, '마음'과 '정신'은 ㉡ '알맹이'의 의미로 볼 수 있다.
❷ '나'와 '어린것들'은 인옥이 마음으로 생각한 대상이므로 모두 ㉡ '알맹이'에 해당한다고 볼 수 있다.
❺ '좋은 약'은 근본적인 치료가 아닌 임시방편을 의미하고, '수술'은 근본적인 치료를 의미한다고 볼 수 있다.

09 형상화 방식

인옥은 수술을 해 달라는 애원에도 냉정하게 거절하는 회기를 보며 원망스러운 마음이 들 것이므로, ⓓ에는 '원망스럽게 쳐다보며' 등이 들어가는 것이 적절하다.

오답 풀이 ❶ '조소하는'은 '흉을 보듯이 빈정거리거나 업신여기는 또는 그렇게 웃는'을 의미한다. 회기가 냉정한 태도로 인옥의 수술 요청을 거절하는 상황이므로 ⓐ에는 '조소하는 태도로'가 어울린다.
❷ 인옥이 회기에게 수술을 해 달라고 매달리는 상황이므로 ⓑ에는 '다시 애원하며'가 어울린다.
❸ 회기가 수술을 단호하게 거절하는 상황이므로 ⓒ에는 '냉정하게'가 어울린다.
❺ 회기가 근본적인 치료 대신 임시방편을 권한 것에 대한 인옥의 비판에 난처한 상황이므로 ⓔ에는 '약간 난처해하며'가 어울린다.

10 형상화 방식

[A]는 희곡, 〈보기〉는 소설이다. 〈보기〉에서는 서술자가 인물의 심리를 직접 제시하고 있으나, [A]에서는 서술자가 없으므로 인물의 심리가 대사와 지시문을 통해 표현되고 있다.

오답 풀이 ❶ 희곡은 무대 상연을 목적으로 한다.

② 희곡은 사건을 현재형으로 나타낸다.

③ 희곡인 [A]는 지시문을 통해 인물의 행동이 제시되는 데 비해, 소설인 〈보기〉는 인물의 행동을 서술자가 묘사하고 있다.

⑤ [A]와 〈보기〉는 모두 회기와 인옥의 갈등을 바탕으로 사건이 전개되고 있다.

---

09 성난 기계 ②

본문 132~133쪽

확인 문제

01 ○   02 ×   03 노동   04 담배

실력 문제

05 ②   06 ②   07 ⑤   08 ⑤

---

01 회기는 사람의 생명을 살린다는 도의심보다는 자신의 존재가 뚜렷해진다는 공명심을 가지고 외과 의사 생활을 하고 있다.

02 회기의 말에 따르면 상현의 아내인 인옥은 치료비는 걱정할 필요가 없다고 하였는데, 이를 통해 인옥은 돈과 상관없이 수술을 받고 싶어 함을 알 수 있다.

03 (나)에서 금숙이 수술을 거부당한 인옥에 대해 연민을 보이자 회기는 자신의 의술에 대해 돌아본다. 그리고 폐 수술을 하는 행위를 두고 닥치는 대로 배를 가르고 갈비뼈를 떼어 내어 썩은 폐 조각을 잘라 내는 하나의 '노동'에 불과하다는 자신의 생각을 밝히고 있다.

04 (다)의 '내 벌이라는 게 처가 공장에서 나올 때 속옷이나 치마폭에 감춰 가지고 나오는 담배를 팔아야만……'을 통해 상현이 아내가 공장에서 몰래 숨겨 나오는 '담배'를 팔아 벌이를 하고 있음을 알 수 있다.

05 인물·사건

(다)에서 상현은 경제적 이유를 들어 아내의 수술을 반대하고 있을 뿐, 상현이 회기의 수술 실력을 의심하는 모습은 나타나지 않는다.

오답 풀이 **①** 상현은 아내의 수술을 반대하고 아내는 수술을 상현과 상의하지 않은 것으로 보아, 둘 사이에 갈등이 있음을 알 수 있다.
③ 금숙은 회기가 지금까지 수술에 실수가 없었다는 점과 귀중한 생명을 살려 내고 있다는 점을 이야기하는 것으로 보아, 회기의 의사로서의 능력을 믿고 있음을 알 수 있다.
④ 상현은 아내가 공장에서 몰래 숨겨 나오는 담배를 파는 일을 벌이로 삼고 있다. 이를 통해 상현의 아내가 공장에서 일하며 가정의 생계를 책임지고 있음을 알 수 있다.
⑤ 회기는 수술을 '배를 가르고 갈비뼈를 떼어 내어 썩은 폐 조각을 잘라 내는 하나의 노동'이라고 말하는 것으로 보아, 이를 기계적인 노동 행위라고 생각하고 있음을 알 수 있다.

06 인물·사건

'요즈음 세상은 돈 있고 병 치료도 하는 법이지……. 그런 돈이 어디 있겠습니까…….'로 보아 상현이 아내의 수술을 반대하는 근본적인 이유는 가난한 형편으로 수술하는 데 쓸 돈이 없기 때문이다.

오답 풀이 **①**, **③**, **⑤** 아내의 수술과 관련하여 공장이나 감독관, 아이들의 의견은 나타나지 않는다.
④ 아내가 자신과 수술에 대해 의논하지 않은 일을 못마땅하게 생각하고는 있지만, 이것이 수술을 반대하는 근본적인 이유는 아니다.

07 형상화 방식

⓪은 상현이 아내의 수술을 반대하는 이유를 제시하면서 남에게 말하기 부끄러운 자신의 무능함과 가난한 가정 형편을 이야기하는 부분이다. 따라서 자부심이 느껴지는 어조는 적절하지 않다.

오답 풀이 **①** ㉠은 회기가 수술을 완고하게 거절한 이유를 묻는 금숙의 말을 듣고 자신의 행동이 냉정했던 것인지를 돌아보는 상황이므로, 회의감이 느껴지는 어조는 적절하다.
② ㉡은 상현이 치료비는 걱정 없다는 아내의 말과 달리 돈이 없어 수술을 할 수 없다고 이야기하는 상황이므로, 다소 과장된 몸짓으로 펄쩍 뛰는 듯한 연기는 적절하다.
③ ㉢은 회기가 아내의 수술을 반대하는 상현의 말에 의아함을 느끼는 상황이므로, 상대방의 의사를 다시 확인하려는 태도는 적절하다.
④ ㉣은 상현이 경제적 형편 때문에 아내의 수술을 반대하는 속마음을 들킨 상황이므로, 어쩔 줄 몰라 하는 표정은 적절하다.

08 주제

상현의 아내가 치료비는 걱정 없다고 한 것은 인물의 살고자 하는 의지를 드러낼 뿐, 비정한 현실이 극복될 수 있는 단서로 보기 어렵다. 비정한 현실이 극복될 수 있는 단서는 상현의 아내를 가엾게 여기는 금숙의 모습에서 찾아볼 수 있다.

오답 풀이 **①** 경제적 이유로 아내의 수술을 반대하는 상현과 가족의 생계를 위해 부도덕한 행위를 하는 상현의 아내의 처지를 통해 비정한 현실이 인간의 삶을 비참하게 만들었음을 알 수 있다.
② 수술을 거절당한 상현의 아내를 가엾게 여기는 금숙은 비정한 현실 속에서도 인간성을 중시하는 인물이므로, 그러한 현실에 종속되지 않은 인물로 볼 수 있다.
③ 아픈 환자의 수술을 냉정하게 거절하는 회기는 인간성을 상실한 인물로, 비정한 현실에 종속된 인물로 볼 수 있다.
④ 의사로서의 도의심을 느끼지 못하고 공명심으로 의사생활을 한다는 회기의 태도는 비정한 현실이 인간의 태도와 의식에까지 영향을 미친 것으로 볼 수 있다.

배경지식 ♣ 차범석 작품의 사실주의적 경향

사실주의 극은 19세기 말에서 20세기 전반에 이르기까지 유행한 연극 양식으로, 실재하는 세계에 대한 직접적인 관찰과 경험을 토대로 한 객관적인 묘사에 주목하였다. 연극이 사회의 거울이 되어야 한다는 생각을 지닌 차범석은 1950년대 사회 현실을 사실주의 극 속에 나타냈다. 그는 전쟁 이후의 상처를 사회적 문제의 근본 원인으로 보았고, 인간 소외와 인간성 상실을 가져온 사회 현실을 비판하였다.

09 성난 기계 ③

본문 134~135쪽

확인 문제

01 ×   02 ○   03 분노   04 수술

실력 문제

05 ⑤   06 ⑤   07 ③

01 (라)에서 상현은 아내의 죽음을 방치하려는 자신을 회기가 "그건 살인이나 다음 없소……." 등과 같이 노골적으로 비난하자, 처음에 지녔던 겸손과 비굴은 찾아볼 수 없을 정도로 반항적인 태도를 보이고 있다.

02 이 작품은 냉정하고 비인간적이던 회기가 상실된 인간성을 회복하는 과정을 통해 '현대인의 인간성 상실과 회복의 가능성'이라는 주제를 표현하고 있다.

03 회기는 아내의 죽음을 방치하려는 상현의 비인간적인 태도에 노골적으로 '분노'를 터뜨리며 인옥을 수술하기로 결심한다.

04 인옥을 수술하기로 결심한 회기는 간호사 금숙을 시켜 인옥에게 '수술'을 받고 싶으면 편지를 받는 즉시 찾아오라는 편지를 보내도록 한다.

05 형상화 방식

이 작품은 회기가 근무하는 병원(외과 과장실)이라는 단일한 공간에서 사건이 진행되고 있다. 즉 공간적 변화가 나타나지 않는다.

오답 풀이 ①, ③ 전반부에 인옥의 수술을 냉정하게 거부하던 회기는 후반부에 인옥을 수술하기로 결심한다. 즉 전반부에서 부정적 인물 유형이었던 회기가 후반부에서는 긍정적 인물 유형으로 변화된다.

② 담배의 '포장'과 '알맹이'가 지닌 상징적 의미를 통해 인간성 상실과 회복의 가능성이라는 주제를 드러내고 있다.

④ 이 작품은 회기, 인옥, 상현, 금숙이라는 소수의 인물만 등장하며, 인옥의 수술을 두고 대화하는 단순한 사건을 다루고 있다.

알아두기 전반부와 후반부의 대립 구조

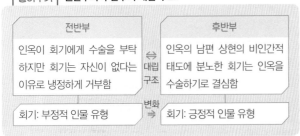

전반부		후반부
인옥이 회기에게 수술을 부탁하지만 회기는 자신이 없다는 이유로 냉정하게 거부함	⇔ 대립 구조	인옥의 남편 상현의 비인간적 태도에 분노한 회기는 인옥을 수술하기로 결심함
회기: 부정적 인물 유형	⇒ 변화	회기: 긍정적 인물 유형

06 배경·소재 + 주제

'포장'과 '알맹이'는 모두 중요한 요소이다. 냉정하고 비인간적인 상현은 부정적 인물이므로, '포장'이 상현의 비정함을 상징한다고 보기 어렵다.

오답 풀이 ❶ 회기가 ㉠의 깨달음을 얻고 인간성을 회복한 것에서 이 작품의 주제 의식이 드러난다.

② ㉠은 문맥상 겉과 속이 모두 인간다워야 한다는 의미로 해석할 수 있다.

③ ㉠은 대단원에 이르러 회기가 겉과 속이 모두 중요함을 깨닫게 되었음을 나타낸다.

④ ㉠에서 '포장'은 겉모습을 의미하고, '알맹이'는 내면을 의미한다.

알아두기 '알맹이', '포장'의 의미

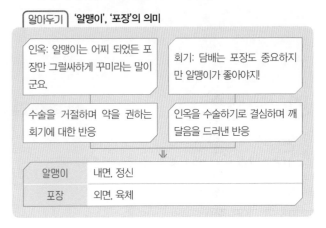

인옥: 알맹이는 어찌 되었든 포장만 그럴싸하게 꾸미라는 말이군요.

회기: 담배는 포장도 중요하지만 알맹이가 좋아야지!

수술을 거절하며 약을 권하는 회기에 대한 반응

인옥을 수술하기로 결심하며 깨달음을 드러낸 반응

알맹이	내면, 정신
포장	외면, 육체

07 인물·사건 + 주제

'성난 기계'는 냉정하고 비인간적이던 회기가 상실된 인간성을 회복하고 타인의 고통을 이해하는 존재가 되었음을 의미한다.

오답 풀이 ❶ 회기가 수술을 실패한다는 내용은 제시되어 있지 않다.

② 인옥의 수술을 냉정하게 거절하던 회기는 인간성을 상실한 상태라고 볼 수 있으며, 인옥을 수술하기로 결심한 회기는 상실된 인간성을 회복하였다고 볼 수 있다.

④ 회기가 의사 생활을 포기한다는 내용은 제시되어 있지 않다.

⑤ 회기가 미국으로 유학을 간다는 내용은 제시되어 있지 않다.

알아두기 '기계'와 '성난 기계'의 상징적 의미

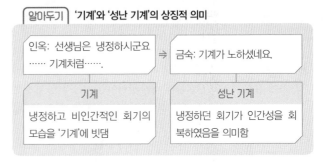

인옥: 선생님은 냉정하시군요 …… 기계처럼…….   ⇒   금숙: 기계가 노하셨네요.

기계	성난 기계
냉정하고 비인간적인 회기의 모습을 '기계'에 빗댐	냉정하던 회기가 인간성을 회복하였음을 의미함

+ 독해 체크

본문 136쪽

❶ 돈   ❷ 비인간적   ❸ 수술   ❹ 회복   ❺ 포장
❻ 대립   ❼ 변화   ❽ 분노   ❾ 희망

+ 어휘 체크

본문 137쪽

1 (1) 선심 (2) 공명심 (3) 노골적
2 〈가로〉 ❶ 인력 ❷ 냉담하다 ❸ 결심
〈세로〉 ❶ 인술 ❹ 미심쩍다

실전 10 오발탄 ① _이범선 원작, 나소운·이종기 각색

갈래 시나리오

성격 비판적, 사실 고발적

주제 전후 사회의 부조리한 현실과 그로 인한 개인의 상실과 절망

특징 • 1959년에 발표된 동명 소설을 원작으로 함
• 다양한 영상 기법을 사용하여 비극적 상황을 효과적으로 드러냄
• 주인공의 인간상과 내면의 허무 의식 표출에 중점을 둠

확인 문제

01 ○ 02 ○ 03 × 04 ○ 05 양심 06 비극
07 골목

실력 문제

08 ① 09 ④ 10 ⑤ 11 ④

01 이 작품은 6·25 전쟁 직후인 1950년대를 배경으로 평범한 인물들인 철호와 가족들이 빈곤과 부조리를 겪는 현실을 비판하고 있다.

02 이 작품은 영화 상영을 전제로 하는 시나리오로, 인물의 대사와 행동을 통해 인물의 성격이나 가치관을 간접적으로 드러낸다.

03 영호는 전차 값도 안 되는 월급을 받고 남의 살림이나 계산해 주는 일은 싫다고 말하면서, 제대한 지 2년이 넘도록 취직하지 않은 채 방황하고 있다.

04 영호의 말에 따르면 철호는 전차 값도 안 되는 적은 월급을 받고 있지만, 가난하더라도 깨끗이 살자는 신념을 갖고 성실하게 일하고 있다.

05 철호는 가난하더라도 깨끗이 살자는 가치관을 지니고 있다. 이는 어려운 상황에서도 '양심'을 지키며 사는 삶을 중시하고 있음을 보여 준다.

06 영호는 어금니가 푹푹 쑤시고 아픈 걸 견디며 살아가는 철호의 삶을 '비극'이라고 인식하고 있다.

07 명숙은 집 밖의 '골목'에서 방 안에 있는 철호와 영호가 말다툼하는 소리를 엿듣고 있다.

08 형상화 방식

현실에 순응하면서 양심을 지키려는 철호와 양심이나 윤리 따위를 버려야 잘살 수 있다는 영호의 갈등이 대화를 통해 제시되고 있다.

오답 풀이 ② (가)와 (나)에서 공간이 달라지고 있으나 인물이 공간을 이동하는 것은 아니며, 공간적 배경의 변화를 통해 사건 전개의 속도가 빨라지고 있다고 볼 수 없다.

③ 이 작품은 시나리오로, 서술자 없이 인물의 대사와 행동을 통해 사건이 제시된다.

④ (가)와 (나)에 인물이 독백하는 장면은 제시되어 있지 않으며, 인물 간의 대화를 통해 인물의 심리가 부각되고 있다.

⑤ (가)와 (나)에 인물이 과거를 회상하는 장면은 제시되어 있지 않으며, 사건 해결의 실마리도 나타나지 않는다.

09 인물 · 사건

철호는 '너 설마 엉뚱한 생각을 하고 있는 건 아니겠지.'라고 말하며 영호가 잘못된 선택을 할까 염려하고 있다(ㄴ). 또한 영호는 '저도 형님을 존경하지 않는 건 아녜요. 가난하더라도 깨끗이 살자는 형님을…….'이라고 말하고 있다(ㄷ).

오답 풀이 ㄱ. 철호는 전차 값도 안 되는 월급을 받고 남의 살림이나 계산해 주는 일은 싫다고 말하면서 취직을 하지 않으려는 영호의 생각에 반대하고 있다.

ㄹ. 영호는 가난한 삶에서 벗어나기 위해서는 양심과 윤리를 저버릴 수도 있다고 생각하지만, 한편으로는 가난하더라도 깨끗이 살자는 철호를 존경하고 있다. 따라서 영호가 철호의 무능력을 탓하고 있다고 보기 어렵다.

알아두기 S# 74에 나타난 '철호'와 '영호'의 대조적인 태도

철호		영호
• 적은 월급을 받으면서도 성실하게 일하고, 치통의 고통도 참고 견딤 • '가난하더라도 깨끗이 살자'는 가치관을 지님	⇔	• 가난한 삶을 지긋지긋하게 여기며, 성실하게 일할 생각을 하지 않음 • '잘살자면 양심이구 윤리구 버려야 한다'는 가치관을 드러냄

10 형상화 방식

[A]에서는 명숙이 엿듣고 있는 화면에 철호와 영호의 음성을 효과음(E)으로 처리함으로써 이들과 다른 공간(골목)에 있는 명숙이 철호와 영호의 갈등 상황을 알게 되었음을 나타내고 있다.

오답 풀이 ① 명숙이 철호와 영호를 오해하고 있다는 내용은 드러나지 않는다.

② 철호와 영호가 갈등하는 원인은 취직을 하지 않는 영호의 상황을 두고 서로 다른 가치관이 충돌했기 때문이다. 이때 두 사람의 갈등은 명숙과 관련이 없다.

③ 명숙이 철호와 영호의 갈등이 해소되기를 바라고 있다는 내용은 드러나지 않는다.

④ 명숙은 과거를 회상하고 있지 않으며, 동일한 시간에 다른 공간에서 이루어지고 있는 철호와 영호의 대화를 엿듣고 있다.

11 인물 · 사건

영호는 양심이나 윤리를 저버리더라도 잘살고 싶다는 욕망을 지니고 있으며, 이를 ⊙ '용기'라고 생각하고 있다.

오답 풀이 ❶ 가난하더라도 양심과 윤리를 지키면서 깨끗이 살자는 것은 철호의 가치관에 해당한다.

❷ 아픈 걸 견디면서 돈을 절약하는 삶을 살아가는 인물은 철호이며, 영호는 이런 삶을 비극이라고 인식하고 있다.

❸ 영호는 가난한 생활에서 벗어나고 싶어 하며, 이를 더 넓은 테두리로 나간다고 표현한다. 따라서 더 좁은 테두리 안으로 들어가는 것은 영호의 욕망과 거리가 멀다.

❺ 자기 주머니 속의 돈 액수에 맞게 분수를 지켜야 한다는 것은 철호의 가치관에 더 가깝다.

알아두기	'철호'의 상황과 S# 107의 형상화 방식

| 철호의 상황 | • 영호가 은행 강도로 잡혀갔다는 소식에 경찰서에 다녀옴
• 아내가 아기를 낳다 죽음을 맞이한 것을 알고 충격에 빠짐 |

⇩

| 절망감과 허탈감에 빠져 거리를 방황하는 모습 위로 철호가 영호에게 했던 말이 효과음으로 겹침 | ┈ | 인물의 절망적인 상황과, 인물의 심리(아내의 죽음이 성실하고 양심적으로 살고자 한 자신 때문이라는 자괴감)를 선명하게 제시함 |

10 오발탄 ②

본문 140~141쪽

확인 문제

01 ○   02 ×   03 영호   04 치과

실력 문제

05 ②   06 ②   07 ③   08 ④

01 (다)에서 명숙의 말에 따르면 철호의 아내는 출산 중에 아이가 걸려 위독한 상황에 빠졌음을 알 수 있다. 그러다 결국 아내는 죽음을 맞이하고, 철호는 아내의 죽음에 절망한다.

02 철호는 은행 강도를 하다 잡혀간 영호 때문에 경찰서에 다녀오지만, 이런 상황을 모르는 명숙은 철호에게 '어딜 그렇게 돌아다니슈.'라고 말한다.

03 (바)에서 철호는 아내의 죽음을 확인한 후 거리에서 과거 자신이 '영호'에게 했던 말을 떠올리면서, 아내의 죽음이 성실하고 양심적으로 살고자 한 자신 때문이라는 자괴감을 느낀다.

04 (사)에서 산부인과에서 나와 거리를 기웃거리던 철호는 '치과'라는 간판을 보고 그동안 앓아 왔던 치통을 자각하고선 이를 뽑기로 결심하고 안으로 들어간다.

05 **형상화 방식**

철호는 동생 영호가 은행 강도로 경찰서에 잡혀가고, 아내는 출산 중에 세상을 떠나 버린 절망적 상황에 처해 있다. 이런 상황에서 철호는 영호에게 이전에 했던 말을 떠올리고 있는데, 이는 양심적으로 살아가려는 신념과 대조적으로 절망적 상황을 맞이한 철호의 비참함을 부각하는 역할을 한다.

오답 풀이 ❶ 철호는 절망감에 빠진 상황이므로 자부심을 보여 준다고 볼 수 없다.

❸ 철호는 성실하고 양심적으로 살고자 한 자신 때문에 아내가 죽었다고 생각하며 자괴감을 느끼고 있다. 따라서 어려운 상황에서도 포기하지 않으려는 의지를 보여 준다고 볼 수 없다.

❹ 철호는 아내가 죽음을 맞이한 절망적 상황에 처해 있다.

❺ 철호는 영호에게 잘살게 해 주겠다고 약속을 한 적이 없다.

06 **인물·사건**

(라)의 상황을 고려할 때 간호원은 아내가 죽었다는 소식을 직접 전하는 것이 난처하여 아무 말도 하지 못한 것이고, 철호는 아무 말도 하지 않는 간호원의 반응이 의아하여 아무 말도 하지 못한 것으로 볼 수 있다.

오답 풀이 ❶ 간호원은 아내가 죽었다는 소식을 전해야 하는 상황이므로 가족인 철호를 경멸하는 심리가 담겨 있다고 볼 수 없고, 철호는 아내의 행방을 알고 싶어 하는 상황이므로 간호원을 무시하는 심리라고 볼 수 없다.

❸ 간호원은 아내가 죽었다는 소식을 전하는 것에 미안함을 느꼈다고 볼 수 있다. 하지만 철호는 아내의 행방을 궁금해할 뿐, 간호원에게 고마움을 느끼고 있다고 보기 어렵다.

❹ 간호원은 아내를 잃은 철호의 처지에 측은함을 느꼈다고 볼 수는 있다. 하지만 철호는 아내의 행방이 궁금할 뿐, 간호원에게 미안함을 느낄 만한 상황으로 보기 어렵다.

❺ 철호는 아무 말도 하지 않는 간호원의 반응에 난처함을 느꼈다고 볼 수 있다. 하지만 간호원은 아내가 죽었다는 소식을 전해야 하는 상황이므로 가족인 철호에게 불쾌함을 느낀다고 볼 수 없다.

07 **인물·사건**

ⓒ에서 철호가 화석 같다고 한 것은, 그가 아내의 죽음을 짐작하고 큰 충격을 받았음을 표현한 것이다.

오답 풀이 ❶ 철호는 영호의 일로 경찰서에 다녀왔는데 명숙은 이를 모르고 영호에게 '어딜 그렇게 돌아다니슈.'라고 말하고 있다. 이는 명숙이 철호가 가정과 상관없는 일을 하고 왔다고 생각하고 있음을 보여 준다.

❷ 철호는 자신에게 원망스럽게 말하는 명숙의 말을 들은 척도 하지 않고 있는데, 이는 아내가 위독한 상황임을 알리려는 명숙의 의도를 철호가 모르고 있음을 보여 준다.

❹ 철호는 시체 안치실 앞에서 유령처럼 걷는데, 이는 철호가 아내의 죽음에 충격을 받아 정신을 차리지 못하고 있음을 보여 준다.

❺ 철호는 길옆에 늘어선 가게의 진열장을 하나하나 기웃거리면서도 눈에 아무것도 보이지 않는데, 이는 아내가 죽었다는 사실에 철호가 허탈감과 절망감을 느끼고 있음을 보여 준다.

08 **형상화 방식**

〈보기〉에서는 '철호는 갑자기 이가 쑤시는 것을 느꼈다.'와 같이 인물의 심리를 서술자가 직접적으로 서술한 반면, (사)에서는 '철호의 얼굴이 점점 찌푸려지며 손으로 볼을 움켜쥔다.'와 같이 인물의 표정과 행동을 통해 심리를 간접적으로 드러냈다.

10 오발탄 ❸ 본문 142~143쪽

확인 문제

01 ○　　02 ×　　03 이　　04 해방촌

실력 문제

05 ②　　06 ⑤　　07 ②

01 운전수와 조수는 철호가 목적지를 자꾸 바꾸자 못마땅해서
힐끗 돌아본다.

02 네거리에서 울린 벨 소리는 갈 곳을 잃은 철호의 상황을 부각
한다. 철호는 절망감에 빠져 있으며 그가 각성을 통해 희망을
되찾았다고 볼 만한 내용은 나타나지 않았다.

03 '앓던 이'는 가난한 삶, 가장으로서의 압박감, 양심 등 철호를
괴롭히는 것을 의미한다. 따라서 철호가 앓던 '이'를 뽑는 행
위는 자신의 삶을 고통스럽게 하는 것을 없애 버리려는 것으
로 볼 수 있다.

04 철호는 택시에서 처음에 해방촌으로 가자고 말한다. '해방촌'
은 철호의 집이 있는 동네로, 가난한 생활의 공간이라고 볼
수 있다.

05 인물·사건

과다 출혈로 의식이 몽롱한 상태에서 철호가 말한 ㉠ '가
자…….'는 절망적 상황에 대한 철호의 절박함을 보여 주며,
자신의 삶을 억압하는 모든 부정적인 상황으로부터 벗어나고
싶은 마음을 드러낸다.

06 배경·소재 + 주제

사전적으로 '잘못 쏜 탄환'이라는 뜻의 ⓔ '오발탄'은 이 작품
에서 시대에 적응하지 못하고 삶의 방향을 상실한 존재, 즉
절망적 상황에서 삶의 목적과 방향을 상실한 철호를 비유하
는 말이다.

알아두기 '오발탄'의 의미

- 운전수: 어쩌다 오발탄 같은 손님이 걸렸어. 자기 갈 곳도 모르게.
- 철호: 아들 구실, 남편 구실, 애비 구실, 형 구실, 오빠 구실, 또 사무
실 서기 구실, 해야 할 구실이 너무 많구나. 그래 난 네 말대로 아마
도 조물주의 오발탄인지도 모른다.

⇩

| 오발탄의
의미 | • 갈 곳을 정하지 못하고 갈팡질팡하는 철호의 모습을
　비유함
• 현실에 적응하지 못하고 삶의 방향을 상실한 현대인을
　상징함 |

07 인물·사건

〈보기〉의 윌리 로만은 가족에게 보험금을 남겨 주기 위해 스
스로 죽음을 선택하는데, 이는 윌리 로만이 성실하게 일하면
반드시 성공한다는 자신의 신념을 포기한 것으로 볼 수 있다.

➕ 독해 체크 본문 144쪽

❶ 치과　　❷ 가자　　❸ 양심　　❹ 가난　　❺ 해방
❻ 자괴감　　❼ 방향　　❽ 비판

➕ 어휘 체크 본문 145쪽

1 (1) 구실　(2) 요지경　(3) 억설
2 (1) ㉡　(2) ㉠　(3) ㉢

실전 11 규중칠우쟁론기 ❶ _작자 미상

갈래 국문 수필, 내간체 수필

성격 교훈적, 풍자적, 논쟁적, 우화적

주제 공치사만 일삼는 이기적인 세태 풍자, 역할과 직분에 따른 성실한 삶 추구

특징 • 부녀자의 생활과 관련이 깊은 바느질 도구를 의인화하여 세태를 풍자함
• 3인칭 시점의 객관적이고 관찰자적인 태도로 서술함

확인 문제

01 ✕ 02 ○ 03 ○ 04 ✕ 05 바느질
06 발음 07 공치사

실력 문제

08 ④ 09 ② 10 ③ 11 ④

01 이 작품은 3인칭 관찰자 시점으로 규중 부인과 규중 칠우의 말과 행동을 서술하고 있다.

02 이 작품은 의인화된 인물들이 직접 대화를 주고받는 보여 주기의 방식이 나타나므로, 극적 구성을 취하고 있다고 볼 수 있다.

03 이 작품은 바느질 도구를 사람처럼 표현하여 그 생김새나 쓰임새, 발음 등을 바탕으로 각각의 개성이 잘 드러나는 이름을 붙였다.

04 이 작품은 조선 후기 여성이 쓴 것으로 추정되는 내간체 수필이다. 당시 여성의 삶과 밀접한 바느질 도구들이 저마다 공을 내세우거나 인간을 원망하는 장면은, 여성들이 당당하게 자기주장을 펼치는 모습으로 볼 수 있다. 즉, 이는 가부장적 질서에 갇혀 있던 봉건 사회의 여성들이 자신의 목소리를 내기 시작하였음을 보여 주는 것으로 이해할 수 있다.

05 이 작품에서 규중 칠우로 등장하는 '바늘, 자, 가위, 인두, 다리미, 실, 골무'는 모두 '바느질'에 쓰이는 도구이다.

06 자를 의인화한 척 부인은 자를 의미하는 한자 '척(尺)'과 발음의 공통점을 바탕으로 하여 붙여진 이름이다.

07 이 작품의 전반부에서 규중 칠우는 서로 남의 공은 폄하하면서 자신의 공을 생색내며 자랑하기에 바쁜 모습을 보이고 있다. 이와 같이 자신이 한 일에 대해 생색내며 스스로 자랑하는 것을 '공치사'라고 한다.

08 표현

이 작품은 수필이지만 작품 속의 '나'가 아니라 규중 칠우가 이야기를 이끌어 가는 3인칭 시점을 취하고 있다. 작가는 관

찰자의 시각에서 인물들의 대화와 행동 묘사 위주로 서술하고 있을 뿐, 인물의 내면은 서술하고 있지 않다.

오답 풀이 ❶ 이 작품은 규중 여성들이 일상적으로 사용하는 바느질 도구를 소재로 다루고 있다.

❷, ❸ 이 작품에서는 바느질 도구가 사람처럼 저마다 공치사를 하는 등의 허구적인 설정을 통해 이기적인 세태를 풍자하고 자신의 직분에 충실한 삶을 살아야 한다는 교훈을 전달하고 있다.

❺ 이 작품에 등장하는 규중 칠우의 이름은 각각의 생김새와 쓰임새에 따라 붙여졌다. 예를 들어 바늘은 허리가 가는 생김새에 따라 '세요 각시(細腰閣氏)'라 하고, 인두는 불에 달구어 사용하는 쓰임새에 따라 '인화 부인(引火夫人)'이라 한다.

09 표현

청홍 각시는 세요 각시를 향해 실 없이 바늘만으로는 옷을 성공적으로 꿰맬 수 없다며 자기의 공을 부각하고 있다. 척 부인과 교두 각시가 하는 일인 재단의 중요성을 부정하며 그 공을 깎아내리는 것은 세요 각시이다.

오답 풀이 ❶ 척 부인은 온갖 옷감을 나열하며 길이와 넓이를 재는 마름질이 옷을 짓는 일 중에서 가장 공이 크다고 말하고 있다.

❸ 세요 각시는 아무리 좋은 것이라도 쓸모 있게 만들어야 가치가 있다는 의미인 '진주(眞珠) 열 그릇이나 꿴 후에 구슬이라 할 것'이라는 말로 자신의 공을 내세우고 있다.

❹ 이 작품을 시작하며 글쓴이는 선비가 문방사우를 가까이하듯 규중 부인들도 바느질에 쓰이는 일곱 가지 도구를 가까이하여 벗으로 삼았다고 말하고 있다.

❺ 교두 각시는 두 다리를 빨리 놀려 내달으면서 자기 공을 자랑하는데, 이 모습에서 교두 각시의 급한 성격과 조바심을 짐작할 수 있다.

10 주제

(나)에서 척 부인, 교두 각시, 세요 각시, 청홍 각시는 자신의 공만 내세우고 다른 이들의 공은 깎아내리는 모습을 보인다. 이를 통해 글쓴이는 이기적이고 남을 헐뜯는 세태에 대해 풍자하고 있음을 알 수 있다

오답 풀이 ❶ 이해관계에 따라 변하는 모습은 이 작품의 전반부에 해당하는 (가), (나)에는 나타나지 않는다.

❷ 이 작품에 과정보다 결과를 중시하는 모습은 나타나지 않는다.

❹ 이 작품의 규중 칠우는 각자 자신의 노력을 내세우므로, 노력은 하지 않고 성공만 추구하는 모습과는 거리가 멀다.

❺ 이 작품의 규중 칠우가 남을 깎아내리기는 하나, 남의 약점을 이용해 이익을 얻으려는 모습은 나타나지 않는다.

11 주제

〈보기〉의 글쓴이는 하모니를 목적으로 하는 오케스트라 연주에서 주목을 받지 못하더라도 자신의 역할을 묵묵히 수행할 때 전체의 조화에 기여할 수 있음을 말하고 있다. 따라서 규중 칠우에게 옷을 짓는 과정에서 누구 하나 빠짐없이 각자의 역할에 충실할 때 옷이 제대로 완성될 것이라고 말할 수 있다.

오답 풀이 ❶ 〈보기〉의 글쓴이는 묵묵히 자신의 일을 해 나가는 것의 중요성을 강조하고 있는데, 이 작품에서 규중 칠우는 저마다 자신의 재능을 자랑하기에 급급한 모습을 보이고 있다.

② 〈보기〉의 글쓴이는 크게 주목을 받지 못하더라도 묵묵히 전체의 조화에 기여하는 것을 중요시하는데, 이 작품의 규중 칠우는 각자 자신의 공만 내세우며 주목받고 싶어 한다.

③ 〈보기〉의 글쓴이는 전체의 조화를 중요시하고 있다. 하지만 전체의 조화는 각자의 능력이 아니라, 자기 몫의 역할이 잘 수행되었을 때를 전제로 하고 있다.

⑤ 이 작품의 규중 칠우는 이미 자신이 가진 재주에 누구보다 자부심을 갖고 있다.

---

11 규중칠우쟁론기 ②

확인 문제

01 ✕   02 ○   03 규중 부인   04 불평

실력 문제

05 ⑤   06 ④   07 ①

---

01 이 작품은 자기 공만 내세우고 다른 이들의 공을 깎아내리는 바느질 도구들의 모습을 풍자하여, 공치사만 일삼는 이기적인 세태를 비판하고 역할과 직분에 따른 성실한 삶을 살아야 한다는 교훈을 전달하고 있다.

02 감토 할미는 규중 부인의 질책에 즉시 반성하는 태도를 보이며 용서를 구하고 있다. 이는 공동체 생활을 할 때 필요한 처세술로, 규중 부인에게 용서를 구하되 자신을 포함한 모두의 잘못에 대해 용서를 구하고 있으며 은근히 자신들의 공을 부각하고 있다.

03 이 작품의 전반부에서는 규중 칠우가 앞다투어 자신의 공을 내세우며 서로 경쟁 관계에 있었으나, 잠에서 깬 '규중 부인'이 바느질을 인간의 공으로 돌린 후부터는 인간에 대한 불평을 함께하는 동맹 관계가 된다.

04 (라)에서 칠우는 자신들을 함부로 다루는 인간에 대한 불평을 쏟아 내면서 그간 힘들었던 점들을 하소연하고 있다.

05 주제

이 작품에서 글쓴이는 자신의 처지를 망각한 채 공치사만 일삼는 이기적인 세태를 풍자하고, 각자 주어진 역할과 직분에 따라 성실한 삶을 추구해야 함을 말하고 있다.

오답 풀이 **①** 이 작품에서 감토 할미가 규중 부인의 질책을 잘 무마하고 있지만, 이 작품의 주제가 위기 상황에서 문제를 해결하자는 것으로 볼 수는 없다.

② 이 작품은 적대적 관계에 있는 사람에게 맞서는 것을 긍정적으로 그려 내고 있지 않다.

③ 이 작품은 자신의 재주를 내세우기만 하는 인물들을 부정적으로 그리고 있다.

④ 이 작품은 인간과 자연의 관계에 대해 다루고 있지 않다.

06 표현

ⓔ은 얄미울 정도로 쌀쌀맞고 인정이 없는 것은 사람이고 공을 모르는 것은 일반 부녀자라는 의미로, 척 부인이 매정하게 굴며 자기의 공을 알아주지 않는 규중 부인을 탓하고 있는 것이다.

오답 풀이 **①** ⓐ은 감토 할미가 세요 각시의 뒤를 따라다니는 청홍 각시를 나무라는 말로, 크고 훌륭한 자의 뒤를 쫓아다니는 것보다는 작고 보잘것없는 데서 우두머리가 되는 것이 낫다는 의미로 볼 수 있다.

② ⓑ은 감토 할미가 공치사하는 말로, 세요 각시에게 찔리는 것을 견딜 만큼 인내심이 많다는 의미로 볼 수 있다.

③ ⓒ은 규중 부인이 공치사하는 말로, 칠우가 공이 있으나 사람이 칠우를 사용하지 않으면 소용이 없다는 의미로 볼 수 있다. 이는 곧 칠우의 원망을 불러일으키는 계기가 된다.

⑤ ⓜ은 세요 각시가 사람에 대해 불평하며 하는 말로, 자신이 사람을 미워해서 찌르려고 하는 것을 감토 할미가 밀어낸다는 의미로 볼 수 있다.

07 주제

〈보기〉의 장부는 간사하고 아첨하는 자들의 말에 솔깃한 임금의 태도를 비판하고 있다. 이 작품의 글쓴이 또한 규중 부인이 자신에게 아첨하는 감토 할미만 잘 대해 주는 모습을 통해 사회 지배층의 잘못된 태도를 풍자하고 있다고 볼 수 있다.

오답 풀이 **②** 〈보기〉에서는 간신을 경계할 것을 이야기하고 있을 뿐, 남을 탓하지 말라는 내용을 이야기하고 있지 않다.

③, ⑤ 이 작품의 규중 부인에게는 해당하는 내용이지만, 〈보기〉에서는 잘못을 지적하는 모습이나 잘못을 너그러이 용서하는 모습이 나타나 있지 않다.

④ 정직하게 살아야 한다는 것은 〈보기〉와 이 글 모두 관련이 없는 내용이다.

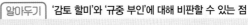

알아두기 **'감토 할미'와 '규중 부인'에 대해 비판할 수 있는 점**

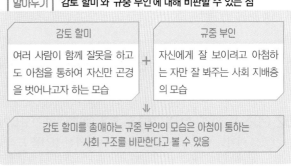

감토 할미	규중 부인
여러 사람이 함께 잘못을 하고도 아첨을 통하여 자신만 곤경을 벗어나고자 하는 모습	자신에게 잘 보이려고 아첨하는 자만 잘 봐주는 사회 지배층의 모습

감토 할미를 총애하는 규중 부인의 모습은 아첨이 통하는 사회 구조를 비판한다고 볼 수 있음

독해 체크

본문 150쪽

❶ 공치사   **❷** 불평   **❸** 바늘   **❹** 인두   **❺** 관찰
❻ 아첨   **❼** 인간

어휘 체크

본문 151쪽

1 (1) 소임   (2) 침선   (3) 규중
2 (1) ⓛ   (2) ⓒ   (3) ⓐ

3. 갈래 복합

실전 01 오우가 / 꽃 출석부 1

가 [오우가_윤선도]

갈래 평시조, 연시조(전6수)

성격 예찬적, 자연 친화적

주제 다섯 벗(물, 바위, 소나무, 대나무, 달)에 대한 예찬

특징 • 자연물을 의인화하고 그 속성을 인간의 덕성과 연결함
• 문답법, 대구법 등 다양한 표현 방법을 활용하여 대상을 인상 깊게 표현함

나 [꽃 출석부 1_박완서]

갈래 경수필

성격 체험적, 사색적

주제 봄꽃에 대한 애정

특징 • 글쓴이의 세심한 관찰력과 섬세한 감정이 드러남
• 대상에 대한 인식 변화를 통해 글쓴이의 태도가 드러남

확인 문제

01 ○   02 ○   03 ×   04 ○   05 달   06 구름
07 대나무   08 복수초   09 잡초, 놀라움

실력 문제

10 ①   11 ③   12 ②   13 ⑤   14 ⑤   15 ③
16 ③   17 ③

---

01 (가)는 초장, 중장, 종장의 각 장이 2구씩으로 구성된 3장 6구 형식의 시조이다.

02 (가)는 물, 바위, 소나무, 대나무, 달을 의인화하여 자연을 벗으로 여기는 한편, 그 속성을 예찬하는 화자의 정서를 드러내고 있다.

03 (나)는 글쓴이의 체험과 깨달음을 바탕으로 한 수필로, 허구를 더해 꾸며 쓴 글이 아니다.

04 (나)에는 가을에 심을 때는 하찮은 잡초 같았고 곧 자취도 없어졌던 복수초가 3월이 되자마자 샛노랗게 피어나고 눈 속에서도 살아남은 것을 본 글쓴이의 경험과 그에 따른 인식 변화가 드러나 있다.

05 (가)의 〈제1수〉에서 화자는 수석, 송죽, '달'의 '이 다섯'이 벗이라고 말하고 있다. 수석은 물과 바위, 송죽은 소나무와 대나무를 가리킨다.

06 (가)의 〈제2수〉에서 '구름'은 깨끗하지만 검기를 자주 하며, '바람'은 소리가 맑지만 그칠 적이 많다고 하였다. 이를 통해 둘 다 쉽게 변하는 속성이 있음을 알 수 있다.

07 (가)의 〈제4수〉에서는 소나무의 지조와 절개를, 〈제5수〉에서는 '대나무'의 지조와 절개를 예찬하고 있다.

08 (나)는 글쓴이가 이웃에게서 '복수초'를 나누어 받아 심은 뒤, 복수초가 눈을 녹이고 샛노랗게 피어 있는 것을 보고 느낀 바를 바탕으로 쓴 글이다.

09 (나)의 글쓴이는 처음에 복수초를 보고 '하찮은 잡초'처럼 보였다고 하였으나, 샛노랗게 피어 난 복수초가 눈 속에서도 살아남은 것을 보고 '놀라움'과 감탄을 드러냈다.

10 표현
(가)에서는 '검기', '푸르는 듯', '푸르니' 등의 색채어를 사용하여 구름, 풀, 대나무를 각각 묘사하고 있다. (나)에서는 '흙갈색 잔뿌리', '검은 흙', '샛노란 꽃', '진한 황금색' 등의 색채어를 사용하여 '복수초'를 묘사하고 있다.

오답 풀이 ❷ (나)에서는 '축, 활짝' 등의 의태어를 사용하고 있으나, (가)에서는 모양을 흉내 내는 말인 의태어를 사용하여 생동감을 드러낸 부분을 찾을 수 없다.

❸ (가)와 (나)에서 겉으로 모순되는 표현이지만 그 속에 진리를 담고 있는 역설적 표현이 사용된 부분은 찾을 수 없다.

❹ (가)에서는 '이 다섯밖에 또 더하여 무엇하리.', '밤중에 광명이 너만한 이 또 있느냐.' 등에서 설의적 표현을 사용하고 있다. 하지만 이는 대상의 속성을 예찬하는 의도를 강조하는 표현일 뿐, 이를 통해 대상에 대한 그리움을 드러내고 있는 것은 아니다. 한편 (나)에서는 설의법이 사용된 부분을 찾을 수 없다.

❺ (가)에서는 자연물을 '너'라고 지칭하거나 '솔아'와 같이 대상을 부르는 표현을 사용하여 대상에 대한 친근감을 표현하고 있으나, (나)에서는 말을 건네는 방식을 사용하고 있지 않다.

11 표현
(가)는 '동산에∨달 오르니∨그 더욱∨반갑구나.'와 같이 한 행을 네 마디로 끊어 읽을 수 있어 4음보의 율격이 나타난다(ㄱ). 또한 '구름 빛이 좋다 하나 검기를 자주 한다 / 바람 소리 맑다 하나 그칠 적이 많도다', '더우면 꽃 피고 추우면 잎 지거늘' 등에서 유사한 구절을 짝 지어 표현하는 대구법을 활용하여 운율을 형성한다(ㄹ).

오답 풀이 ㄴ. (가)에서 후렴구는 사용되지 않았다.
ㄷ. (가)는 대체로 3(4)글자, 4글자가 반복되는 3(4)·4조가 나타난다.

12 시어(구)
(가)의 화자는 한겨울 눈서리를 이겨 내는 소나무의 모습에서 지조와 절개를 발견하고 있다. 따라서 ㉠ '눈서리'는 소나무에게 주어진 고난과 시련을 의미한다고 볼 수 있다.

오답풀이 **①**, **⑤** 눈서리는 소나무에게 시련을 주는 대상이며, 그 시련을 이겨 낸, 변치 않는 소나무가 지조와 절개를 상징한다.
③ 눈서리는 부정적 의미를 지닌 대상으로, 평화나 희망과는 관련이 없다.
④ 눈서리는 시련을 주는 대상일 뿐, 외로움이나 고독감과는 관련이 없다.

13 [화자·대상] **+** [표현]

(가)의 〈제4수〉에서 화자는 더우면 꽃 피고 추우면 잎이 지는 보편적 자연물과는 달리 겨울에도 깊은 땅속까지 뿌리가 곧은 소나무를 예찬하고 있다. 〈보기〉의 화자 또한 따뜻한 봄철에 꽃을 피우는 보편적 자연물과는 달리 추운 계절에 홀로 피어 있는 국화를 예찬하고 있다.

오답풀이 **①** (가)의 화자는 소나무에서, 〈보기〉의 화자는 국화에서 지조와 절개를 발견하고 있을 뿐, 둘 다 대상이 이중적 속성을 지니고 있다고 보고 있지 않다.
② (가)의 화자와 〈보기〉의 화자 모두 대상과 관련된 과거의 경험을 떠올리고 있지 않다.
③ (가)의 화자는 소나무의 지조와 절개를, 〈보기〉의 화자는 국화의 지조와 절개를 예찬하고 있을 뿐, 그와 대조되는 자신을 성찰하고 있지 않다.
④ (가)와 〈보기〉에서 계절에 따라 자연물이 변화하는 과정은 나타나지 않으며, 묘사의 방식도 사용되지 않았다.

14 [글쓴이] **+** [표현]

(나)의 글쓴이는 때가 되면 차례차례 피는 꽃들을 기다리고 마중하다 보니 머릿속에 ⓛ '출석부'가 생겼다고 말하고 있다. 그리고 출석부의 꽃들이 하나도 결석하지 않고 전원 출석하기를 바라며 조심스럽고 정성스러운 태도로 꽃들이 피기를 기다리고 있다. 따라서 '출석부'는 자연의 질서에 따라 피는 꽃들에 대한 글쓴이의 애정과 기대가 담긴 표현이라 할 수 있다.

오답풀이 **①** 글쓴이는 100가지가 넘는 꽃들이 모두 피기를 기다리고 있을 뿐, 더 많은 종류의 꽃을 마당에 심고 싶어 하지는 않는다.
② 글쓴이는 꽃을 보는 즐거움과 기쁨을 느끼고 있을 뿐, 자신이 꽃을 키워 냈다고 여기며 자부심을 느끼고 있지는 않다.
③ 글쓴이가 출석부를 만들었다는 것은 꽃에 대한 애정의 표현이며, 다른 사람에게 꽃을 나누어 주고 싶어 하는 모습은 나타나 있지 않다.
④ 글쓴이는 자신이 기다리지 않아도 봄이 되면 꽃이 피어날 것이라고 생각하며 묵묵하게 봄을 기다리고 있다. 따라서 봄이 빨리 오기를 기다리는 조급함과는 거리가 멀다.

15 [글쓴이]

[A]에서 글쓴이는 꽃에 애정을 갖고 자신이 부양할 가족이라고 생각하고 있지만, 꽃을 통해 지난날의 상처를 치유하거나 위로받는 모습은 나타나 있지 않다.

오답풀이 **①**, **④** 글쓴이는 꽃들을 식구라고 지칭하고 있으며, 자신에게 꽃을 부양할 마당이 있다는 것에 행복감을 느끼고 있다.
② 글쓴이는 기다리지 않아도 꽃들은 필 것이지만, 기다리는 기쁨이 있기에 기다린다고 말하고 있다.
⑤ 글쓴이는 100번이 넘는 출석부의 꽃들이 모두 출석하기를 바라기에 땅을 함부로 밟지 못한다고 하였으며, 여름에는 꽃들에게 물을 주기 위해 마음 놓고 어디 여행도 못 할 것이라고 말하고 있다.

16 [시어(구)] **+** [표현]

ⓐ '풀'은 푸르는 듯 누렇게 되는, 순간적이고 쉽게 변하는 속성을 지니고 있다. (가)의 화자는 이와 대비되는 '바위'의 영원성을 예찬하고 있으므로, ⓐ는 화자가 부정적으로 인식하는 대상이라고 볼 수 있다. ⓑ '고 작은 풀꽃'은 두터운 눈을 녹이고 살아남은 복수초로, 글쓴이에게 놀라움과 감탄을 주는 대상이라고 볼 수 있다.

오답풀이 **①** ⓐ는 화자가 찬양하는 대상이 아니라 부정적으로 인식하는 대상이다. 한편 ⓑ는 눈 속에서 '샛노란 꽃'이 살아남기 힘들 것이라고 생각한 글쓴이를 놀라게 하였으므로, 글쓴이를 성찰하게 하는 대상이라고 볼 수 있다.
② ⓐ는 화자가 부정적으로 인식하는 대상으로, 안도감과는 거리가 멀다. 한편 (나)의 글쓴이는 ⓑ가 눈 속에서 살아남을 것이라고 기대하지 않았다는 점에서 ⓑ 때문에 불안감을 느꼈다고 보기 어렵다.
④ ⓐ는 쉽게 변하는 속성을 지닌 대상이다. 한편 ⓑ는 강인한 생명력을 보이고 있을 뿐, 쉽게 변하는 속성을 나타내고 있지는 않다.
⑤ ⓐ는 순간성을 지닌 대상으로, 화자는 ⓐ에서 화려한 아름다움을 느끼고 있지 않다. 한편 ⓑ는 작지만 샛노란 꽃을 피우고 있다는 점에서 글쓴이에게 소박한 아름다움을 느끼게 한다고 볼 수 있다.

17 [표현] **+** [주제]

(가)의 〈제6수〉에서 화자는 작지만 높이 떠서 밤중에 만물을 다 비추고, 보고도 말이 없는 '달'을 예찬하고 있다. 즉 화자는 '달'에게서 만물을 다 비추는 포용력과 말이 없는 과묵함이라는 미덕을 발견하고 있을 뿐, 달을 통해 자신의 능력을 적극적으로 드러내는 자신감을 말하고 있지는 않다.

오답풀이 **①** (가)의 〈제4수〉에서 화자는 더우면 꽃 피고 추우면 잎이 지는 다른 자연물과 달리, 눈서리라는 시련에 굴하지 않는 소나무의 올곧은 지조를 예찬하고 있다.
② (가)의 〈제5수〉에서 화자는 사계절의 변화 속에서 쉽게 변하지 않고 꿋꿋하게 본래의 푸른색을 유지하는 대나무의 지조를 예찬하고 있다.
④ (나)의 글쓴이는 시들어 버릴 줄 알았던 복수초가 다음 날 해만 뜨면 다시 활짝 피는 모습을 보면서 강인한 생명력을 느끼고 있다.
⑤ (나)의 글쓴이는 황량한 마당에 피어난 복수초가 눈 속에서는 살아남기 힘들 것이라고 생각했는데, 눈을 녹이고 더욱 샛노랗고 싱싱하게 피어 있는 복수초의 모습을 보고 놀라워하고 있다. 따라서 복수초의 모습에서 역경을 이겨 내는 의지를 발견하고 감탄하고 있다고 볼 수 있다.

＋ 독해 체크 본문 158~159쪽

가 **①** 벗 **②** 바위 **③** 물 **④** 달 **⑤** 풀 **⑥** 꽃
⑦ 문답 **⑧** 대구 **⑨** 깨끗

나 **①** 복수초 **②** 출석부 **③** 잡초 **④** 눈 **⑤** 생명력
⑥ 순서 **⑦** 애정 **⑧** 땅 **⑨** 부양

＋ 어휘 체크 본문 160쪽

1 (1) ㉠ (2) ㉢ (3) ㉡
2 〈가로〉 **①** 송구스럽다 **②** 방치하다
〈세로〉 **①** 송죽 **③** 사치

실전 02 누항사 / 가난한 날의 행복

⑦ [누항사_박인로]

갈래 은일 가사

성격 전원적, 사색적, 사실적

주제 누항에 묻혀 사는 선비의 궁핍한 삶, 안빈낙도와 유교적 도리를 추구하는 자세

특징 • 대화체와 일상 언어를 사용함
• 임진왜란 이후 사대부의 궁핍한 삶을 사실적이고 구체적으로 표현함

⑪ [가난한 날의 행복_김소운]

갈래 경수필

성격 교훈적, 회고적

주제 가난 속에서 피어나는 행복

특징 • 몇 개의 독립된 이야기를 모아 놓은 옴니버스식 구성 방식을 사용함
• 경구를 사용하여 주제를 집약적으로 표현함

확인 문제

01 ○   02 ×   03 ○   04 ×   05 ○   06 소
07 오디새   08 단사표음   09 가난   10 행복

실력 문제

11 ④   12 ③   13 ⑤   14 ③   15 ⑤   16 ①
17 ②   18 ⑤

---

01 (가)는 갈래상 가사에 해당하며, 가사는 3(4)·4조, 4음보의 반복을 통해 운율을 형성한다.

02 (가)에서 '목 붉은 수꿩'과 '삼해주'는 건넛집 사람이 소 주인에게 대접한 것이다. 따라서 화자의 가난한 처지와는 관련이 없는 대상이다.

03 (가)의 화자는 사대부 신분이지만 스스로 농사를 지어 생계를 꾸려 가야 하는 어려운 처지에 놓여 있다. 하지만 그런 와중에도 자연을 벗 삼아 살겠다는 자연 친화적인 삶의 태도를 잃지 않고 있다.

04 (나)의 '다음은 어느 중로의 여인에게서 들은 이야기다.'라는 부분을 통해 (나)에서 글쓴이는 다른 사람에게서 들은 이야기를 전달하고 있음을 알 수 있다.

05 (나)에서는 "행복은 반드시 부와 일치하진 않는다."라는 경구를 인용하고 있는데, 이는 행복은 상대에 대한 애정과 배려, 존중에서 온다는 작품의 주제를 함축하고 있다.

06 (가)의 화자는 농사지을 '소'가 없어 저녁에 이웃집으로 허둥지둥 달려가 소를 빌리려 하고 있다.

---

07 (가)에서 '무정한 오디새'는 소를 빌리지 못해 농사를 짓지 못하는 가난한 화자의 슬픔을 고조하는 존재이다.

08 단사표음은 대나무로 만든 밥그릇에 담은 밥과 표주박에 든 물이라는 뜻으로, 청빈하고 소박한 생활을 이르는 말이다. (가)의 화자는 '단사표음'으로 대표되는 가난한 삶에 만족하며 살겠다고 다짐하고 있다.

09 (나)에서 중로의 여인이 들려준 이야기는 '가난' 속에서도 서로에 대한 따뜻한 애정으로 행복을 느낀 부부의 이야기이다.

10 (나)는 가난한 생활 속에서도 서로에 대한 애정과 배려를 잃지 않은 중로 부부의 이야기를 통해 '행복'이 반드시 부와 일치하지는 않는다는 주제를 전달하고 있다.

11 표현

(가)에는 화자와 소 주인의 대화가, (나)에는 글쓴이와 중로 여인의 대화가 제시되어 있으며, 이를 통해 각각 화자와 중로 여인의 상황을 구체적으로 전달하고 있다.

오답 풀이 ❶ (가)와 (나) 모두 특정한 인물을 통해 자신의 삶을 반성하는 태도는 드러나 있지 않다.

❷ (가)에서는 화자가 소를 빌리러 갔다 오는 과정에서 공간의 이동이 드러나지만, 이를 통해 대상에 대한 그리움을 드러내고 있지는 않다. 반면 (나)에서는 아내가 남편을 찾아 서울에서 춘천으로 떠나는 과정에서 공간의 이동과 남편에 대한 아내의 그리움이 드러나 있다.

❸ (가)와 (나) 모두 과거와 현재를 대비하고 있지 않다.

❺ (가)에서는 화자가 소를 빌리러 갔던 구체적 일화를 제시하여 자신이 겪은 사건을 구체적으로 전달하고 있다. 반면 (나)에서는 글쓴이가 중로의 여인에게 들은 일화를 제시한 후 가난과 행복에 대한 자신의 생각을 표현하고 있다.

12 표현

(가)의 본사에서는 '오디새'를 통해 화자의 슬픔을 부각하고, 결사에서는 '명월청풍'과 '백구'를 통해 자연을 벗 삼아 유유자적하게 살고자 하는 화자의 소망을 드러내고 있다.

오답 풀이 ❶ (가)는 4음보의 반복을 통해 리듬감을 형성하고 있다.

❷ (가)에 반어적 표현은 나타나 있지 않다.

❹ (가)에 계절의 변화는 드러나 있지 않다.

❺ 액자식 구성은 소설, 희곡 따위에서 이야기 속에 하나 또 그 이상의 이야기가 들어 있는 구성이다. (가)에 이야기 속의 다른 이야기는 제시되어 있지 않다.

13 화자·대상

(가)의 화자는 소를 빌리러 갔다가 거절당한 후 집에 돌아와 잠도 이루지 못하며 괴로워하고 있지만, 분노의 감정을 표출하고 있지는 않다.

오답 풀이 ❶ (가)의 화자는 소를 빌리지 못하고 돌아와 아침이 끝나도록 슬퍼하며 자신의 처지를 한탄하고 있다.

❷ (가)의 화자는 형식적으로 소 한 번 빌려주겠다고 한 이웃집 소 주인의 말을 듣고 친절하다고 여기고 있는데, 이는 화자가 이웃집 소 주인의 말을 진심으로 믿었음을 보여 준다.

❸ (가)의 화자는 먹고사는 것이 누가 되어 강호에서 큰 꿈을 생각한 지도 오래되었다고 말하고 있다.

❹ (가)의 화자는 소가 없어 쟁기조차 사용할 수 없는 현실적 상황을 깨닫고 자연에 묻혀 살고자 하는 꿈을 떠올리고 있다.

14 화자·대상

[A]에서 화자가 소를 빌리러 왔다는 뜻을 밝히자, '소 주인'은 공짜로나 값을 받거나 간에 빌려줄 수 있지만 건넛집 사람에게 이미 소를 빌려주기로 했다고 말하고 있다. 따라서 ⓒ는 화자의 대사로 적절하지 않다.

오답 풀이 ❶ [A]의 '큰기침 에헴이를 오래토록 하온 후에'라는 부분에서 확인할 수 있다.

❷ [A]의 '초경도 거읜데 그 어찌 와 계신고'라는 부분에서 확인할 수 있다.

❹ [A]의 '다만 어젯밤에 건넛집 저 사람이 ~ 내일로 주마 하고 큰 언약 하였거든'이라는 부분에서 확인할 수 있다.

❺ [A]의 '사실이 그러하면 설마 어이할고'라는 부분에서 확인할 수 있다.

15 시어(구) + 표현

(가)의 '풍월강산'은 화자가 각박한 현실 속에서 자신의 이상을 다시금 떠올리며, 자연과 벗하면서 자연 속에서 살아야겠다는 다짐을 되새기는 공간이다. 그리고 (나)의 '경춘선'은 종로의 여인이 남편에게서 따뜻한 애정을 느꼈던 추억이 있는 공간이다.

오답 풀이 ❶ (가)의 '풍월강산'은 화자가 지향하는 세계이며, (나)의 '경춘선'은 따뜻한 추억이 담긴 공간이다. 따라서 둘 모두 부정적 현실을 의미한다고 볼 수 없다.

❷ (가)의 '풍월강산'은 이상적인 공간이므로 낭만적인 세계의 속성을 지니고 있다고 볼 수도 있으나, (나)의 '경춘선'은 현실적인 공간이므로 환상적인 세계라고 보기는 어렵다.

❸ (가)의 '풍월강산'은 먹고사는 것이 누가 되는 처지에 대한 불만이 반영되어 있다고 볼 수 있으나, (나)의 '경춘선'은 가난한 생활 속에서도 따뜻한 부부의 애정을 보여 줄 뿐 자부심을 나타내는 대상이라고 볼 수 없다.

❹ (가)의 '풍월강산'은 자연과 더불어 사는 삶과 관련 있으므로 사대부의 전통적인 삶의 모습이라고 볼 여지가 있다. 하지만 (나)의 '경춘선'이 현대적인 삶의 모습을 의미한다고 보기는 어렵다.

16 표현

(나)에서 남편은 춘천으로 장사를 하러 가는 길에 사람을 태워 준 것으로 볼 때 정이 많은 성격이며, 친구의 집에 기숙을 하면서까지 사과 소매를 한 것으로 볼 때 책임감이 강한 성격임을 알 수 있다.

오답 풀이 ❷ (나)에서 남편은 손해를 보아서는 안 될 가난한 처지였기 때문에 사과 소매를 한 것이다. 따라서 이는 남편이 책임감이 강하다는 것을 보여 줄 뿐, 경제적 성취에 대한 욕심으로 볼 수는 없다.

❸ (나)에서 남편은 사과를 팔기 위해 춘천으로 떠난 것일 뿐, 자유롭게 살기를 원하는 모습과는 아무 관련이 없다.

❹ (나)에서 남편은 가장으로서의 책임감 때문에 친구의 집에 기숙을 하면서 사과 소매를 한 것이다.

❺ (나)에서 남편이 사과가 상할 수 있는 상황에서도 사람을 태워 준 것으로 볼 때 계산적인 인물이라고 평가할 수 없다.

17 주제

(나)에서 종로의 여인 부부는 가난 속에서도 서로 아끼고 사랑하면서 진정한 행복을 발견하고 있다. 따라서 ㉠은 가난할지라도 따뜻한 애정이 있으면 행복의 가치를 얻을 수 있음을 집약적으로 나타낸 것으로 볼 수 있다.

오답 풀이 ❶ 종로의 여인 부부는 가난 속에서도 진정한 행복을 가질 수 있음을 보여 준다. 따라서 ㉠을 경제적 여유가 있어야 행복한 삶을 살 수 있다는 의미로 보는 것은 적절하지 않다.

❸ ㉠은 행복은 상대에 대한 애정과 배려, 존중에서 비롯된다는 의미로, 소유에 대한 욕심을 버려야 한다는 것과는 관련이 없다.

❹ ㉠은 상대에 대한 애정과 배려의 중요성을 나타내고 있을 뿐, 경쟁의 가치를 제시한 것으로 볼 수 없다.

❺ ㉠은 가난으로 인한 고생과 좌절의 가치를 강조한 것이 아니라, 가난 속에서도 서로에 대한 애정과 배려, 존중으로 행복을 느낄 수 있음을 강조한 것이다.

18 화자·대상 + 주제

(가)의 화자는 자연과 벗 삼아 살기를 소망하면서 자연을 속세와 달리 갈등이 없는 순수한 공간이라고 인식하고 있다. '다툴 이 없는 것은 다만 이것뿐인가 여기노라'는 화자의 자연 친화적인 태도를 보여 주는 부분이며, 농민과 갈등을 겪은 것에 대한 괴로움은 드러나지 않는다.

오답 풀이 ❶ (가)의 화자는 사대부이지만 소가 없어 농사를 지을 수 없는 처지이다. 해당 부분은 소를 빌리지 못한 채 물러나는 화자의 초라한 모습이므로, 사대부로서의 지위가 보장되어 있지 않은 화자의 처지가 드러난다고 볼 수 있다.

❷ (가)의 화자는 친절하다고 여긴 이웃집에 소를 빌리러 갔다가 수모를 당하고 돌아온다. 해당 부분에서 '세상 인정 모른 한숨'은 각박해진 사회 현실에 대한 화자의 인식을 반영하고 있다.

❸ (가)의 화자는 소를 빌리지 못해 농사를 포기하고 있는데, 이는 화자가 농민으로 살아갈 여건을 갖추지 못했음을 보여 준다.

❹ (가)의 화자는 농사를 포기하고 자연에 묻혀 살고자 하는 꿈을 떠올리고 있다. 해당 부분에서 자연을 벗 삼아 살기를 소망하는 화자의 태도가 잘 드러나 있다.

+ 독해 체크 본문 165~166쪽

가 ❶ 소 ❷ 자연 ❸ 가난 ❹ 충효 ❺ 의태어 ❻ 자연물 ❼ 궁핍

나 ❶ 회상 ❷ 사랑 ❸ 춘천 ❹ 손 ❺ 솔직 ❻ 부 ❼ 행복

+ 어휘 체크 본문 167쪽

1 (1) 면목 (2) 세파 (3) 경구
2 〈가로〉 ❶ 풍채 ❸ 소매 ❺ 백구
  〈세로〉 ❷ 채소 ❹ 매표구

실전 03 안민가 / 평생에 일이 업서~ / 이론

가 [안민가_충담사]

갈래 10구체 향가
성격 유교적, 교훈적, 직설적
주제 나라를 다스리는 올바른 방안
특징 • 현전하는 향가 중 유일하게 유교적 내용을 담음
• 임금, 신하, 백성의 관계를 가족 관계에 빗대어 의도를 효과적으로 전달함

나 [평생에 일이 업서~_낭원군]

갈래 평시조
성격 자연 친화적, 풍류적, 체념적
주제 세상을 잊고 자연 속에서 사는 삶
특징 • 대유법을 활용하여 자연을 나타냄
• 영탄적 어조로 화자의 심정을 효과적으로 드러냄

다 [이론]

갈래 설명문
성격 체계적, 분석적
주제 향가와 시조의 영향 관계
특징 향가와 시조의 영향 관계를 형식적 측면과 내용적 측면으로 나누어 살펴봄

확인 문제

01 ○ 02 × 03 × 04 ○ 05 어린아이
06 강산풍월 07 엇더타

실력 문제

08 ④ 09 ④ 10 ② 11 ③

01 (가)는 '4구＋4구＋2구'의 형태를 보이는 10구체 향가이고, (나)는 '초장＋중장＋종장'으로 이루어져 있으며 각 장이 4음보로 정형화되어 있는 간결한 형식의 평시조이다.

02 (가)에서 대조적인 의미를 지닌 시어가 열거된 부분은 찾을 수 없다.

03 (나)의 화자는 '평생에 일'이 없어 자연에서 노니는 삶을 노래하고 있을 뿐, 벼슬살이에 대해 후회하거나 반성하고 있는 것은 아니다.

04 (다)의 2문단에서 시조는 오늘날까지 창작되고 있다고 하였다. 반면에 3문단에서 향가는 10세기 말 무렵까지 창작됐다고 하였다.

05 (가)에서는 임금을 아버지에, 신하를 어머니에, 백성을 '어린아이'에 비유하여 교훈적인 내용을 친근하게 전달하고 있다.

06 (나)에는 자연의 일부분인 '산수', '강호', '강산풍월'을 통해 자연을 나타내는 대유법이 사용되었다.

07 시조의 종장 첫 구는 3글자로 고정되어 있는데, (나)의 종장 첫 구의 감탄사 '엇더타'를 통해서도 이를 확인할 수 있다.

08 표현

영탄적 표현은 감탄사나 감탄형 어미 등을 통해 화자의 감정을 강조하여 표현한 것을 말한다. (가)에는 감탄사 '아으', (나)에는 감탄사 '엇더타'와 감탄형 어미 '-노라'를 활용한 영탄적 표현이 나타나는데, 이를 통해 화자의 정서를 효과적으로 드러내고 있다.

오답 풀이 ❶ (가)에는 '~ 한다면 ~ㄹ 것입니다'라는 문장 구조가 반복되어 운율을 형성하고 있지만, (나)에는 유사한 문장 구조가 반복되고 있지 않다.
❷ (가)의 화자는 나라를 다스리는 방법과 태평하게 하는 방안을 직설적인 어조로 말하고 있을 뿐, 말을 건네는 방식으로 친밀감을 드러내고 있지 않다. (나)의 화자 또한 독백적 어조로 자연을 벗 삼아 사는 삶을 노래하고 있을 뿐, 화자가 청자에게 말을 건네는 방식을 사용하고 있지 않다.
❸ (가)와 (나) 모두 청각적 이미지를 통해 시적 분위기를 조성하고 있지 않다.
❺ (가)에는 '~ 한다면'과 같은 가정적 상황이 제시되어 있지만, (나)에는 가정적 상황이 제시되어 있지 않다.

09 화자·대상 + 주제

(가)의 9~10구에서 화자는 임금답게, 신하답게, 백성답게 한다면 나라가 태평할 것이라고 하며, 임금과 신하, 백성이 각자의 본분을 다해야 한다는 점을 당부하고 있다.

오답 풀이 ❶, ❸, ❺ 임금과 신하가 부모처럼 백성을 먹여 다스릴 때 나라가 태평해질 것이라고 하였다. 즉 백성이 나라의 근본이라는 민본주의 사상에 입각하여 백성들을 사랑으로 다스리는 것이 곧 임금과 신하의 소임임을 알 수 있다.
❷ 나라가 태평해지기 위해서는 임금과 신하, 백성이 각자의 소임을 다해야 한다고 하였다.

알아두기 「안민가」의 사상과 주제

유교적 통치 이념	임금과 신하, 백성이 각자의 본분에 충실할 때 나라가 태평하고 백성이 편안해짐

⇩

주제	나라를 다스리는 올바른 방안

10 시어(구)

ⓛ은 임금이 백성에게 한 질문이 아니라 현실에 만족하는 백성의 말이다. 즉 (가)의 7~8구는 백성이 '이 땅을 버리고 어디로 갈 것인가'라는 생각이 들 정도로 나라에 만족한다면 나라가 잘 유지될 것이라는 의미이다.

오답 풀이 ❶ (가)의 1~4구에서는 임금과 신하가 가족적인 사랑에 기반하여 나라를 다스릴 때 백성도 이를 알게 될 것이라고 말하고 있다. 따라서 ㉠은 백성을 다스리는 근본을 의미한다.

③ ⓒ은 (가)의 화자가 궁극적으로 지향하는 바인 국태민안(國泰民安: 나라가 태평하고 백성이 편안함)의 경지를 의미한다.

④ ⓔ은 자연의 주인 즉, 자연 속에서 살아가는 화사 자신을 가리키는 말이다.

⑤ (나)의 화자는 '강호', 즉 자연의 주인이 되어 '세상일'을 다 잊었다고 하고 있으므로, ⓜ은 자연과 대비되는 속세의 공간을 의미함을 알 수 있다.

11 표현 + 주제

(다)에서 10구체 향가는 '4구＋4구＋2구'의 형태로 시상을 전개하는데, 이러한 형태는 후대 평시조의 정제된 틀에 영향을 미쳤다고 하였다. 10구체 향가인 (가)의 '4구＋4구＋2구' 형태는 평시조인 (나)의 각 장 4음보의 정형성에 영향을 미친 것이 아니라, '초장＋중장＋종장'의 삼단 구성에 영향을 준 것이다.

오답 풀이 ❶ (다)의 3문단에서 향가와 시조는 형식적 측면에서와는 달리 내용적 측면에서의 영향 관계를 설명하기는 어렵다고 하였다.

❷ (다)의 1문단에서 10구체 향가는 낙구에 주제를 제시하며 시상을 마무리하는데, 이러한 형태는 후대 평시조에 영향을 미쳤다고 하였다. 향가인 (가)는 낙구(9구~10구)에 임금, 신하, 백성이 각자의 본분에 충실하면 나라가 태평할 것이라는 주제가 제시되어 있고, 시조인 (나)는 종장에 자연과 벗하며 사는 삶이라는 주제가 제시된 것을 확인할 수 있다.

❹ (다)의 3문단에서 향가의 내용 중 '안민(安民)'이 있다고 하였는데, (가)는 나라를 다스려 백성을 평안하게 할 방안을 노래한 향가로 제목을 통해서도 '안민'을 다루고 있음을 알 수 있다. 또한 (다)의 4문단에서 평시조는 사대부의 미의식과 정신세계를 표현한 갈래임을 알 수 있는데, (나)는 사대부인 낭원군이 자연 속에서 사는 삶을 노래한 평시조로 사대부의 정신세계가 드러나 있다.

❺ (다)의 1문단에서 향가의 감탄사와 시조 종장의 감탄사는 앞에 나온 내용을 정서적으로 고양시켜 노래의 내용을 완결하는 효과가 있다고 하였다. (가)의 '아으'는 10구체 향가 낙구의 감탄사이고, (나)의 '엇더타'는 시조의 종장 첫 구에 나타나는 감탄사이다.

+ 독해 체크 본문 171~172쪽

가 ❶ 임금 ❷ 태평 ❸ 직설적 ❹ 사랑 ❺ 유교
❻ 가족 ❼ 은유법 ❽ 반복

나 ❶ 세상일 ❷ 벗 ❸ 친화적 ❹ 자연 ❺ 감탄사

다 ❶ 시조 ❷ 정형성 ❸ 불교적

+ 어휘 체크 본문 173쪽

1 (1) 강산풍월 (2) 태평 (3) 전승
2 (1) ⓛ (2) ㉠ (3) ⓒ

본문 174~177쪽

실전 04 어이 못 오던가~ / 규원가 / 찰밥

가 [어이 못 오던가~_작자 미상]

갈래 사설시조

성격 연정적, 해학적, 과장적

주제 임을 기다리는 안타까운 마음

특징 • 연쇄법, 열거법 등을 사용하여 리듬감을 형성함
• 임에 대한 그리움과 원망을 해학과 과장을 통해 솔직하게 표현함

나 [규원가_허난설헌]

갈래 규방 가사

성격 고백적, 자조적, 체념적

주제 남편에게서 버림받은 여인의 한스러운 삶

특징 • 여러 대상에 화자의 심정을 투영하여 표현함
• 유려하고 우아한 문체를 사용하여 규방 여인의 섬세한 정서를 드러냄

다 [찰밥_윤오영]

갈래 경수필

성격 고백적, 회고적, 서정적

주제 찰밥에 담긴 어머니의 사랑과 어머니에 대한 그리움

특징 • 찰밥이라는 일상적 소재를 매개로 하여 어린 시절을 회상함
• 현재 시점과 과거 회상을 오가며 이야기가 자연스럽게 전개됨

확인 문제

01 × 02 × 03 × 04 ○ 05 × 06 ○
07 장애물 08 살얼음 09 면목가증 10 회상

실력 문제

11 ③ 12 ① 13 ④ 14 ⑤ 15 ④ 16 ⑤
17 ①

---

01 (가)는 일상적인 소재를 나열하고 있지만, 화자의 상황을 사실적으로 표현한 것이 아니라 해학과 과장을 통해 표현하고 있다.

02 (가)에 임이 왜 화자를 만나러 오지 못하는지 그 이유는 나타나 있지 않다. 중장에 제시된 임이 오지 못하게 막는 장애물들은 화자가 상상한 것이다.

03 (나)는 가사로 행수에 제한이 없다. 하지만, (가)는 사설시조로 '초장－중장－종장' 중 주로 중장의 길이가 길어질 뿐, 가사처럼 행수에 제한이 전혀 없는 것이 아니다.

04 (나)의 제목을 보면, '규(閨)'는 아녀자들이 머물던 방을, '원(怨)'은 원망을 의미하므로 '규원가'는 임에게 버림받은 신세

를 한탄하는 노래라고 이해할 수 있다. 화자는 떠나간 뒤 소식조차 끊어진 임을 그리며 자신의 신세를 한탄하고 있다.

05 (나)에서 '바람에 지는 잎과 풀 속에 우는 벌레'는 화자의 잠을 깨워 꿈에서라도 임과 만나고 싶은 화자의 소망을 방해하는 대상이다.

06 (다)에서 어머니는 운명하시는 순간까지도 아들인 글쓴이의 성공을 믿고 당부했지만, 글쓴이는 '생각하면 슬픈 일'이라면서 자기 자신에 대해 '백수 오십에 성취한 바 없'다고 말하고 있다.

07 (가)의 화자는 임이 자신에게 오지 않는 이유가 임을 겹겹이 둘러싼 장애물 때문이라 추측하며, 그 장애물을 꼬리에 꼬리를 무는 연쇄법을 사용하여 제시하고 있다.

08 (나)의 '당시에 마음 쓰기 살얼음 디디는 듯'은 남편에 대한 화자의 위태롭고 조심스러웠던 마음을 비유적(직유법)으로 표현한 것이다.

09 (나)의 '설빈화안(雪鬢花顔) 어디 가고 면목가증(面目可憎) 되었구나'는 화자가 자신의 과거의 모습과 현재의 모습을 대조하여 제시한 부분으로, 이를 통해 늙고 초라해진 현재 자신의 처지를 부각하고 있다.

10 (다)의 글쓴이는 원족을 갈 때마다 과자나 과일 같은 것은 못 싸 가고 오로지 어머니께서 정성껏 지어 주신 찰밥만을 싸 갔던 어린 시절을 회상하고 있다.

11 화자·대상 / 글쓴이 + 표현
(가)와 (나)는 자신을 만나러 오지 않는 임에 대한 그리움과 원망을, (다)는 돌아가신 어머니에 대한 그리움을 담고 있다. 따라서 (가)~(다)는 모두 부재하는 대상에 대한 그리움을 드러내고 있다고 볼 수 있다.

오답 풀이 ❶ 낙관적이라는 것은 상황을 밝고 희망적인 것으로 보는 태도이므로, 대상의 부재로 인한 그리움이나 슬픔을 드러낸 (가)~(다)와 관련이 없다.
❷ (나)는 '소년 행락(少年行樂) 생각하니 일러도 속절없다'에서 어린 시절을 회상하는 부분이 포함되어 있고, (다)는 원족을 갈 때 찰밥을 싸 갔던 어린 시절의 경험을 회상하여 서술하고 있다. 그러나 (가)에 어린 시절의 경험에 대한 회상은 드러나 있지 않다.
❹ 무상감은 덧없다는 느낌을 말하는데, (가)~(다)에 드러나는 화자의 정서는 인생의 무상감과 거리가 멀다.
❺ (가)~(다) 모두 공간의 이동에 따른 감정의 변화 과정이 드러나 있지 않다.

12 표현
중장에서 연쇄법과 열거법을 통해 임이 오지 못하게 막는 장애물을 과장되게 가정함으로써 임이 오지 않는 상황을 해학적으로 표현하고 있다(ㄱ). 또한 종장에서 '한 해도 열두 달이 오 ~ 날 와 볼 하루 없으랴'라는 의문형 문장을 통해 임에 대한 그리움과 원망의 감정을 환기하고 있다(ㄴ).

오답 풀이 ㄷ. (가)의 화자는 오지 않는 임에 대한 안타까운 심정을 노래하고 있을 뿐, 부정적 현실을 바꾸려는 적극적 태도를 보이고 있지는 않다.
ㄹ. 청자는 '너'라고 할 수 있지만, 화자가 청자인 '너'와 서로 묻고 답하는 형식이 드러나 있지는 않다.

13 글쓴이 + 주제
(다)에는 글쓴이와 어머니 사이의 갈등이 나타나 있지 않으므로, '찰밥'이 갈등을 해소해 주는 소재라는 설명은 적절하지 않다.

오답 풀이 ❶, ❸, ❹ 글쓴이는 어린 시절 가난했기에 소풍을 갈 때 다른 친구들과 달리 찰밥만을 싸 갈 수 있었다. 이에 대해 글쓴이는 가난한 살림 속에서도 정성스레 찰밥을 싸 주시던 어머니의 사랑, 격려의 마음을 생각하며 장래에 대한 야망을 품어 볼 수 있었다고 말하고 있다.
❷ 현재 글쓴이는 친구들과 야유를 가기로 한 상황에서 자신이 싸 들고 가는 찰밥을 매개로 어린 시절을 회상하고 있다.

14 시어(구) + 표현
㉤은 어머니께서 원족 때마다 찰밥을 싸 주시던 것이 계기가 되어 지금도 어딘가 놀러 가려면 으레 찰밥을 싸 가곤 한다는 글쓴이의 고백이 나타난 부분이다. 따라서 바람직하지 못한 과거와 결별하지 못한 상황에 대한 글쓴이의 안타까움이 드러나 있다는 설명은 적절하지 않다.

오답 풀이 ❶ ㉠은 '~ 못 오던가'라는 의문형 문장을 반복함으로써 리듬감을 형성하고 있다.
❷ ㉡은 여성의 생활과 가까운 소재(베올에 북)를 통해 세월의 흐름을 비유적으로 표현하고 있다.
❸ ㉢은 견우와 직녀는 은하수가 그 사이를 가로막고 있어도 일 년에 한 번씩은 반드시 만난다는 것으로, 이는 임에게 소식조차 오지 않는 화자의 신세와 대비되는 모습이다. 따라서 ㉢에는 견우직녀에 대한 화자의 부러움이 바탕에 깔려 있다고 볼 수 있다.
❹ ㉣은 '~ 있을까'라고 하여 설의법을 통해 남편에게 사랑받지 못한 자신의 신세를 한탄하고 외로움을 강조하고 있다.

알아두기 「규원가」에 나타난 시어의 의미

• 천연 여질, 설빈화안: 과거 화자의 아름다웠던 모습
  ↔ 면목가증: 현재 화자의 보기 싫어진 모습
• 꿈: 현실에서 만나지 못하는 임을 보고자 하는 수단
  ↔ 잎, 벌레: 꿈에서 임을 보고자 하는 화자의 소망을 방해하는 존재
• 견우직녀: 일 년에 한 번씩은 반드시 서로 만나기에, 임을 만나지 못하는 화자와 대비되어 부러움을 느끼게 하는 대상

15 표현
ⓐ는 대나무 푸른 숲에서 우는 새의 소리를 두고 서럽다고 표현한 것이다. 즉 임이 오지 않는 상황에서 느끼는 화자의 외로움과 서러움이라는 감정을 '새'라는 대상에 이입하여 표현한 것이다.

오답 풀이 ❶ ⓐ에는 겉으로는 모순되는 역설적 표현이 나타나 있지 않다.
❷ ⓐ에는 '죽림'과 '새 소리'라는 자연 현상이 제시되어 있지만, 이를 통해 시간의 경과를 나타내고 있지는 않다.

③ @에는 문장 성분의 일반적인 배열 순서를 바꾸어 제시하는 도치 표현이 나타나 있지 않다.

⑤ @는 화자의 외로움과 서러움이라는 감정을 '새'라는 대상에 이입하여 표현한 것이지, 화자의 상황과 대조되는 대상을 제시한 것이 아니다.

16 글쓴이 + 어휘

'풍수지탄(風樹之嘆)'은 효도를 다하지 못한 채 어버이를 여읜 자식의 슬픔을 이르는 말로, 돌아가신 어머니를 떠올리며 눈물을 흘리는 글쓴이의 상황을 나타내기에 가장 적절하다.

오답 풀이 **①** '고진감래(苦盡甘來)'는 쓴 것이 다하면 단 것이 온다는 뜻으로, 고생 끝에 즐거움이 옴을 이르는 말이다. 따라서 [A]의 상황과 관련이 없다.

② '노심초사(勞心焦思)'는 몹시 마음을 쓰며 애를 태움을 뜻하는 말로, [A]의 상황과 관련이 없다.

③ '유구무언(有口無言)'은 입은 있어도 말은 없다는 뜻으로, 변명할 말이 없거나 변명을 못함을 이르는 말이다. 따라서 [A]의 상황과 관련이 없다.

④ '전전반측(輾轉反側)'은 누워서 몸을 이리저리 뒤척이며 잠을 이루지 못함을 뜻하는 말로, [A]의 상황과 관련이 없다.

17 화자·대상 + 시어(구)

(나)에서 화자는 현실에서 만날 수 없는 임을 차라리 잠이 들어 꿈에서나 보려 한다고 하였다. 〈보기〉의 화자도 임을 찾아 헤매다가 지쳐 잠이 든 상황에서 정성이 지극하여 꿈에 임을 보았다고 하였다. 따라서 (나)의 '꿈'과 〈보기〉의 '꿈'은 모두 대상에 대한 화자의 그리움이 바탕에 깔려 있음을 알 수 있다.

오답 풀이 **②**, **④** (나)와 〈보기〉 모두 화자와 임이 서로를 이해하거나 화자가 임에 대한 편견을 강화하는 모습은 드러나지 않는다.

③, **⑤** (나)와 〈보기〉 모두 꿈을 통해 화자가 현실에 대한 비판 의식을 드러내거나 지난 삶을 돌아보는 모습은 나타나지 않는다.

＋ 독해 체크

본문 178~180쪽

가 ❶ 이유 ❷ 원망 ❸ 가정 ❹ 장애물 ❺ 반복
❻ 열거 ❼ 연쇄 ❽ 설의

나 ❶ 세월 ❷ 운명 ❸ 한탄 ❹ 원망 ❺ 꿈
❻ 견우직녀 ❼ 새 ❽ 직유

다 ❶ 회상 ❷ 눈물 ❸ 어머니 ❹ 과거 ❺ 찰밥
❻ 사랑 ❼ 그리움

＋ 어휘 체크

본문 181쪽

1 (1) 전례 (2) 결박 (3) 홍안 (4) 뒤주
2 〈가로〉 ❷ 여생 ❸ 박명
　〈세로〉 ❶ 삼생 ❷ 여명

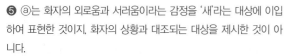

실전 **05** 쉽게 씌어진 시 / 산길에서 / 관동별곡

가 [쉽게 씌어진 시_윤동주]
갈래　자유시, 서정시
성격　고백적, 반성적, 저항적, 성찰적
주제　자기 성찰을 통한 암울한 현실의 극복 의지
특징　• 두 자아의 대립과 화해를 통해 시상을 전개함
　　　• 상징적 시어의 대비를 통해 주제를 효과적으로 드러냄

나 [산길에서_이성부]
갈래　자유시, 서정시
성격　교훈적, 사색적
주제　산을 오르며 얻은 깨달음
특징　• 일상적인 소재를 통해 역사의식을 깨달음
　　　• 단정적인 어조와 설의적 표현을 통해 화자의 정서를 강조함

다 [관동별곡_정철]
갈래　기행 가사, 양반 가사, 정격 가사
성격　묘사적, 풍류적, 서사적
주제　금강산과 관동 지방의 절경에서 느낀 감상과 심회
특징　• 생략과 비약, 비유 등 다양한 표현 방법을 사용하여 여정과 견문을 효과적으로 표현함
　　　• 형식상으로는 4음보의 율격을 보이는 운문이지만, 내용상으로는 서사적 성격을 띰

확인 문제
01 ✕　02 ○　03 ✕　04 ○　05 ✕　06 ✕
07 ○　08 천명　09 화해　10 반복　11 후각
12 기운　13 여산　14 백성, 삼일우

실력 문제
15 ①　16 ②　17 ②　18 ④　19 ④

01 (가)에서 화자는 '늙은 교수의 강의 들으러' 다니는 유학생으로서의 자기 삶을 '홀로 침전하는' 것이라고 느끼고 있다. 또 시를 쓰는 일은 '슬픈 천명'으로, 인생은 살기 어려운데 쉽게 시를 쓰는 것은 '부끄러운 일'로 표현하고 있다. 따라서 (가)의 화자는 자신의 현재 삶에 만족하지 못하고 있다고 볼 수 있다.

02 (가)에서 '등불을 밝혀 어둠을 조금 내몰고'는 어두운 현실을 극복하려는 의지로 볼 수 있다.

03 (나)는 화자의 독백 형식을 띠고 있는 작품이다.

04 (나)에서 '산길'은 먼저 걸어간 수많은 이들의 발걸음, 그 '부질없는 되풀이'가 쌓이고 쌓여 만들어진 것으로, 누적된 인간

의 삶 또는 이름 없는 민중에 의해 만들어진 역사를 상징하는 시어로 볼 수 있다.

05 (다)의 화자는 '개심대'에 올라 중향성과 비로봉을 바라보고 내려온 후 '화룡소'로 이동하였다. 그리고 화룡소에서 이동하여 '불정대'에 올라갔다.

06 (다)의 화자는 비로봉을 바라보기만 할 뿐, 실제로 비로봉에 올라간 것은 아니다.

07 (다)에서 화자는 은하수를 끊어서 베틀에 걸어 놓은 모양에 빗대어 폭포의 장관을 묘사했다.

08 (가)에서 '시인이란 슬픈 천명(天命)'이라는 시구는 암담한 현실 속에서도 시를 쓸 수밖에 없는 화자의 괴로움을 드러내는 것이다.

09 (가)의 9연에 제시된 '최후의 나'는 잘못된 현실과 타협하며 무력한 삶을 살아가는 현실적 자아인 '나'와 구별되는 또 다른 '나', 즉 잘못된 현실을 극복하기 위한 내면적 자아를 말한다. 그러므로 '최초의 악수'는 두 자아가 갈등을 극복하고 화해하여 화자가 부끄럽지 않은 삶을 살아갈 것임을 보여 준다.

10 (나)에서는 '나는 안다'라는 단정적인 어조를 반복하여 산길을 걸으며 깨달음을 얻었다는 것을 강조하고 있다.

11 (나)에서 '그이들 옛 내음이라도 맡고 싶어'는 코로 냄새를 맡을 수 있는, 후각적 이미지가 나타난 것이다.

12 (다)에서 화자는 금강산 봉우리마다 맺혀 있고 끝마다 서린 '기운'이 맑고도 깨끗하다고 강조하여 표현하고 있다. 그리고 이어서 금강산의 맑고 깨끗한 기운을 흩어 내어 세상의 인재를 양성하고 싶다는 바람을 드러내고 있다.

13 (다)에서 화자는 이적선(이태백)이 여산 폭포의 장관을 묘사한 것을 떠올리며, 십이 폭포가 '여산' 폭포보다 더 아름답다며 감탄과 자부심을 드러내고 있다.

14 (다)를 보면 화자는 화룡소에 이르러 자신을 '천 년 노룡'에 비유하여 '그늘진 벼랑에 시든 풀', 즉 굶주린 백성들을 구제하겠다는 선정에 대한 포부를 드러내고 있다. '삼일우'는 '선정'을 비유한 말로, '풀'을 살려 내는 생명력의 이미지를 갖는 시어이다.

15 화자·대상

(가)의 화자는 등불을 밝혀 어둠을 내몰고 시대처럼 올 아침을 기다리겠다는 다짐을 드러내고 있고, (나)의 화자는 자신의 눈앞에 펼쳐진 산길을 만든 그이들처럼 자신 역시 아무리 힘들고 어려워도 주저앉지 않겠다는 다짐을 드러내고 있다. (다)의 화자는 그늘진 벼랑의 시든 풀처럼 죽어 가는 백성들

을 살리기 위해 좋은 정치를 하겠다는 다짐을 드러내고 있다.

오답 풀이 ❷ (가)의 화자는 어릴 때 동무들을 잃어버리고 상실감을 느끼고 있다고 볼 수 있다. 그러나 (나)와 (다)의 화자는 대상의 부재 때문에 상실감을 느끼는 상황이 아니다.

❸ (다)의 화자는 바람과 구름(풍운)을 얻은 비(삼일우)가 시든 풀을 살려 내는 자연의 섭리를 본받아 선정을 베풀겠다고 다짐하고 있다. 그러나 (가)와 (나)의 화자가 보이는 태도는 자연의 섭리를 본받고자 하는 것과 무관하다.

❹ (가)의 화자는 일제 강점하에서 일본으로 유학을 간 현실이 자신의 이상적인 모습에서 동떨어져 있음을 안타깝게 여긴다고 볼 여지가 있다. 그러나 (나)와 (다)의 화자는 이상과 동떨어진 현실에 대한 안타까움을 드러내는 것과 무관하다.

❺ (가)의 화자는 자신의 삶에 대해 성찰하고 부끄러움을 느낀다. 그러나 (나)와 (다)의 화자는 과거 삶을 반성하거나 후회하는 모습을 보이지 않는다.

16 화자·대상 + 시어(구) + 표현

[B]에는 화자의 무력한 일상과, 부정적 현실로 인한 회의와 좌절감이 드러나 있다. 그러나 화자가 분노를 느끼고 대응하는 모습은 나타나 있지 않다.

오답 풀이 ❶ [A]에는 비 내리는 밤(시간적 배경), 남의 나라 육첩방(공간적 배경)에서 시인이 슬픈 천명인 줄 알면서도 시를 쓰고 있는 화자의 모습이 드러나 있다.

❸ [C]에는 인생과 시 쓰기를 대조하면서 자신의 현재 삶에 대해 반성하는 화자의 모습이 드러나 있다.

❹ [A]의 1연이 [D]의 8연에서 변형되어 반복되면서 현실에 대한 재인식이 드러나 있다.

❺ [C]에서의 화자는 암울한 현실에 굴복하여 시나 쓰고 있는 자신의 모습을 반성하는 데에 그쳤다면, [D]에서의 화자는 반드시 올 '아침'을 기다리며 '등불'을 밝혀 '어둠'을 내몰겠다는 의지를 보여 주고 있다.

알아두기 (가)의 화자의 태도 변화

1~2연	암울한 현실을 인식함
3~6연	암울한 현실에서의 무기력한 삶에 대해 회의를 느낌
⇓	
7연	자신의 부끄러운 삶을 반성적으로 성찰함
⇓	
8~10연	암울한 현실을 극복하려는 의지를 보임

17 표현

㉠은 의문형 진술로 자신의 무기력한 삶을 성찰한 표현이고, ㉡은 의문형 진술로 자신의 과거를 회상한 표현이다. 또한 ㉢은 의문형 진술로 자신이 높은 정신적 경지에 이르지 못하였음을 말한 것이다. 따라서 ㉠~㉢은 모두 의문형 진술을 통해 자신을 돌아보고 있다고 할 수 있다.

오답 풀이 ❶, ❸, ❹ ㉠~㉢ 모두 의인법, 대구법, 시어의 반복 등은 사용되지 않았다.

❺ ㉢에는 '어와'라는 감탄사가 나타나지만, ㉠과 ㉡에는 감탄사가 사용되지 않았다.

18 화자·대상

(다)의 화자가 이적선과 실제로 폭포의 아름다움에 대해 이야기를 나누었던 것은 아니다. 화자는 만약 중국 당나라 때 시인 이적선(이태백)이 살아 돌아온다고 해도 그가 노래했던 여산 폭포가 지금 자신의 눈앞에 있는 십이 폭포보다 더 아름답다고 하지는 못할 것이라고 하며 십이 폭포의 장관에 대한 자부심을 드러낸 것이다.

오답 풀이 ❶ 화자가 맑고 깨끗한 기운이 맺혀 있는 봉우리들을 보면서 '저 기운 흩어 내어 인걸을 만들고저'라고 한 것에서 나라를 위하고 걱정하는 마음이 드러나고 있다.

❷ 화자는 형용도 끝이 없고 체세도 많기도 많다고 하면서 변화무쌍한 금강산 산봉우리의 모습을 예찬하고 있다. 그리고 이것이 자연히 되었는 줄 알았더니 모두 조물주가 뜻이 있어 만들었다는 것을 깨닫게 되었음을 노래하고 있다.

❸ 화자는 비로봉을 바라보며 '노나라 좁은 줄도 우리는 모르거든, / 넓거나 넓은 천하 어찌하여 작단 말인고'라고 하면서 공자의 정신적 경지를 언급하고 있다. '어와 저 경지를 어이하면 알 것인고'는 그런 공자의 드높은 경지에 대한 동경이 드러난 부분이다.

❺ 화룡소를 보던 화자는 그 안에 굽이굽이 서려 있는 '천년 노룡'이 풍운을 얻어서 그늘진 벼랑에 시든 풀을 다 살려낼 비를 흠뻑 뿌릴 것을 언급하고 있다. 이는 고된 삶을 사는 백성들에 대한 연민과, 좋은 정치를 펼치겠다는 포부를 드러낸 것이라고 할 수 있다.

알아두기 (다)의 화자의 선정을 향한 포부

| 삼일우 | • 삼 일 동안 내리는 비를 뜻하며, 풀을 살려 내는 생명력의 이미지를 가짐
• 시든 풀(고통받는 백성)을 살릴 좋은 정치, 임금의 은총 등을 의미함 |

⇩

| 시든 풀 | 헐벗고 굶주린 백성을 의미함 |

알아두기 (나)의 시어의 상징적 의미

| 그이들 | • 길을 만든 이들, 화자보다 먼저 길을 걸은 이들
• 다수의 이름 없는 민중, 힘없는 이들
• '그이들'의 부질없어 보이는 발걸음이 되풀이되어 '길'이 만들어짐 |

⇩

| 길(산길) | 민중의 역사, 인간의 삶 |

+ 독해 체크   본문 186~188쪽

가 ❶ 시인   ❷ 성찰   ❸ 육첩방   ❹ 최후   ❺ 악수   ❻ 밤비   ❼ 등불   ❽ 의지

나 ❶ 산길   ❷ 신명   ❸ 풀꽃들   ❹ 되풀이   ❺ 단정   ❻ 설의적   ❼ 역사

다 ❶ 화룡소   ❷ 감탄   ❸ 포부   ❹ 풍운   ❺ 백성   ❻ 은하수

+ 어휘 체크   본문 189쪽

1 (1) 천명 (2) 신명 (3) 위안 (4) 내음
2 (1) ⓛ (2) ⓒ (3) ⓐ

19 시어(구) + 주제

'부질없는 되풀이'는 산길을 만들어 온 이들의 걸음 하나하나를 의미하며, 그 부질없음이 쌓이고 쌓여 마침내 길을 만든다고 하였다. 따라서 〈보기〉의 내용을 바탕으로 할 때 '부질없는 되풀이'는 역사를 만들어 나가는 이름 없는 민중의 삶을 상징할 뿐, 민중을 향한 믿음을 헛되게 만드는 억압적 상황에 대한 우려와는 관련이 없다.

오답 풀이 ❶ 화자가 보고 있는 '이 길'은 앞선 이들이 만든 것으로, 〈보기〉에서 설명한 '민중의 삶이 누적되어' 만들어진 '민중의 역사'를 상징한다고 볼 수 있다.

❷ '바람'과 '풀꽃들'은 화자의 가슴을 벅차게 한다는 것으로 보아 〈보기〉에 제시된 '애정과 믿음'의 대상이라고 볼 수 있다.

❸ '부질없는 되풀이'로 보이는 수많은 이들의 걸음이 실은 '무엇 하나씩 저마다 다져놓고 사라진다'는 것은 민중의 삶이 역사를 만드는 원동력이라는 화자의 깨달음과 관련된다고 볼 수 있다.

❺ 화자가 주저앉아서는 안 된다고 생각하는 것은 앞선 이들의 발걸음처럼 지금 자신의 발걸음도 '산길', 즉 민중의 역사를 만드는 가치 있는 행위라는 인식에 따른 것이라고 볼 수 있다.

memo